TRANSFORMANDO LAS ECONOMÍAS

Haciendo que la política industrial funcione
para el crecimiento, el empleo y el desarrollo

TRANSFORMANDO LAS ECONOMÍAS
Haciendo que la política industrial funcione para el crecimiento, el empleo y el desarrollo

INTERNATIONAL LABOUR OFFICE · GENEVA

Plaza y Valdés S. L.
Calle Murcia, 2. Colonia de los Ángeles
28223 Pozuelo de Alarcón
Madrid (España)
Tel: (34) 918126315
e-mail: madrid@plazayvaldes.com

Plaza y Valdés, S. A. de C. V.
Manuel María Contreras, 73
06470, Colonia San Rafael
México, D. F. (México)
Tel: (52) 5550972070
e-mail: editorial@plazayvaldes.com

Oficina Internacional del Trabajo (OIT)
4, route des Morillons
1211 Ginebra 22 (Suiza)
Tel : (41) 22 7996063
e-mail : ILOPubs@ilo.org

ISBN: 978-92-2-328565-4 (impreso)
ISBN: 978-92-2-328566-1 (PDF)

ISBN: 978-84-17121-13-6

Depósito Legal: M-32272-2017

Páginas web: www.plazayvaldes.com / www.ilo.org/publns

Impreso en España / Printed in Spain

Índice

Introducción

Parte I. Transformación productiva: modelos y políticas

Parte III. Política industrial en proceso:
diseño y ejecución

Editores y colaboradores

Editores

Richard Kozul-Wright es director de la División de Estrategias de Globalización y Desarrollo de la UNCTAD. Ha trabajado en la Organización de las Naciones Unidas, tanto en Nueva York como en Ginebra. Posee el doctorado en Economía por la Universidad de Cambridge, Reino Unido; y ha publicado un gran número de obras sobre temas económicos, entre otros, *The Economic Journal*, el *Cambridge Journal of Economics*, *The Journal of Development Studies* y el *Oxford Review of Economic Policy*. Su último libro es *The Resistible Rise of Market Fundamentalism* (junto a Paul Rayment). Asimismo, ha editado volúmenes sobre multinacionales y sobre la economía global, inseguridad y desarrollo económico, garantizar la paz, y la protección y desarrollo medioambiental.

Irmgard Nübler ha sido economista sénior de la OIT en Ginebra desde el 2004. Actualmente coordina el programa de trabajo sobre políticas de transformación productiva, de empleo y políticas industriales. Antes de unirse a la OIT, trabajó como profesora de economía en la Universidad Libre de Berlín durante trece años. Dirigió trabajos de investigación en el Instituto de Tecnología de Massachusetts, en Boston; en el Instituto para Estudios de Desarrollo de la Universidad de Nairobi y el Instituto Internacional de Estudios Laborales, en la OIT de Ginebra, y trabajó como consultora para varios organismos de desarrollo, tanto nacionales como internacionales. Obtuvo el doctorado en Economía por la Universidad Libre de Berlín. Ha realizado publicaciones sobre política económica e industrial, globalización, tecnología, educación, formación, economía informal y desarrollo humano. Su próximo libro se titula *Capabilities, productive transformation and development: A new perspective on industrial policies*.

José Manuel Salazar-Xirinachs (doctor, Universidad de Cambridge, Reino Unido) ha sido Director Regional de OIT para América Latina y el Caribe desde Junio del 2015. Anteriormente, desde agosto de 2005 fue Director Ejecutivo del Sector Empleo, con la responsabilidad global del trabajo de OIT en el tema del empleo. Antes de unirse a la OIT, trabajó como director de la Oficina de Comercio, Crecimiento y Competitividad de la Organización de Estados Americanos (OEA), donde prestó asistencia a los Estados miembros en las negociaciones para el establecimiento del Área de Libre Comercio de las Américas (ALCA) (1998-2005); fue ministro de Comercio Exterior de Costa Rica (1997-1998); economista principal y posteriormente director ejecutivo de la Federación de Entidades Privadas de Centroamérica y Panamá (1990-1997); miembro de la Junta Directiva del Banco Central de Costa Rica (1995-1997); y presidente ejecutivo de la Corporación Costarricense de Desarrollo (1988-1990). Es autor de numerosos artículos académicos sobre políticas de desarrollo, comercio y competitividad y ha escrito y editado varios libros, entre los que se incluyen *Hacia el libre comercio en las Américas* (Brookings Institution, 2001), *La promoción de empresas sostenibles* (OIT, 2008) y *Comercio y empleo: de los mitos a la realidad* (OIT, 2011).

Colaboradores

Tilman Altenburg es director del Departamento de Competitividad y Desarrollo Social del Instituto Alemán de Política de Desarrollo (DIE), que es el grupo de reflexión financiado por el Gobierno para la política del desarrollo en Alemania. Antes de unirse al DIE en 1995, fue investigador en el Instituto de Latinoamérica de la Universidad Libre de Berlín y la Universidad Philipps de Marburg. Obtuvo el doctorado en Geografía Económica por la Universidad de Hamburgo de Alemania, en 1991. Desde 1986, ha llevado a cabo una investigación empírica sobre asuntos relacionados con el desarrollo económico de América Latina, Asia y África, centrándose en la competitividad, en la política industrial y la política de innovación, en la promoción de pequeñas y medianas empresas y en el desarrollo de las cadenas de valor. Actualmente, se encuentra coordinando diversos proyectos de investigación internacional sobre política industrial basada en emisiones de bajo carbono en países en desarrollo. Publica con regularidad artículos académicos sobre estos asuntos y trabaja como consejero del Gobierno alemán y de organismos de desarrollo internacionales.

Rodrigo Astorga ha trabajado como consultor en la División de Producción, Productividad y Gestión y, actualmente, en la División de Desarrollo Social de la Comisión Económica para América Latina y el Caribe desde el 2011. Terminó sus estudios universitarios y de posgrado en la Universidad de Chile, donde ha trabajado como ayudante de investigación desde el 2008. También es coautor, junto a Jorge Katz, de un capítulo del libro *Sistemas de innovación para un desarrollo inclusivo: La experiencia latinoamericana* (LALICS).

M. Suresh Babu es profesor adjunto en el Departamento de Humanidades y Ciencias Sociales del Instituto Indio de Tecnología de Madras, en India. Su investigación se centra en el desarrollo industrial de la India, aplicado en macroeconomía, comercio y desarrollo. Es coautor de *What and how do Indian firms innovate?* (Macmillian, 2010). Ha publicado artículos sobre varios aspectos del desarrollo industrial de la India en los periódicos más importantes, tanto nacionales como internacionales, y en medios de comunicación muy populares.

Byung You Cheon ha sido profesor en la Universidad Hanshin de la República de Corea desde el 2009. Obtuvo el doctorado en Economía por la Universidad Nacional de Seúl y ha trabajado como investigador en el Korea Labour Institute durante diez años. Ha publicado libros y artículos de investigación sobre economía laboral y políticas sociales, entre los que se incluyen: *A study of incentive problems of welfare state* (2013), *Drivers of income inequality in Korea* (2012) y *Economic Crisis and Labour in Korea* (2020, coautor).

Mario Cimoli es director de la División de Desarrollo Productivo y Empresarial de la Comisión Económica para América Latina y el Caribe, y profesor de Economía en la Universidad de Venecia (Ca' Foscari). En 2004 fue nombrado codirector de dos grupos de trabajo: Política Industrial y Derechos de Propiedad Intelectual Regímenes para el Desarrollo (*Initiative for Policy Dialogue* de la Universidad Columbia de Nueva York). Recibió el Philip Morris Chair of International Business (2004) en la Escuela Sant'Anna de Estudios Avanzados de la Universidad de Pisa. Da conferencias, escribe y publica libros y artículos sobre economía y asuntos de política industrial, ciencia, tecnología e innovación.

João Carlos Ferraz es director del Banco de Desarrollo de Brasil (BNDES). Su responsabilidad engloba la investigación económica, la gestión de riesgos y la planificación empresarial. Es el representante del BNDES en la Secretaría Ejecutiva de la Política Industrial de Brasil. Además, es profesor, en excedencia, en el Instituto de Economía, Universidade Federal do Rio de Janeiro y director, en excedencia, de la Comisión Económica para América Latina y el Caribe. Obtuvo el doctorado en Filosofía por la Universidad de Sussex. Ha publicado más de cincuenta artículos en libros y revistas académicas.

Piergiusseppe Fortunato es economista de la Conferencia de las Naciones Unidas sobre Comercio y Desarrollo. Antes de unirse a la UNCTAD, trabajó como economista con el Departamento de Asuntos Económicos y Sociales de las Naciones Unidas. Anteriormente, fue profesor adjunto de Economía en la Universidad de Boloña y llevó a cabo investigaciones en la Université Paris-1 Panthéon-Sorbonne. Sus intereses por la investigación incluyen la economía política y el crecimiento a largo plazo, el desarrollo económico y la integración Sur-Sur. En este ámbito ha hecho publicaciones en revistas como *The Economic Journal, The B.E. Journal of Thoretical Economics* y en el *Global Policy*.

Gary Gereffi es profesor de Sociología y director del Centro de Globalización, Gobernanza y Competitividad de la Universidad de Duke. Ha publicado numerosos libros y artículos sobre la globalización, la modernización industrial y el desarrollo económico y social en distintas partes del mundo, entre los que se incluyen *Global value chains in a post-crisis world: A development perspective* (Banco Mundial, 2010) y *Shifting end markets and upgrading prospects in global value chains* (número especial del *International Journal of Technological Learning, Innovation and Development*, 2011). Acaba de finalizar un proyecto de investigación de tres años, «*Capturing Gains*», y actualmente está trabajando sobre las cadenas de valor mundiales en el mundo posterior al Consenso de Washington y la función de las políticas industriales en las economías emergentes.

Xiao Jiang actualmente es profesor adjunto de economía en la Universidad Denison, en Granville, Ohio, en los Estados Unidos, y consultor para la OIT. Anteriormente, fue investigador junior en el Departamento de Integración de Políticas de la OIT. Se doctoró en Economía en la New School for Social Research de Nueva York. Su investigación se centra en el comercio internacional y el desarrollo, el análisis de las cadenas de valor mundiales y la economía política clásica.

David Kumper posee el doctorado en Economía de la Universidade Federal do Rio de Janeiro (1998). Actualmente es profesor adjunto del Instituto de Economía da Universidade Federal do Rio de Janeiro (IE/UFRJ), en Brasil, donde coordina el Grupo de Investigación sobre la Industria y la Competitividad. Entre otras actividades, es editor del *REC - Journal of Contemporary Economic of IE/UFRJ*, miembro del Consejo Económico de la Federação das Indústrias do Estado de São Paulo y columnista del periódico *Valor Econômico*. Es consejero en la oficina del presidente del Banco de Desarrollo de Brasil.

Dic Lo es profesor adjunto de Economía en la Escuela de Estudios Orientales y Africanos de la Universidad de Londres, Reino Unido. También es codirector del Centro de Investigación sobre Economía Política en la Universidad Renmin de China. Sus últimas publicaciones incluyen *Alternatives to neoliberal globalization: Studies in the political economy of institutions and late development* (Basingstoke and London, Palgrave Macmillan, 2011).

Elvis Melia está realizando el doctorado en la Universidad de Duisburg-Essen, Alemania. Su investigación se centra en los cambios institucionales y los resultados de la política industrial en el África Subsahariana. Actualmente, está examinando las estrategias de la política industrial de los condados de Kenia recién creados —un campo de investigación fundado por Friedrich Ebert Foundation (FES)—. Es licenciado en Ciencias Políticas y posee un máster en Relaciones Internacionales y Políticas de Desarrollo, ambos por la Universidad de Duisburg-Essen.

William Milberg es decano y profesor de Economía en la *New School for Social Research*. Su investigación se centra en la relación existente entre la globalización y la distribución de los ingresos y en la historia y la filosofía de la economía. Ha trabajado como consultor para el PNUD, la OIT, UNCTAD y el Banco Mundial. Es autor (junto a Deborah Winkler) de *Outsourcing economics: Global value chains in capitalism development* (Cambridge University Press).

Irmgard Nübler (véase más arriba).

José Antonio Ocampo es director del Programa de Desarrollo Económico y Político y miembro del Comité de Pensamiento Global en la Universidad de Columbia. Entre los años 2008 y 2010 también trabajó como codirector del Proyecto PNUD/OEA sobre el «Programa para una democracia de ciudadanía en América Latina» y en 2009 como miembro de la Comisión de Expertos de la Asamblea General de la ONU sobre las Reformas del Sistema Monetario y Financiero Internacional. Anteriormente trabajó en distintos puestos en las Naciones Unidas, el más importante el de secretario general adjunto para Asuntos Económicos y Sociales (Nueva York), y como secretario ejecutivo en la CEPAL, como ministro de Hacienda y Crédito Público de Colombia, como presidente del Consejo del Banco Central de Colombia, director del Departamento Nacional de Planeación, ministro de Agricultura y Desarrollo Rural y director de FEDESDESARROLLO. Obtuvo el doctorado en Economía por la Universidad de Yale y ha publicado una gran cantidad de obras sobre teoría y política macroeconómica, cuestiones financieras internacionales, desarrollo económico y social, comercio internacional y sobre la historia económica de Colombia y América Latina. En 2008 fue galardonado con el Premio Leontief para los Avances de las Fronteras del Pensamiento Económico.

Eva Paus es profesora de Economía y Directora del Carol Hoffmann Collines del McCulloch Center for Global Initiatives en Mount Holyoke College, Massachusetts, EE. UU. Es autora y editora de un gran número de libros y artículos sobre desarrollo económico y globalización. Su investigación actual está centrada en la trampa de la renta media, las implicaciones del ascenso de China para las perspectivas de un cambio estructural impulsado por el crecimiento en otros países en desarrollo y el espacio político para la transformación productiva bajo la globalización. Su último libro es *Getting development right: Structural transformation, inclusion and sustainability in the post-crisis era* (Palgrave Macmillan, 2013).

Gabriel Porcile es licenciado y doctorado en Economía por la Universidad de Londres, 1995. Es funcionario de Asuntos Económicos en la Comisión Económica para América Latina y el Caribe, profesor en la Universidad Federal de Paraná (UFPR) de Brasil e investigador en el Consejo Nacional para el Desarrollo Industrial y Tecnológico (CNPQ). Ha publicado un cuantioso número de obras sobre el desarrollo económico, la tecnología y el crecimiento. Sus últimas publicaciones son «Technology, structural change and BOP-constrained growth: A structuralist toolbox» (*Cambridge Journal of Economics*, 2014, junto a Mario Cimoli) y «Economic growth and income distribution with heterogeneous preferences on the real Exchange rate» (*Journal of Post-Keynesian Economics*, 2013, junto a Gilberto Tadeu Lima).

Carlos Razo es economista en la Oficina del Director de la División de Tecnología y Logística de la Conferencia de las Naciones Unidas sobre Comercio y Desarrollo (UNCTAD). Ha publicado y colaborado en distintos documentos, artículos, capítulos de libros e informes sobre asuntos relacionados con la organización industrial, la economía internacional y el desarrollo. Comenzó su carrera en las Naciones Unidas con la Comisión Económica para América Latina y el Caribe (CEPAL), donde fue uno de los principales autores del Informe de Inversión Extranjera Directa de la región. Antes de unirse a las Naciones Unidas, trabajó en Londres para una importante empresa consultora europea especializada en política de competencia; como profesor en la Universidad de Economía Nacional de Bielorrusia, en Minsk; y anteriormente como ingeniero industrial en el sector manufacturero de México.

Felipe Silveira Marques posee el doctorado en Economía Industrial y Tecnológica del Instituto de Economía de la Universidad Federal de Rio de Janeiro, Brasil (2009). Lleva trabajando en el Banco de Desarrollo de Brasil seis años, donde es consejero en la Oficina del Presidente, trabajando sobre política industrial en las Divisiones de Planificación e Investigación Económica.

Volker Treichel es el jefe del sector del Banco Mundial para Costa de Marfil, Benín, Burkina Faso y Togo y es responsable del diálogo de política económica y de las operaciones de apoyo presupuestario con los cuatro países. Fue el economista principal de la Oficina del economista en jefe y vicepresidente sénior (2010-12). Durante ese tiempo fue coautor de diversos documentos de trabajo junto a Justin Lin, incluidos aquellos sobre la crisis financiera mundial, la crisis de la eurozona y las estrategias de crecimiento para América Latina y Nigeria. Desde 2007 ha sido economista en jefe del Banco Mundial para Nigeria. Desde 1993 hasta 2007 fue economista en el Fondo Monetario Internacional.

Manimegalai Vijayabaskar es profesor adjunto en el Instituto para Estudios de Desarrollo de Madras. Su investigación se centra en economía política del trabajo y el desarrollo, con especial hincapié sobre cómo median las instituciones sociopolíticas en los procesos de desarrollo económico y en las transformaciones del mercado laboral. Es coeditor de *Industrial dynamics in China and India: Firms, clusters and different growht paths* (Palgrave Macmillan, 2011), *ICTs and Indian social development: Diffusion, governance, poverty* (Sage, 2008) y coautor de *Labour in the new economy* (OIT, 2001). Ha publicado en numerosas revistas especializadas y de medios de comunicación, incluidos el *Economic Times* y el *Financial Express*. Asimismo, es profesor invitado en el Departamento de Humanidades y Ciencias Sociales del Instituto Indio de Tecnología en Madras, en la India.

Robert H. Wade es profesor de Economía Política en la Escuela de Economía de Londres. Anteriormente trabajó en el Banco Mundial y fue profesor en la Universidad de Brown, la de Princeton y el Instituto de Tecnología de Massachusetts. En 2008 fue galardonado con el Premio Leontief para los Avances de las Fronteras del Pensamiento Económico. Su libro *Governing the market* ganó el Premio al Mejor Libro sobre Economía Política de la Asociación Americana de Ciencias Políticas. Su obra reciente trata sobre las tendencias en el crecimiento mundial, la pobreza y la desigualdad, el movimiento de la gobernanza global hacia la «multipolaridad sin multilateralismo» (es decir, la erosión de la mayoría de las organizaciones internacionales), las causas de la actual recesión económica mundial, el debate sobre el papel del Estado y la ética del economista.

Mei Wu está estudiando el doctorado de Economía en la Escuela de Estudios Orientales y Africanos de la Universidad de Londres, Reino Unido. Su investigación se centra en la política industrial, la inversión extranjera directa y el desarrollo económico regional en la provincia de Duangdong, en China.

Justin Yifu Line es profesor y decano honorario en la Escuela Nacional de Desarrollo de la Universidad de Pekín (China). Fue vicepresidente sénior y economista en jefe del Banco Mundial (2008-12). Sus publicaciones recientes incluyen *Against the consensus: Reflections on the Great Recession; The quest for prosperity: How developing countries cant take off; New structural economics: A framework for rethinking development and policy;* y *Demystifying the Chinese economy.*

Nimrod Zalk es consejero sobre Estrategia y Política de Desarrollo Industrial en el Departamento de Comercio e Industria de Sudáfrica (DTI). Anteriormente fue director general adjunto de la División para el Desarrollo Industrial (IDD) del DTI. Ha sido la persona responsable de una serie de procesos relacionados con la industrialización de Sudáfrica y de África, incluidos el desarrollo y la puesta en marcha del Marco Nacional de Política Industrial de Sudáfrica y los Planes de Acción Anuales de Política Industrial, así como del diseño y aplicación de las iniciativas de política industrial que incluyen varias estrategias del sector, los instrumentos de financiación industrial y el aprovechamiento de la contratación para el desarrollo industrial.

Agradecimientos

Este libro tuvo su origen en un taller organizado conjuntamente por la OIT y la UNCTAD en febrero del 2012 sobre «Crecimiento, transformación productiva y empleo: nuevas perspectivas acerca del debate sobre política industrial». Queremos dar gracias a Giovanna Centonze, que ayudó en la preparación de ese taller y durante las primeras etapas de este libro. Asimismo, nos gustaría ampliar nuestro agradecimiento a todos los participantes del taller de los cuales no hemos podido incluir su documentación en ese volumen.

El taller estuvo motivado por el reconocimiento de que tras la crisis financiera del 2007-08 volver a «los negocios de siempre» no era ni deseable ni tampoco posible, y existía una necesidad de acelerar y sostener un crecimiento inclusivo rico en puestos de trabajo en los países en desarrollo. Algunos capítulos de este libro son producto de un proyecto de investigación de la OIT sobre las «capacidades para la transformación productiva». Nos gustaría dar gracias a todos los que han colaborado en este proyecto de investigación por su compromiso.

Hemos recibido mucho apoyo y muchos ánimos por parte de muchos colegas durante la preparación de este volumen. En especial, queremos dar gracias a Shaun Ferguson de la UNCTAD, a Alexia Deleligne y a Martin Linden de la OIT, que supervisaron cuidadosamente los documentos y nos recordaron las fechas límite. También queremos expresar nuestro agradecimiento a Sujaree Thingrodrai, Carole Coates y Rowena Ferranco de la OIT por su valiosa asistencia administrativa, y a Charlotte Beauchamp por sus grandes consejos y su apoyo continuo a lo largo del proyecto de este libro. A Rolf van der Hoeven, Duncan Campbell y a otros tres revisores externos que leyeron y comentaron los capítulos de este volumen y proporcionaron una guía útil para avanzar con el libro. Por último, nos gustaría agradecer al equipo del Servicio de Producción, Impresión y Distribución de Documentos y Publicaciones (PRODOC) de la OIT, y en especial a Ksenija Radojevic Bovet, por su riguroso trabajo y su gran profesionalismo a lo largo de todo el proceso de edición y publicación.

Índice de abreviaturas

ACP	Acuerdos comerciales preferenciales
AFDB	Banco Africano del Desarrollo
ASEAN	Asociación de Naciones del Sudeste Asiático
BDP	Balanza de pagos
BNDES	Banco Nacional de Desarrollo de Brasil
BRICS	Brasil, Federación de Rusia, India, China y Sudáfrica
CEPAL	Comisión Económica para América Latina y el Caribe
CMN	Corporaciones multinacionales
CVM	Cadenas de valor mundiales
ELE	Estructura de Logro Educativo
EPE	Empresas de propiedad estatal
FMI	Fondo Monetario Internacional
GEAR	Crecimiento, Empleo y Redistribución (África del Sur)
GPTS	Espacio global de productos y tecnologías
GRI	Institutos de investigación patrocinados por el gobierno (República de Corea)
HRD	Desarrollo de Recursos Humanos
I+D	Investigación y desarrollo
I+D I	Investigación y Desarrollo en Ingeniería
IED	Inversión extranjera directa
INB	Ingreso nacional bruto
IOE	Industrialización orientada a las exportaciones
IPAP	Plan de Acción de la Política Industrial (Sudáfrica)
IPR	Índice de participación relativa

IVE	Industrialización verticalmente especializada
IDC	Corporación para el Desarrollo Industrial (Sudáfrica)
ISI	Industrialización por sustitución de importaciones
MCCA	Mercado Común Centroamericano
OIT	Organización Internacional del Trabajo
MEC	Complejo de minerales y energía
Mercosur	Mercado Común del Sur
MOE	Ministerio de Educación
NAFTA	Tratado de Libre Comercio de América del Norte
NASSCOM	Asociación Nacional de Compañías de Software y Servicios (India)
NIC	Países recientemente industrializados
NIPF	Marco Nacional de Política Industrial (Sudáfrica)
NME	Nuevo modelo económico
OBM	Fabricante de marca original
ODM	Fabricante de diseño original
OCDE	Organización para la Cooperación y Desarrollo Económico
OCDE STAN	Base de datos sobre análisis estructural STAN (OCDE)
OEM	Fabricante de equipo original
OMC	Organización Mundial de Comercio
ONG	Organizaciones no gubernamentales
ONUDI	Organización de las Naciones Unidas para el Desarrollo Industrial
OPT	Comercio de perfeccionamiento activo
PIB	Producto interior bruto
PIT	Política industrial y tecnológica
PMD	Países menos desarrollados
PPP	Paridad del poder adquisitivo
Pymes	Pequeñas y medianas empresas
SARB	Banco de Reserva de Sudáfrica
SI	Índice de sofisticación
TCR	Tipo de cambio real
TI	Tecnología de la información
TIC	Tecnologías de la información y la comunicación
UE	Unión Europea
UNCTAD	Conferencia de las Naciones Unidas sobre Comercio y Desarrollo
VAM	Valor añadido de la manufactura

Introducción
Política industrial, transformación productiva y empleos: Teoría, historia y práctica

José M. Salazar-Xirinachs, Irmgard Nübler y Richard Kozul-Wright

1. Los desafíos de la política industrial y los objetivos de este libro

Ningún país ha podido hacer el arduo viaje que parte de una pobreza rural generalizada hasta alcanzar la riqueza postindustrial sin emplear políticas gubernamentales con direccionalidad y selectivas, con el fin de modificar su estructura económica y estimular su dinamismo económico. Además, resulta difícil concebir cómo los países, en todos los niveles de desarrollo, pueden responder de forma constructiva a los desafíos contemporáneos —desde la creación de empleo y la reducción de la pobreza, hasta la participación en la revolución tecnológica y las cadenas de valor mundiales, promoviendo la energía limpia y eficiente, para mitigar el cambio climático y ecologizar la economía— sin utilizar algún tipo de política industrial selectiva.

El proceso de transformación estructural sigue siendo un desafío para economías en desarrollo y emergentes. Sus esfuerzos para mejorar y diversificarse tienen lugar en una economía mundial interdependiente donde los países que se industrializaron más temprano ya han acumulado habilidades propicias (experiencia y especialización a nivel individual y empresarial, junto con conocimientos colectivos y fuentes de creatividad) y capacidades productivas (incorporadas en factores de producción y en infraestructuras físicas y tecnológicas) que otorgan a sus productores unas ventajas de coste y productividad importantes; y los equipan para extender la frontera tecnológica a través de la investigación y la innovación. Estos avances ofrecen a los países en desarrollo muchas oportunidades para ponerse rápidamente al día, aprendiendo a dominar las tecnologías y los productos ya disponibles en países más desarrollados. La pregunta clave es: ¿cómo puede acelerarse ese aprendizaje? El crecimiento convergente implica dos procesos diferentes pero relacionados entre sí: en primer lugar, el refuerzo de lo que podría llamarse «habilidades propicias», aquellas que permiten a las economías en desarrollo provocar, acelerar y gestionar la transformación estructural y tecnológica; y, en segundo lugar, la acumulación de las capacidades productivas a través de procesos sostenibles de inversión. En ambos aspectos, el éxito requiere políticas activas que proporcionen incentivos, dirección y coordinación.

Es posible que muchas de las actividades y sectores de mayor valor añadido que caracterizan la transformación productiva exitosa hoy día sean más intensivas en capital que sus homólogos en el pasado, a causa, en parte, del más rápido acceso a la tecnología y a equipos de capital que se producen en las economías más avanzadas; pero también a causa de las presiones ocasionadas por el aumento de la competencia global, que solo se pueden satisfacer de manera sostenida mediante aumentos rápidos de la productividad. El desafío de política más importante en muchos países sigue siendo la movilización de los recursos financieros para invertir en el capital físico y humano, así como en las infraestructuras necesarias para cumplir con esas demandas.

Además, esta transformación productiva requiere que los trabajadores, las empresas y la economía, en conjunto, aprendan a adoptar tecnologías cada vez más complejas, a invertir en ellas y a producir bienes y servicios más sofisticados, así como a gestionar procesos directos y acelerados de cambio. Estos aprendizajes construyen las habilidades dinámicas que son los motores clave para el crecimiento convergente y el desarrollo económico. Estas habilidades moldean los patrones de transformación productiva y de creación de empleo y aceleran y sostienen el proceso de crecimiento convergente. Por tanto, el reto principal al que se enfrenta cualquier Estado desarrollista es apoyar y acelerar los procesos de aprendizaje para poder desarrollar las habilidades dinámicas a todos los niveles (Nelson y Winter, 1982; Lall, 1992; Greenwald y Stiglitz, 2014; Nübler, capítulo 4 de este volumen).

La presencia de excedente de mano de obra o de subempleo, en la mayoría de los países en desarrollo, plantea el problema concreto de cómo conseguir el crecimiento de la productividad y la creación neta de puestos de trabajo de manera simultánea, para que el camino de crecimiento sea inclusivo y sostenido, además de sostenible. La transformación estructural y el cambio tecnológico afectan a la productividad, así como a la cantidad y calidad del empleo, en formas muy distintas. Generan y destruyen puestos de trabajo en empresas y transforman el carácter, la calidad y el perfil de los empleos, transformando, también así, las estructuras ocupacionales y los modelos de empleo de la mano de obra. El reto de política es promover patrones de transformación estructural y de cambio tecnológico que logren un buen balance entre los dos objetivos fundamentales de crecimiento de la productividad y más y mejores empleos. Una forma en la que los países de industrialización tardía han intentado conseguir este equilibrio es produciendo una gran cantidad de productos intensivos en mano de obra para exportación. Esto posibilita que el empleo en el sector manufacturero se expanda más allá de los límites establecidos por el mercado interno. En la misma línea, una economía madura, con un margen competitivo en sectores industriales clave y un excedente comercial en bienes manufacturados, puede, por lo general, emplear más mano de obra en esas actividades y, así, retrasar la desindustrialización. Sin embargo, cada vez se reconoce de una forma más clara que un crecimiento basado en las exportaciones no puede ser una opción para todas las economías, en especial para las economías sistémicamente grandes, y que se debe prestar mayor atención a ampliar la demanda interna —con más razón desde la crisis financiera de 2007-08 (UNCTAD, 2013)—.

La historia ha demostrado que en todos los casos en los que se ha conseguido un crecimiento convergente con éxito, el Gobierno ha jugado un papel proactivo, ya sea creando mercados, apoyando a las empresas, fomentando la modernización tecnológica, respaldando los procesos de aprendizaje y la acumulación de habilidades, eliminando los cuellos de botella de infraestructuras para el crecimiento, reformando la agricultura y/o proporcionando financiación. Sin embargo, esto no quiere decir que todos los éxitos logrados sigan un modelo uniforme; por el contrario, abarcan una gran variedad de políticas y arreglos institucionales distintos. De hecho, a causa, en parte, de la amplia variedad de patrones de intervención del Estado utilizados para acelerar el crecimiento y el desarrollo, la política industrial ha sido una de las áreas más incomprendidas de la política económica y de desarrollo, y tanto los defensores como los detractores tienden por igual a adoptar posiciones arraigadas y a menudo hostiles. No obstante, en los últimos años y, sobre todo, desde la reciente crisis financiera, se ha dado un cierto grado de reconciliación entre las dos perspectivas, basado, en parte, en una mejor comprensión del desempeño de las políticas industriales —tanto en sus éxitos como en sus fracasos—. Ahora, por ejemplo, está claro que los aranceles proteccionistas pueden ser excesivos, con consecuencias negativas, y que las medidas de «política industrial dura» pueden tergiversarse. También está claro, tal y como se ha reconocido en los últimos estudios (Pagés, 2010; Devlin y Moguillansky, 2011), que hay muchos casos en los que las políticas industriales han tenido éxito con un impacto considerable y positivo en el desarrollo. Estas últimas tampoco están limitadas a los bien conocidos ejemplos de países del Asia Oriental. Irlanda y Costa Rica fueron ambiciosos y exitosos en definir los criterios para elegir los sectores en los cuales hacer apuestas estratégicas y, en estos casos particulares, utilizando la inversión extranjera directa (IED) como herramienta para la política industrial. Brasil logró crear sectores siderúrgicos y aeronáuticos competitivos, que ahora están generando exportaciones importantes. De hecho, la política industrial es ampliamente reconocida en toda América Latina por haber sido de gran importancia a la hora de lanzar nuevas actividades de exportación en la región[1]. La contribución de Robert Wade en este libro (capítulo 14) muestra que, especialmente, pero no exclusivamente, en el sector de la alta tecnología, los Estados Unidos no solo han utilizado la política industrial de manera extensa y exitosa[1], sino que también han expandido y mejorado su alcance.

Las reciente reconciliación de posiciones se ha debido también, en buena parte, al rompimiento de la hegemonía ideológica del pensamiento neoclásico y a las contribuciones de distintas corrientes económicas. La economía de crecimiento, el estructuralismo, la economía institucional y la tradición evolutiva han producido una gran riqueza de nuevas investigaciones sobre la transformación productiva, el crecimiento convergente y las políticas industriales, utilizando distintos marcos analíticos en los que cada uno resalta distintas dimensiones del reto del crecimiento convergente. Juntos, estos marcos amplían y enriquecen el alcance de las políticas industriales. El fracaso de los países en desarrollo en traducir el crecimiento económico en creación de empleos, en reducción de la pobreza y en mejora de la calidad de vida, también ha contribuido a generar nuevo pensamiento sobre la importancia de las políticas y las estrategias, incluyendo las políticas industriales, para la promoción proactiva de múltiples objetivos de desarrollo (OIT, 2011; ONUDI, 2013; ECA, 2013; Banco Mundial, 2013; OCDE, 2013).

Por lo tanto, un primer objetivo de este libro es reconocer la relevancia de las distintas tradiciones en la economía del desarrollo y las contribuciones de sus distintos marcos para el análisis y diseño de la política industrial. Cada uno de esos marcos resalta objetivos diferentes de las políticas industriales, plantea retos de política diferentes y, de este modo, propone ámbitos y alcances diferentes para las políticas industriales o de desarrollo productivo. Durante la última década, la amplia experiencia de las economías emergentes y en desarrollo situó a estos países, quizás por primera vez, a la vanguardia del debate sobre políticas industriales. En los capítulos de este libro se aborda esa experiencia. Asimismo, la aplicación de distintos marcos analíticos en la práctica de las políticas industriales puede contribuir a una mejor comprensión de lo que es necesario para impulsar políticas de transformación productiva con éxito.

---

[1] El proyecto de investigación del Banco Interamericano de Desarrollo «The emergence of new successful export activities in lac» analiza casos del «descubrimiento» de nuevas actividades competitivas y concluye que la política industrial fue muy importante a la hora de resolver problemas de coordinación que condujeron al descubrimiento. Véase Pagés (2010), cap. 11.

Un segundo objetivo es promover un enfoque mucho más integrado de las políticas de transformación productiva. Esto es crucial para conseguir una política industrial efectiva. Solo un conjunto coherente de políticas macroeconómicas, de comercio, de inversión, sectoriales, del mercado laboral y financieras puede responder de forma adecuada a los innumerables retos de la transformación estructural y creación de puestos de trabajo decentes a los que se enfrentan los países hoy en día. Las estrategias para mejorar las habilidades y lograr un crecimiento convergente acelerado requieren políticas de educación, formación, inversión, comercio y tecnología que fomenten el aprendizaje a distintos niveles y en distintos lugares —escuelas y colegios, empresas, cadenas de valor, redes organizacionales y sociales—. Centrarse sistemáticamente en la coherencia añade otra dimensión al diseño y análisis de la política industrial. Hasta el momento, la coherencia de las políticas no ha sido, por lo general, un objetivo suficientemente explícito ni en la investigación y el análisis ni en las políticas de industrialización en la práctica.

Un tercer objetivo es explorar los vínculos entre la transformación productiva, la creación de puestos de trabajo y el crecimiento del empleo. El nuevo debate sobre la transformación productiva es deficiente en este ámbito y, sin embargo, es importante hacer estos vínculos explícitos, especialmente con vistas al rápido crecimiento de la oferta laboral en la mayoría de las economías emergentes y de los países en desarrollo. Las políticas industriales han de diseñarse con el objetivo de fomentar patrones de transformación estructural que tengan el potencial de acelerar no solo la creación de más empleos, sino que sean mejores y más productivos. Los empleos más productivos conducen a mayores niveles de ingresos, a la reducción de la pobreza, a la mejora de la calidad de vida y a una mayor demanda interna, proporcionando salarios decentes, buenas condiciones laborales, formación, protección social y respeto de los derechos de los trabajadores. Mejores puestos de trabajo, en el sentido de aquellos con mayor valor para el crecimiento convergente y dinámico, incluyen los que tienen un mayor contenido de alta tecnología y cualificación y ofrecen a los trabajadores oportunidades de adquirir nuevos conocimientos y competencias tecnológicas. Y con esto, a su vez, aportan a la mayor complejidad y diversidad de la base del conocimiento de la mano de obra, un ingrediente esencial para acelerar el proceso de crecimiento convergente.

En la siguiente sección se presenta una historia breve de la política industrial. En la tercera sección se analizan los diversos modelos y marcos económicos para las políticas de transformación productiva (basándose en los capítulos 1-5). En la cuarta sección se sintetizan lecciones y principios de los varios estudios de casos que se presentan en este volumen (capítulos 6-14), centrándose en asuntos prácticos, desde el diseño a la puesta en marcha. En la quinta sección se concluye.

2. Vida, muerte y resurrección de la política industrial

La economía, incluyendo la del desarrollo, está sujeta a modas. Cabe entonces preguntarse: ¿es la renovada atención actual en la política industrial solo una moda pasajera que probablemente se desvanecerá pronto? Esa es la conclusión a la que llega un artículo reciente de *The Economist*, que lamenta el regreso a una ideología mal encaminada de «elegir ganadores»[2]. De hecho, un análisis breve de la historia de la política industrial muestra que esta nunca ha desaparecido, sino que ha seguido estando presente bajo nombres diferentes y que ha sido aplicada tanto en países desarrollados como en países en desarrollo, incluso cuando fuertes corrientes ideológicas parecían estar fluyendo en la dirección opuesta.

No hay duda de que el período posterior a la Segunda Guerra Mundial fue la «edad de oro» de la política industrial, en gran medida porque los Gobiernos de los países desarrollados compartían un amplio consenso en el sentido de que la expansión equilibrada y coordinada, la mayor prestación de bienes y servicios públicos, un progreso tecnológico acelerado y acuerdos multilaterales bien diseñados sobre comercio y finanzas ofrecían la mejor manera de asegurar el aumento de la calidad de vida y de evitar una vuelta al despilfarro y destrucción de los años del período de entreguerras. El consenso global adoptó una serie de instrumentos de política para conseguir estos objetivos: la gestión activa de la demanda efectiva coexistió con las políticas industriales y la planificación indicativa y con la liberalización multilateral del comercio con controles del capital relativamente estrictos. El resultado fue un período de crecimiento sin precedentes de los países desarrollados, impulsado por altas tasas de inversión y un rápido progreso tecnológico, con frecuencia vinculado a la fuerte demanda de exportaciones, y respaldado por el pleno empleo y el aumento de los salarios.

Este amplio acuerdo de política también generó un entorno favorable para el crecimiento y el desarrollo de los países más pobres, permitiéndoles un amplio espacio de políticas, en el contexto del sistema multilateral de comercio, para seguir las estrategias de «gran impulso» que combinaran altas tasas de formación de capital, un potente desarrollo industrial y un cambio en la dinámica económica desde la economía rural a la urbana. Todos estos elementos ayudaron a acelerar el crecimiento de los países en desarrollo. Con frecuencia se usaron medidas de apoyo focalizadas para promover la producción agrícola (y mantener los precios de los alimentos bajo control), para desarrollar las capacidades

---

[2] *The Economist* (2010). Este artículo ve la atención que se vuelve a prestar como respuesta políticamente convincente a los problemas y amenazas a corto plazo: «La vuelta presente de la política industrial cosechará, sin duda, algunos éxitos modestos —y también enormes fracasos—».

tecnológicas y para reforzar las instituciones financieras, incluso mediante la creación de bancos nacionales de desarrollo. En algunos casos (especialmente en las economías «tigre» del Asia Oriental), estas estrategias tuvieron una orientación muy fuerte hacia las exportaciones, mientras que en otras (como América Latina y Asia del Sur) se priorizó en el crecimiento de los mercados nacionales y de los mercados integrados en el ámbito regional.

En todas estas experiencias, la evidencia muestra que los períodos de crecimiento alto y sostenido son el resultado del fomento deliberado del aprendizaje y de la acumulación de las habilidades colectivas como parte de estrategias de desarrollo industrial. Esto fue especialmente el caso en aquellos países del Asia Oriental que aplicaron políticas de educación y de formación para que la mano de obra estuviera preparada a la hora de entrar en industrias seleccionadas (véase el capítulo 7 de Cheon en este volumen) y que promovieron las capacidades tecnológicas en las empresas para permitirles diversificarse en sectores dinámicos y seguir conduciendo el proceso de imitación «creativa» (Kim, 1997). Las políticas industriales, tecnológicas y comerciales se formularon como parte de estrategias de desarrollo económico que proporcionaban una combinación de incentivos y obligaciones («mecanismos de control recíproco») para permitir y acelerar el aprendizaje de las empresas nacionales y la conversión de rentas en crecimiento de la productividad (Amsden, 2001). Al examinar la larga historia del desarrollo industrial desigual de los últimos cincuenta años se puede concluir que, a pesar de los defectos y las limitaciones, los logros asociados con estas primeras estrategias fueron importantes[3]. Como se muestra en el cuadro 1, el período comprendido entre 1950 y 1973, que normalmente se identifica como el dominado por la industrialización por sustitución de importaciones (ISI), experimentó los índices de crecimiento industrial más rápidos en los países en desarrollo que cualquier otro período del siglo XIX; además, con cierto margen. Sin embargo, estrictamente hablando, este no fue un período de crecimiento convergente, ya que las principales economías más avanzadas también presentaban unos índices sin precedentes en la historia del crecimiento industrial durante estos años; la desaceleración drástica de estos últimos países tras la crisis del petróleo de principios de la década de 1970 propició que el período de 1973 a 1990 fuera testigo de una marcada convergencia en el desempeño industrial.

---

[3] Según Ocampo y Parra (2006), en las décadas de 1960 y 1970, 50 de los 106 países en desarrollo experimentaron una expansión sostenida, definida por cuatro períodos consecutivos de cinco años con un promedio variable de crecimiento del ingreso per cápita mayor de 2 %. Véase también Maddison (2001), que proporciona una útil evaluación comparativa de cómo se desempeñaron las distintas regiones en desarrollo durante esta «edad de oro».

Cuadro 1. Tasas de crecimiento promedio per cápita del sector manufacturero, 1870-2007

	1870-90	1890-1913	1920-38	1950-73	1973-90	1990-2007
Líderes[1]	3,1	3,4	1,9	7,9	2,4	2,2
Asia[2]	1,5	4,2	4,2	8,3	5,9	4,3
América Latina	6,4	4,4	2,8	5,7	2,7	2,2
Oriente Medio y África del Norte	1,7	1,7	4,9	6,2	6,1	4,5
África Subsahariana	N/A	N/A	4,6	5,5	3,5	3,9

[1] Alemania, el Reino Unido y los Estados Unidos hasta 1938; incluye a Japón a partir de 1950.
[2] Incluye a Japón solo antes de 1950.

Fuente: Bénétrix, O'Rourke y Williamson (2012).

En un análisis de la experiencia de América Latina en la posguerra, región que estaba posicionada en el centro de los primeros debates sobre industrialización y desarrollo, Albert Hirschman (1995) se quejaba de que mucho pensamiento sobre desarrollo (tanto por parte de los teóricos de la dependencia como de los fundamentalistas del mercado) subestimaba gravemente el progreso alcanzado durante las tres décadas siguientes al fin de la Segunda Guerra Mundial y de que los «dolores del crecimiento» económico que se hicieron visibles a finales de la década de 1970 (ya sea en forma de un aumento de la desigualdad, problemas de balanza de pagos o en comportamientos «buscadores de rentas» económicas) no justificaban los cambios drásticos de políticas que caracterizaron la región después de la crisis de la deuda de principios de la década de 1980.

A pesar del éxito en el crecimiento, desde principios de la década de 1980 no solo se descartó sin contemplaciones la política industrial del debate de políticas, sino que también se la denigró como la fuente principal de las distorsiones económicas en los países ricos y pobres por igual. Hubo dos factores agravantes que condujeron a esta caída abrupta en desgracia.

El primero fue el asalto político e ideológico de amplio alcance en contra de la intervención del Estado, que comenzó a mediados de las década de 1970 en las economías avanzadas pero que Margaret Thatcher aceleró en Gran Bretaña y Ronald Reagan en los Estados Unidos a finales de la década, y que se extendió por los países en desarrollo durante la crisis de la deuda de principios de la década de 1980. Este ataque estuvo asociado a evidencia de excesos y de abusos de la política industrial, documentados en investigaciones destacadas realizadas en países en desarrollo (Little, Scitovsky y Scott, 1970; Bhagwati, 1978; Krueger, 1978). El resultado fue un consenso generalizado sobre la promoción de estrategias basadas en el mercado (liberalización, privatización, desregulación) en una búsqueda de resultados eficientes («establecer los precios correctos») (Williamson, 1993; Banco Mundial, 1987). En este entorno intelectual, que fue denominado como el «Consenso de Washington», la política industrial fue criticada y apartada.

El segundo factor fue el aumento en la movilidad del capital que comenzó en la década de 1970 siguiendo el fracaso del sistema Bretton Woods, pero que tomó un impulso considerable a partir de la década de 1980, después de la importante desregulación del sector financiero en los países avanzados y el desmantelamiento de los controles de las actividades financieras transfronterizas. El consiguiente aumento del flujo de capitales marcó una ruptura radical con el marco de la política internacional de la posguerra. A pesar de que los teóricos de los mercados financieros eficientes prometieron beneficios a gran escala, en especial para los países del Sur con escasez de capital, las décadas de 1980 y 1990 se caracterizaron, en la mayoría de las regiones, por una serie de ciclos de auge y caída que no ayudaron a fortalecer la capacidad productiva o generar un crecimiento de amplia base, principalmente en los países en desarrollo (UNCTAD, 2011). Las excepciones a este patrón fueron en el Asia Oriental, donde Estados desarrollistas fuertes que habían surgido en las décadas de 1960 y 1970 inicialmente resistieron las presiones hacia la financialición y continuaron aplicando diversas políticas para gestionar la transformación productiva y el crecimiento convergente. A principios de la década de 1980, China comenzó a reproducir este modelo de desarrollo, aunque con algunas características únicas, específicas de la historia de este país (véase el capítulo 11 de Lo y Wu en este volumen).

Sin embargo, desde la entrada del nuevo milenio, el ambiente externo cambió a favor de los países en desarrollo. No solo aumentó el volumen de entrada de capital, su coste se vio reducido y mejoraron las condiciones comerciales; sino que los precios de los productos básicos también empezaron a aumentar de forma drástica, mientras que algunos países experimentaron un aumento de las remesas. Como resultado, el crecimiento se extendió por todas las regiones en desarrollo; cierto número de países experimentaron una gran mejora en su balanza comercial, mientras que el perfil de endeudamiento de muchos otros mejoró de forma considerable.

Paradójicamente, estos cambios abrieron a los países en desarrollo un espacio para explorar un conjunto de políticas mucho más amplio que avalado por el Consenso de Washington para moldear su crecimiento y sus perspectivas de desarrollo y construir vínculos económicos y políticos más estrechos entre ellos a través de la renovada cooperación Sur-Sur. A medida que transcurría la primera década del nuevo siglo, mientras que las economías avanzadas se sentían cada vez más satisfechas e incluso complacientes sobre sus condiciones macro-económicas aparentemente estables e infatuadas con la eficacia de los mercados financieros y sus innovaciones, los países en desarrollo, principalmente de Asia, estaban experimentando con el potencial de la política industrial como parte de un discurso de desarrollo renovado del «Sur emergente», y en América Latina una serie de Gobiernos de izquierdas mantenían los marcos macroeconómicos convencionales, pero los enriquecían con políticas anticíclicas y exploraban las mejores vías para conseguir simultáneamente objetivos de transformación productiva y de inclusión social (Devlin y Moguillansky, 2011; Ocampo y Ros, 2011).

En África, diversos países experimentaron un auge satisfactorio del crecimiento en los años inmediatamente posteriores al año 2000. Sin embargo, una gran parte de este crecimiento estaba asociado al auge de los productos básicos y las industrias extractivas; como consecuencia, tuvieron un impacto escaso en los mercados laborales y en la reducción de la pobreza. De hecho, algunos países experimentaron un tipo de cambio estructural que se asoció con una caída de la productividad, en el que algunos sectores de alta productividad se vieron reducidos y el excedente de mano de obra se trasladó desde sectores de mayor productividad a los de menor, así como hacia la informalidad (McMillan y Rodrik, 2011). De hecho, la mayoría de los países del África Subsahariana han experimentado una desindustrialización prematura: el valor añadido del sector manufacturero como porcentaje del PIB disminuyó del 15 % en 1990 al 10 % en 2008 (OIT, 2011; ONUDI, 2011; UNCTAD, 2011). Ello se debe, en parte, a la velocidad y profundidad de la liberalización comercial, agravada por el abandono de la inversión en la agricultura y, en especial, a la falta de apoyo a los pequeños productores agrícolas. Estos errores de política han sido ampliamente admitidos y reconocidos en los últimos años y, tal y como argumentan Altenburg y Melia en el capítulo 13, ha habido un reconocimiento renovado sobre la importancia de la política industrial para conseguir senderos de crecimiento económicamente más sostenidos e inclusivos. Este compromiso con la política industrial del cual Nimrod Zalk realiza un análisis en el capítulo 12, ha sido más claro en países como Ruanda, Etiopía y Sudáfrica.

El resurgimiento del interés en la política industrial se vio influido por una mejor compresión, basada en evidencia irrefutable y aceptada finalmente por la corriente principal de la profesión económica, en el sentido de que los Estados desarrollistas del Asia Oriental habían usado con éxito políticas industriales para ayudarlos a adquirir, de forma más rápida, el conocimiento, la tecnología y la experiencia del resto del mundo; para asimilarla a un ritmo extraordinario y para diversificarse hacia productos nuevos y más sofisticados (Harrison y Rodríguez-Clare,

2009; Lin, 2009; Rodrik, 2007). El trabajo de la Comisión para el Crecimiento y el Desarrollo[4] del Banco Mundial, publicado en el 2006, fue un paso importante para dar una mirada fresca a las políticas industriales. El informe concluyó que los economistas carecían de un buen conocimiento sobre el proceso de crecimiento, en particular sobre el vínculo existente entre la educación, la formación y las tecnologías, por un lado, y el crecimiento, por el otro. Los autores expresaron abiertamente su preocupación de que los economistas «pueden tener un modelo equivocado del crecimiento» y reconocieron que los países difieren con respecto a las habilidades e instituciones y, por tanto, una misma política no necesariamente sirve para todos los países. En consecuencia, los países deben poder experimentar y cometer errores para que, en un mundo de rendimientos crecientes, puedan crear ventajas comparativas. El reporte identificó «el papel de la política industrial y la promoción de las exportaciones» como un ingrediente importante aunque controversial[5] para establecer tales estrategias específicas de cada país[6]. Posteriormente, el *Informe sobre Desarrollo Mundial 2013: Empleo* del Banco Mundial, al analizar lo que se llama «clima de inversión focalizado», también proporcionó una justificación para introducir selectividad en las estrategias de transformación productiva (Banco Mundial, 2012).

Otra fuente de ímpetu para rejuvenecer la política industrial provino del creciente reconocimiento de que los regímenes de política más liberales implantados habían logrado muy poco en materia de la diversificación y la mejora de la calidad en la actividad económica que se había prometido con el concepto del «ajuste estructural». El interés fue impulsado también por el debate acerca del riesgo de una «trampa de renta media» que surgió alrededor de la preocupación de que algunas economías emergentes, a pesar de haber gozado de un período de fuerte crecimiento, habían fracasado a la hora de llevar a cabo los cambios requeridos en sus estructuras productivas, necesarios para sustentar el crecimiento futuro y la creación de empleo (Eichengreen, Park y Shin, 2011).

Pero quizás el mayor impulso a la reafirmación de la política industrial fue la crisis financiera del 2007-08. La crisis sirvió para recordar que los mercados

---

[4] La Comisión estaba compuesta por especialistas en crecimiento económico de alto nivel procedentes de varias instituciones y de responsables de política, tanto de países desarrollados como de países en desarrollo.

[5] Los otros tres ingredientes controversiales son: la subvaluación deliberada del tipo de cambio; el grado y secuencia en el tiempo de la apertura de la economía a los flujos de capital; y las dificultades inherentes en desarrollar el sector financiero. Para una evaluación de las contribuciones del Reporte, véase Salazar-Xirinachs (2008).

[6] Para los escépticos a los que les preocupa la falta de capacidades del Gobierno o la captura por parte de grupos de interés y prefieren no hacer nada, el informe de la Comisión señala que la inacción lleva consigo sus propios riesgos. Afirma que, si una economía está fracasando en diversificar sus exportaciones o generar empleos productivos en nuevas industrias, es responsabilidad del Gobierno dar un impulso al proceso.

desregulados y los Estados débiles proveen un entorno institucional muy deficiente para gestionar las sociedades y las economías. De igual importancia fue que en los países avanzados la crisis generó un interés en estrategias más sostenibles e inclusivas, incluyendo una posible función para la política industrial, no solo en materia del desarrollo y de infraestructuras y economías más «verdes», sino también a la hora de abordar lo que algunos consideraron como un «vaciado» excesivo del sector manufacturero y de la base de competencias laborales.

En conclusión, si bien la política industrial cayó en desprestigio dentro del discurso económico dominante en la década de 1980 y 1990, muchos países continuaron poniéndola en práctica bajo diversos nombres, aunque algunos sectores de la profesión económica negaban esta realidad. Al echar la vista atrás, hacia aquellas décadas, se pone de manifiesto que el mejor desempeño económico fue conseguido por aquellos países que desafiaron el saber convencional y adoptaron distintos paquetes de política heterodoxa, mientras que aquellos que adoptaron todo el paquete de políticas convencionales experimentaron desindustrialización y volatilidad macroeconómica. Con base en esto y en otra evidencia relacionada, ahora la conversación entre los economistas y los practicantes de la política se está alejando cada vez más del viejo debate sobre si tener o no una política industrial y se está enfocando en los objetivos y el alcance de las políticas industriales y sobre «cómo llevarlas a cabo» de forma adecuada, según las condiciones de cada país. Por todo ello, en la sección siguiente se analizan los diferentes marcos adoptados para abordar los problemas de la transformación productiva, con el objetivo de ayudar en los desafíos prácticos a la hora de diseñar buenas políticas y evitando los errores del pasado.

3. Modelos y marcos económicos para las políticas de transformación productiva

Varias tradiciones económicas han alimentado la reciente renovación y reformulación de la conversación sobre la transformación productiva y la política industrial. En este libro se reconocen las contribuciones desde los enfoques más innovadores en la economía del desarrollo. En la primera parte se presentan algunos de los enfoques conceptuales más interesantes y los marcos recientemente desarrollados, apoyándose en las corrientes neoclásicas, estructuralistas, evolutivas e institucionales. Cada uno de ellos resalta diferentes objetivos y perspectivas y sugiere diferentes dimensiones de las políticas y estrategias de transformación estructural. Cada uno aporta percepciones importantes y unos principios de política un tanto diferentes que ayudan a guiar a los responsables de las políticas a diseñar las políticas industriales.

Si bien los distintos marcos y perspectivas presentados en la primera parte difieren con respecto a su análisis en referencia a la lógica y el alcance de las políticas industriales, reflejan una convergencia alrededor de la idea de que los Gobiernos deberían desempeñar un papel proactivo para facilitar, configurar y orientar los procesos de desarrollo; y que las políticas que promueven una transformación estructural y tecnológica y el proceso de crecimiento convergente son de especial relevancia para afrontar los desafíos a los que se enfrentan las economías contemporáneas.

Estos distintos marcos pueden considerarse como herramientas complementarias al diseño de estrategias de transformación productiva y de crecimiento convergente específicas de cada país. En conjunto, contribuyen a un mejor entendimiento de la dinámica del crecimiento convergente y de las políticas de transformación productiva y, por tanto, pueden contribuir a mejorar la formulación de las políticas en los países en desarrollo (y desarrollados).

3.1 Gestionando la transformación productiva: un marco estructuralista de la política macroeconómica

La economía estructuralista concibe los cambios en la composición de la actividad económica como uno de los principales impulsores del crecimiento y del empleo y, por lo tanto, la literatura en esta tradición se centra en explorar esa relación, adoptando un enfoque holístico que tiene en cuenta el papel de las políticas macroeconómicas, comerciales, tecnológicas y sectoriales.

El enfoque estructuralista concede una función central a la promoción del crecimiento, del empleo y la reducción de la pobreza en las políticas orientadas a facilitar la restructuración dinámica de la producción y del comercio, argumentando que «el crecimiento solo puede resolver los problemas de la pobreza si genera nuevos puestos de trabajo a un ritmo que acompañe el crecimiento de la mano de obra» (Ocampo, Rada y Taylor, 2009, p. 1). A partir de esta perspectiva, el factor clave para el incremento del ingreso en países de renta baja es la diversificación dentro y entre los sectores, en lugar de la especialización (Imbs y Wacziarg, 2003; UNCTAD, 1964). En un reciente grupo de estudios se proporciona evidencia sobre el vínculo entre patrones de diversificación y tasas de crecimiento (ver, sobre todo, Hausmann, Hwang y Rodrik, 2007; Ocampo, Rada y Taylor, 2009; Lederman y Maloney, 2012).

La aportación de José Antonio Ocampo en este volumen (capítulo 1) analiza el pensamiento estructuralista desarrollado en la Comisión Económica de las Naciones Unidas para América Latina y el Caribe (CEPAL) y la importancia actual que tiene. Aporta un análisis breve de la evidencia existente sobre los vínculos entre los patrones de las estructuras de producción y las tasas de crecimiento. Dentro de este contexto, Ocampo propone un marco estructuralista actualizado para las políticas de industrialización y presenta un análisis de la relación entre el crecimiento económico y la estructura de producción. En el capítulo, se argumenta que los países necesitan desarrollar estrategias de desarrollo productivo y actividades innovadoras con fuerte conexión con otras actividades económicas.

Ocampo, además, argumenta que la estrategia de promoción de la industrialización y las exportaciones que defendía la CEPAL, «estaba también ligada a la política macroeconómica a corto plazo, a causa de la obsesión de la institución por mantener tipos de cambio competitivos, lo que consideraba como un ingrediente fundamental de las políticas proactivas para fomentar la diversificación del sector productivo». Ocampo también muestra que la «obsesión» de la CEPAL por mantener tipos de cambio competitivos ha sido reivindicada por investigación reciente, mostrando que el tipo de cambio real es uno de los determinantes del crecimiento económico. La experiencia de los países del Cono Sur en la década de 1970 demostró que si las medidas para liberalizar el comercio se acompañaban con la apertura de la cuenta de capitales, no solo podría no darse la depreciación real esperada, sino que esta combinación podría tener el efecto totalmente contrario: una revaluación real que desincentiva las exportaciones y la industrialización. Para las políticas de transformación productiva es muy importante llevar a cabo una gestión prudente del tipo de cambio a lo largo del ciclo económico. Con base en este análisis, Ocampo recomienda seguir una estrategia de crecimiento y desarrollo que combine políticas macroeconómicas anticíclicas con una estrategia proactiva para la diversificación de la estructura productiva, concediendo especial importancia a la industrialización.

3.2 Siguiendo las ventajas comparativas (latentes): un nuevo enfoque para facilitar el crecimiento

Los modelos económicos neoclásicos son limitados en lo que pueden decir sobre el crecimiento y el desarrollo y sobre las políticas para gestionar estos procesos (Comisión sobre Crecimiento y el Desarrollo, 2008). Los modelos de crecimiento y de comercio tradicionales, desarrollados en el marco neoclásico, explican el crecimiento en términos de acumulación de factores de producción, en particular de capital físico y humano, y tecnología (Solow, 1957; Lucas, 1988). Estos modelos proponen la especialización en los productos en los cuales el país tenga ventajas comparativas, y una parte importante de la discusión de políticas se centra en el gran «residuo» que se deriva de los ejercicios contables generados por este enfoque (Aghion y Durlauf, 2007; Kenny y Williams, 2001). Si bien, en principio, las fallas del mercado proporcionan una sólida justificación para la intervención del Estado, el saber convencional de la economía neoclásica ha sido documentar casos de fallas del Gobierno y argumentar que, a causa de factores tales como burocracias miopes o incompetentes, corrupción y captura por parte del sector privado, la probabilidad de falla del Gobierno es mayor que la de falla del mercado (Krueger, 1990; Schleifer, 1998). Este enfoque se basa en una «norma perfectamente competitiva» estilizada, y el debate de políticas oponiendo «fallas del mercado» con «fallas del Gobierno» ha sido innecesariamente polarizado, prestando un flaco servicio a la política de desarrollo al excluir análisis más ricos y rigurosos acerca de cómo las instituciones y los procesos de aprendizaje pueden promover o detener la transformación estructural, bajo un conjunto particular de condiciones iniciales y circunstancias históricas. En lugar de realizar esta investigación institucional más detallada, la opinión dominante de la corriente neoclásica ha promovido unas normas de política universales y excesivamente simplistas como «establecer los precios correctos» o «quitar al Gobierno de en medio».

Los nuevos enfoques en la corriente neoclásica reconocen el papel de las instituciones y del Gobierno. Sin embargo, estas variables aún no se han integrado bien en los modelos y marcos que, por consiguiente, cuentan con un poder limitado para proporcionar recomendaciones sobre política a la hora de reforzar el vínculo entre diversos tipos de instituciones y el crecimiento. Justin Lin y Volker Treichel (capítulo 2) proponen abordar esta carencia a través de un enfoque de «Identificación y Facilitación del Crecimiento» (GIF, por sus siglas en inglés) y proponen una metodología de seis pasos para identificar y seleccionar los sectores para la inversión y el apoyo del Gobierno dentro del contexto específico de un país. Este enfoque reconoce la necesidad de un papel proactivo del Gobierno en materia de información, coordinación y externalidades inherentes al desarrollo de nuevas actividades y sectores, pero argumenta que los esfuerzos de política industrial del pasado (el paradigma del «viejo estructuralismo») fracasaron porque se basaban en una estrategia que desafiaba el concepto de la ventaja comparativa. En su lugar, recomienda que aunque las políticas industriales deben sin duda seleccionar actividades e industrias, deben cumplir una regla: centrarse en los bienes y servicios que han venido creciendo de forma dinámica a lo largo de los últimos veinte años en los países de rápido crecimiento, con dotación de factores similares, que tienen aproximadamente el doble de PIB per cápita (países de referencia), y entre ellas darle prioridad a aquellas en las que las empresas privadas nacionales ya han entrado de forma espontánea. Los intentos de remodelar la estructura de producción más allá de los límites establecidos por estas ventajas comparativas «latentes» tienen altas probabilidades de fracasar y obstaculizar el desempeño económico.

Este enfoque tiene lucidez y está orientado a la aplicación práctica. Se puede estar de acuerdo con el análisis de Ha Joon Chang de que este enfoque está en lo correcto al afirmar que cuanto más se desvíe la política industrial de la ventaja comparativa, mayor será el riesgo. Sin embargo, este enfoque no reconoce que muchos países han asumido en la práctica esos riesgos y que sus políticas industriales han sido mucho menos «conformes con las ventajas comparativas» de lo que reconoce este enfoque: «muchas historias de éxito estuvieron basadas en medidas que fueron mucho más audaces de lo que propone su regla» (Chang, 2013, p. 41). Esto puede ser en parte a causa de que, al centrarse en la ventaja comparativa, este enfoque no considera apropiadamente a las dinámicas de la modernización, el aprendizaje y las capacidades tecnológicas. Para poder prestar mayor atención a estos aspectos, hay que volver a la economía de la evolución.

3.3 Tecnología, aprendizaje e innovación

Varias corrientes en la literatura económica tratan las importantes preguntas acerca de cómo desarrollar el aprendizaje y la innovación y sobre la función de las capacidades para dar forma a la transformación estructural. Las economías de la evolución se centran en la dinámica del desarrollo económico y analizan el aprendizaje, el cambio tecnológico y la acumulación de habilidades nacionales como motores principales de la transformación productiva, que es vista como un proceso complejo, incremental y no lineal. Los economistas dentro de esta corriente afirman que las ventajas comparativas no son «dadas» sino que se construyen, y que la función de los Estados desarrollistas es diseñar políticas e instituciones que faciliten los procesos de aprendizaje[7]. Ponen énfasis en que las economías de alto desempeño son las que han encontrado las formas de transformar, de forma deliberada, sus estructuras productivas, abandonando las «actividades de baja calidad», caracterizadas por rendimientos decrecientes, el aprendizaje lento, la baja productividad y los salarios modestos; y promoviendo «actividades de alta calidad», caracterizadas por las economías de escala, curvas de aprendizaje acelerado, crecimiento alto de la producción, rápido progreso tecnológico y aumentos altos de productividad y salarios elevados

---

[7] Para ver ejemplos de trabajo sobre este aspecto, ver p. ej. Reinert (2008) y Cimoli, Dosi y Stiglitz (2009). Para un análisis del último, ver Salazar-Xirinachs y Nübler (2010)

(Cimoli, Dosi y Stiglithz, 2009). En este marco, la función del Estado es crear condiciones que favorezcan el aprendizaje.

Greenwald y Stiglitz (2013 y 2014) amplían el argumento de la «industria naciente» al caso de la «economía naciente», analizando cómo políticas comerciales, industriales, de propiedad intelectual, bien diseñadas, pueden ayudar a crear una sociedad de aprendizaje y alegan que «crear una sociedad de aprendizaje tiene mayor probabilidad de mejorar la calidad de vida que desarrollar pequeñas mejoras puntuales en eficiencia económica o promover aquellas asociadas con sacrificios de consumo para aumentar el capital» (Greenwald y Striglitz, 2013, p. 45). El enfoque de estos autores hacia el conocimiento, el escalamiento («upgrading») tecnológico y el aprendizaje está fuertemente arraigado en la tradición neoclásica y se basa en el análisis de las fallas de los mercados de información y de producción y diseminación del conocimiento y en las fallas de los mercados financieros para financiar el conocimiento y la innovación. Consideran que es de vital importancia comprender las estructura del aprendizaje dentro de una economía, incluyendo cómo se propaga entre los distintos sectores. Cuando se alcanza ese entendimiento se llega a conclusiones muy importantes de política sobre cómo incentivar la manufactura, la exportación y otros canales para el aprendizaje rápido y el crecimiento acelerado de la productividad.

Mazzucato (2013) ha presentado recientemente un nuevo e importante planteamiento sobre la función del Estado en promover el desarrollo de las capacidades tecnológicas para conseguir un «crecimiento impulsado por la innovación» en países desarrollados y de renta media. En él, demuestra que el principal impulso empresarial y los correspondientes riesgos, que están detrás del desarrollo de diversas tecnologías modernas (como la solar y la eólica, el Internet, el GPS, los dispositivos táctiles y los programas de reconocimiento de voz), han sido proporcionados mucho menos de lo que normalmente se asume, o incluso se exagera cuando se habla de «capital de riesgo» privado y más por el Estado. Mazzucato muestra cómo la política publica de los Estados Unidos y otros países jugó un papel activo en el desarrollo de estas innovaciones y de las capacidades relacionadas durante el período de mayor riesgo.

En el capítulo 3 de este volumen, Astorga, Cimoli y Porcile utilizan un modelo de crecimiento de inspiración estructuralista-evolutiva para abordar el escalamiento tecnológico, el cambio estructural y el crecimiento de la productividad y del empleo en cuatro economías en transición (Argentina, Brasil, Chile y México) durante el período de 1970 a 2008, en comparación con la República de Corea. Ellos encuentran que cuando el tipo de cambio se revalúa y las políticas industriales y tecnológicas (PIT) son deficientes o inexistentes, el crecimiento de la productividad está gestionado por la racionalización y las respuestas defensivas y no está relacionado con aumentos de la demanda efectiva. Bajo estas condiciones, los sectores más intensivos en tecnología pierden competitividad y el empleo tiende a concentrarse en actividades de productividad inferior. Por el contrario, cuando los tipos de cambio son competitivos y hay PIT activas que favorecen la diversificación de la producción, se incrementa la creación de empleo y el crecimiento de la productividad. Los autores analizan el cambio estructural en la industria manufacturera a través de una descomposición de las fuentes del crecimiento de la productividad agregada en la economía. Asimismo, señalan la importancia de la continuidad en las políticas, en contraste con cambios abruptos en el régimen de políticas, para crear un entorno de aprendizaje adecuado.

3.4 Una teoría sobre las capacidades y las estrategias de aprendizaje

Un hilo común que corre en mucha de la literatura sobre el crecimiento, el desarrollo y el cambio tecnológico es el papel que juegan las capacidades en dar forma a la transformación estructural. Los autores con una tendencia más estructuralista (Hausmann y otros, 2011) se enfocan en cómo una cierta estructura de productos y tecnologías está asociada a ciertas capacidades de mayor diversificación. Los autores que asumen una perspectiva evolutiva (entre los que se encuentran Nelson y Winter, 1982; Dosi, Winter y Nelson, 2000; Chang, 2010), enfatizan la influencia que tienen las capacidades en el proceso de aprendizaje y de crecimiento convergente. Sin embargo, todavía no se ha formulado una teoría integrada de las capacidades para explicar dónde residen, cómo evolucionan y de qué manera las políticas pueden apoyarlas y vincularlas con las dinámicas de aprendizaje y de crecimiento.

Irmgard Nübler se propone desarrollar esta teoría en el capítulo 4 de este volumen. La autora presenta un marco para el crecimiento convergente en donde las capacidades son una clave determinante de diversificación de las estructuras productivas y del cambio tecnológico. Este marco introduce una distinción entre las *capacidades productivas (productive capacities)*, que residen en la dotación de factores materiales de producción (capital físico y humano e infraestructuras) y las *habilidades productivas (productive capabilities)* que existen en la esfera del conocimiento inmaterial de la economía. Por lo tanto, países con estructuras de dotación de factores y con ventajas comparativas similares pueden diferir de manera considerable en sus habilidades. El marco también incorpora las dimensiones del *cambio estructural* y del *proceso* de la transformación productiva. Inspirándose en varias disciplinas que han desarrollado teorías explícitas de conocimiento y aprendizaje, Nübler desarrolla un concepto de capacidades basado en el conocimiento, argumentando que estas se encuentran integradas no solo en los individuos sino también en varios niveles colectivos en el ámbito de las empresas, las organizaciones, la mano de obra, las cadenas de valor y las sociedades en su conjunto. Esta conceptualización ayuda a arrojar luz sobre los lugares en los que residen las habilidades y sobre cómo pueden traducirse en transformación productiva y crecimiento. Por último, la autora elabora un concepto de aprendizaje colectivo para explicar cómo evolucionan las habilidades (*capabilities*) en procesos de aprendizaje específicos en distintos niveles y lugares (sistema de educación formal, sistema de producción, redes sociales y redes organizacionales). Sobre esta base, Nübler ofrece recomendaciones para estrategias de aprendizaje dirigidas a crear habilidades para patrones y procesos de transformación productiva de alto rendimiento. El concepto de estrategia de aprendizaje es uno integrado y abarca la educación, la formación vocacional, la tecnología, las políticas de comercio e inversión, así como las instituciones que fomentan los procesos de aprendizaje a todos los niveles. A partir de esta perspectiva, las políticas industriales son vistas como el conjunto de políticas que promueven tales estrategias de aprendizaje para acelerar y sostener la transformación productiva.

3.5 La industrialización a través de las cadenas de valor

Partes importantes de la economía mundial se han venido estructurando cada vez más en torno a las cadenas de valor mundiales (CVM), que representan un porcentaje creciente del comercio internacional, la producción y el empleo[8]. El surgimiento de estas cadenas ha sido facilitado por la «fragmentación» de la producción, consecuencia de los avances tecnológicos, y por la liberalización del comercio y la inversión de las últimas décadas (Lall, Weisss y Oikawa, 2005). También ha sido facilitado por las estrategias competitivas de las empresas multinacionales, que han buscado ubicar tareas intensivas en mano de obra y de bajo valor añadido en países con salarios bajos, manteniendo las actividades de alto valor añadido en países con salarios elevados. A las CVM se las considera como un posible trampolín o escalera para las empresas y los trabajadores de los países en desarrollo, ya que ofrecen oportunidades para integrarse en la economía global y, así, contribuir al proceso de crecimiento convergente.

Desde el punto de vista de la transformación productiva y la política industrial, las CVM tienen el potencial de convertirse en redes de aprendizaje importantes y en catalizadores para generar habilidades, capacidades productivas, así como empleo productivo. El aprendizaje mejora el desempeño y la productividad dentro

---

[8] Véase Park, Nayyar y Low (2013); Elms y Low (2013).

de la cadena de valor, lo que promueve la transformación productiva, la creación de empleos y un proceso dinámico de crecimiento convergente en la economía a través de efectos indirectos.

A pesar de la importancia de las CVM para la producción y el comercio mundial, la comprensión del vínculo entre la fragmentación creciente de la producción y el comercio en «tareas», por una parte, y la industrialización, la transformación estructural y el crecimiento convergente, por la otra, es todavía limitada. Aún mayores brechas existen en entender cómo la integración en las CVM y el escalamiento de la calidad económica se relacionan con la creación de más y mejores puestos de trabajo, oportunidades de aprendizaje y el desarrollo de las capacidades y habilidades. La UNCTAD ya había trabajado sobre este asunto y había advertido sobre el peligro para los países de «comerciar más, pero ganar menos» en el contexto de las cadenas de valor mundiales (UNCTAD, 2002).

En el capítulo 5, William Milberg, Xiao Jiang y Gary Gereffi proponen un marco de especialización vertical y de escalamiento de las cadenas de valor y abordan los retos de las políticas industriales en un contexto de cadenas de valor. Argumentan que, desde principios de la década de 1990, la ampliación de las cadenas de valor mundiales ha jugado un importante papel en cambiar el patrón de comercio internacional y ha influido de manera considerable en los procesos de industrialización y desindustrialización. El comercio basado en productos intermedios en lugar de bienes y servicios finales ha crecido muy rápidamente y, como consecuencia, ha aumentado el contenido importado de las exportaciones. Exponen que el desarrollo económico en el contexto de cadenas de valor mundiales toma la forma de «industrialización verticalmente especializada», esto es, una mejora hacia actividades y funciones de mayor valor añadido, ya sea en una cadena existente o en nuevas cadenas que generen más valor añadido en su totalidad. Sin embargo, admiten que este no es un proceso automático y que, aun cuando se persigue de forma deliberada y con éxito, los beneficios económicos pueden no corresponderse con mayores beneficios sociales.

Los autores hacen especial hincapié en que cuando la política industrial es vista a través de los lentes de las cadenas de valor mundiales, tiene elementos diferentes de la política industrial tradicional. El enfoque de las CVM pone el énfasis más sobre las empresas que sobre los mercados y los Estados y ve a las estrategias de negocios como los factores críticos de las mejoras, tanto en las empresas extranjeras como en los suplidores nacionales. Todo esto requiere que el Estado desempeñe una función diferente, fomentando la capacidad y la actividad de las empresas nacionales y su modernización industrial, así como ayudando a captar más valor añadido en la cadena de valor. Las políticas tienen que tener en cuenta los intereses y el poder de las empresas líderes de las cadenas de valor mundiales e influir en la relación entre las empresas extranjeras líderes y las empresas nacionales con un valor añadido bajo, en función de las redes internacionales y regionales de proveedores competitivos o cooperantes.

3.6 Marcos económicos alternativos y el alcance de la política industrial

Para finalizar, los diversos marcos y modelos económicos analizados anteriormente tienen consecuencias distintas para la política industrial en términos de objetivos, dimensiones, alcance e instrumentos. Por ejemplo, el enfoque GIF define las políticas industriales en un sentido limitado, con un papel acotado por el Estado, que consiste principalmente en identificar las nuevas actividades económicas y facilitar los cambios en las estructuras de dotación de factores, sin ir más allá de las fronteras de la ventaja comparativa. Por el contrario, el enfoque de las habilidades define un amplio alcance para la política industrial, encargándole promover las habilidades y los procesos de aprendizaje, así como la mejora de las capacidades productivas, y reorientar los patrones y procesos de transformación productiva hacia un crecimiento con mayor productividad; además de aumentar la cantidad y la calidad de los empleos.

En sus diferentes formas, todos estos marcos y modelos proveen fuertes justificaciones para un papel proactivo del Estado en acelerar la transformación de las estructuras productivas de una economía y para el escalamiento tecnológico. El foco en el aprendizaje, las capacidades y la innovación significa que la política industrial no es solo acerca de la manufactura, sino también acerca de la agricultura y los servicios, incluyendo infraestructura, salud, educación y formación vocacional, las tecnologías de la información y las finanzas. En otras palabras, la política industrial moderna es sobre políticas de desarrollo productivo en general.

Dentro de esta perspectiva, el análisis y el debate sobre las experiencias nacionales y regionales y sobre los tipos de intervenciones y diseños institucionales que pueden fomentar la transformación estructural son elementos esenciales del instrumental del economista especializado en política. Se debe prestar especial atención a los problemas prácticos planteados por la aplicación de políticas industriales y a los asuntos relacionados con el diseño institucional y con los incentivos que se necesitan para solucionarlos. Actualmente existe una gran riqueza de experiencias sobre la que basarse para abordar estas cuestiones. La segunda y la tercera parte de este volumen incluyen capítulos donde se habla de estas experiencias en nueve contextos diferentes.

En la sección siguiente se discuten algunos de los desafíos clave de la política que se plantean al abordar estos problemas de diseño institucional y práctico, así como algunas de las lecciones aprendidas de la experiencia.

4. Cómo hacer que funcione la política industrial: algunas lecciones y principios

El mayor consenso que existe hoy sobre el papel del Estado en influir en la transformación estructural proporciona un fundamento intelectual más firme sobre el cual se pueden diseñar políticas industriales para fomentar el aprendizaje, reforzar las capacidades y habilidades y conseguir un crecimiento convergente exitoso. En esta sección se abordan algunas lecciones y principios prácticos para desarrollar una política industrial eficaz, que pueden extraerse de los estudios de los países presentados en la segunda y tercera parte de este volumen, así como la literatura al respecto, agrupada en cinco temas: selectividad, macroeconomía, comercio, aprendizaje y habilidades, y diseño institucional y político.

4.1 Selectividad

Enfocar o no las medidas de política en ciertas industrias o empresas favorecidas es una de las cuestiones más controvertidas en los debates sobre política industrial. Sin embargo, tal y como Chang (2010), Stiglitz, Lin y Monga (2013) y otros han señalado, la distinción entre medidas «horizontales» (que se consideran neutrales a través de todos los sectores) y las medidas «verticales» (que apoyan industrias específicas) supone una elección falsa, ya que aún las medidas de política más «generales» favorecen a algunos sectores en comparación con otros. Tal vez lo más cercano a intervenciones neutras son ciertas medidas sobre el entorno empresarial. Pero, más allá de estas, no existe nada verdaderamente neutral. Por ejemplo, no hay nada neutral en lo que respecta a las infraestructuras básicas. Una carretera favorece a algunas regiones y no a otras, un puente favorece a algunas comunidades pero a otras no, se puede equipar un puerto con instalaciones para contenedores o bien con cintas transportadoras especializadas para el grano. Las decisiones sobre las infraestructuras siempre implican una elección entre prioridades y conllevan impactos diferentes en los distintos sectores y comunidades. Normalmente, la educación y la formación se presentan como neutrales, sin embargo dista mucho de ser así. Los programas de formación están enfocados generalmente a resolver cuellos de botella en relación a habilidades específicas o desajustes en las competencias de sectores concretos. Las decisiones de inversión en educación primaria, secundaria o terciaria tienen implicaciones importantes sobre el perfil de las habilidades de la mano de obra y sobre el rango de las opciones disponibles para la transformación estructural, tal y como afirma Nübler en el cuarto capítulo de este volumen. Incluso una política concreta sobre el tipo de cambio favorece a algunos sectores, industrias, grupos sociales o regiones más que a otros, dependiendo, por ejemplo, de cuánto beneficie o perjudique esa política a los exportadores. Por lo tanto, tal y como afirman Hausmann y Rodrik (2006), los Gobiernos —incluso aquellos que creen defender políticas «neutrales»— están «condenados a elegir».

Además, fuera del mundo estilizado de mercados competitivos que se despejan con rapidez, las rentas son una característica normal dentro de un escenario económico dinámico. En un marco puramente estático, la existencia de rentas es una señal de distanciamiento con respecto a la eficiencia competitiva del mercado, como resultado de algún tipo de restricción a la entrada, o salida, que evita el surgimiento de precios que despejen los mercados e impone pérdidas de bienestar social. En cambio, las rentas asociadas con la innovación empresarial siempre han desempeñado un papel dinámico en una economía capitalista. Schumpeter las vinculó con el proceso de «destrucción creativa». En términos más generales, Ocampo y Taylor (1998, p. 1531) han argumentado que cuando los supuestos de la competencia perfecta no se dan, y en ausencia de respuestas empresariales uniformes y de recursos plenamente utilizados, las rentas pueden acelerar la acumulación de capital, aumentar la productividad y contribuir a un clima económico más dinámico. Los eruditos en la experiencia del Asia Oriental también han insistido en que la gestión de las rentas ayudó a impulsar la formación de capital y a dirigirla hacia sectores más dinámicos (UNCTAD, 1996). Una lección similar surge de otras experiencias de desarrollo exitoso (Rodrik, 2003).

Sin embargo, ha habido cambios con respecto al enfoque de selectividad. La utilización de mecanismos de planificación vertical y medidas arancelarias selectivas para el apoyo de empresas nuevas ha abierto camino, a través de los años, a un enfoque más descentralizado, que utiliza una serie más amplia de medidas e instrumentos de apoyo, cuyo fin es establecer clústeres y vinculaciones. En este contexto, la gestión de las rentas se ha matizado y se ha vuelto desarrollista. Ahora, se presta atención a intervenciones específicas para suministar insumos públicos a través de asignaciones presupuestarias, o a intervenciones de mercado para que relajen restricciones sectoriales; o que fomenten el aprendizaje y el desarrollo de competencias: que solucionen problemas de coordinación en sectores para estimular una acción colectiva más efectiva entre los entes públicos y privados y que crean incentivos para la exploración de nuevas posibilidades de expandir el sector o clúster, incluyendo el uso de las exportaciones (Fernández-Arias, Agosin y Sabel, 2010).

Los casos prácticos que se presentan en este volumen muestran las intervenciones selectivas de estos tipos que se han utilizado de forma habitual en el renacimiento de la política industrial. La pregunta correcta que hay que plantearse para extraer conclusiones de estas experiencias no es tanto si se debe ser selectivo o no, sino cómo conseguir una selectividad eficaz en función de los objetivos específicos adoptados por los responsables de la política y por los funcionarios del Gobierno. Por ejemplo, en el caso de China, Dic Lo y Mei Wu muestran (capítulo 11) que el Gobierno ha desempeñado una función muy importante al crear un entorno favorable, tanto a través de más medidas generales, como a través de una gran variedad de intervenciones directas, incluidas las selectivas y las focalizadas. El equilibrio entre estas medidas parece haber cambiado con el transcurso del tiempo, las focalizadas han ido adquiriendo cada vez más importancia conforme China cambió hacia su modelo de crecimiento orientado a la exportación, a principios de la década de 1990 con medidas hacia sectores favorecidos tales como el del automóvil, los semiconductores y los ferrocarriles de alta velocidad.

En el capítulo 12, basándose en el ejemplo de Sudáfrica, Nimrod Zalk muestra cómo un enfoque de política general, adoptado poco después de las primeras elecciones democráticas de principios de la década de 1990 y muy influido por el Consenso de Washington, coexistió con medidas de apoyo para sectores y empresas específicas, pero la falta de prioridades claras no consiguió transformar la estructura industrial desequilibrada, heredada de la era del apartheid. Solo tras la aprobación del Marco Nacional de Política Industrial en 2007 y el debate sobre política industrial en el consejo de ministros del Gobierno se ha dado un esfuerzo más concertado para atacar tanto las restricciones transversales y las sectoriales específicas en industrias o grupos de sectores clave como para desarrollar y aplicar estrategias sectoriales detalladas.

Se puede extraer una conclusión similar del caso de Brasil. En el capítulo 10, João Carlos Ferraz, David Kupfer y Felipe Silveira Marques describen cómo este país, después de oscilar entre medidas generales y otras más selectivas de política industrial, desde el 2004, con el fuerte respaldo de su banco de desarrollo (BNDES) empezó a establecer un fundamento de política más coherente para medidas selectivas.

Para muchos países del África Subsahariana (analizados por Tilman Altenburg y Elvis Melia en el capítulo 13), las políticas industriales proactivas y específicas tienen que ser significativamente diferentes del conjunto estándar de política industrial, ya que en estos países predomina una estructura rural, mercados que funcionan pobremente e instituciones públicas débiles. Además, el grueso del empleo no agropecuario se genera en empresas pequeñas o en microempresas; la colaboración y especialización entre las empresas es muy exigua; las transacciones económicas están muy influidas por instituciones informales, que no están bien alineadas con los principios de gobernanza que prevalecen en las economías de mercado; y los valores y las normas sociales en algunos países no son muy propicios para el desarrollo de la iniciativa empresarial. Para superar estas limitaciones y fomentar una industria y una agricultura competitivas, el Estado ha de asumir un papel especialmente activo para aumentar la productividad en la economía rural y poner en marcha la transformación industrial. Al mismo tiempo, la política industrial tiene que salvaguardar a los pobres, cuyos medios de subsistencia pueden verse amenazados por una competencia ilimitada. La combinación de políticas y la secuencia de reformas deben ajustarse de forma cuidadosa a las condiciones del país. Además, se han de tener en cuenta las diferencias intrarregionales, en términos de dotación de recursos, geografía y nivel de desarrollo.

4.2 Políticas macroeconómicas e industriales

Tradicionalmente, salvo algunas excepciones, el análisis macroeconómico y la economía industrial se han mantenido separados. Esta separación a menudo se ha traducido en una desconexión en el debate político y la aplicación de políticas, con la macroeconomía como una cuestión de los ministerios de hacienda o finanzas y de los bancos centrales, mientras que la política industrial estaba destinada a los «ministerios de producción». Una excepción temprana y notable a esto fue la corriente estructuralista en América Latina, analizada por Ocampo en el primer capítulo. Tal y como explica Ocampo, el estructuralismo de la CEPAL estaba intensamente preocupado con el nexo entre la transformación productiva y las políticas macroeconómicas, e incluso lo caracterizó como una «obsesión» sobre la importancia de mantener tipos de cambio competitivos como un ingrediente básico de la transformación productiva, el crecimiento y la diversificación de las exportaciones. Asimismo, enfatizó la importancia de niveles altos de demanda agregada y niveles adecuados de tasas de interés para apoyar las estrategias de desarrollo industrial y promover inversiones. Esta corriente estructuralista también insiste en la importancia de llevar a cabo políticas macroeconómicas para gestionar los ciclos y los choques económicos con políticas anticíclicas y sobre lo sabio que es mantener controles de capital bien calibrados en la caja de instrumentos para gestionar los flujos de capital volátiles.

Estas posturas de política fueron reivindicadas antes de la reciente crisis financiera del 2008-09 por la investigación y la experiencia que demostró, por ejemplo, que el tipo de cambio real es uno de los determinantes clave del crecimiento económico (Rodrik, 2008). También fueron respaldadas de manera particularmente fuerte después de la crisis por el superior desempeño y más rápida recuperación en los países que aplicaron políticas macroeconómicas anticíclicas. De hecho, desde la crisis, se ha llevado a cabo una revaloración de la política macroeconómica y de sus vínculos con el crecimiento, la recuperación y la transformación productiva. Algunos de estos análisis los han llevado a cabo economistas del FMI, revisitando el saber convencional sobre los umbrales de «tamaño único» en cuanto a metas de inflación, relación de deuda y PBI y déficits fiscales, lo cual ha llevado a una redefinición de los parámetros de lo que califica como un marco macroeconómico, promotor del empleo en países a diferentes niveles de desarrollo (Blanchard, Dell'Ariccia y Mauro, 2010; Blanchard y otros, 2012; Blanchard y Leigh, 2013). En noviembre del 2013, el Banco de la Reserva Federal de los Estados Unidos sorprendió al mundo económico con el anuncio de que el desempleo tendría que descender a un 6,5 % antes de que la Reserva Federal empezaran a incrementar los tipos de interés, forjando, así, un vínculo estrecho entre la política monetaria y el objetivo del empleo (English, López-Salido y Tetlow, 2013).

El trabajo de la OIT sobre marcos macroeconómicos para promover el empleo ha buscado formas en las que las políticas macroeconómicas puedan estar más estrechamente conectadas con los programas de transformación estructural y desarrollo inclusivo. En estos trabajos se argumenta que las políticas macroeconómicas deberían ir más allá de los objetivos de estabilidad tradicionales y respaldar, además, la transformación estructural y los objetivos de empleo. Esto necesitaría, entre otros elementos, unos umbrales más flexibles en cuanto a deuda/PIB y sobre déficit fiscal (Islam y Kucera, 2014). En el contexto del desafío del empleo durante la recuperación de la crisis, la OIT también ha señalado que el ritmo lento de la creación de empleo, junto con el descenso de los salarios reales en algunos países y el desfase entre el crecimiento de la productividad y el crecimiento de los salarios en las economías principales, ha reducido el consumo y ha aumentado la fragilidad global de la demanda. La lección específica a la que se llega aquí es que un paquete de políticas más sólido para la recuperación del empleo necesita una mezcla bien equilibrada de políticas por el lado de la demanda y políticas por el lado de la oferta para evitar la trampa de un crecimiento lento (OIT, 2013 y 2014). El punto más general es que niveles más altos y sostenidos de la demanda (de consumo y de inversión) son de importancia crítica para sostener el crecimiento y el empleo, así como la transformación productiva, tanto a corto como a largo plazo (UNCTAD, 2013).

Varios capítulos de este volumen hacen referencia a los vínculos entre las políticas macroeconómicas y la transformación productiva. Astorga, Cimoli y Porcile muestran en el capítulo tercero cómo una combinación errónea de políticas macroeconómicas e industriales puede situar a una economía en un camino de desarrollo que impone elecciones socialmente indeseables entre el aumento del empleo y el aumento de los salarios, y ante el peligro constante de caer en un círculo vicioso de demanda frágil, crecimiento lento de la productividad y de cambio estructural estancado.

En el capítulo 11, Lo y Wu conectan, de manera explícita, la evolución de las políticas de transformación productiva en China con las políticas fiscales y sociales. Muestran que en la segunda mitad del período de reforma, desde principios de la década de 1990 y posteriormente, predominaba la financiación pública de inversiones masivas en infraestructuras y modernización industrial. Esto dio origen al sendero de industrialización dirigida por la inversión, intensiva en capital, llevada a cabo principalmente por empresas públicas en industrias básicas y por multinacionales en industrias de tecnología avanzada. En combinación con una amplia oferta de mano de obra barata, estas inversiones impulsaron un crecimiento exportador sólido. Entre 1998 y el 2002, el liderazgo chino adoptó un cambio en la política bajo una nueva línea, conocida como «construcción de una sociedad armoniosa», que ampliaba la casi exclusiva atención que previamente se prestaba a las reformas del mercado y al crecimiento para prestar más atención a los resultados sociales y medioambientales, en especial, a la creciente desigualdad y al empeoramiento de la polarización social. Esta nueva línea de políticas priorizaba alinear mejor las remuneraciones con el crecimiento de la productividad, en vez de perseguir un crecimiento basado en la «mano de obra barata». Las políticas específicas adoptadas dentro de esta nueva perspectiva incluyeron medidas para reforzar los derechos de los trabajadores (incluyendo la sindicalización), la obligación de utilizar contratos laborales adecuados y la legislación de salario mínimo y su debida aplicación. Estas políticas también encajaban bien con el impulso hacia el rebalanceo de la economía china, prestando mayor atención al mercado interno y no solo al sector exportador como motor del crecimiento.

4.3 Políticas comerciales e industriales

Uno de los temas de política más difíciles en el debate sobre una transformación productiva eficaz y balanceada es el comercio internacional. La literatura económica sobre los vínculos que existen entre la apertura comercial, la transformación estructural y el crecimiento económico es vasta. En general, la evidencia muestra que las economías más exitosas han utilizado combinaciones inteligentes de apertura comercial, promoción de exportaciones y el apoyo y protección para las industrias nacientes como parte de un conjunto más amplio de políticas para estimular la transformación estructural. Por ello, las reformas en el régimen comercial no deben aplicarse como objetivos independientes, sino que necesitan ir acompañadas de otras políticas tales como: infraestructura, educación y formación, desarrollo empresarial, emprendedurismo, innovación, financieras y, por supuesto, sociales (Jansen, Peters y Salazar-Xirinachs, 2011).

En un mundo donde las ventajas comerciales son creadas, más que otorgadas, y en el que las economías de escala y el aprendizaje son la clave para el crecimiento sostenido y la transformación estructural, conseguir entrar en el mercado es un ejercicio desafiante que depende no solo, o principalmente, del flujo de la inversión extranjera directa (IED), sino principalmente de que las empresas locales consigan surgir de un mercado nacional en expansión y se conecten con cadenas de valor mundiales y regionales. Los legados (y accidentes) históricos pueden conllevar consecuencias económicas a largo plazo, «las fuerzas del mercado no eligen un resultado único y predeterminado, sino que más bien, tienden a mantener el patrón establecido, sin importar cuál sea ese patrón» (Gomory y Bamol, 2000, p. 7). Esto sugiere que un resultado «ganar-ganar» es uno solo dentro de toda una gama de posibilidades, en un sistema comercial más abierto, en que las fuerzas del mercado internacionales, en conjunto con diversas habilidades nacionales, pueden conseguir resultados que sean beneficiosos para algunos, pero en detrimento de otros. Lo cierto es que es engañoso plantear la cuestión de política como una opción entre un modelo de sustitución de importaciones o uno de industrialización orientado a las exportaciones.

Las distintas experiencias que se describen en este libro refuerzan la necesidad de plantear un enfoque estratégico para la política comercial y un vínculo estrecho entre las políticas comerciales y las de competitividad. En varios de los casos analizados, los países han seguido este tipo de terapia de choque que formó parte del Consenso de Washington, sin prestar atención concomitante a su competitividad dinámica y, como resultado, han descubierto que la combinación de rápida liberalización comercial con una inversión pública limitada conduce a cuellos de botella graves en cuanto a infraestructuras y capital humano, así como a un clima de inversión deficiente; y que aunque este enfoque de políticas genere beneficios estáticos, también puede destruir la capacidad industrial existente y socavar las perspectivas para un futuro desarrollo industrial. La conclusión correcta va en el sentido que los responsables de política necesitan desarrollar conjuntos bien balanceados de medidas comerciales y de competitividad, y que la secuencia y coordinación de estas medidas son fundamentales para lograr resultados exitosos, así como lo son las relaciones con políticas estructurales complementarias, como el desarrollo de la educación y de las competencias laborales y el mantenimiento de tipos de cambio competitivos. Los capítulos de este libro proporcionan abundante información para reflexionar sobre las características de la política comercial adecuada para acompañar los procesos de transformación estructural y de crecimiento convergente.

El éxito exportador depende, a su vez, de que se dé una dinámica de inversión favorable. A medida que aumentan los ingresos, el incremento de los costes laborales y la entrada de productores de menor coste pueden erosionar rápidamente la competitividad en manufactura intensiva en mano de obra, creando la necesidad de nuevas inversiones para mantener el crecimiento de la productividad y permitir el escalamiento hacia actividades de mayor valor añadido. Estos bien conocidos desafíos se presentan bajo una nueva dimensión con la predominancia de las CVM y las redes de producción. Según algunos autores (véase Baldwin, 2012), la difusión de las CVM constituye una «gran transformación económica» de un mundo en el que el comercio tomaba la forma de productos finales, movilizándose países, a un nuevo «mundo del siglo XXI» que involucra un continuo «flujo bidireccional de productos, personas, formación, inversión e información» dentro de las CVM organizadas por las empresas multinacionales. Con la Ronda de Doha de las negociaciones sobre comercio internacional en una situación incierta, esta agenda de CVM se ha promocionado como una forma de infundir nueva vida a la liberalización comercial en el ámbito multilateral (Lamy, 2012). No obstante, el enfoque de las CVM también puede ayudar, en una dirección diferente, generando nuevas ideas sobre qué tipos de políticas públicas pueden reforzar los esfuerzos hacia la industrialización local, crear capacidades productivas y generar empleo.

Milberg, Jiang y Gereffi (capítulo 5) son optimistas sobre las oportunidades que ofrecen las CVM, pero, como reconoce Ocampo en el primer capítulo, la fragmentación económica, que acompaña a la participación en estas cadenas, también puede generar nuevos obstáculos para la diversificación y el escalamiento tecnológico, especialmente en países con ingresos medios. En particular, el vínculo entre el contenido tecnológico de los productos de exportación y las actividades productivas puede llegar a romperse. Así, la tarea específica que se lleva a cabo en un determinado lugar puede caracterizarse por un bajo contenido tecnológico aunque el resultado final de la cadena de valor sea un producto de alta tecnología. De forma alternativa, la tarea (p. ej. diseño de ropa) puede tener un contenido de alta tecnología o capital humano, aunque el resultado (en este caso, la prenda de vestir) se clasifique como un producto de baja tecnología. Según esto, los autores ven el desafío del «escalamiento» dentro de las cadenas de valor como uno polifacético para los responsables de política de los países en desarrollo, uno que requiere un enfoque de políticas que no solo integre las demandas y las estrategias de las empresas «líderes», sino que también promueva medidas sociales y económicas innovadoras en el ámbito local, como las que apoyan a las empresas nacionales a vincularse con las empresas líderes en la cadena de valor. Además, proponen que el contexto regional puede ser el nivel adecuado para ampliar las opciones de política industrial en una era de especialización vertical.

4.4 Aprendizaje y capacidades

El crecimiento de alto desempeño y la transformación productiva involucran dos procesos distintos pero relacionados entre sí: el desarrollo de las *habilidades* a través del aprendizaje; y la acumulación de *capacidades productivas* invirtiendo en capital físico y humano. Los países solo pueden converger en su crecimiento cuando adquieren las habilidades que se necesitan para adoptar tecnologías avanzadas y dar paso a nuevas industrias. Por lo tanto, para los responsables de políticas, un asunto muy importante es saber cómo desarrollar las capacidades colectivas, que permitan a los países generar un proceso de cambio estructural y, posteriormente, cómo mejorar de forma continua esas capacidades para mantener la trasformación productiva.

En el cuarto capítulo, Nübler desarrolla un concepto de aprendizaje colectivo como componente de su teoría sobre las capacidades, con un análisis sobre cómo diseñar y aplicar estrategias de aprendizaje y proporciona un marco dentro del que se pueden explorar tales estrategias de aprendizaje. Afirma que el aprendizaje para crear habilidades o destrezas para la transformación productiva es un proceso complejo que necesita darse en distintos niveles y en múltiples lugares: empresas, sistemas educativos y de formación vocacional, redes sociales tales como las comunidades profesionales, redes organizacionales como las alianzas público-privadas y las cadenas de valor y las instituciones de política pública. Entre los puntos clave de las estrategias de aprendizaje se incluyen los siguientes:

(1) Las estructuras de logro en educación formal son factores determinantes de las opciones viables para la transformación productiva; (2) la manufactura es un tipo de actividad económica con potencial especialmente amplio para el aprendizaje tecnológico y, por lo tanto, las políticas industriales que fomentan la manufactura son un elemento clave de las estrategias nacionales de aprendizaje; (3) los sistemas de creencias juegan un papel importante en el desarrollo económico y tecnológico ya que determinan las elecciones y comportamientos; (4) la exportación y las cadenas de valor se han convertido en canales y redes muy importantes para el aprendizaje; y (5) aprender a aprender, a través de la evolución de procedimientos

e instituciones de aprendizaje de alto rendimiento, es esencial para acelerar y mantener los procesos de aprendizaje a nivel de las personas, las organizaciones y las sociedades. Los Gobiernos pueden tener una función catalizadora o aceleradora de los procesos de aprendizaje a través de la formulación de políticas y apoyando el desarrollo de un entorno institucional que incentive y presione a las empresas y a las sociedades para que aprendan, además de proporcionar apoyo directo al aprendizaje a través de todos estos canales. El concepto lleva al argumento de que los Gobiernos necesitan promover procesos de aprendizaje colectivos de alto rendimiento como parte integral de las estrategias de desarrollo industrial y económico.

En los capítulos de Paus, Cheon y Vijayabaskar y Babu, respectivamente, se analizan los puntos fuertes y los débiles de las estrategias y las instituciones específicas necesarias para fomentar el aprendizaje y conseguir un crecimiento convergente en tres países distintos. En el capítulo sexto, Eva Paus analiza el caso del fortalecimiento de las habilidades en Costa Rica durante el período de la ISI (desde principios de la década de 1960 hasta principios de la de 1980) y durante la transición hacia el nuevo modelo económico (NME). Ella concluye en que se desarrollaron habilidades sociales importantes en el período del ISI, pero que cesaron en el NME, aunque en ambos modelos el desarrollo de las capacidades de las empresas nacionales se vio limitado. Argumenta que el éxito exportador de Costa Rica no se traduce en un inequívoco éxito de desarrollo, ya que fueron los productores extranjeros quienes lideraron el crecimiento de la exportación y la transformación del país, mientras que el sector productivo nacional se ha ido dualizando cada vez más con un número limitado de empresas que han llegado a ser internacionalmente competitivas y un gran número de micro, pequeñas y medianas empresas (pymes) que producen para el mercado interno con baja productividad. Esto es el resultado del severo contraste entre las políticas gubernamentales consistentemente proactivas para atraer a la inversión extranjera y la falta de políticas coherentes e igualmente proactivas para apoyar el desarrollo de las capacidades de las empresas nacionales, en combinación con una falta de inversión en educación, infraestructuras e I+D en el período del NME. Las instituciones del país han sido mucho menos «inteligentes» a la hora de crear y mantener procesos de aprendizaje de alto desempeño en apoyo a las empresas nacionales que a la hora de atraer IED en actividades de tecnologías alta y media. Paus concluye en que Costa Rica necesita afrontar tres retos principales: (1) abordar la naturaleza dual del sector productivo mejorando las capacidades de las pymes y apoyando una estrategia de innovación nacional más agresiva; (2) mejorar la coordinación y articulación de políticas para remediar la fragmentación de esfuerzos y competencias en el sector público, en relación con las políticas de transformación productiva y competitividad; y (3) movilizar el sistema tributario para financiar el nivel adecuado de

31

acumulación de capacidades, ya que la carga fiscal está por debajo de la de otros países con ingresos per cápita similares y hay una falta de inversión en infraestructuras, innovación y habilidades.

En el capítulo séptimo, Byung You Cheon examina el exitoso proceso de crecimiento convergente de la República de Corea desde mediados de la década de 1960 hasta la de 1990, haciendo especial hincapié en cómo se coordinaron las políticas e instituciones de educación y formación con las políticas industriales y se fueron adaptando a lo largo del tiempo a las nuevas condiciones. El autor afirma que el «milagro» económico vino acompañado de un «milagro» educativo, en el sentido de que el sistema educativo y de formación se organizó de maneras muy específicas para satisfacer las necesidades de la economía de tener una mano de obra altamente cualificada. De esta forma, la estructura de conocimiento de la mano de obra, caracterizada por una «estructura de logro educativo sólida en la educación media» (Nübler, de próxima publicación) fue de vital importancia para aumentar las opciones para la industrialización y evitar desajustes de las competencias laborales en las industrias seleccionadas, a pesar de su crecimiento sin precedentes. Además, las políticas de educación y formación, en combinación con políticas sociales y el aumento de los niveles salariales, dio lugar a una distribución de ingresos más equitativa que, a su vez, incentivó una mayor inversión en el desarrollo de las competencias laborales. Las políticas de educación y formación tuvieron éxito en desarrollar las competencias laborales necesarias para el crecimiento rápido, sostenido y convergente, así como en lograr una correspondencia entre la oferta y demanda de competencias laborales necesarias para la modernización industrial. En el capítulo también se analizan las políticas del país relativas a la I+D y a la innovación. La inversión en estas capacidades colectivas aseguró un proceso rápido y sostenido de desarrollo industrial y tecnológico, la creación de puestos de trabajo y la transformación de las estructuras ocupacionales y de empleo. Por último, el autor argumenta que los sistemas educativos y de desarrollo de las competencias laborales del país se enfrentan a importantes retos para desarrollar las nuevas habilidades necesarias para cambiar hacia la economía del conocimiento y desarrollar tecnologías avanzadas. Cheon identifica concretamente la necesidad de desarrollar instituciones que puedan alinear de forma eficaz el desarrollo industrial con las políticas de educación, formación e I+D, de diseñar sistemas sofisticados de incentivos y de acentuar la participación del sector privado y las alianzas sociales entre las partes interesadas.

En el capítulo octavo, por Vijayabaskar y Babu, se explora el proceso de la formación de capacidades que se esconde tras el exitoso caso de la industria del *software* de la India. En él se analiza cómo diversos mecanismos institucionales y políticos fomentaron la acumulación de habilidades necesarias para hacer crecer y mejorar la industria en los ámbitos nacionales, de las cadenas de valor y de las empresas. Un elemento trascendental fue el desarrollo de una mano de obra dotada de una combinación específica de conocimientos, habilidades y competencias. Esta estructura particular del conocimiento le permitió a la India aprovechar la ventana de oportunidades que se abrió por la alta demanda de servicios de *software* que surgió a partir del problema de la llegada del año 2000. El estudio muestra que una gran parte del aprendizaje, sobre todo la adquisición de conocimiento tácito y el desarrollo de las rutinas de empresa, se llevó a cabo en redes organizacionales como emprendimientos conjuntos y cadenas de valor, así como en redes sociales que se beneficiaron de la diáspora de tecnólogos de la información, en especial en Silicon Valley, en los Estados Unidos. Se demuestra que las instituciones nacionales, sectoriales e internacionales jugaron un papel clave en fomentar el aprendizaje rápido al establecer y hacer cumplir los estándares. Los autores también ponen de manifiesto la importancia de establecer estándares para proporcionar incentivos a los individuos, empresas y organizaciones para aprender y desarrollar las habilidades que continuamente han abierto nuevas opciones y competencias para diversificar y modernizar las tecnologías dentro de la industria del *software*.

En el capítulo noveno, Fortunato y Razo también destacan la importancia del fomento de las capacidades en las estrategias de desarrollo industrial. Realizan estudios de regresión para analizar el potencial de los países en desarrollo para llevar a cabo la transición a niveles de renta media y alta. Los autores usan estudios de regresión para analizar el potencial de los países en desarrollo para hacer la transición hacia niveles medios y altos de ingreso. Partiendo de la determinación de que el nivel relativo de sofisticación exportadora de un país tiene consecuencias muy importantes para su posterior crecimiento, los autores hacen un estudio de regresión de las variaciones dinámicas en las estructuras de exportación y de la posibilidad de que un país quede atrapado en niveles intermedios de renta.

Fortunato y Razo agrupan a los países con base en la complejidad de sus exportaciones y calculan la probabilidad de transición de cada país, esto es la probabilidad de que se reposicione hacia un grupo con mayor complejidad de exportaciones. A continuación, calculan cómo las probabilidades de transición cambian a lo largo del tiempo entre grupos diferentes. Sus resultados revelan varias tendencias muy significativas. Una es que un gran número de países ascenderá desde el grupo con complejidad más baja al grupo con una complejidad mediana de exportaciones, mientras que solo pocos transitarán con éxito al grupo de mayor complejidad. Esto implica que muchos países en desarrollo corren el riesgo de caer en la trampa de la renta media y de ser incapaces de reposicionar producción hacia productos altamente complejos durante los próximos treinta años.

Los autores aplican el marco de capacidades proporcionado por Nübler en el capítulo cuarto de este volumen para interpretar estos hallazgos. Concluyen en que es crucial invertir de forma continua en actividades nuevas para ascender por la escala de la sofisticación y fomentar el desarrollo, y que esto requiere una continua transformación e impulso a las habilidades colectivas. Sin embargo, las habilidades no se crean de forma automática; se necesitan políticas y estrategias de aprendizaje deliberadas para generar estas habilidades de forma continua, como parte de una estrategia de desarrollo industrial.

4.5 Diseño de políticas e instituciones

La transformación estructural avanza gracias a las fuerzas tanto creativas como destructivas que inevitablemente dan sorpresas, crean tensiones, desencadenan conflictos y generan elecciones: todo lo cual plantea desafíos para los responsables de política. Una gestión eficaz de este requiere que los países se involucren en cierto grado de experimentación para descubrir qué configuración de instituciones y políticas puede funcionar mejor en sus condiciones nacionales y poder llevar a cabo transiciones y adaptaciones necesarias. Estar preparados para embarcarse en tal experimentación y flexibilidad es esencial para operar con éxito en un mundo incierto y en rápido cambio. Igualmente vital para maximizar las oportunidades de éxito es tener instituciones fuertes de diálogo social para analizar y gestionar las transiciones difíciles.

Este enfoque experimental y adaptativo a menudo se asocia con los Estados desarrollistas del Asia Oriental. Sin embargo, incluso en América Latina, donde predominaba un enfoque más estrecho basado en la ISI, las políticas industriales se modificaron a lo largo del tiempo para corregir los excesos y aprovechar las nuevas oportunidades de exportación. Tal y como señala Ocampo en el primer capítulo, desde la década de 1960 y posteriormente, el pensamiento de la CEPAL empezó a alejarse de la ISI, que criticó los excesos asociados con esa estrategia, y a acercarse a un modelo «mixto» que combinaba la sustitución de importaciones con la diversificación de exportaciones y la integración regional. Esto eventualmente llevó a la adopción generalizada en la región de políticas de promoción de las exportaciones.

Al igual que todas las políticas, la política industrial tiene una dimensión tecnocrática y una dimensión de economía política. El *conocimiento tecnocrático* de la cuestión y las capacidades correspondientes son realmente necesarios y deben incorporarse en instituciones especializadas para asegurar la efectividad y continuidad, por encima de las conveniencias y ciclos políticos. La construcción de una burocracia cualificada y especializada, con un conocimiento profundo del conjunto de instrumentos de política del que se dispone, incluyendo premios y sanciones, es parte integral del desafío de la transformación estructural. La *dimensión de la economía política* se deriva del hecho de que los Gobiernos, los organismos y las burocracias están insertados en contextos económicos, políticos y sociales específicos; como resultado, lo que funciona en un período puede fracasar en otro. Las economías exitosas son aquellas que tienen o desarrollan la capacidad de adaptar sus instituciones y sus normas de comportamiento a las variantes circunstancias económicas y a las preferencias políticas y sociales en evolución (North, 1993). Esto significa que, más allá de unos pocos elementos centrales, no existe un solo modelo homogéneo de relaciones entre el Estado y el mercado que sustente el enfoque «correcto» de política industrial en un contexto particular.

Las políticas industriales selectivas necesitan contrapartes fuertes, incluyendo organizaciones del sector privado que sean capaces de articular y priorizar las necesidades a nivel del sector o del clúster y, por parte del sector público, se necesitan organismos de coordinación fuertes, así como agencias de conocimientos y de servicios para respaldar las políticas con el *expertise* temático correcto. Las instituciones públicas tienen la ventaja de estar menos sujetas a las presiones del mercado o a las demandas de los partícipes a corto plazo que las empresas y, así, pueden tener una visión más extensa, en términos tanto de un horizonte más largo de tiempo como de una perspectiva de interés público más amplia. Sin embargo, estas instituciones han de hacer frente a sus propios problemas, principalmente la dispersión de responsabilidades entre varias agencias y ministerios, en un área en la que la coherencia de todo el sistema es particularmente importante para el desarrollo de una política efectiva. También son vulnerables de ser capturadas por los mismos agentes (ya sean empresas o industrias) que intentan apoyar y promover.

Para evitar o minimizar estos riesgos se necesitan unos mecanismos eficaces de expresión y colaboración, tanto en las instituciones púbicas relevantes, como entre estas y el sector privado. Estos mecanismos son primordiales para crear un ecosistema empresarial en el que la familiaridad y la confianza fomenten la inversión en las capacidades necesarias para crear nuevas actividades competitivas y que el diálogo y la retroalimentación ayuden a corregir los errores y a minimizar sus costes, reduciendo la probabilidad de abuso y captura. Se ha aprendido mucho acerca de cómo diseñar incentivos e instituciones para evitar el abuso y la captura (Rodrik, 2007). Para llevar las lecciones aprendidas a la práctica, la política industrial ha de contar con una buena dosis de disciplina y responsabilidad, aplicada tanto a los actores privados como estatales. Amsden (2001) hizo referencia a la necesidad de «mecanismos de control recíprocos», un conjunto de instituciones que controlan el comportamiento económico con base en información y retroalimentación que se ha recopilado y evaluado. Los países de industrialización exitosa fueron capaces de abandonar proyectos que no se desempeñaron de forma adecuada, mientras que, en los sistemas menos efectivos, los proyectos en ruta al fracaso continuaron en parte porque los burócratas con frecuencia fueron secuestrados por intereses empresariales que se habían vuelto dependientes del Estado. Entre las características deseables de los buenos programas de incentivos se incluyen: la fijación de estándares, cláusulas de suspensión automática, revisión periódica de los programas, seguimiento justo a tiempo, el establecimiento de criterios claros para el éxito y el fracaso y ejercicios de evaluación periódica. Estos y otros instrumentos se pueden utilizar para limitar la probabilidad de abusos al aplicar políticas proactivas basadas en una estrecha cooperación público-privada. Obviamente, su aplicación necesita de organismos públicos competentes y de una coordinación eficaz. Aquí, las dimensiones de la economía tecnocrática y de economía política interactúan estrechamente.

Mucha de la política industrial reciente se ha preocupado por movilizar la participación de un conjunto más amplio de agentes relevantes más allá de los líderes empresariales y los responsables de la política nacional, al incluir a académicos, sindicatos y grupos de sociedad civil, no solo a nivel nacional sino también a nivel regional e incluso municipal. Por ejemplo, Lo y Wu (capítulo 11) destacan la importancia de la toma de decisiones a nivel local y regional en China. Lo que se necesita es un nivel de agencia que pueda adoptar un punto de vista de política pública a largo plazo y sistémico, y no solo una perspectiva a nivel de las empresas, sectorial o de corto plazo. Todos estos agentes tienen un papel legítimo que jugar en la elaboración de políticas para la transformación productiva, y el ejercicio de esta función, de forma coherente, requiere mecanismos efectivos de coordinación, tales como los consejos de competitividad nacionales, los consejos o comités sectoriales, redes informales de comunidades de práctica y alianzas público-privadas. Las disciplinas y las normas para gobernar la relación entre los distintos actores son también fundamentales. La experiencia reciente de América Latina, documentada por Devlin y Moguillansky (2011), sugiere que los esfuerzos dirigidos a estimular alianzas público-privadas más fuertes constituyen un avance en el diseño de políticas industriales en la región.

La importancia de instituciones fuertes de coordinación se demuestra claramente en el análisis de Robert Wade de lo que él llama el Estado desarrollista oculto en los Estados Unidos (capítulo 14). Wade argumenta que la política industrial no debe concebirse solo como la formulación por parte de agencias de coordinación centralizadas de «visiones» y programas nacionales para desarrollar determinadas industrias (aunque a veces el modelo de desarrollo de los Estados Unidos haya seguido este tipo de líneas) y que la ausencia de esas características no necesariamente significa que no haya una política industrial. Como una alternativa, Wade discute la política industrial «creadora de redes», en la que el Estado y los Gobiernos municipales, así como las instituciones federales, en colaboración con intereses científicos, financieros y empresariales, han forjado una plataforma más efectiva para el desarrollo y la comercialización de nuevos productos y procesos. Wade denomina esto «el Estado desarrollista disfrazado» y argumenta que, al ocultar sus programas de apoyo, paradójicamente ha ayudado a perpetuar el mito de que los Estados Unidos no cuentan con una política industrial. Wade aporta diversos ejemplos de políticas industriales en los Estados Unidos que están funcionando, incluyendo los fondos públicos de capital de riesgo destinados a la alta tecnología y vinculados a fines militares; y analiza las causas y las consecuencias de estos programas. Corrobora que los Gobiernos de los Estados Unidos —a nivel estatal, municipal y federal— han desarrollado mucha más política industrial de lo que la narrativa convencional reconoce, con efectos globales generalmente positivos, en términos del interés nacional.

Todos los regímenes de política necesitan una métrica de desempeño. Esto es particularmente cierto en el caso de la industrial. Los críticos argumentan que incluso un Estado fuerte y capaz tendrá dificultades a la hora de imponer disciplina sobre los beneficiarios del apoyo estatal, ya que la medición del desempeño, ya sea para recompensar el buen desempeño o castigar el malo, es una tarea compleja y difícil. Pero, aunque sea difícil, no es imposible. Los países que deseen establecer un programa de política industrial ambicioso deben crear una cultura de evaluación de impactos sistemática y rigurosa. De hecho, un sistema estructurado para dar seguimiento y evaluar los programas es un ingrediente clave de toda buena política, no solo de la política industrial.

La transformación estructural es un proceso exigente y difícil que requiere un grado de consenso social y de consentimiento público. Las instituciones para la consulta, el análisis, la participación y el diálogo social a todos los niveles deben ser parte del proceso del cambio estructural.

5. Observaciones finales

En este volumen se intenta volver a afirmar los argumentos a favor de la política industrial de las siguientes formas: (1) planteando la importancia de las distintas corrientes económicas, que pueden contribuir al análisis y diseño de la política industrial, y reconociendo que en los últimos años se ha dado cierto grado de acercamiento entre ellas, a causa, en parte, de una mejor comprensión de la historia de éxitos y fracasos de la política industrial; (2) argumentando sobre la importancia de una serie de lecciones y principios fundamentales que han resultado valiosos para fomentar la transformación productiva (la necesidad de contextos coherentes, integrados y multisectoriales: aplicación de selectividad sectorial de manera correcta; el logro de una mejor combinación entre las políticas comerciales, macroeconómicas e industriales; y la promoción del aprendizaje y la transformación productiva como procesos relacionados entre sí); y (3) explorando el vínculo entre la transformación productiva, la creación de puestos de trabajo y el crecimiento del empleo, un vínculo que suele ser deficiente en la bibliografía actual.

Además de proporcionar un análisis de los principales marcos y cuestiones que surgen de los ejemplos de estudios de casos presentados en el libro, en este capítulo introductorio se ha hecho un esfuerzo por extraer algunas conclusiones y principios generales sobre cómo llevar a cabo el proceso de políticas de forma correcta. Hemos argumentado que esto requiere tomar el tema del diseño institucional muy en serio, medir el desempeño para aprender de la experiencia y asegurar disciplina, ser pragmáticos y flexibles a lo largo del tiempo, tener muy en cuenta las opiniones facilitando la consulta, la participación y el diálogo social a todos los niveles, así como mantener una política industrial honesta. Estos principios son válidos en todas las áreas de la política, no solo de la política industrial.

Tal como Rodrik (2008), Chang (2003), Bairoch (1972) y otros han argumentado: si los países que consiguieron crecer de manera convergente hubieran aplicado realmente la ortodoxia predominante sobre el mercado, no serían la historia de éxito que son hoy en día. Tuvieron éxito porque sus Gobiernos no fueron ortodoxos y sí pragmáticos en sus enfoques. Experimentaron con distintas formas de política tecnológica, sectorial, comercial, educativa y políticas macroeconómicas, que les permitieron lanzar y gestionar un proceso sostenido de transformación estructural y de acumulación de habilidades, y aprendieron de sus errores y adaptaron las políticas de forma acorde. Aplicaron el principio «el mercado es un buen sirviente pero un mal amo» y, como decía Robert Wade (1990), adoptaron mecanismos institucionales y políticas para «gobernar el mercado», transformando sus economías sin perder de vista a los desafíos de política más amplios que contribuyen a construir sociedades prósperas, estables e inclusivas.

Referencias

Aghion, P.; Durlauf, S. 2007. *From growth theory to policy design* (Washington, DC, World Bank, PREM Network). Disponible en: *http://siteresources.worldbank. org/EXTPREMNET/Resources/489960133889724103 5/Growth_Commission_ Workshops_Macroeconomic_Financial_Policies_Aghion_Durlauf_Paper1.pdf* [consultado el 10 de octubre de 2013].

Amsden, A. H. 2001. *The rise of «the rest»* (Oxford and New York, Oxford University Press).

Bairoch, P. 1972. «Free trade and European economic development in the 19th century», en *European Economic Review*, vol. 3, núm. 3, pp. 211-245.

Baldwin, R. E. 2012. *Global supply chains: Why they emerged, why they matter, and where they are going*, Discussion Paper núm. 9103 (London, Centre for Economic Policy Research).

Bénétrix, A.; O'Rourke, K.; Williamson, J. 2012. *The spread of manufacturing to the poor periphery, 1870-2007*, NBER Working Paper núm. 18221 (Cambridge, MA, National Bureau of Economic Research).

Bhagwati, J. 1978. *Foreign trade regimes and economic development: Anatomy and consequences of exchange control regimes* (Cambridge, MA, Ballinger).

Blanchard, O.; Dell'Ariccia, G.; Mauro, P. 2010. *Rethinking macroeconomic policy*, IMF Staff Position Note núm. 3 (Washington, DC, International Monetary Fund).

—; Leigh, D. 2013. *Growth forecast errors and fiscal multipliers*, IMF Working Paper núm. 1 (Washington, DC, International Monetary Fund).

—; Romer, D.; Spence, M.; Stiglitz, J.E. 2012. *In the wake of the crisis: Leading economists reassess economic policy* (Cambridge, MA, MIT Press).

Chang, H. J. 2003. *Kicking away the ladder: Development strategy in historical pespective* (London, Anthem).

—. 2010. «Hamlet without the prince of Denmark: How development has disappeared from today's development discourse», en S. R. Khan and J. Christiansen (eds.): *Towards new developmentalism: Markets as means rather than master* (Abingdon, Routledge).

—. 2013. «Comments on comparative advantage: The silver bullet of industrial policy», en J. E. Stiglitz y J. Y. Lin (eds.): *The industrial policy revolution: The role of government beyond ideology* (Basingstoke and New York, Palgrave Macmillan).

Cimoli, M.; Dosi, G.; Stiglitz, J. E. (eds.). 2009. *Industrial policy and development: The political economy of capabilities accumulation* (Oxford, Oxford University Press).

Commission on Growth and Development. 2008. *The growth report: Strategies for sustained growth and inclusive development* (Washington, DC, World Bank).

Devlin, R.; Moguillansky, G. 2011. *Breeding Latin American tigers: Operational principles for rehabilitating industrial policies* (Santiago and Washington, DC, eclac and World Bank).

Dosi, G.; Winter, S.; Nelson, R. R. 2000. *The nature and dynamics of organizational capabilities* (New York, Oxford University Press).

ECA (Economic Commission for Africa). 2013. *Economic Report on Africa 2013 - Making the most of Africa's commodities: Industrializing for growth, jobs and economic transformation* (Addis Ababa).

The Economist. 2010. «Picking winners, saving losers: Industrial policy is back in fashion. Have governments learned from past failures?», 5 agosto.

Eichengreen, B.; Park, D.; Shin, K. 2011. *When fast growing economies slow down: International evidence and implications for China*, Working Paper núm. 16919 (Washington, DC, National Bureau of Economic Research).

Elms, D. K.; Low, P. (eds.). 2013. *Global value chains in a changing world* (Geneva, Fung Global Institute, Nanyang Technological University and World Trade Organization).

English, W. B.; Lopez-Salido, J. D.; Tetlow, R. J. 2013. *The Federal Reserve's framework for monetary policy: Recent changes and new questions*, Finance and Economic Discussion Series núm. 76, Division of Research & Statistics and Monetary Affairs (Washington, DC, Federal Reserve Board).

Fernández-Arias, E.; Agosin, M.; Sabel, C. 2010. «Phantom or phoenix? Industrial policies in Latin America today», en C. Pagés (ed.).

Gomory, R. E.; Baumol, W. J. 2000. *Global trade and conflicting national interest* (Cambridge, MA, MIT Press).

Greenwald, B.; Stiglitz, J. E. 2013. «Industrial policies, the creation of a learning society, and economic development», en J. E. Stiglitz and J. Y. Lin (eds.): *The industrial policy revolution: The role of government beyond ideology* (Basingstoke and New York, Palgrave Macmillan).

—; 2014. *Creating a learning society: A new approach to growth, development and social progress* (New York, Columbia University Press).

Harrison, A.; Rodriguez-Clare, A. 2009. *Trade, foreign investment, and industrial policy for developing countries*, Working Paper núm. 15261 (Washington, DC, National Bureau of Economic Research).

Hausmann, R.; Hidalgo, C. A.; Bustos, S.; Coscia, M.; Chung, S.; Jimenez, J. 2011. *The atlas of economic complexity: Mapping paths to prosperity* (Cambridge, MA, Harvard University, Center for International Development, Harvard Kennedy School, and Macro Connections, Massachusetts Institute of Technology).

—; Hwang, J.; Rodrik, D. 2007. «What you export matters», en Journal of Economic Growth, vol. 12, núm. 1, pp. 1-25.

—; Rodrik, D. 2006. *Doomed to choose: Industrial policy as predicament*, draft paper prepared for the Blue Sky seminar, Center for International Development, John F. Kennedy School of Government, Harvard University, Cambridge, MA. Disponible en: *http://www.hks.harvard.edu/fs/drodrik/Research%20papers/doomed.pdf [consultado el 24 de febrero del 2014]*.

Hirschman, A. O. 1995. *A propensity to self-subversion* (Cambridge, MA, Harvard University Press).

ILO (International Labour Office). 2011. *Growth, employment and decent work in the least developed countries.* Report of the ILO for the Fourth un Conference on the Least Developed Countries, Istanbul, May (Geneva).

—. 2013. *Global Wage Report 2012/2013: Wages and equitable growth* (Geneva).

—. 2014. *Global Employment Trends: Risk of a jobless recovery* (Geneva).

Imbs, J.; Wacziarg, R. 2003. «Stages of diversification», en American Economic Review, vol. 93, núm. 1, pp. 63-86.

Islam, I.; Kucera, D. (eds). 2014. *Beyond macroeconomic stability: Structural transformation and inclusive growth* (Geneva and Basingstoke, ILO and Palgrave Macmillan).

Jansen, M.; Peters, R.; Salazar-Xirinachs, J. M. 2011. *Trade and employment: From myths to facts* (Geneva, ILO).

Kenny, C.; Williams, D. 2001. «What do we know about economic growth? Or, why don't we know very much?», en *World Development*, vol. 29, núm. 1, pp. 1-22.

Kim, L. 1997. *Imitation to innovation. The dynamics of Korea's technological learning* (Cambridge, MA, Harvard Business Review Press).

Krueger, A. O. 1978. *Foreign trade regimes and economic development: Liberalization attempts and consequences* (Cambridge, MA, Ballinger).

—. 1990. «Asian trade and growth lessons», en American Economic Review, vol. 80, núm. 2, pp. 108-112.

Lall, S. 1992. «Technological capabilities and industrialization», en *World Development*, vol. 20, núm. 2, pp. 165-186.

— ; Weiss, J.; Oikawa, H. 2005. «China's competitive threat to Latin America: An analysis for 1990-2002», en *Oxford Development Studies*, vol. 33, núm. 2, pp. 163-194.

Lamy, P. 2012. *Report by the chairman of the trade negotiations committee* (Geneva, World Trade Organization). Disponible en: *http://www.wto.org/english/news_e/ news12_e/gc_rpt_01may12_e.htm* [consultado el 10 de octubre del 2013].

Lederman, D.; Maloney, W. F. 2012. *Does what you export matter? In search of empirical guidance for industrial policies* (Washington, DC, World Bank).

Lin, J. Y. 2009. *New structural economics: A framework for rethinking development*, Policy Research Working Paper núm. 5197 (Washington, DC, World Bank).

Little; I.; Scitovsky, T.; Scott, M. 1970. *Industry and trade in some developing countries: A comparative study* (London, Oxford University Press).

Lucas, R. E. 1988. «On the mechanics of economic development», en *Journal of Monetary Economics*, vol. 22, núm. 1, pp. 3-42.

Maddison, A. 2001. *The world economy: A millennial perspective* (Paris, OECD Development Centre).

Mazzucato, M. 2013. *The entrepreneurial state: Debunking public vs. private sector myths* (London, Anthem).

McMillan, M. S.; Rodrik, D. 2011. *Globalization, structural change and productivity growth*, NBER Working Paper núm. 17143 (Washington, DC, National Bureau of Economic Research).

Nelson, R. R.; Winter, S. G. 1982. *An evolutionary theory of economic change* (Cambridge, MA, Harvard University Press).

North, D. C. 1993. *The new institutional economics and development*, Working Paper núm. 9309002 (EconWPA). Disponible en: *http://128.118.178.162/eps/eh/ papers/9309/9309002.pdf* [consultado el 2 de marzo del 2014].

Nübler, I. Próxima publicación. *Capabilities, productive transformation and development: A new perspective on industrial policies* (Geneva, ILO).

Ocampo, J. A.; Taylor, L. 1998. «Trade liberalisation in developing economies: Modest benefits but problems with productivity growth, macro prices and income distribution», in Economic Journal, vol. 108, núm. 450, pp. 1523-1546.

—; Parra, M. A. 2006. *The dual divergence: Growth successes and collapses in the developing world since 1980*, Working Paper núm. 24 (New York, United Nations Department for Economic and Social Affairs).

—; Rada, C.; Taylor, L. 2009. *Growth and policy in developing countries: A structuralist approach* (New York, Columbia University Press).

—; Ros, J. 2011. *The Oxford handbook of Latin American economics* (Oxford, Oxford University Press).

OECD (Organisation for Economic Co-operation and Development). 2013. *Perspectives on Global Development 2013: Industrial policies in a changing world* (Paris, OECD Development Centre).

Pagés, C. (ed.). 2010. *The age of productivity: Transforming economies from the bottom up* (Washington, DC, Inter-American Development Bank and Palgrave Macmillan).

Park, A.; Nayyar, G; Low, P. 2013. *Supply chain perspectives and issues: A literature review* (Geneva, World Trade Organization and Fung Global Institute).

Reinert, E.S. 2008. *How rich countries got rich and why poor countries stay poor* (New York, Carrol & Graf).

Rodrik, D. 2003. *Growth strategies*, NBER Working Paper núm. 10050 (Cambridge, MA, National Bureau of Economic Research).

—. 2007. *One economics, many recipes: Globalization, institutions and economic growth* (Princeton, NJ, Princeton University Press).

—. 2008. «The real exchange rate and economic growth», en *Brookings Papers on Economic Activity* (Fall), pp. 365-412.

Salazar-Xirinachs, J. M. 2008. «Comments on the report of the Commission on Growth and Development», Ginebra, 4 de sept. Disponible en: *http://www.ilo.org/employment/ Informationresources/Publicinformation/speeches/ WCMS_236831/lang--en/index.htm* [consultado el 2 de marzo del 2014].

—; Nübler, I. 2010. «Book review: M. Cimoli, G. Dosi, J. E. Stiglitz (2009), *Industrial policy and development: The political economy of capabilities accumulation*», en *International Labour Review*, vol. 149, núm. 1, pp. 135-140.

Schleifer, A. 1998. «State versus private ownership», en *Journal of Economic Perspectives*, vol. 12, núm. 4, pp. 133-150.

Solow, R. M. 1957. «Technological change and the aggregate production function», en *Review of Economics and Statistics*, vol. 39, núm. 3, pp. 312-320.

Stiglitz, J. E.; Lin, J. Y.; Monga, C. 2013. *The rejuvenation of industrial policy*, Policy Research Working Paper núm. 6628 (Washington, DC, World Bank).

UNCTAD (United Nations Conference on Trade and Development). 1964. *Towards a new trade policy for development*, Report by the Secretary-General of UNCTAD (New York).

—. 1996. *Trade and Development Report 1996* (New York and Geneva).

—. 2002. *Trade and Development Report 2002* (New York and Geneva).

—. 2011. *Development-led globalization: Towards sustainable and inclusive development paths*, Report of the Secretary-General of UNCTAD to UNCTAD xiii (New York and Geneva).

—. 2013. *Trade and Development Report 2013: Adjusting to the changing dynamics of the world economy* (New York and Geneva).

UNIDO (United Nations Industrial Development Organization). 2011. *Industrial Development Report 2011. Industrial energy efficiency for sustainable wealth creation: Capturing environmental, economic and social dividends* (Vienna).

—. 2013. *Industrial Development Report 2013. Sustaining employment growth: The role of manufacturing and structural change* (Vienna).

Wade, R. 1990. *Governing the market: Economic theory and the role of government in East Asian industrialization* (Princeton, NJ, Princeton University Press).

Williamson, J. 1993. «Democracy and the "Washington consensus"», en *World Development*, vol. 21, núm. 8, pp. 1329-1336.

World Bank. 1987. *World Development Report: Barriers to adjustment and growth in the world economy, industrialization and foreign trade and world development indicators* (Washington, DC, and New York, World Bank and Oxford University Press).

—. 2012. *World Development Report 2013: Jobs* (Washington, DC).

Parte I

**Transformación productiva:
modelos y políticas**

El estructuralismo de América Latina y las estrategias de desarrollo de la producción

1

José Antonio Ocampo

1.1 Introducción

La reciente crisis financiera ha puesto a prueba el análisis macroeconómico. Al igual que en la Gran Depresión de la década de 1930, se han cuestionado severamente las ideas económicas ortodoxas sobre los mercados autorregulados que predominaban en los años anteriores a la crisis. Como resultado, el pensamiento keynesiano, que nació en la década de 1930, ha experimentado un renacimiento importante —aunque los responsables de la política no siempre lo hayan puesto en práctica—. En particular, ha vuelto a cobrar fuerza el énfasis que hace Keynes sobre la inestabilidad inherente de los sistemas financieros y el papel que juega la demanda agregada en determinar los niveles de la actividad económica y del empleo.

Para los países en desarrollo y para América Latina en concreto, la crisis también ha estimulado el desarrollo de nuevas ideas económicas y políticas. La Gran Depresión de la década de 1930 plantó la semilla de la escuela del pensamiento económico que posteriormente desarrolló la Comisión Económica de Naciones Unidas para América Latina y el Caribe (CEPAL) bajo el liderazgo intelectual de Raúl Prebisch y que finalmente se conocería como el estructuralismo de América Latina.

El análisis macroeconómico surgió por la necesidad de comprender la dinámica macroeconómica de corto plazo, pero luego sirvió para englobar el análisis del crecimiento económico. Las principales ideas en este sentido manaron en los decenios de 1940 y 1950 y siguieron desarrollándose a lo largo de las décadas posteriores. La idea que ocupó el centro de la atención tuvo que ver con el papel del cambio tecnológico, pero también con la importancia de la formación del capital físico y humano. Para los países en desarrollo, este análisis se mezcló desde el principio con otros tres conceptos: (1) el papel del excedente de mano de obra y el dualismo que engendra en los mercados laborales; (2) las restricciones de la balanza de pagos tanto en la dinámica macroeconómica a corto como a largo plazo; y (3) el papel crucial de la industrialización como mecanismo para la transmisión del progreso tecnológico. Este último mecanismo funciona, en parte, a través de la inversión en maquinaria y equipamiento, pero también a través de encadenamientos productivos y de las economías de escala dinámicas generadas por los procesos de aprendizaje asociados con la industrialización.

En el pasado y todavía hoy en día, la CEPAL y el pensamiento económico estructuralista han estado situados en el centro de este debate. Este capítulo trata sobre un aspecto concreto del pensamiento estructuralista de América Latina: la relación entre el crecimiento económico y las estructuras de producción. La sección 1.2 resume las contribuciones más importantes de la CEPAL y su principal padre intelectual, Raúl Prebisch, a este debate. La sección 1.3 presenta un análisis detallado de la relación entre el crecimiento económico y la estructura de la producción. Las dos secciones presentan breves referencias a experiencias de América Latina. La sección 1.4 extrae una serie de conclusiones.

1.2 CEPAL, análisis macroeconómico y cambio estructural

A riesgo de caer en una simplificación excesiva, las contribuciones más importantes de la CEPAL al pensamiento macroeconómico giran en torno a dos conceptos. El primero tiene que ver con el papel crucial de la balanza de pagos en dar forma al ciclo económico en los países en desarrollo y, por lo tanto, el papel que tienen las políticas que influyen en la balanza de pagos en gestionar el ciclo económico. El segundo es el vínculo entre el crecimiento a largo plazo y la transformación de las estructuras de producción, con la industrialización como la característica más prominente de dicha transformación. Ambas ideas tienen implicaciones para la intervención estatal. Además, están vinculadas a la conceptualización del orden económico internacional como un sistema compuesto de un centro y una periferia, en el que los ciclos económicos y el progreso técnico se originan en el centro y posteriormente se propagan hacia la periferia. Se podrían añadir al menos dos ideas más: la necesidad de desarrollar mecanismos de financiación adecuados para facilitar la transformación estructural y lo que se ha venido a conocer como la teoría estructuralista de la inflación. Sin embargo, por motivos de brevedad, este capítulo no abordará esos asuntos.

El análisis macroeconómico tradicional ha desarrollado el concepto de «dominancia fiscal» para hacer referencia a situaciones en las que la política monetaria y la dinámica macroeconómica, en conjunto, vienen determinadas por las finanzas públicas. El concepto desarrollado por la CEPAL debería, por analogía, conocerse como la «dominancia de la balanza de pagos» en la dinámica macroeconómica a corto plazo (Ocampo, 2013). Esto implica que la tarea básica de la política macroeconómica en países en desarrollo es concebir formas de moderar choques externos de oferta agregada generados por la balanza de pagos, en lugar de gestionar la demanda agregada. La primera está determinada, en gran medida, por los ingresos de la exportación, la oferta y el coste de la financiación externa y su impacto en los tipos de interés nacionales y los efectos tanto de las exportaciones como de la financiación externa sobre el tipo de cambio.

No es sorprendente que la gestión de los choques de la balanza de pagos se convierta en el foco de la política macroeconómica en América Latina. Los tipos de medidas utilizados para este propósito en el pasado llegaron a incluir, con algunas diferencias de un país a otro: la gestión del cambio de divisas y de la cuenta de capitales; los aranceles y las restricciones cuantitativas de las importaciones; los impuestos sobre las exportaciones tradicionales en combinación con los incentivos para las no tradicionales; los tipos de cambio múltiples; y, desde mediados de la década de 1960, las devaluaciones graduales (paridad móvil del tipo de cambio). Muchas de estas políticas, empezando en la década de 1970, se desmantelaron durante el proceso de liberalización, dejando una única herramienta —el tipo de cambio— para gestionar la balanza de pagos. En varios casos, este instrumento de política se desvió para apoyar los programas contra la inflación, llevando a situaciones en las que no se asignaba de forma efectiva ningún instrumento de política para gestionar los choques externos.

Como se puede observar por el tipo de medidas utilizadas, estas estaban más estrechamente vinculadas al segundo componente de la política macroeconómica, para las cuales el foco era el crecimiento a largo plazo: la estrategia de la industrialización. La idea principal subyacente a esta política era que el crecimiento es un proceso de cambio estructural en el que los sectores primarios abren el camino a industrias y servicios modernos, en donde la actividad industrial es el canal principal para la transmisión del progreso técnico desde el centro hacia la periferia —un proceso que Prebisch caracterizó como «lento e irregular»—.

Las complejidades asociadas con este proceso estaban relacionadas con la gestión de economías cuyas ventajas comparativas estáticas recaían claramente en la producción de productos básicos. En el enfoque clásico de la CEPAL sobre esta cuestión, las estrategias de industrialización también estaban ligadas al supuesto de que había tendencia secular a la baja de los precios de los productos básicos. Sin embargo, al menos en la forma en que se enmarcó en aquel momento, los hechos no han corroborado este postulado. De hecho, la evidencia empírica muestra que, si bien los precios de los productos básicos cayeron a lo largo del siglo xx (pero no en el xix), no se trató de una tendencia constante, sino que fue el resultado de dos caídas acusadas durante el principio de la década de 1920 y la de 1980 (Ocampo y Parra, 2010). Existe una línea más sólida de razonamiento que se basa en el hecho de que diferentes sectores de la economía tienen capacidades muy diferentes para transmitir el progreso técnico y para generar nuevos conocimientos. De hecho, esta justificación clásica para la industrialización no se apoya en la existencia de la tendencia a la baja en los precios de los productos básicos. Además, en la década de 1930, o inmediatamente después de la Segunda Guerra Mundial, había poca necesidad de abogar por una industrialización nacional frente a la producción para el mercado internacional ya que, a raíz del colapso de la economía mundial, las únicas oportunidades disponibles eran, en general, las que ofrecían los mercados nacionales.

Según este enfoque, que se expresa muy bien en el «Manifiesto de América Latina», que fue como apodó Albert Hirschman al informe emitido por la Comisión Económica en 1949 (Prebisch, 1973), la solución no era aislar las economías de la región de la economía internacional, sino *redefinir* la división internacional del trabajo para que los países latinoamericanos pudieran cosechar los beneficios del cambio tecnológico, que vieron correctamente asociados de manera estrecha con la industrialización. En otras palabras, esta estrategia buscaba *crear* nuevas ventajas comparativas. Las políticas de industrialización se fueron modificando, a medida que pasó el tiempo, para corregir sus propios excesos y para aprovechar las nuevas oportunidades de exportación que empezaban a abrirse camino en la economía mundial durante la década de 1960. A partir de ese momento, el pensamiento de la CEPAL comenzó a evolucionar, apartándose de la estrategia de sustitución de importaciones (ya que la institución se volvió muy crítica debido a los excesos asociados con ella), hacia un modelo «mixto» que combinaba la sustitución de las importaciones con la diversificación de las exportaciones y la integración regional[1]. Finalmente, esto llevó a la adopción generalizada en la región de políticas de promoción de las exportaciones, una simplificación del sistema de aranceles y restricciones cuantitativas de las importaciones, la simplificación o eliminación de los sistemas de tipos de cambio múltiples y la introducción de paridades móviles en economías con un largo historial de inflación[2].

---

[1] Para ver ejemplos de la perspectiva del desarrollo de la CEPAL, véase Bielschowsky (1998), Rodríguez (2006) y Rosenthal (2004). En relación con las ideas sobre la integración regional, véase también Salazar-Xirinachs (1993). Para más información sobre el análisis de la primera mitad del siglo sobre el Estudio Económico de América Latina y el Caribe, véase CEPAL (1998b).

[2] Véase Ffrench-Davis, Muñoz y Palma (1998); Ocampo (2004); y Bértola y Ocampo (2012).

Un problema inherente al tratar con la intersección entre los factores que influyen los ciclos económicos y el crecimiento a largo plazo fue que los cambios en los precios relativos generados durante la fase alcista de los ciclos externos dificultó mantener la estrategia de industrialización. Los auges de los precios de los productos básicos tienden a generar incentivos para volver a una dependencia más fuerte sobre la producción primaria, tanto mediante el aumento de los precios internacionales como a causa de las consecuencias que los auges de los precios de los productos básicos tienen sobre los tipos de cambio[3]. Ambos factores tienden a ejercer una presión a la baja sobre los precios relativos de los productos manufacturados. Los auges de la cuenta de capital a menudo coinciden con las alzas de los precios de los productos básicos y tienen efectos similares en el tipo de cambio. En el pasado, las herramientas de política concebidas para gestionar los auges de los precios de los productos básicos incluían: impuestos en las exportaciones de productos básicos, regímenes de tipo de cambio múltiples que discriminaban contra esas exportaciones e incentivos para las exportaciones no tradicionales; mientras que los controles de capitales estaban diseñados para hacer frente a los cambios en los ciclos económicos. El desmantelamiento de la mayoría de estos instrumentos de política llevó a una situación en la cual, demasiado a menudo, los Gobiernos terminaron reforzando los efectos de los choques externos con políticas macroeconómicas procíclicas.

La estrategia de industrialización implicó una gama de otros elementos, entre los que se incluye la necesidad de elevar la tasa de inversión en manufactura e infraestructura física. Esto dio lugar a una demanda por financiación externa multilateral y al desarrollo de mecanismos internos, principalmente la banca de desarrollo y la inversión estatal directa en infraestructuras y algunas actividades industriales. En cualquier caso, el nivel de inversión varió bruscamente en la región. Sin embargo, por motivos de brevedad, estas cuestiones no se explorarán aquí.

A pesar de las ineficiencias asociadas con los altos niveles de protección, la industrialización dirigida por el Estado fue en muchas formas una historia muy exitosa. Condujo a la tasa más rápida de crecimiento económico de toda la historia de América Latina entre 1945 y 1980, que estuvo acompañada por índices de desarrollo humano y reducción de los niveles de pobreza muy acelerados (Bértola y Ocampo, 2012, capítulo 4). Sin embargo, este proceso tocó techo en la segunda mitad de la década de 1970 (Gráfico 1.1) y fue seguido por una desindustrialización prematura, en el sentido de que el porcentaje de la manufactura en el PIB empezó a caer a niveles más bajos de renta per cápita, algo que había sido típico de los patrones en los países avanzados. Este proceso se activó a causa de los efectos conjuntos de la crisis de la deuda de la década de 1980 y del proceso de liberalización,

---

[3] Véase el análisis de los efectos de la «enfermedad holandesa» en Altenburg y Melia, en este volumen.

que comenzó a mediados de la década de 1970 en algunas economías y que se extendió por toda la región a partir de mediados de la década de 1980.

Gráfico 1.1. América Latina: valor añadido de la manufactura como porcentaje del PIB, 1950-2012 (en porcentajes)

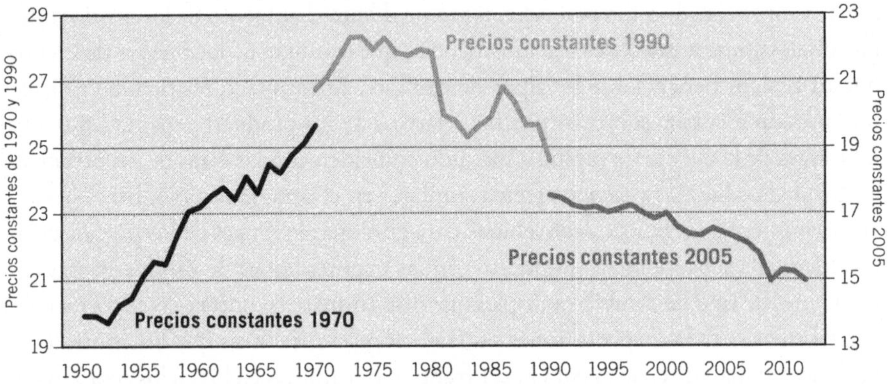

Fuente: Cálculos del autor basados en datos de la CEPAL.

En pleno proceso de liberalización, la CEPAL llevó a cabo su innovador estudio *Changing production patterns with social equity*[4] (CEPAL, 1990), que marcó el inicio de una reformulación completa del pensamiento de la CEPAL que ha mostrado un grado notable de continuidad durante el último cuarto de siglo. En línea con las propuestas relativas al crecimiento económico que presentó en su importante estudio realizado en 1990, la CEPAL (1998a, 2000, 2007, 2008 y 2012) elaboró una agenda para estrategias del sector productivo en economías abiertas. El punto de partida para esta agenda, así como para las contribuciones más clásicas de la Comisión, fue la idea de que el desarrollo es un proceso de cambio estructural en el que el progreso depende de la capacidad de la economía para desarrollar sectores productivos tecnológicamente avanzados. En consecuencia, junto con la promoción de estructuras de producción más competitivas y políticas «horizontales» para corregir las fallas del mercado en los mercados de factores[5], la CEPAL propuso una serie de políticas para desarrollar estructuras de producción más dinámicas, potenciando las actividades de innovación con mayor contenido tecnológico (sistemas de innovación nacionales) y promocionando las exportaciones (diversificación de productos de exportación, encadenamientos nacionales a las exportaciones

---

[4] (N. T.): *Transformación Productiva con Equidad.*
[5] Estas políticas se centraron en proporcionar crédito a pequeñas y medianas empresas (pymes), financiación a largo plazo, así como tecnología, mano de obra calificada y tierra.

y conquista de nuevos mercados). Asimismo, propuso formas para desarrollar sinergias y complementariedades intersectoriales para conseguir «una competitividad
sistémicamente amplia» que fue el concepto fundamental adoptado en el estudio
Transformación Productiva con Equidad.

La principal limitación para la adopción de esta política fue el vacío institucional creado por la eliminación de los mecanismos para apoyar a los sectores productivos como resultado de las políticas de liberalización. La CEPAL defendió
la idea de formar alianzas público-privadas (las cuales debía establecer cada país
de acuerdo a sus propias características y su historia de desarrollo) para reconstruir estos marcos institucionales. La destrucción de las instituciones previas y el
fracaso para construir otras que las sustituyeran se consideraron como las causas
fundamentales de la fragilidad de las estructuras de producción de la región. Esta
estrategia también estuvo ligada a la política macroeconómica a corto plazo,
por la obsesión de la institución de mantener tipos de cambio competitivos, que
eran considerados como un ingrediente esencial de las políticas proactivas para
fomentar la diversificación del sector productivo.

La renovada atención en la región hacia las políticas industriales ha validado
el enfoque de la CEPAL. En especial, la amplia aceptación en los últimos años de
estrategias de innovación reafirmó la validez del enfoque que defendió la CEPAL
durante las etapas de industrialización de América Latina y que continuó apoyando, avalando y adaptando a las circunstancias cambiantes, generadas por una
integración más profunda dentro de los mercados globales.

1.3 Crecimiento económico y cambio estructural

1.3.1 Patrones de especialización y crecimiento económico

El crecimiento económico va acompañado de forma invariable de cambios en las
estructuras de producción: cambios en la composición del PIB y del empleo, así
como en los patrones de especialización internacionales. Además, en los países en
desarrollo, los beneficios de la productividad, obtenidos gracias al proceso de desarrollo, están vinculados a los desplazamientos de mano de obra de sectores de baja
productividad a otros de alta productividad, tal y como se nota en la teoría clásica
del desarrollo y es analizado por Ros (2000). La mayor parte de los estudios tradicionales interpretan los cambios en las estructuras como simples consecuencias
del crecimiento. En contraste, bajo el punto de vista estructuralista, estos cambios
no son ni simples consecuencias ni son neutrales en cuanto a sus efectos; sino que,

por el contrario, son los *motores* reales del crecimiento económico. Visto desde esta perspectiva, el desarrollo puede equipararse con una capacidad de la economía para generar nuevas actividades de producción dinámicas (Ocampo, 2005). Del mismo modo, la falta de crecimiento está vinculada a una interrupción del proceso del cambio estructural.

En los países industrializados, el proceso de crecimiento económico está liderado por el cambio tecnológico. Como la generación de tecnología sigue estando altamente concentrada a nivel mundial, se crea un sistema de centro-periferia mundial. En los países en desarrollo, el crecimiento lo lidera la capacidad de absorber, con un desfase, estos cambios tecnológicos y actividades económicas, a medida que van madurando y se transfieren gradualmente hacia la periferia; o por la capacidad de responder a la demanda de productos básicos, originada por la expansión económica que se da en el centro. La transferencia de tecnología y de actividades de producción no es un proceso pasivo: implica un esfuerzo para desarrollar nuevas industrias, incluidas aquellas que proceden de los países industriales, así como al proceso de aprendizaje tecnológico activo (Katz, 1987). Si se consiguiera ajustar esta brecha tecnológica, los desfases se reducirían y los países en desarrollo se convertirían en fuentes secundarias de tecnología.

Este énfasis en cambiar las estructuras de producción está estrechamente vinculado a la necesidad de aumentar la inversión. Las economías de rápido crecimiento también cuentan con altos índices de inversión, pero este vínculo es mucho menos sistemático que el que existe entre el crecimiento económico y el cambio estructural (Ocampo, Rada y Taylor, 2009, capítulo 3). Esto es porque los altos índices de inversión son realmente más una consecuencia que una causa del crecimiento económico dinámico y el cambio estructural asociado. Esta es la razón por la que se prestará más atención aquí al cambio estructural que a la inversión. Obviamente, puede haber otros determinantes de la formación de capital, en especial factores relacionados con mecanismos de financiación apropiados.

Hay varias razones por las que el crecimiento económico y los cambios en las estructuras de producción están relacionados. La primera explicación, que cuenta con la historia más larga en el pensamiento del desarrollo, es que las diferentes ramas de la producción crean oportunidades muy diferentes para generar y trasmitir el progreso técnico y, de ahí, impulsar la productividad de la economía. La defensa clásica de la industrialización argumentó que las actividades industriales eran el mejor canal para transferir la tecnología y estimular otras innovaciones. Algunas actividades del sector primario, como la agricultura y la minería, pueden experimentar también fuertes aumentos en la productividad, pero han sido menos efectivas a la hora de transmitir esos aumentos a otros sectores productivos.

Esto nos lleva a la segunda explicación, que tiene que ver con los distintos encadenamientos de los sectores productivos. El tipo de encadenamientos más tradicionales que son en los que se centra Hirschman (1958), son creados por la demanda que una actividad nueva genera para otras (encadenamientos hacia atrás) y las oportunidades que ofrece para el desarrollo de otras actividades (encadenamientos hacia adelante). El rasgo principal a destacar en esta conexión, así como en el caso de la transmisión del progreso técnico, es que estos efectos están limitados a una sola zona geográfica (un país o una región dentro de un país) y no se irradian al resto del mundo, como suele ocurrir en una economía mundial cada vez más integrada.

Un tipo de vinculación, que se ha identificado más recientemente, tiene que ver con lo que Hidalgo y otros (2007) llaman el «espacio de productos». Según estos autores, los factores e insumos utilizados en una determinada rama de producción son invariablemente específicos por naturaleza, tales como tipos de fábricas o instalaciones de producción concretas, trabajadores con cierta especialización e insumos intermedios específicos. En consecuencia, no pueden trasladarse directamente a otras actividades económicas si no es a costa de reducir los niveles de productividad. No obstante, pueden utilizarse o adaptarse para realizar actividades que sean próximas a su «espacio de productos». Desde este punto de vista, la capacidad de una actividad de producción para innovar y diversificarse dependerá de qué actividades se encuentren «próximas». De esta forma, dependiendo de la «densidad» de las actividades de producción próximas (los autores utilizan la metáfora de un bosque que es más denso en algunas áreas y más escaso en otras), se generarán oportunidades muy distintas para diversificar la producción.

Estos dos fenómenos que, en un amplio sentido, pueden denominarse como *innovaciones* y *complementariedades,* deberían ser el foco fundamental de cualquier estrategia de desarrollo de la producción. En este contexto, el término «innovación» no debe entenderse como algo que está limitado a la innovación tecnológica, sino que debe interpretarse en un sentido amplio para hacer referencia a nuevos tipos de actividades. Por lo tanto, no incluye solo la tecnología (nuevos procesos de producción, nuevos productos y mayor calidad de los productos existentes), sino también nuevas formas de marketing y la conquista de nuevos mercados, nuevas formas de gestión o estructuración de empresas o industrias y el desarrollo de nuevas fuentes de materias primas. Este enfoque, que se defendió en un documento anterior (Ocampo, 2005), es el que siguen Australia y Nueva Zelanda en sus políticas de innovación (CEPAL, 2006, cap. V).

La interrelación entre las innovaciones y las complementariedades es la fuente de la mayoría de las externalidades y, por lo tanto, de las fallas del mercado (deficiencias de coordinación y filtración de información, incluyendo la difusión tecnológica). Uno de los problemas principales recae en la interrelación entre las decisiones de inversión de distintos agentes económicos, ya que al no existir coordinación entre ellos (que el mercado no garantiza) las inversiones no se realizan en actividades nuevas si los beneficios no satisfacen completamente al innovador, o se hacen a niveles por debajo del óptimo. La «nueva información» (tecnológica pero también información sobre mercados potenciales) puede resultar costosa para el agente que necesita adquirirla y, a su vez, otros agentes pueden apropiarse de gran parte de los beneficios. Como resultado, la inversión destinada a la adquisición de esa información puede resultar por debajo del nivel óptimo.

Existe abundante evidencia sobre el vínculo que hay entre los patrones de especialización y las tasas de crecimiento. En la literatura reciente, Hausmann, Hwang y Rodrik (2007) han llevado a cabo lo que, con toda probabilidad, es el trabajo más ambicioso para demostrar que el contenido tecnológico o «calidad» de las exportaciones de los países constituye un factor fundamental de su crecimiento. Estos autores estiman ese contenido como el «nivel de ingresos» que se incorpora a las exportaciones de un país (el valor de las exportaciones, ponderado por el nivel de ingresos de los países que exportan habitualmente esos mismos productos). Lederman y Maloney (2012) presentan algunas salvedades sobre estos resultados y enfatizan en que lo que importa son las *tareas*[6] que se incorporan a las exportaciones de un país y no los productos y que se dan beneficios especiales a aquellos que incorporan un mayor contenido de capital humano y de bienes que tienen la posibilidad de una mejora en la calidad.

Ocampo, Rada y Taylor (2009, capítulo 4) plantean un ejercicio más simple en el que estiman la relación entre el crecimiento económico y el patrón dominante del desarrollo de la exportación en función del contenido tecnológico, utilizando las categorías propuestas por Sanjaya Lall (2000). Este ejercicio indica que los países que se especializan en exportaciones de alta tecnología suelen crecer más rápido, seguidos por aquellos que exportan tecnología intermedia o baja, mientras que los países cuyas estructuras de exportación se basan en recursos naturales tienden a crecer más lentamente. Esta tendencia no resulta tan obvia durante períodos en los que los precios de los productos básicos son altos, lo que indica que una de las razones por las que, a largo plazo, el crecimiento basado en industrias de alta e incluso baja tecnología es preferible, es que depende menos de las subidas de los precios o de los beneficios imprevistos y, así, se genera un proceso de desarrollo más estable. Asimismo, resulta bastante interesante que las exportaciones de tecnología de nivel medio (que en parte están compuestas por productos básicos industriales, tales como productos estandarizados de hierro y acero, y productos químicos) no disfrutan de esas ventajas.

---

[6] El fenómeno del «comercio en tareas» se analiza en detalle en ONUDI (2009)

Cuando las cadenas de valor se desintegran, se puede romper el vínculo entre el contenido tecnológico de los productos de exportación y las actividades de producción, sobre todo en el caso de las actividades de maquila. Por lo tanto, la tarea específica que se lleva a cabo en un lugar determinado puede caracterizarse por un bajo contenido tecnológico (p. ej. el simple montaje de piezas importadas), incluso si el producto final de la cadena de valor es un bien de alta tecnología. En cambio, la tarea puede tener un alto contenido tecnológico o de capital humano aunque el producto esté clasificado como un bien de baja tecnología (p. ej. el diseño de una prenda de vestir). Además, en las actividades de maquila y, de manera más amplia, en las industrias de exportación, que utilizan grandes cantidades de insumos importados, las complementariedades también se pueden ver limitadas. Así pues, muchas actividades que exportan bienes manufacturados pueden carecer de las virtudes que la literatura económica ha descrito que tienen.

Se han explorado algunas de las desventajas asociadas con la especialización en recursos naturales durante la polémica sobre la «maldición de los recursos naturales»[7]. Agosín (2007) ha identificado dos problemas fundamentales de este tipo de especialización: los efectos estructurales de este patrón de especialización (p. ej. los contenidos y vinculaciones entre la producción y la tecnología) y la vulnerabilidad macroeconómica (que él denomina los «efectos del portafolio»). Según Hidalgo y otros (2007), el primer problema tiene que ver con el hecho de que los países con gran dotación de recursos naturales (incluido el petróleo) se sitúan en zonas escasamente pobladas del espacio de productos, lo cual limita sus oportunidades para diversificar sus actividades de producción. El segundo es que los países que se especializan en recursos naturales son más propensos a las crisis que se derivan del sector de la exportación, a causa de que sus estructuras de exportación están menos diversificadas y, también, por la vulnerabilidad de sufrir fluctuaciones abruptas en los tipos de cambio. Una de las consecuencias de esto es la fuerte tendencia a usar políticas procíclicas y la vulnerabilidad de sufrir los impactos graves que se pueden desencadenar[8]. La «enfermedad holandesa» vincula los dos problemas: en este caso, el problema crucial es que los auges de los precios de los productos básicos pueden provocar apreciaciones del tipo de cambio que pueden tener efectos duraderos en la estructura de la producción —unos efectos que pueden volverse costosos

---

[7] El documento escrito por Sachs y Warner (1995) constituye el mejor intento para encontrar la corroboración econométrica de los efectos adversos del crecimiento de un patrón de especialización basado en los recursos naturales. Lederman y Maloney (2007) reivindican que no existe un factor tecnológico negativo de ningún tipo asociado a los recursos naturales, pero que se pueden dar efectos adversos asociados con la alta concentración de exportaciones en algunos productos básicos (p. ej. vulnerabilidad macroeconómica) así como características adversas de la economía política asociadas con dicho modelo de especialización.

[8] Véase también Manzano y Rigobón (2007).

cuando los niveles de los precios persisten—[9]. En una de las siguientes secciones se analizarán las cuestiones que tienen que ver con la gestión del tipo de cambio.

Hay también, sin embargo, una serie de estudios opuestos que postulan que los encadenamientos hacia atrás y hacia adelante de las actividades de producción primaria pueden utilizarse para potenciar la diversificación de la producción. Suecia y Finlandia ostentan dos de las historias más exitosas de este tipo de diversificación (Blomström y Kokko, 2007), junto con Australia y Nueva Zelanda (CEPAL, 2007, cap. V). Existen también ciertos nichos específicos tecnológicamente demandantes para productos básicos en términos de la calidad, el procesamiento, el almacenaje o el transporte; algunos de los cuales también pueden acceder a los mercados dinámicos (Akyüz, 2003, cap. 1; CEPAL, 2008, cap. III y V).

A la vista de estos efectos, y mirando más allá de los asuntos específicos que implica la especialización de los recursos naturales, un problema grave para América Latina es el bajo contenido tecnológico de sus actividades de producción y de sus exportaciones y sus escasos niveles de investigación y desarrollo, no solo en comparación con las economías más exitosas del Asia Oriental, sino también en relación con los países industrializados especializados en las exportaciones intensivas de recursos naturales. Los datos que se muestran en el cuadro 1.1 de Cimoli y Porcile (2011) y de un estudio más amplio de la CEPAL (2007) corroboran estas afirmaciones.

Cuadro 1.1 Especialización, estructura productiva y contenido tecnológico

	Proporción de industrias de ingeniería en relación con EE. UU., 2002-07[a]	Gasto en I+D en proporción al PIB, 1996-2007	Patentes por millón de habitantes 1995-2008
América Latina	0,23	0,40	0,5
Economías desarrolladas con intensidad de recursos naturales	0,72	1,89	65,4
Países de Asia en desarrollo	0,99	1,21	30,5
Economías maduras	0,97	2,43	132,6

[a] Proporción de industrias de ingeniería en el valor añadido del sector manufacturero (relación con respecto a la proporción de los Estados Unidos).
América Latina: Argentina, Bolivia, Colombia, México y Uruguay.
Economías intensivas en recursos naturales: Economías desarrolladas donde más del 40 % del total de las exportaciones está basada en los recursos naturales: Australia, Canadá, Dinamarca, Finlandia, Islandia, Noruega y Nueva Zelanda.
Países en desarrollo de Asia: República de Corea, Filipinas, LA India, Malasia, Singapur y Taiwán (China).
Economías maduras: Francia, Italia, Japón, Suecia, Reino Unido y los Estados Unidos.

Fuente: Cimoli y Porcile (2011), CEPAL (2007).

---

[9] Existen muchos análisis sobre este problema, pero el más detallado es el de Krugman (1987).

Numerosos estudios han demostrado que una de las diferencias más importantes entre las historias exitosas de los países del Asia Oriental y las experiencias de América Latina han sido que las economías del Asia Oriental han llevado a cabo la transición a la generación del conocimiento, mientras que América Latina sigue rezagada en este aspecto —y, de hecho, de forma bastante sustancial (Cimoli y Porcile, 2011; CEPAL, 2008, cap. III; Palma 2009 y 2011)—. Este hecho está asociado, en gran medida, a tres décadas en las que se ignoró la estrategia del sector productivo como elemento crucial de la política de desarrollo. Hausmann ha demostrado que la tasa más baja de crecimiento a largo plazo de la región está correlacionada con una canasta de exportaciones de peor calidad y con el hecho de que, por lo general, se encuentra situada en porciones menos densas del espacio de productos. En contraste, los países industrializados están situados en su mayoría en porciones de mayor densidad de ese espacio, y las economías de rápido crecimiento de los países del Asia Oriental han ido trasladándose hacia esa dirección.

La lección principal que se puede extraer, más allá del hecho de que las distintas ramas de la producción tengan distintas capacidades para liderar el camino para conseguir ganancias de productividad, es que en los países en desarrollo de hoy en día la clave para un crecimiento robusto es la sincronización del desarrollo de las exportaciones, los encadenamientos productivos y la construcción de las capacidades tecnológicas.

1.3.2 Estrategias de desarrollo de la producción en economías abiertas

La fuerte relación entre las estructuras de producción y el crecimiento económico conlleva, obviamente, importantes implicaciones de política. Como el desarrollo está estrechamente vinculado con los cambios en las estructuras de producción, asegurar que la economía tenga la capacidad de conseguir cambios dinámicos en sus patrones de producción estableciendo estrategias de desarrollo de la producción proactivas es un elemento crucial de la política económica. Una referencia al «sector de la producción» como foco de estas políticas es quizás mejor que el término «políticas industriales» ya que no tienen por qué suponer que esas medidas sean específicas a las industrias de manufactura, sino que reconocen que también pueden implementarse en sectores de recursos naturales o en sectores intensivos de servicios y, de hecho, que algunas de las actividades de manufactura más maduras pueden no contribuir de manera significativa al escalamiento tecnológico.

En economías abiertas, como las actuales de América Latina, el progreso en esta área está estrechamente entrelazado con la capacidad para desarrollar estructuras de exportación de tecnología cada vez más alta. No obstante, no se debe pasar por alto el mercado nacional porque desempeña una función muy importante en el crecimiento económico. Para la mayoría de los países de la región, la integración económica debe cumplir el mismo objetivo que tendría un mercado nacional más grande, pero para que esto sea posible se deben superar los obstáculos políticos que bloquean una integración más sólida. Asimismo, se debe prestar una atención especial a los encadenamientos productivos generados por las actividades de exportación que pueden considerarse como «mercado nacional» generado por la actividad de la exportación. Estos encadenamientos son algunas de las complementariedades generadas por este tipo de actividad. Además, se puede argumentar que la competitividad de un sector de exportación determinado, que lo hace menos propenso a la reubicación, radica precisamente en las actividades de producción complementarias que lo suministran, con insumos o servicios a nivel local, especialmente bienes y servicios no comercializables (o comercializables de forma imperfecta). Estas complementariedades son fuentes de competitividad sistémica, que es el término empleado por la CEPAL (1990).

El debate en torno a los tipos de estrategias de desarrollo de la producción ha dado lugar a un gran número de preguntas. La primera es cuál debería ser el foco de estas políticas. La mayoría de la literatura destaca las actividades innovadoras que generan externalidades (Cimoli, Dosi y Stiglitz, 2009; Ocampo, 2005; Rodrik, 2007). La presencia de externalidades —que, como se ha indicado, pueden ser tecnológicas, comerciales o ambas— es crucial, ya que su presencia implica que los beneficios de la innovación no estarán destinados exclusivamente a las empresas innovadoras[10].

En cualquier caso, el objetivo a largo plazo de cualquier estrategia de desarrollo de la producción debería ser construir las capacidades tecnológicas. Esto da lugar al segundo conjunto de preguntas. Algunas de ellas se refieren a la coexistencia de sectores y empresas de alta y baja productividad y, por tanto, a la necesidad de acelerar la difusión de la tecnología. Otras tienen que ver con la relación entre la construcción de capacidades productivas y de capacidades tecnológicas. La adquisición de nuevas capacidades productivas implica, inevitablemente, el aprendizaje para saber utilizar una tecnología determinada, pero con el foco puesto en las actividades del sector de la producción, mientras que la adquisición de nuevas capacidades tecnológicas involucra todo, desde la adaptación de las tecnologías, la introducción de pequeñas innovaciones o la modificación del diseño

---

[10] Las externalidades comerciales están asociadas con el hecho de que, cuando se reconoce a un país o una región como proveedor de confianza de un producto determinado, esto genera beneficios que repercuten en otros productos.

de un producto hasta desarrollar capacidad de generar nuevas tecnologías, nuevos diseños de productos existentes y nuevos productos.

En las etapas tempranas del desarrollo y, en algunas industrias incluso hoy día, el aprendizaje tecnológico es un sub-producto de la creación de un sector productivo nuevo. En este caso, la tecnología desempeña un papel importante pero pasivo y el objetivo central de la política debería ser la promoción del sector, en lugar del desarrollo tecnológico como tal. Hasta cierto punto, esto es lo que se hizo durante la etapa de la industrialización dirigida por el Estado. Durante esa etapa, el desarrollo tecnológico fue un efecto derivado de la estrategia de desarrollo de la producción. Existía una política tecnológica limitada, aparte de algunas excepciones importantes (como la agricultura). La liberalización del comercio pretendía crear incentivos para la adopción de la mejor tecnología disponible con el objetivo de que los productores pudieran competir —y, en particular, los obligaba a optimizar sus procesos de producción—. Sin embargo, esta estrategia puso más énfasis en la importación de tecnología que en su adaptación y desarrollo. En algunos casos, esto condujo incluso al desmantelamiento de tecnologías o sectores de producción que se habían creado en el pasado. Así pues, en cuanto a su efectividad para inducir el crecimiento económico, en América Latina estos procesos de promoción de sectores y de liberalización comercial demostraron ser menos satisfactorios que la estrategia anterior.

De este modo, es de vital importancia determinar si el foco debe centrarse en las actividades de producción o en el desarrollo de un sistema de innovación. No hay una respuesta única para esta pregunta. En algunos casos, la innovación tecnológica a nivel local es esencial para la competitividad. Esto sucede en los sectores de alta tecnología de la región (por ejemplo, la industria aeronáutica de Brasil) así como en los sectores intensivos de recursos naturales (p. ej. el papel de los institutos nacionales de investigación en el desarrollo de complejos agroalimentarios). En cualquiera de los casos, la adaptación y creación de conocimiento son siempre «industrias nacientes» y deben recibir un trato preferente en cualquier estrategia de desarrollo de la producción.

Sin embargo, a veces puede no estar claro qué «actividad innovadora» debe promoverse o si es posible promoverla como tal. En estos casos, el fomento de la innovación puede ser indistinguible del fomento al desarrollo de un sector determinado. En este tipo de situaciones, decir que la promoción de un determinado sector es un error porque conlleva tener que «elegir ganadores», equivale a ignorar las características intrínsecas a las estrategias del desarrollo de la producción. El primer punto que se está pasando por alto es que el proceso de aprendizaje implica elegir cuáles son los elementos que deben promocionarse y, lo que es más importante, cómo actuar para llevarlo a cabo. Hay que aprender muchas cosas a lo largo del camino y ello implica cometer errores. Visto desde esta perspectiva, los tipos de elecciones que hay que hacer no son diferentes a los que hace cualquier empresa privada cuando decide ampliar nuevas líneas de productos y tiene que realizar una apuesta estratégica basada en las capacidades que ha ido creando a lo largo del tiempo. Las empresas en esta posición también pueden cometer errores. El segundo punto, que a menudo se pasa por alto, es que las políticas de este tipo están diseñadas para crear condiciones que sean propicias para que las iniciativas logren el éxito; en lugar de «elegir ganadores», realmente aspiran a «crear ganadores». No obstante, otro asunto a tener en cuenta es que, de acuerdo con una de las conclusiones básicas de la teoría moderna sobre el comercio internacional, cuando las economías de escala (incluyendo los procesos de aprendizaje) están presentes, se crean bastantes ventajas comparativas.

Independientemente de si se tiene en cuenta un enfoque sectorial o tecnológico, los incentivos pueden ser horizontales o selectivos. Hay algunos componentes horizontales cruciales que deben formar parte de cualquier estrategia de desarrollo de la producción, como las medidas para fomentar la innovación y la difusión de la tecnología, la mejora de mecanismos de financiación a largo plazo y el apoyo a micros, pequeñas y medianas empresas. Sin embargo, se pueden dar argumentos convincentes a favor de las estrategias selectivas, ya que las oportunidades para la innovación no surgen en toda la gama de la estructura de la producción. Además, los que defienden la preferencia general por la opción horizontal pasan por alto el hecho de que, cuando ese planteamiento se basa en recursos fiscales escasos, es necesario especificar en qué se emplearán esos recursos, lo que implica necesariamente algún tipo de selección. Este tipo de elecciones debe realizarse dentro del contexto de una estrategia de desarrollo de la producción, independientemente de las herramientas de política que se utilicen. Y en aras de la transparencia, para estas elecciones es mejor que se haga de forma explícita y no implícita.

Otra serie de cuestiones hace referencia a las alianzas público-privadas, que son inherentes a cualquier estrategia de desarrollo de la producción. Estas alianzas son necesarias porque varios agentes tienen que hacer frente a problemas relacionados con la falta de información sobre los mercados y los procesos de producción por parte de la comunidad empresarial, sobre la economía global o sobre las negociaciones internacionales. Sin embargo, es importante asegurar que los incentivos aportados por el Estado sirvan realmente para un propósito colectivo, en lugar de transformarlos simplemente en rentas económicas. La cuestión crucial es saber cómo desarrollar una asociación estrecha que asegure la relevancia de la política y, al mismo tiempo, evitar la captura de las políticas por parte de los agentes privados implicados. Se dan muchas soluciones diferentes a este problema, tal y como queda reflejado por el tipo de experiencias en este ámbito que se han identificado en todo el mundo (CEPAL, 2008, cap. VI; Devlin y Moguillansky, 2011). Al igual que en cualquier estrategia de desarrollo de la producción, la interacción entre los sectores público y privado debe verse como un proceso de aprendizaje mutuo.

Una cuestión final está relacionada con la programación de los incentivos. El hecho de que pueda haber errores implica, en primer lugar, que el sistema debe incluir mecanismos muy precisos para detectar los errores y corregirlos. El *quid pro quo* para cualquier incentivo debe ser un requisito de desempeño o un «mecanismo de control recíproco» para utilizar el término acuñado por Amsden (2001). Además, por su propia naturaleza, los incentivos deben durar solo el tiempo durante el que continúen cumpliendo con algunos requisitos básicos: que sean necesarios para que la innovación tenga lugar y para que se difunda a otros agentes. No cabe duda de que, a causa de la falta de información, puede que no sea factible establecer unos marcos de tiempo estrictos en la fase inicial de un proceso del que no se dispone de toda la información. De hecho, establecer unos marcos de tiempo definitivos puede perjudicar la efectividad de la política y los incentivos asociados pueden acabar desperdiciándose. Además, puede aumentar la probabilidad de crear «perdedores» en lugar de «ganadores»; o puede que sea necesario ampliar un incentivo del que se había establecido una fecha límite inicial, a expensas de la credibilidad del Gobierno. De nuevo, lo que es necesario es encontrar la forma de diseñar un proceso que permita que los agentes implicados vean cuando se está apartando de la trayectoria de manera que puedan corregirlo y determinar cuando la innovación se ha consolidado.

Esto significa que los Gobiernos necesitan invertir en el desarrollo de las instituciones responsables por la aplicación de la política. Si algo se puede decir con seguridad al respecto es que, durante el período de reforma del mercado en América Latina, se extendió la destrucción de las instituciones. Por suerte, algunas sobrevivieron y se han adaptado a las nuevas circunstancias. Más recientemente, ha comenzado una nueva oleada de reconstrucción institucional, siendo la estrategia de desarrollo de la producción de Brasil el ejemplo más destacado de esto.

1.3.3 Interacción entre la macroeconomía y el desarrollo de la producción y el papel crucial del tipo de cambio

Una forma simple de visualizar el vínculo entre el desarrollo del sector productivo y las condiciones macroeconómicas es mirar la doble relación que existe entre el crecimiento económico y los beneficios de la productividad, tal y como se muestra en el gráfico 1.2 (véase Ocampo, 2005). La función del progreso técnico, TT, viene determinada por las condiciones estructurales. En este caso, la dirección de la causalidad se extiende desde el crecimiento de la producción hasta los incrementos en la productividad: la expansión del sector productivo impulsa la productividad, provocando la inversión (si se incorpora una tecnología mejor en el equipamiento de la producción), los procesos de aprendizaje y la reasignación de trabajadores desde sectores de baja productividad a sectores de alta productividad.

Un estado de equilibro macroeconómico, GG, indica la posibilidad de que la demanda agregada esté en equilibrio o, si existe una brecha externa, que la balanza de pagos sea sostenible. La relación es positiva en ambos casos, con la dirección de la causalidad que se extiende desde los beneficios de la productividad hasta el crecimiento, pero que pasa a través de canales diferentes en cada caso. Si es la demanda la que se encuentra en equilibrio, los incrementos de la productividad impulsarán la inversión y los ingresos salariales (y el consumo) y también mejorará el balance externo. En el segundo caso, los beneficios de la productividad aumentarán las exportaciones o reducirán las importaciones y, en cualquiera de los casos, se mermará la brecha externa.

El equilibrio se alcanza en el punto A. Si las condiciones macroeconómicas mejoran, entonces el GG cambia hacia la derecha y acaba en un punto de equilibrio (B) en el que hay más crecimiento y se obtienen beneficios de productividad más rápidamente. Este efecto puede funcionar a través de una política macroeconómica expansionista que es sostenible porque induce a una mayor inversión y no genera barreras inflacionarias o un desequilibrio insostenible en la balanza de pagos. Una estrategia de desarrollo de la producción exitosa desplazará la función TT hacia arriba, ya que lleva consigo un mayor crecimiento económico y una productividad más elevada (punto C).

Gráfico 1.2. Relación entre el PIB y el crecimiento de la productividad

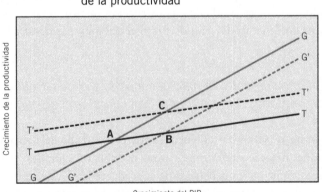

Tal y como señalaron Ocampo (2005) y Ocampo, Rada y Taylor (2009), todo esto implica que la relación entre los incrementos de la productividad y del crecimiento es el resultado de un vínculo bidireccional en lugar del punto de vista tradicional, en el que se consideraba que la productividad es la causa y el crecimiento económico, la consecuencia[11]. El vínculo opuesto implica que un resultado deficiente en el crecimiento tiende a deteriorar la tasa de crecimiento de la productividad. Puede haber varias razones, entre las que se incluyen una crisis en la balanza de pagos o un proceso de restructuración destructivo en el sector productivo. Los descensos en la productividad actuarán a través de las vías que hemos mencionado antes: una inversión más baja, menos aprendizaje y una reubicación perversa de trabajadores a sectores informales. Un rendimiento macroeconómico sólido tendrá el efecto opuesto.

A pesar de que este esquema conceptual se puede utilizar para analizar muchos tipos de problemas diferentes, aquí nos centraremos en el tipo de cambio real, que puede que sea la variable macroeconómica más importante en economías abiertas.

El tipo de cambio incorpora distintas funciones complejas. Una de ellas es que, como es una variable macroeconómica, no puede generar los incentivos selectivos que sí puede generar el régimen comercial y, por tanto, solo puede servir como un sustituto parcial para una estrategia de desarrollo de la producción. Otra es que al mismo tiempo es el precio de un conjunto de activos financieros y uno de los determinantes del precio relativo de bienes y servicios comercializables a nivel internacional.

Esta última función provoca unas consecuencias muy conocidas. Por ejemplo, una de las ideas principales subyacente al concepto de un «sesgo antiexportador» era que la protección inducía a una sobrevaloración del tipo de cambio que socavaba los incentivos a la exportación. En la teoría ortodoxa se suponía que, por lo tanto, cualquier tipo de reducción de la protección desencadenaría una depreciación real que propiciaría el desarrollo del sector de la exportación. Sin embargo, lo acontecido en los países del Cono Sur durante la segunda mitad de la década de 1970 ya nos mostró que si la liberalización del comercio va acompañada de la apertura de la cuenta de capital, no solo no se produciría la esperada depreciación real, sino que tendría justamente el efecto contrario: una revaluación real. Esto impide la trayectoria por la cual la liberalización corregiría el «sesgo antiexportador» e, incluso, puede dar origen a una situación paradójica en la que el crecimiento

---

[11] El problema principal tiene que ver con la hipótesis de que el pleno empleo de recursos es el utilizado en los modelos de crecimiento tradicional, en los que la dirección de la causalidad va solo desde la productividad hasta el crecimiento.

económico esté dirigido por la demanda interna en lugar de por las exportaciones. De hecho, esto es lo que ha sucedido a menudo en América Latina (véase, entre muchos otros, Vos y otros, 2006, cap. 3).

La evidencia empírica demuestra que el tipo de cambio real es uno de los determinantes del crecimiento económico. De acuerdo con las estimaciones de Rodrik (2008), para los países en desarrollo durante el período comprendido entre 1950 y 2004, un 10 % de la subvaluación del tipo de cambio estaba asociada con el 0,27 % del crecimiento adicional anual. Una de las explicaciones que ofrece tiene que ver con las externalidades generadas por los productores de bienes y servicios comercializables e indica que una subvaluación del tipo de cambio funciona como sustituto parcial para una política de desarrollo de la producción. Hausmann, Pritchet y Rodrik (2005) demuestran que uno de los factores que se esconde detrás de una aceleración en las tasas de crecimiento en los países en desarrollo es un tipo de cambio competitivo. Esta evidencia también está en línea con los hallazgos de Prasad, Rajan y Subramanian (2007) y los resultados de la evaluación de la literatura presentados por Frenkel y Rapetti, que indican que las tasas de crecimiento más elevadas están asociadas con la mejora de la balanza por cuenta corriente (Frenkel y Rapetti, 2010).

Frenkel y Taylor (2007) llaman a este efecto del tipo de cambio real sobre el crecimiento el «efecto del desarrollo» y establecen una distinción entre este y otros efectos de esta variable, como el efecto macroeconómico a corto plazo, que es ambiguo (ya que puede haber efectos contractivos a corto plazo de la depreciación del tipo de cambio), y su impacto sobre el empleo. El efecto del desarrollo está vinculado, en primer lugar, con las externalidades generadas por el desarrollo dinámico de sectores de bienes y servicios comercializables, que incluyen la repercusión que tiene este desarrollo sobre la diversificación de la estructura de exportación. En segundo lugar, está asociado con el hecho de que las economías con una cuenta corriente robusta son menos sensibles a sufrir cambios bruscos en la cuenta de capital. Una forma de entender estos efectos es observar que un tipo de cambio estable y competitivo traslada la función TT hacia arriba (p. ej. sirve como sustituto parcial para una política de desarrollo de la producción) y traslada la función GG hacia la derecha (p. ej. genera un efecto macroeconómico expansionista) (véase el gráfico 1.2).

Como señalaron Frenkel y Taylor, el tipo de cambio, aparte de estos efectos en el desarrollo, conlleva unas implicaciones adicionales para el empleo que tienen que ver con el efecto sobre la elasticidad laboral de la producción. Una revaluación real tiende a reducir esta elasticidad de dos maneras diferentes: en primer lugar, reduce el precio del equipo de producción en las economías que importan una gran proporción de su maquinaria, que implica una sustitución de capital por trabajadores; en segundo lugar, tiende a sesgar la selección de los insumos en el proceso de producción hacia insumos importados, lo cual debilita las vinculaciones de producción internas.

La inestabilidad del tipo de cambio real también eleva el riesgo y, por tanto, reduce la inversión en la producción de bienes y servicios comercializables que puedan exportarse y utilizarse como sustitutos de la importación. Este problema se ve agravado por una mayor vulnerabilidad a los vaivenes internacionales de los precios exhibidos por los países que dependen de las exportaciones de productos básicos. Como se muestra en el gráfico 1.3, en los países de América Latina una mayor volatilidad del tipo de cambio real está asociada con una mayor dependencia de esta subregión en los productos básicos.

Gráfico 1.3. Coeficiente de variación del tipo de cambio real, 2004-11 (en porcentajes)

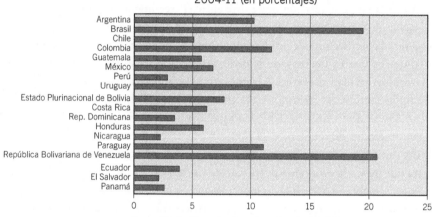

Fuente: Cálculos del autor basados en datos obtenidos de la CEPAL.

Esto acentúa el hecho de que los desafíos macroeconómicos que se plantean por esta situación son especialmente extraordinarios en las economías donde una parte importante de la canasta de exportaciones está compuesta por bienes basados en recursos naturales. Para hacer frente a esta situación, es necesario impulsar mecanismos que suavicen los efectos macroeconómicos de las fluctuaciones en los precios de los productos básicos.

No obstante, se debe destacar que, incluso en economías en las que los productos básicos conforman una gran proporción de las exportaciones, el tipo de cambio real no viene únicamente determinado por los precios de la exportación. El gráfico 1.3 muestra que, por ejemplo, Perú ha tenido mucho más éxito en evitar la volatilidad del tipo de cambio que otros países de América Latina, gracias a la intervención activa de su banco central en los mercados de divisas. La otra cara de la moneda muestra que la introducción de tipos de cambio flexibles aumenta la volatilidad del tipo de cambio real, sobre todo en economías dependientes de las exportaciones basadas en recursos naturales. Esto apunta en la dirección de utilizar tipos de cambio flexibles gestionados como parte de políticas macroeconómicas anticíclicas más amplias.

1.4 Conclusiones

El mensaje principal de este capítulo es que la política macroeconómica adecuada para el desarrollo debe combinar políticas macroeconómicas anticíclicas bien diseñadas con una estrategia proactiva para la diversificación de la estructura de la producción. La necesidad de una estrategia de desarrollo de la producción se deriva de la estrecha relación que existe entre el crecimiento económico y la diversificación de las estructuras de la producción. El objetivo central de la política es fomentar las actividades de producción innovadoras que generen encadenamientos productivos fuertes con otras actividades económicas nacionales y, a través de ellas, una competitividad sistémica. El concepto de «innovación» debe entenderse en el amplio sentido del término —es decir, no solo ha de limitarse a la innovación tecnológica, sino también debe acompañar nuevas actividades de producción, nuevos métodos de marketing, la conquista de nuevos mercados y nuevas formas de organización de una empresa o industria—. Sin embargo, la prueba de fuego es hasta qué punto la economía puede construir capacidades tecnológicas. El desafío es especialmente extraordinario en economías que, como en la mayoría de las de América Latina, tienen ventajas comparativas estáticas basadas en los recursos naturales. No obstante, la explotación de estas ventajas no debe constituir un obstáculo para la diversificación de la estructura de producción. Una gestión inteligente del tipo de cambio, a lo largo de todo el ciclo económico, es fundamental para conseguir esto.

La política macroeconómica anticíclica y la diversificación de las estructuras de producción son elementos cruciales en las contribuciones al pensamiento económico efectuadas por estructuralismo de América Latina. Estas, a su vez, se basan en otros dos conceptos principales: la gran importancia de gestionar las vulnerabilidades externas de economías cuya dinámica macroeconómica está sujeta a la «dominancia de la balanza de pagos» y la estrecha relación que existe entre el crecimiento económico y los patrones de producción cambiantes. Estas dos ideas esenciales son tan válidas hoy en día como lo eran en el pasado y demuestran la relevancia de los conceptos que el estructuralismo de América Latina ha defendido a lo largo de la historia.

Referencias

Agosín, M. 2007. «Trade and growth: why Asia grows faster than Latin America», en R. Ffrench-Davis y J. L. Machinea (eds.): *Economic growth with equity: Challenges for Latin America* (Houndmills, Palgrave Macmillan and ECLAC).

Akyüz, Y. (ed.). 2003. *Developing countries and world trade: Performance and prospects* (Geneva, UNCTAD).

Amsden, A. 2001. *The rise of «the rest»: Challenges to the west from late-industrializing economies* (New York, Oxford University Press).

Bértola, L.; Ocampo, J. A. 2012. *The economic development of Latin America since independence* (New York, Oxford University Press).

Bielschowsky, R. 1998. *Cincuenta años de pensamiento de la CEPAL* (Santiago, Fondo de Cultura Económica y CEPAL).

Blomström, M.; Kokko, A. 2007. «From natural resources to high-tech production: the evolution of industrial competitiveness in Sweden and Finland», en D. Lederman y W. F. Maloney (eds.): *Natural resources: Neither curse nor destiny* (Washington, DC, World Bank).

Cimoli, M.; Dosi, G.; Stiglitz, J. E. 2009. «The future of industrial policies in the new millennium: Toward a knowledge-centered development agenda», en M. Cimoli, G. Dosi y J. E. Stiglitz (eds.): *The political economy of capabilities accumulation: The past and future of policies for industrial development* (New York, Oxford University Press).

—; Porcile, G. 2011. «Learning, technological capabilities and structural dynamics», en J. A. Ocampo y J. Ros (eds.): *The Oxford handbook of Latin American economics* (New York, Oxford University Press).

Devlin, R.; Moguillansky, G. 2011. *Breeding Latin American tigers: Operational principles for rehabilitating industrial policies* (Santiago and Washington, DC, ECLAC and World Bank).

ECLAC (Economic Commission for Latin America and the Caribbean). 1990. *Changing production patterns with social equity: The prime task of Latin American and Caribbean development in the 1990s* (Santiago).

—. 1998a. *Latin America and the Caribbean: Policies to improve linkages with the global economy* (Santiago).

—. 1998b. *Economic survey of Latin America and the Caribbean, 1997-1998* (Santiago).

—. 2000. *Equity, development and citizenship* (Santiago).

—. 2006. *Latin America and the Caribbean in the world economy, 2005-2006* (Santiago).

—. 2007. *Progreso técnico y cambio estructural en América Latina* (Santiago and International Development Research Centre).

—. 2008. *Structural change and productivity growth, 20 years later. Old problems, new opportunities* (Santiago).

—. 2012. *Structural change for equality: An integrated approach to development* (Santiago).

Ffrench-Davis, R.; Muñoz, M.; Palma, G. 1998. «The Latin American economies, 1959-1990», en L. Bethell (ed.): *Latin America: Economy and society since 1930* (Cambridge, Cambridge University Press).

Frenkel, R.; Taylor, L. 2007. «Real exchange rate, monetary policies and employment», en J. A. Ocampo, K. S. Jomo y S. Khan (eds.): *Policy matters: Economic and social policies to sustain equitable development* (Hyderabad, Orient Longman).

—; Rapetti, M. 2010. «Economic development and the international financial system», en S. Griffith-Jones, J. A. Ocampo and J. E. Stiglitz (eds.): *Time for a visible hand: Lessons from the 2009 world financial crisis* (New York, Oxford University Press).

Hausmann, R. 2011. «Structural transformation and economic growth in Latin America», en J. A. Ocampo y J. Ros (eds.): *The Oxford handbook of Latin American economics* (New York, Oxford University Press).

—; Pritchet, L.; Rodrik, D. 2005. «Growth accelerations», en *Journal of Economic Growth*, vol. 10, núm. 4, pp. 303-329.

—; Hwang, J.; Rodrik, D. 2007. «What you export matters», en *Journal of Economic Growth*, vol. 12, núm. 1, pp. 1-25.

Hidalgo, C. A. et al. 2007. «The product space conditions the development of nations», en *Science*, vol. 317, núm. 5837, pp. 482-487.

Hirschman, A. O. 1958. *The Strategy of economic development* (New Haven, Yale University Press).

Katz, J. 1987. «Domestic technology generation in ldcs: A review of research findings», en J. Katz (ed.): *Technology generation in Latin American manufacturing industries* (London, Macmillan).

Krugman, P. 1987. «The narrow moving band, the Dutch disease and the competitive consequences of Mrs Thatcher: Notes on trade in the presence of scale dynamic economies», en *Journal of Development Economics*, vol. 27, núm. 1, pp. 41-55.

Lall, S. 2000. «The technological structure and performance of developing country manufactured exports, 1985-98», en *Oxford Development Studies*, vol. 28, núm. 3, pp. 337-369.

Lederman, D.; Maloney, W. F. 2007. «Trade structure and growth», en D. Lederman y W. F. Maloney (eds.): *Natural resources: Neither curse nor destiny* (Washington, DC, World Bank).

—; —. 2012. *Does what you export matter? In search of empirical guidance for industrial policies* (Washington, DC, World Bank).

Manzano, O.; Rigobón, R. 2007. «Resource curse or debt overhang?», en D. Lederman y W.F. Maloney (eds.): *Natural resources: Neither curse nor destiny* (Washington, DC, World Bank).

Ocampo, J. A. 2004. «La América Latina y la economía mundial en el largo siglo xx», en *El trimestre económico*, vol. 71, núm. 284, pp. 725-786.

—. 2005. «The quest for dynamic efficiency: Structural dynamics and economic growth in developing countries», en J. A. Ocampo (ed.): *Beyond reforms: Structural dynamics and macroeconomic vulnerability* (Palo Alto, Stanford University Press, eclac and World Bank).

—. 2013. *Balance of payments dominance*, Working Paper, Initiative for Policy Dialogue (New York, Columbia University).

—; Parra, M. 2010. «The terms of trade for commodities since the mid-nineteenth century», en *Journal of Iberian and Latin American Economic History/Revista de historia económica*, vol. 28, núm. 1, pp. 11-43.

—; Rada, C.; Taylor, L. 2009. *Growth and policy in developing countries: A structuralist approach* (New York, Columbia University Press).

Palma, J. G. 2009. «Flying geese and waddling ducks: The different capabilities of East Asia and Latin America to "demand-adapt" and "supply-upgrade" their export productive capacity», en M. Cimoli, G. Dosi y J. E. Stiglitz (eds.): *The political economy of capabilities accumulation: The past and future of policies for industrial development* (New York, Oxford University Press).

—. 2011. «Why has productivity growth stagnated in most Latin American countries since the neo-liberal reforms?», en J. A. Ocampo y J. Ros (eds): *The Oxford handbook of Latin American economics* (New York, Oxford University Press).

Prasad, E. S.; Rajan, R. R.; Subramanian, A. 2007. *Foreign capital and economic growth*, Brookings Papers on Economic Activity, vol. 38, núm. 1 (Washington, DC, Brookings Institution).

Prebisch, R. 1973. *Interpretación del proceso de desarrollo latinoamericano en 1949*, Serie conmemorativa del xxv aniversario de la CEPAL (Santiago, Comisión Económica para América Latina y el Caribe).

Rodríguez, O. 2006. *El estructuralismo latinoamericano*, (México, Siglo xxi Editores y Comisión Económica para América Latina y el Caribe).

Rodrik, D. 2007. *One economics, many recipes: Globalization, institutions and economic growth* (Princeton, Princeton University Press).

—. 2008. *The exchange rate and economic growth*, Brookings Papers on Economic Activity, vol. 39, núm. 2 (Washington, DC, Brookings Institution).

Ros, J. 2000. *Development theory and the economics of growth* (Ann Arbor, MI, University of Michigan Press).

Rosenthal, G. 2004. «ECLAC: A commitment to a Latin American way towards development», en Y. Berthelot (ed.): *Unity and diversity in development ideas: Perspectives from the UN Regional Commissions* (Bloomington, Indiana University Press).

Sachs, J.; Warner, A. 1995. *Economic reform and the process of global integration*, Brookings Papers on Economic Activity, vol. 26, núm. 1 (Washington, DC, Brookings Institution).

Salazar-Xirinachs, J. M. 1993. «The integrationist revival: A return to Prebisch's policy prescriptions», en *CEPAL Review*, núm. 50, pp. 21-40.

UNIDO (United Nations Industrial Development Organization). 2009. *Industrial Development Report 2009: Breaking in and moving up: New industrial challenges for the bottom billion and the middle-income countries* (Vienna).

Vos, R.; Ganuza, E.; Morley, S.; Robinson, S. (eds.). 2006. *Who gains from free trade? Export-led growth, inequality and poverty in Latin America* (London, Routledge).

Cómo hacer que la política industrial trabaje para el desarrollo

2

Justin Yifu y Volker Treichel

El desarrollo económico es un proceso de continuo escalamiento tecnológico, modernización industrial y transformación estructural —lo cual hace que esté inherentemente plagado de fallas del mercado—. Antes de la crisis del 2009, la política industrial, como instrumento para impulsar la modernización industrial, fue ampliamente rechazada por los economistas, a los que no les convencía la idea de sus fundamentos analíticos y hacían referencia a su deficiente historial. Incluso aquellos que reconocían la presencia de fallas del mercado y el argumento que esto crea a favor de la intervención estatal, generalmente rechazaban la política industrial, ya que les preocupaba que la selección de ganadores tenía más probabilidad de fracasar —y que lo hiciera a un alto coste— que de corregir de forma efectiva las fallas del mercado detectadas. La mayoría de los economistas creían que el Estado debía centrarse en mantener la estabilidad macroeconómica (fiscal y financiera) y crear un entorno empresarial caracterizado por la ausencia de distorsiones y, de ese modo, establecer un terreno de juego igualado para todos los agentes económicos.

Después de la crisis, la visión ha cambiado considerablemente. En gran parte, tanto los economistas como los responsables de política han considerado que la crisis ha sido el resultado de mercados libres desregulados, lo que ha dado lugar a que muchos economistas miren con nuevos ojos el papel del Estado en la gestión económica. Una idea que está cobrando fuerza entre los economistas es que las intervenciones generalizadas para apoyar la modernización y la diversificación industrial son cruciales para facilitar la transformación estructural y estimular el crecimiento sostenible. Este capítulo analiza la evolución de la forma de entender el proceso de fomento del crecimiento económico y, basándose en una revisión de la historia económica, la función que la política industrial ha desempeñado en facilitar el crecimiento en el pasado. De seguido se extraen principios que la política industrial tendrá que seguir para poder apoyar el crecimiento y el desarrollo de manera efectiva.

2.1 Fomentando el crecimiento económico en los países en desarrollo: la evolución del pensamiento del desarrollo

El desarrollo de planteamientos teóricos y prácticos viables para facilitar el crecimiento en países en desarrollo ha sido una de las mayores preocupaciones de los responsables de políticas y de los economistas durante algún tiempo.

Inspirados por el deseo de alinear el desempeño económico de sus países con el de los países avanzados, y dado el éxito aparente de la industrialización de la Unión Soviética en ese momento, muchos líderes de países en desarrollo de las décadas de 1950 y 1960 instauraron estrategias de desarrollo basadas en el estructuralismo. En esa época, el estructuralismo era la concepción predominante del desarrollo económico. Esencialmente, sostenía que los países en desarrollo podían superar su subdesarrollo o «retraso» más rápidamente si desarrollaban las mismas industrias avanzadas que las de los países industrializados de altos ingresos. La justificación tras esta estrategia normalmente era noble, ya que los líderes de los países en desarrollo querían que las economías de sus países compitieran en la frontera tecnológica mundial lo más rápido posible.

Sin embargo, resultó ser un terrible error. En lugar de facilitar el crecimiento económico, el paradigma estructuralista realmente obstaculizó el desarrollo, porque se trataba de una estrategia que desafiaba el concepto de la ventaja comparativa y aconsejaba a los países dar prioridad a las industrias pesadas intensivas de capital, aunque el capital fuera escaso en esas economías (Lin, 2009). La estrategia implicaba unos costes de producción muy elevados en comparación con aquellos de los países que desarrollaron industrias similares pero en consonancia con su ventaja comparativa. Las empresas de las industrias intensivas de capital, que hicieron frente a esos elevados costes de producción, no podían sobrevivir en un mercado competitivo abierto —a menos que el Gobierno quisiera y pudiera garantizarles una fuerte protección mediante subvenciones a gran escala u otras formas de proteccionismo—. El denominador común de estas estrategias era que el Gobierno seleccionaba industrias que estaban floreciendo en países cuya renta per cápita era mucho mayor que la de su propio país. Por consiguiente, el país en desarrollo era incapaz de producir los bienes con una ventaja en términos de costes y, por tanto, no podía competir en esas industrias.

Entre los ejemplos de países que llevaron a cabo estas estrategias que desafiaban la ventaja comparativa se incluye Indonesia, que lanzó una industria de construcción naval en la década de 1960, cuando su PIB per cápita era solo del 10 % en comparación con el de su competidor principal en aquel momento, los Países Bajos. Otro ejemplo es el intento de construir una industria automovilística en el Zaire (ahora la República Democrática del Congo, RDC), en la década de 1970, cuando el PIB per cápita del país era solo del 5 % con respecto al nivel del líder de esta industria (cuadro 2.1).

Cuadro 2.1 Las economías con ambiciones poco realistas

País recién llegado	Industria, década	Productor líder del momento	PIB real per cápita		Proporción de ingresos del seguidor frente al país principal (%)
			País recién llegado	País líder	
China	Automóvil, 1950	Estados Unidos	577	10.897	5
RDC	Automóvil, 1970	Estados Unidos	761	16 284	5
Egipto	Hierro, acero, productos químicos, 1950	Estados Unidos	885	10.897	8
La India	Automóvil, 1950	Estados Unidos	676	10.897	6
Indonesia	Construcción naval, 1960	Países Bajos	983	9.798	10
Senegal	Camiones, 1960	Estados Unidos	1.511	13.419	11
Turquía	Automóvil, 1950	Estados Unidos	2.093	10.897	19
Zambia	Automóvil, 1970	Estados Unidos	1.041	16.284	6

Fuente: Cálculos del autor basados en datos del Maddison (1995).

Para aplicar esta estrategia de desafío de la ventaja comparativa, los Gobiernos de los países en desarrollo tuvieron que proteger muchas empresas que eran inviables en los sectores prioritarios. Las medidas a las que recurrieron para reducir los costos de inversión y operativos de las empresas inviables incluyeron la concesión a esas empresas del monopolio del mercado, la supresión de los tipos de interés, la sobrevaluación de la divisa nacional, el control de los precios de las materias primas y la imposición de unos aranceles elevados en las importaciones. Estas intervenciones ocasionaron una gran escasez de crédito, de cambio de divisas y de materias primas. Como consecuencia, los Gobiernos también tuvieron que asignar recursos directamente a esas empresas a través de canales administrativos, incluyendo la planificación nacional en los países socialistas y el racionamiento del crédito y la concesión de licencias para la inversión y para la entrada en países en desarrollo no socialistas. Para facilitar esta implementación, muchos países confiaron en empresas de propiedad estatal para desarrollar las industrias seleccionadas.

Las medidas proteccionistas que aplicaron muchos Gobiernos incurrían en varios tipos de costes. Como los precios de las importaciones y de los bienes sustitutivos de las importaciones aumentaban con respecto al precio mundial, esta discrepancia empujó a estas economías a consumir una mezcla de productos que no eran adecuados en términos de eficiencia económica. Los mercados se iban fragmentando a medida que las economías producían bienes a una escala demasiado pequeña, lo que de nuevo dio como resultado una pérdida de eficiencia. Además, el proteccionismo redujo la competencia de las empresas extranjeras y estimuló el poder monopólico entre las empresas nacionales cuyos propietarios estaban bien relacionados políticamente. Asimismo, el proteccionismo creó oportunidades de captación de rentas y de corrupción, que elevó los costes de los insumos y de las transacciones. La captación de rentas junto con la creación de empresas inviables también dificultó el fin de las intervenciones estatales para apoyar a estas industrias, incluyendo las subvenciones.

En algunos casos (principalmente en Europa Oriental y la Unión Soviética), el desarrollo industrial generado mediante la estrategia de desafío de la ventaja comparativa pareció tener éxito al principio, porque la inversión a gran escala a través de la movilización estatal masiva de recursos incrementó la tasa de crecimiento y mejoró los indicadores de la productividad. Pero las empresas de los sectores intensivos de capital dependían de las subvenciones y la protección del Gobierno para sobrevivir; cuando el Estado ya no pudo seguir movilizando recursos para más inversión, la economía se estancó. Además, la inversión en los sectores intensivos de capital generó poco empleo y la mano de obra permaneció en su mayoría en el sector rural.

Los críticos interpretaron el fracaso de las viejas políticas estructuralistas para conseguir la transformación estructural, el crecimiento económico y la prosperidad, como una señal de que las intervenciones gubernamentales en la economía estaban condenadas al fracaso a causa de las inevitables distorsiones de los precios e incentivos y la resultante mala asignación de los recursos. A su vez, estas consideraciones provocaron un cambio en el pensamiento del desarrollo hacia un enfoque de mercado libre que se conoció como el Consenso de Washington, el cual promovía la liberalización económica, la privatización y la aplicación de programas rigurosos de estabilización. No obstante, en términos de crecimiento y creación de empleo, los resultados de políticas presentadas como alternativas al viejo estructuralismo que había fracasado resultaron polémicos en el mejor de los casos (Easterly, 2001 y 2005). Muchos economistas y el público en general de muchos países consideraron rápidamente el Consenso de Washington como un conjunto de políticas neoliberales que las instituciones financieras internacionales con base en Washington imponían en los desafortunados países. Estas políticas acabaron llevando a muchos países a la crisis.

¿Por qué el Consenso de Washington, que pretendía corregir los errores del viejo enfoque estructuralista, no consiguió fomentar la transformación estructural y el crecimiento sostenido en países de renta baja de África y de otros lugares? ¿Cuáles han sido las características principales de los procesos que *sí* ayudan a generar el crecimiento exitoso y sostenido? ¿Cómo pueden crear los países en desarrollo las condiciones que faciliten el flujo de tecnología y desencadenen el crecimiento, incluso dentro de un contexto de políticas microeconómicas subóptimas, instituciones débiles y a veces derechos de la propiedad privada inciertos? ¿Por qué algunos países llegan a alcanzar a los países desarrollados y otros no?

El informe de la Comisión para el Crecimiento y el Desarrollo ofrece importantes ideas como respuesta a estas cuestiones. La Comisión que se inició en 2006 reunió a veintidós destacados expertos en desarrollo procedentes de las esferas del gobierno, de las empresas y de la elaboración de políticas, en su mayoría de los países en desarrollo. Estuvo presidido por el Premio Nobel Michael Spence y por Danny Leipziger, que fue vicepresidente del Banco Mundial. El informe de la Comisión para el Crecimiento (2008) concluye que «el crecimiento [r]ápido y sostenido no se origina de forma espontánea. Requiere un compromiso a largo plazo de los líderes políticos del país, un compromiso asumido con paciencia, perseverancia y pragmatismo». Según el informe, los principios clave del crecimiento son: (1) la participación plena en la economía global; (2) la estabilidad macroeconómica; (3) altos índices de ahorro e inversión; (4) asignación del mercado; y (5) liderazgo y gobernanza. El informe representa un importante paso hacia adelante, ya que proporciona nuevas ideas que han ayudado a los responsables de política a comprender mejor la dinámica económica del crecimiento convergente y a evitar algunas de las trampas que perjudican el desarrollo económico. Una de las conclusiones más importantes del informe de la Comisión para el Crecimiento es que no existe un conjunto universal de normas que puedan guiar a los responsables de políticas. La Comisión recomienda menos uso de fórmulas simples y búsqueda de las elusivas "mejores prácticas", y más bien aboga por una mayor confianza en un análisis económico más profundo para identificar las restricciones vinculantes al crecimiento en cada país.

Por tanto, la recomendación fundamental de la Comisión para el Crecimiento fue que cada país identificara y se centrara en un área que presentara el mayor obstáculo para el crecimiento; lo cual está muy en consonancia con la investigación de Hausmann, Rodrik y Velasco (2008). El enfoque propuesto por Hausmann y sus colegas ofrece una metodología del árbol de decisiones para ayudar a identificar las restricciones vinculantes al crecimiento que son relevantes para los distintos países. Esto implica que cada país necesita elegir distintas políticas que faciliten el crecimiento y que se identifican con base a un Diagnóstico del Crecimiento específico de ese país. Además, los principios fundamentales que apoyan el crecimiento (por ejemplo, la política monetaria sólida, los derechos de la propiedad, la apertura y los mercados libres) necesitan calibrarse en el contexto específico del país, incluyendo el adecuado contexto institucional y combinación de políticas.

Si bien el enfoque del Diagnóstico del Crecimiento constituye un gran avance, uno de sus puntos débiles más importante es que depende de sondeos de empresas en las industrias existentes. Sin embargo, es posible que algunas de estas industrias, en su forma actual, existan solo gracias a las viejas políticas estructuralistas y no sean verdaderamente coherentes con la ventaja comparativa del país. Al mismo tiempo, otras industrias que *sí* son coherentes con la ventaja comparativa del país pueden no haberse desarrollado porque el Gobierno no les dio las facilidades adecuadas. Como consecuencia, las restricciones vinculantes al crecimiento, identificadas en un sondeo de las industrias existentes, puede que no sean realmente relevantes ya que pueden reflejar una estructura subóptima de la economía. Lo que es más fundamental, y que se analiza con mayor detalle más adelante en este capítulo, es que uno de las funciones más significativas de la política industrial es facilitar «pioneras», que son compañías que quieren entrar en nuevos sectores, de acuerdo con la ventaja comparativa del país, y que ofrecen un potencial significativo para el crecimiento y la creación de empleo. Abordar las restricciones vinculantes al crecimiento, identificadas a través de un sondeo de las industrias existentes, no incluirá medidas que faciliten la emergencia de pioneras que sean nuevas para la economía.

La Nueva Economía Estructural (Lin, 2012) integra las ideas del estructuralismo y el análisis económico neoclásico referente al proceso de crecimiento. Comienza con la observación de que la característica principal del desarrollo económico moderno es la continua innovación tecnológica y el cambio estructural. La estructura industrial óptima en una economía —es decir, la estructura industrial que hará que la economía sea más competitiva, tanto a nivel nacional, como internacional en cualquier momento específico— es endógena a su ventaja comparativa que, a su vez, viene determinada por la estructura de dotación de la economía en ese momento. Las economías que intentan crecer, simplemente añadiendo más y más capital físico o trabajadores en industrias existentes, acabarán finalmente con rendimientos decrecientes; y las economías que intenten desviarse de su ventaja comparativa, probablemente, mostrarán un desempeño deficiente.

El principal objetivo en la formulación de la política económica es asegurarse de que la economía crezca de una manera que esté en consonancia con su ventaja comparativa. De esta forma, la economía será competitiva, se optimizarán los beneficios y se maximizará la acumulación de capital. Sin embargo, a medida que se acumula el capital, la estructura de dotación de factores de la economía evoluciona, lo que ocasiona una brecha entre la estructura industrial actual y la óptima. Las empresas, entonces, necesitan mejorar sus industrias y tecnologías en consonancia, para mantener la competitividad del mercado.

Obviamente, para que las empresas tomen las decisiones correctas con respecto a la inversión en industrias que sean consistentes con las ventajas comparativas de la economía, los precios relativos necesitan ser correctos. Esto requiere un sistema de mercado competitivo. En los países en desarrollo, donde normalmente no se da el caso, es necesario que los Gobiernos actúen para crear o mejorar varias instituciones de mercado para crear y protejer la competencia efectiva en los mercados de productos y de factores.

Como ejemplo, en el proceso de la modernización industrial, las empresas necesitan tener información sobre las tecnologías de producción y los mercados del producto. A menudo las pioneras pueden ser las precursoras y proporcionar este tipo de información, pero deben hacer frente a una serie de retos específicos. Por un lado, las pioneras pueden fracasar, pero en ese proceso pueden proporcionar información valiosa a otros futuros competidores. Por el contrario, las empresas pioneras pueden tener éxito y alentar a otras empresas a que se introduzcan y reduzcan de forma gradual sus rentas acumulables. Asimismo, pueden incurrir en costos significativos de entrenamiento de sus trabajadores en los nuevos procesos y técnicas empresariales y estos trabajadores pueden posteriormente ser contratados por otras empresas competidoras. Así que las pioneras pueden generar beneficios externos por los que pueden no verse compensadas, un resultado que reduce los incentivos para que las empresas se hagan pioneras.

Además, la innovación tecnológica, la diversificación industrial y la modernización industrial normalmente van acompañadas de cambios en los requisitos de capital y de competencias laborales de las empresas, así como de cambios en su ámbito de mercado y sus necesidades de infraestructura, debido al carácter evolutivo de la producción que se ve plasmado en el proceso de innovación. En otras palabras, la modernización y la diversificación industrial van típicamente acompañadas de cambios en los requisitos de infraestructura material e inmaterial. Por ejemplo, con el cambio de la producción agraria a la manufacturera y, desde la manufacturera simple a la avanzada en el proceso de desarrollo, la escala de producción y el ambito del mercado aumentan. La demanda por el transporte, las carreteras y la energía aumentan consecuentemente. Las empresas individuales no son capaces de internalizar el abastecimiento de estos insumos o de desplegar el tipo de iniciativas de coordinación entre las empresas en los diferentes sectores para satisfacer esas demandas crecientes. Incluso, si algunas empresas grandes quisieran financiar una carretera nacional o una red eléctrica, sería necesaria la coordinación a través del sector público para asegurar la consistencia, la eficiencia y la prevención de monopolios naturales cuando crece la economía.

Para que las empresas del país de renta baja puedan operar a pequeña escala, la agricultura intensiva de mano de obra y las industrias manufactureras solo necesitan mano de obra no cualificada, un sistema financiero y de manufactura informal y poco sofisticado, e infraestructura material. Sin embargo, cuando la economía se expande a industrias manufactureras modernas, las empresas necesitan mano de obra cualificada, importantes fondos para una cantidad fija de inversión en equipamiento, capital circulante y/o financiación para la exportación, así como nuevos acuerdos comerciales. No obstante, las empresas individuales normalmente no son capaces de asumir los cambios necesarios en la infraestructura inmaterial. De nuevo en este caso, es necesario que el Estado proporcione y coordine algunos de estos cambios en diferentes sectores de la economía para facilitar el mejoramiento y la diversificación de las empresas individuales.

Por consiguiente, el desarrollo económico es un proceso dinámico marcado por externalidades y requisitos de coordinación. Aunque el mercado es el mecanismo básico necesario para la asignación efectiva de recursos en cada etapa del desarrollo, los Gobiernos deben jugar un papel proactivo y facilitador para que una economía avance de una etapa a otra y adquiera el tipo de información, coordinación y externalidades que son inherentes al desarrollo de nuevas actividades y sectores. Los Gobiernos deben intervenir para permitir que los mercados funcionen de forma adecuada mediante lo siguiente:

1. Facilitar información sobre nuevas industrias que sean coherentes con la ventaja comparativa del país, que vienen determinadas por los cambios en la estructura de dotación de su economía.

2. Coordinar las inversiones en las industrias relacionadas y facilitar las mejoras necesarias en la infraestructura.

3. Subvencionar actividades con externalidades en el proceso de modernización industrial y cambio estructural.

4. Catalizar el desarrollo de nuevas industrias, a través de su incubación o atra-
   yendo inversión extranjera directa, para superar los déficits en el capital social
   y otras restricciones intangibles.

2.2 ¿Cuáles son los principios más importantes de una política industrial exitosa?

Para derivar los principios más importantes de una política industrial exitosa, es
necesario analizar los éxitos logrados en la aplicación de políticas industriales. Hay
suficiente evidencia histórica que demuestra que las economías más avanzadas de
hoy día utilizaron fuertemente la intervención gubernamental para provocar y facilitar el despegue económico, lo que les permitió construir unas bases industriales
sólidas y sostener el impulso del crecimiento durante largos períodos.

Chang (2003) analizó los desarrollos económicos durante el período en el
que la mayoría de las economías avanzadas de hoy día pasaron sus revoluciones
industriales (entre el fin de las guerras napoleónicas de 1815 y el principio de la
Primera Guerra Mundial en 1914). En contraposición con el saber convencional,
que normalmente atribuye los éxitos industriales de las economías occidentales
al *laissez-faire* y a las políticas de libre mercado, la evidencia histórica muestra
que el uso de políticas industriales, comerciales y tecnológicas fue vital para el
éxito de la transformación estructural. Las intervenciones abarcaban desde el uso
frecuente de aranceles de importación o, incluso, prohibiciones de importación
para proteger a las industrias nacientes hasta la promoción industrial a través
de concesiones de monopolio y suministros baratos, provenientes de las fábricas
del Gobierno; las alianzas público-privadas y la inversión estatal directa, sobre
todo en Gran Bretaña y en los Estados Unidos; además de otras subvenciones
(Trebilcok, 1981).

El Gobierno estadounidense ha ofrecido continuamente fuertes incentivos a
las empresas privadas y a las instituciones académicas para que descubran nuevas
ideas que sean valiosas para sostener el crecimiento y ha propiciado que esas ideas
sean no rivales. Además, ha construido infraestructuras en sectores económicos
clave, como el transporte, y ha proporcionado financiación para la educación y la
formación con el fin de construir en el país una base de especialización en muchas
industrias. Chang (2003) observa que las intervenciones del Gobierno estadounidense han incluido el apoyo a industrias como la de la informática y la aeroespacial y a tecnologías, tales como Internet, donde los Estados Unidos todavía
se mantienen a la vanguardia internacional a pesar del declive en su liderazgo

tecnológico global. Asimismo, señala que esas industrias no existirían sin la investigación y el desarrollo vinculados a la defensa y a la financiación por parte del Gobierno estadounidense.

En Europa, la política industrial activa ha continuado aplicándose desde el final de la Segunda Guerra Mundial. Algunos ejemplos de la aplicación de estas políticas incluyen el surgimiento del programa espacial francés Ariane, y la colaboración europea para la fabricación de la aeronave Airbus, que han sido éxitos industriales notables. Finlandia es un ejemplo de un país que experimentó tarde, pero con éxito, una industrialización dirigida por el Estado. Según Jänti y Vartiainen (2009), la política económica que logró ese objetivo fue una combinación de una potente intervención gubernamental e incentivos para sector privado. Las principales características del régimen de crecimiento del país fueron: la alta tasa de acumulación de capital, que frecuentemente requería el uso de créditos dirigidos concedidos a unos tipos de interés controlados por el Gobierno; una política de concesión de préstamos selectivos para la inversión en equipos de capital; y un índice elevado de inversión en áreas seleccionadas de manufacturas, en especial las industrias del papel, la pulpa y la metalúrgica. Se establecieron empresas estatales en las industrias básicas del metal y los fertilizantes químicos y en el sector energético. Ya en la década de 1980, las empresas estatales representaban el 18 % del valor añadido total de la industria del país.

¿Cuáles han sido los ingredientes clave en la aplicación exitosa de la política industrial?

El crecimiento económico moderno es un proceso continuo de modernización industrial y de cambio estructural. Para conseguir un crecimiento dinámico, un país en desarrollo debe desarrollar industrias que estén en consonancia con su ventaja comparativa, la cual viene determinada por la estructura de dotación del país, y aprovechar las ventajas potenciales del retraso en la modernización industrial. El proceso de modernizar la estructura industrial a un nivel más elevado y coherente con la dotación de factores no puede basarse solamente en el mecanismo del mercado. Por ejemplo, iniciar una nueva industria puede ser difícil a causa de la falta de insumos intermedios complementarios o infraestructuras adecuadas para la nueva industria, incluso si esa industria seleccionada es coherente con la ventaja comparativa de la economía, tal y como determina su dotación de factores. Las empresas privadas, al decidir sobre la modernización o la diversificación, pueden no ser capaces de asumir las inversiones para la producción de esos insumos intermedios o para la provisión de infraestructuras. Así pues, el Gobierno tiene un papel importante que jugar para proporcionar o coordinar inversiones en infraestructuras e insumos complementarios necesarios. Además, la innovación, que subyace a la modernización y a la diversificación industrial, es un proceso arriesgado porque implica el problema de tener que ser una empresa pionera (véase la página 58).

Por lo tanto, resulta muy útil extraer de las teorías de la ventaja comparativa y de la ventaja del retraso[1], así como de las experiencias de políticas industriales tanto exitosas como fracasadas analizadas anteriormente para codificar algunos principios y recomendaciones de políticas que puedan guiar en la formación de una política industrial exitosa. Esencialmente, el enfoque más prometedor para los países en desarrollo para diseñar una política industrial exitosa, es explotar la ventaja del establecimiento tardío construyendo industrias que estén creciendo de forma dinámica en países más avanzados con estructuras de dotación similares a la suya. Cuando Gran Bretaña aplicó políticas industriales para poder alcanzar a los Países Bajos en los siglos XVI y XVII, su renta per cápita era del 70 % en relación con la de los Países Bajos. Cuando Alemania, Francia y los Estados Unidos llevaron a cabo una política industrial para alcanzar a Gran Bretaña en el siglo XIX, su renta per cápita era de un 60 a un 75 % en relación con la de Gran Bretaña. Del mismo modo, cuando la política industrial de Japón seleccionó la industria automovilística de los Estados Unidos en la década de 1960, su renta per cápita era de un 40 % en relación con la de los Estados Unidos. Cuando la República de Corea y Taiwán (China) adoptaron políticas industriales para facilitar su modernización industrial en las décadas de 1960 y 1970, seleccionaron industrias de Japón en lugar de los Estados Unidos y por una buena razón: sus rentas per cápita eran de un 35 % en relación a la de Japón y solo de un 10 % en relación con la de los Estados Unidos en ese momento[2].

También, al observar con detalle los elementos de las estrategias del crecimiento convergente exitosas, parece que las particularidades de las intervenciones de la política dependieron de las restricciones vinculantes particulares para estas nuevas industrias y de las circunstancias del país. Sin embargo, aunque las intervenciones a menudo fueron diferentes, los patrones del desarrollo industrial fueron similares en todos los países. Todos comenzaron desde industrias intensivas de mano de obra, como la de las prendas de vestir, textiles, juguetes y electrónica, durante la primera etapa de desarrollo, e iban ascendiendo por la escala

---

[1] La ventaja del retraso hace referencia al hecho de que los países en desarrollo pueden beneficiarse de la brecha tecnológica/industrial con países avanzados, adoptando una tecnología nueva o iniciando una industria que es nueva para su economía pero madura en los países avanzados. En esta situación, el coste de la innovación en el país en desarrollo será sustancialmente menor que en los países avanzados que necesitaban inventar o innovar.

[2] Para un análisis sobre las políticas industriales en esos países, véase Chang (2003); para los cálculos de la renta per cápita de los países mencionados, véase Maddison (2006).

industrial, paso a paso, hacia industrias intensivas de capital. Por ejemplo, las economías de industrialización reciente del Asia Oriental, explotaron el hecho de que sus estructuras de dotación eran similares a las de Japón para continuar su desarrollo, siguiendo un patrón de «vuelo de gansos» (Akamatsu, 1962; Kim, 1988). Esto fue posible porque las diferencias de la renta per cápita en relación con las del país seleccionado no eran grandes (Ito, 1980).

Al observar minuciosamente a los países líderes seleccionados, los incorporados tardíamente pudieron emular el patrón del vuelo de los gansos de seguir al líder, que ha sido muy útil para las economías de crecimiento convergente exitoso desde el siglo XVIII. En el proceso, los Gobiernos —al proporcionar información, coordinación y, a veces, subvenciones limitadas— facilitaron el desarrollo de nuevas industrias consistentes con la ventaja comparativa latente del país, tal y como determinaba su estructura de dotación y, de ahí, ayudaron a establecer empresas que resultaron competitivas.

Con base en el análisis de esta experiencia histórica, el primer paso es identificar industrias nuevas en las que el país pueda tener una ventaja comparativa latente[3]; y el segundo, es eliminar las restricciones que impiden la emergencia de industrias con ventaja comparativa latente y crear las condiciones que les permitan convertirse en la ventaja comparativa real del país.

El Marco para la Identificación y Facilitación del Crecimiento, basado en la Nueva Economía Estructural, propone un proceso de seis pasos (Lin, 2012, capítulo 3).

El primer paso consiste en identificar los bienes y servicios comercializables que han ido creciendo de forma dinámica a lo largo de unos veinte años en países de rápido crecimiento, con estructuras de dotación similares y un PIB per cápita de casi el doble de alto que el del país en desarrollo. En muchos casos, como los salarios suelen aumentar durante el proceso de crecimiento, un país de rápido crecimiento que ha producido unos bienes y servicios determinados durante unos veinte años puede empezar a perder su ventaja comparativa en aquellos sectores, dejando el espacio para que países con salarios menores entren y compitan en esas industrias. Por ejemplo, un país en desarrollo podría producir bienes manufacturados de fabricación simple, sobre todo los que sean intensivos en mano de obra, tengan economías de escala limitadas, que requieran solo pequeñas inversiones y que en la actualidad son importados. Esto no solo le permitiría identificar nuevas

---

[3] Un país tendrá una ventaja comparativa latente en una industria, en la que podría ser en principio competitiva, basándose en el coste del factor de la producción, pero actualmente no es competitivo debido a los costes de transacción que surgen por la falta de infraestructuras y de un entorno empresarial propicio.

industrias potenciales, sino que también presentaría oportunidades empresariales prometedoras para su sector privado.

El segundo paso consiste en que entre las industrias identificadas, el Gobierno puede dar prioridad a aquellas en las que algunas empresas privadas nacionales ya se han introducido de forma espontánea. El Gobierno, entonces puede intentar identificar: (1) los obstáculos que impiden que estas empresas mejoren la calidad de sus productos o; (2) las barreras que limitan la entrada a esas industrias de otras empresas privadas. Esto podría llevarse a cabo a través de la combinación de métodos como el análisis de la cadena de valor o el Marco para el Diagnóstico del Crecimiento propuesto por Hausmann, Rodrik y Velasco (2008). El Gobierno puede entonces aplicar políticas que eliminen esas restricciones vinculantes y evaluar de forma rigurosa el impacto de su acción para asegurar el escalamiento efectivo de esas políticas en el ámbito nacional.

El tercer paso es que algunas de las industrias identificadas pueden ser completamente nuevas para las empresas nacionales. En estos casos, el Gobierno podría adoptar medidas específicas para alentar a las empresas de los países de renta más alta, identificados en el primer paso, a que invirtieran en estas industrias. Las empresas de los países con renta más alta tendrán incentivos para reubicar su producción en el país con renta inferior y, así, aprovecharse de los costes más bajos de mano de obra. El Gobierno también puede establecer programas de incubación para catalizar la entrada de empresas nacionales privadas en esas industrias.

El cuarto paso consiste en que, además de que las industrias identificadas en la lista de oportunidades para los bienes y servicios comercializables del primer paso, los Gobiernos de los países en desarrollo deben de prestar una especial atención a las innovaciones exitosas por parte de las empresas privadas nacionales y proporcionar apoyo para el escalamiento de esas industrias. A causa de los rápidos cambios tecnológicos, pueden surgir muchas oportunidades nuevas —oportunidades que no existían una o dos décadas atrás, ya que esas industrias existían en los países comparables de rápido crecimiento—.

El quinto paso es que, en los países en desarrollo que cuentan con infraestructuras deficientes y entornos empresariales hostiles, el Gobierno puede invertir en parques industriales o zonas francas industriales y llevar a cabo las mejoras necesarias para atraer a las empresas privadas nacionales y/o empresas extranjeras que quieran invertir en las industrias seleccionadas. Las mejoras realizadas en infraestructuras y en el entorno empresarial pueden reducir los costos de transacción y facilitar el desarrollo industrial. Sin embargo, a causa de las limitaciones presupuestarias y de capacidad la mayoría de los Gobiernos no podrán llevar a cabo las mejoras deseables para toda la economía en un tiempo razonable. Centrarse en mejorar las infraestructuras y el entorno empresarial en un parque industrial o una zona franca industrial es una alternativa más razonable. Los parques industriales y las zonas francas industriales también cuentan con el beneficio de poder incentivar los clústeres industriales. Los parques industriales se tendrían que diseñar de acuerdo con los requisitos específicos de la industria seleccionada.

El sexto paso es que el Gobierno también puede proporcionar incentivos limitados a empresas nacionales pioneras o a inversionistas extranjeros que trabajen dentro de la lista de industrias identificadas en el primer paso para compensar el conocimiento público no rival creado por sus inversiones. Los incentivos no deberían ni necesitan ser en forma de rentas monopólicas, aranceles elevados u otras distorsiones.

2.3 Observaciones finales

La característica principal del crecimiento económico moderno es la modernización industrial y el cambio estructural continuos. Para conseguir un crecimiento dinámico, un país en desarrollo debe desarrollar industrias consistentes con su ventaja comparativa, que viene determinada por la estructura de dotación del país, y aprovechar las ventajas potenciales del retraso en su modernización industrial.

La modernización y la diversificación industrial son fundamentales para permitir que la estructura de dotación del país en desarrollo se alinee, de forma gradual, a la de los países desarrollados y que, de esa forma, cree las condiciones previas para la mejora de los puestos de trabajo, la reducción de la pobreza y el aumento de la calidad de vida. Para facilitar la modernización de estos sectores, los países en desarrollo deben aplicar una política industrial selectiva para mitigar las restricciones vinculantes al crecimiento en los sectores más prometedores. La Nueva Economía Estructural y el Marco para la Identificación y Facilitación del Crecimiento ofrecen un enfoque práctico para identificar los sectores en línea con la ventaja comparativa latente de un país y sirven como guía sobre cómo eliminar las restricciones al crecimiento en esos sectores, solucionando las fallas de coordinación y del mercado.

En los últimos años, un número de países han dedicado esfuerzos a identificar sectores estratégicos y a calibrar medidas de política industrial en consonancia. En su Plan Visión 2020, Nigeria ha identificado una serie de sectores prioritarios y —con el apoyo del Banco Mundial— ha lanzado una serie de programas que promueven el crecimiento en estas áreas, inclusive en regiones concretas. Asimismo, el Plan Nacional de Desarrollo de Costa de Marfil resalta la necesidad de identificar los sectores estratégicos tanto en el sector agroindustrial como en el manufacturero. El país está trabajando con el Banco Mundial y con la Organización de las Naciones Unidas para el Desarrollo Industrial para desarrollar e implementar una estrategia de crecimiento construida sobre su ventaja comparativa latente. En Ruanda, Etiopía, la República Unida de Tanzania y Zambia se están llevando a cabo trabajos similares.

Asimismo, varios países de América Latina, como Colombia, con su Programa de Transformación Productiva y Brasil, a través de su Banco Nacional de Desarrollo Económico y Social (BNDES), están en proceso de desarrollar e implementar políticas industriales, con el fin de aprovechar plenamente sus ventajas comparativas respectivas en el mercado mundial. A diferencia del viejo estructuralismo, las medidas de política industrial basadas en la Nueva Economía Estructural, serán coherentes con los principios de la competencia libre y leal, ya que los sectores se ajustan a la ventaja comparativa latente del país y, por tanto, serán sostenibles.

Referencias

Acemoglu, D.; Robinson, J. A. 2001. «The colonial origins of comparative development: An empirical investigation», en *American Economic Review*, vol. 91, núm. 5, pp. 1369-1401.

Aghion, P.; Howitt, P. 1992. «A model of growth through creative destruction», en *Econometrica*, vol. 60, núm. 2, pp. 323-351.

Akamatsu, K. 1962. «A historical pattern of economic growth in developing countries», en *The Development Economies*, Preliminary Issue, núm. 1, pp. 3-25.

Becker, G. S. 1992. «Education, labor force quality, and the economy: The Adam Smith address», en *Business Economics*, vol. 27, núm. 1, pp. 7-12.

Chang, H. J. 2003. *Kicking away the ladder: Development strategy in historical perspective* (London, Anthem Press).

Commission on Growth and Development. 2008. *The growth report : Strategies for sustained growth and inclusive development* (Washington, DC, World Bank).

Domar, E. D. 1946. «Capital expansion, rate of growth and employment», en *Econometrica*, vol. 14, núm. 2, pp. 137-147.

Easterly, W. 2001. «The lost decades: Explaining developing countries' stagnation in spite of policy reform 1980-1998», en *Journal of Economic Growth*, vol. 6, núm. 2, pp. 135-157.

—. 2005. «What did structural adjustment adjust? The association of policies and growth with repeated IMF and World Bank adjustment loans», en *Journal of Development Economics*, vol. 76, núm. 1, pp. 1-22.

Glaeser, E.; Shleifer, A. 2002. «Legal origins», en *Quarterly Journal of Economics*, vol. 117, núm. 4, pp. 1193-1229.

Greif, A. 1993. «Contract enforceability and economic institutions in early trade: The Maghribi traders' coalition», en *American Economic Review*, vol. 83, núm. 3, pp. 525-548.

Harrod, R. F. 1939. «An essay in dynamic theory», en *The Economic Journal*, vol. 49, núm. 193, pp. 14-33.

Hausmann, R.; Rodrik, D.; Velasco, A. 2008. «Growth diagnostics», en N. Serra y J. E. Stiglitz (eds.): *The Washington consensus reconsidered: Towards a new global governance* (New York, Oxford University Press), pp. 324-354.

Heckman, J. J. 2006. «Skill formation and the economics of investing in disadvantaged children», en *Science*, vol. 312, núm. 5782, pp. 1900-1902.

Ito, T. 1980. «Disequilibrium growth theory», en *Journal of Economic Theory*, vol. 23, núm. 3, pp. 380-409.

Jäntti, M.; Vartiainen, J. 2009. *The Finnish development state and its growth regime*, Research Paper núm. 2009/35 (Helsinki, United Nations University).

Kim, Y. H. 1988. *Higashi ajia kogyoka to sekai shihonshugi* [Industrialization of East Asia and world capitalism] (Tokyo, Toyo Keizai Shimpo-sha).

Lin, J. Y. 1995. «The Needham Puzzle: Why the Industrial Revolution did not originate in China», en *Economic Development and Cultural Change*, vol. 43, núm. 2, pp. 269-292.

—. 2009. *Economic development and transition: Thought, strategy and viability* (Cambridge, Cambridge University Press).

—. 2012. *New structural economics: A framework for rethinking development and policy* (Washington, DC, World Bank).

List, F. 1930. *Das nationale system der politischen ökonomie* [The national system of political economy] (Berlin, Reinmar Hobbing).

Lucas, R. E. 2004. *Lectures on economic growth* (Cambridge, MA, Harvard University Press).

Maddison, A. 2001. *The world economy: A millennial perspective* (Paris, OECD Development Centre).

—. 2006. *The world economy* (Paris, OECD).

Mokyr, J. 1990. *The lever of riches: Technological creativity and economic progress* (New York and Oxford, Oxford University Press).

North, D. 1981. *Structure and change in economic history* (New York, Norton).

Pritchett, L. 1997. «Divergence, big time», en *Journal of Economic Perspectives*, vol. 11, núm. 3, pp. 3-17.

Romer, P. M. 1987. «Growth based on increasing reruns due to specialization», en *American Economic Review*, vol. 77, núm. 2, pp. 56-62.

—. 1990. «Endogenous technological change», en *Journal of Political Economy*, vol. 98, núm. 5, pp. S71-S102.

Trebilcok, C. 1981. *The industrialization of continental powers, 1780-1914* (London, Longman).

El papel de las políticas industriales y sobre el tipo de cambio en la promoción del cambio estructural, la productividad y el empleo

3

Rodrigo Astorga, Mario Cimoli y Gabriel Porcile

3.1 Introducción

En la teoría económica predominante, normalmente se analiza el tema del empleo en función de la tasa natural de desempleo y las «distorsiones» en el mercado laboral a través de las instituciones, tales como los salarios mínimos, los subsidios de desempleo y los fuertes sindicatos. No obstante, las economías de los países en desarrollo, donde las instituciones del mercado laboral son a menudo débiles o ineficaces cuando están al margen de la economía formal, han experimentado largos períodos de alto desempleo. Por otro lado, los países en los que los sindicatos perdieron influencia considerablemente—como en América Latina en las décadas de 1970 y 1990—, sin embargo, experimentaron un aumento del desempleo (Stalling y Peres, 2000). Por lo tanto, es necesario observar otras variables cuando se analiza el tema del empleo.

Es más, la mayoría de las economías en desarrollo cuentan con un gran excedente de mano de obra en el sector de subsistencia o en sectores con niveles extremadamente bajos de productividad (subempleo)[1]. Se trata de economías «duales» en el sentido de Lewis, o que al menos comprenden segmentos del mercado laboral con niveles de productividad que rozan el nivel de subsistencia. Estos modelos ven el desarrollo económico como un proceso de movilización de la mano de obra desde segmentos de baja productividad a segmentos de alta productividad. El motor que consigue sacar a la mano de obra del sector de subsistencia es el cambio estructural (Cimoli, 1988; Cimoli y Porcile, 2011; CEPAL, 2007; McMillan y Rodrik, 2011).

---

[1] Este es el punto de partida de la teoría estructuralista de la CEPAL (Prebisch, 1950).

Los países necesitan transformar la estructura de producción, es decir, crear nuevos sectores y tecnologías que generen empleos mejores y más productivos.

Este capítulo argumenta que la creación de empleo y la reducción del subempleo dependen críticamente de la diversificación de la producción y de las estructuras de exportación. Aquí, la diversificación se concibe como un medio para desarrollar y expandir sectores que son más dinámicos en el sentido de Keynes y Schumpeter (dinámica KS), es decir, aquellos que muestran mayores tasas de aumento de la demanda y más oportunidades para el cambio técnico[2]. Se hará hincapié en dos variables que determinan el proceso de diversificación: el tipo de cambio real (TCR) y las políticas industriales y tecnológicas (PIT). El TCR se define como el precio de los productos extranjeros con relación a los productos nacionales. Por lo tanto, un TCR elevado que refleja una moneda nacional depreciada implica más competitividad. En los últimos años la literatura ha establecido claramente la importancia del TCR en el cambio estructural y el crecimiento[3]. En cuanto a las PIT, este capítulo las define en un amplio sentido, y se incluyen todas las medidas que generan incentivos a favor de ciertos sectores y a favor del cambio tecnológico. Aunque la idea de que el crecimiento convergente exitoso necesita PIT activas solo ha llegado de forma gradual a la teoría económica predominante, se trata de un antiguo punto, pero bien establecido, en la tradición de la historia económica y en la teoría heterodoxa del crecimiento[4].

Este capítulo analiza las trayectorias de cuatro economías de América Latina —Argentina, Brasil, Chile y México— entre 1970 y el 2008 y las compara con una economía de crecimiento convergente exitoso, la de la República de Corea. Se ha elegido a estas cuatro economías porque representan una proporción importante del producto interno bruto total (PIB) de América Latina (el 81,6 % en el 2008[5]); también ilustran la diversidad de experiencias en la política económica de la región. Primero, se analizan las tendencias en la producción, el empleo, la productividad y

---

[2] Dosi, Pavitt y Soete (1990) definen los sectores con eficiencia o crecimiento keynesiana y eficiencia schumpeteriana en función del dinamismo de la demanda y de la tecnología, respectivamente. Normalmente, estas dos categorías se solapan. Obviamente, algunos países pueden simplemente tener buena suerte en la «lotería de productos básicos» (Díaz-Alejandro, 1983) y que su desempeño sea bueno (durante algún tiempo) en la economía internacional sin construir habilidades tecnológicas, pero no es la regla en la historia económica. Hay evidencias de una relación positiva entre la diversificación de la exportación y el crecimiento que se pueden encontrar en Saviotti y Frenken (2008); Hausmann, Hwang y Rodrik (2007); y Agosín, Álvarez y Bravo-Ortega (2012).

[3] La literatura es extensa; véase, por ejemplo, Frenkel (2004); Pacheco-López y Thirlwall (2006); Bresser-Pereira (2008); Eichengreen (2008); Freund y Pinerola (2008); Rodrik (2008); Razmi, Rapetti y Skott (2009); y Rapetti (2011). Las primeras aportaciones son de Baldwin (1988) y Baldwin y Krugman (1989).

[4] Véase Amsden (1989); Reinert (1995); Bell (2006); Cimoli y Porcile (2009 y 2013); y Ocampo (2011).

[5] Datos obtenidos de la CEPALSTAT, América Latina y el Caribe, por actividad económica.

el cambio estructural para el sector manufacturero. A continuación, se estudia la evolución de estas variables para toda la economía.

Es preciso hacer una advertencia. La manufactura es el punto de partida ya que, tal y como normalmente se reconoce, ha sido un lugar privilegiado de aprendizaje, de acumulación de habilidades tecnológicas y de difusión tecnológica a todo el sistema económico —al menos en la mayor parte del período que analiza este capítulo—. En los años posteriores a la guerra, lograr el crecimiento convergente y promover el cambio estructural en las economías en desarrollo significaba, en gran medida, industrializar. Si bien es cierto que otros sectores juegan un papel muy importante en el desarrollo y la producción de externalidades, aquí se argumentará que un aumento de la proporción de actividades intensivas en tecnología en la manufactura es una buena aproximación para el proceso de aprendizaje en el conjunto de la economía. La manufactura no monopoliza el aprendizaje, pero es un marcador bueno del proceso de aprendizaje en una economía en desarrollo. Además, junto a la construcción y los servicios, la manufactura es la responsable de una proporción importante del total del empleo. Todo lo que ocurre en relación con el empleo en el sector manufacturero repercute considerablemente en el empleo y la productividad del resto de la economía.

El resto del capítulo está dividido en tres secciones. La sección 3.2 presenta brevemente un marco teórico para analizar las interacciones entre la tecnología, el cambio estructural, el aumento de la demanda y el incremento del empleo en economías en desarrollo. Este marco proporciona la base para una tipología de patrones de crecimiento. La sección 3.3 ofrece evidencia empírica de las diferentes trayectorias de crecimiento, la productividad y el empleo en la manufactura en escenarios diferentes, definidos por políticas macroeconómicas, PIT y choques externos. La sección 3.4 identifica los patrones de crecimiento para el conjunto de la economía. La sección 3.5 expone las observaciones finales.

3.2 Empleo, cambio estructural y crecimiento en economías en desarrollo

3.2.1 Regímenes de demanda, productividad y cambio estructural

Esta sección analiza las interacciones entre el empleo, los patrones de especialización y el aumento de una demanda efectiva (se puede encontrar un análisis formal en el apéndice). A un nivel, la evolución del desempleo depende de la diferencia entre las tasas de crecimiento del PIB y la productividad laboral. A otro nivel, el aumento del

PIB se ve con frecuencia limitado por un desequilibrio externo o por restricciones de la balanza de pagos (BDP), especialmente en países especializados en productos básicos de baja tecnología. Estos países cuentan con una elasticidad de renta baja de la demanda por las exportaciones y una elasticidad de renta alta de demanda por las importaciones. Como resultado, el déficit de la cuenta corriente como porcentaje del PIB tiende a aumentar cuando se acelera el crecimiento económico. Esta situación no es sostenible a largo plazo, y de ahí que el país se vea obligado a reducir su tasa de crecimiento para frenar el desequilibrio externo.

El crecimiento de la productividad está determinado por los cambios del TCR, el crecimiento económico y el cambio estructural. El TCR influye en el crecimiento de la productividad por dos razones. La primera es que, en las economías en desarrollo, una proporción importante del total de la inversión en bienes de capital es importada. Por lo tanto, una caída del TCR reduce el precio de esos bienes y acelera la sustitución del equipamiento antiguo. La segunda razón es que un TCR inferior agudiza las presiones competitivas en los mercados internos y externos[6]. Los productos extranjeros serán más baratos y las empresas nacionales tendrán que invertir más en tecnología que cuando están «protegidas» por un alto TCR. Según el análisis que exponemos más adelante, los aumentos de la productividad también provienen del aprendizaje práctico y dependen positivamente de la tasa del crecimiento económico, una relación que se conoce como la ley de Kaldor-Verdoorn.

El cambio estructural, un factor clave que determina el aumento de la productividad, se encuentra estrechamente asociado a la diversificación de la producción, a los rendimientos crecientes, a las nuevas especializaciones y habilidades y a varios derrames de conocimiento; hace que sea posible una estructura económica compleja[7]. El cambio estructural también depende del TCR y del aumento de la productividad en muchas otras formas. El TCR y la productividad determinan los costes laborales unitarios de producción en cada sector. Un incremento del TCR y/o el aumento de la productividad permite a las empresas nacionales entrar y competir en sectores nuevos y fomenta tanto la diversificación de la exportación como la sustitución de la importación.

La demanda efectiva, la productividad y el cambio estructural, en conjunto, definen los parámetros que describen distintas tipologías de crecimiento y el modo en que los cambios en las políticas y las condiciones externas afectan a las perspectivas de crecimiento y empleo. El TCR está influenciado por la combinación de políticas macroeconómicas, choques externos en el crédito y las condiciones del

---

[6] Véase Blecker (1999).
[7] Véase, por ejemplo, CEPAL (2008) y Dosi, Lechevalier y Secchi (2010).

comercio. Aunque el Gobierno no controla totalmente el TCR, se supone que las políticas macroeconómicas tienen una influencia en esta variable.

3.2.2 Los tres regímenes y los patrones emergentes de crecimiento

Hay varias combinaciones posibles de regímenes de demanda, productividad y cambio estructural en equilibrio. Estas combinaciones definen diferentes escenarios, que a su vez están relacionados directamente con las políticas macroeconómicas e industriales. Se destacarán cuatro escenarios que representan diferentes trayectorias de crecimiento y empleo, y que se encuentran en economías en desarrollo (cuadro 3.1), aunque también son posibles otras combinaciones. Estos escenarios se corresponden con los cuatro que propuso Ocampo (2005) en relación con la dinámica estructural y pueden considerarse como un complemento a su tipología.

Cuadro 3.1 Aumento de la productividad, empleo y cambio estructural: escenarios alternativos

Crecimiento del empleo (z)	Aumento de la productividad (a)	
	Aumento rápido de la productividad	Aumento lento de la productividad
Crecimiento rápido del empleo	**I** *Círculo virtuoso* – Régimen de demanda fuerte – Régimen de productividad fuerte – Régimen de cambio estructural fuerte	**II** *Absorción de trabajadores* – Régimen de demanda fuerte – Régimen de productividad débil – Régimen de cambio estructural débil
Crecimiento lento del empleo	**III** *Racionalización defensiva* – Régimen de demanda débil – Régimen de productividad fuerte – Régimen de cambio estructural débil	**IV** *Círculo vicioso* – Régimen de demanda débil – Régimen de productividad débil – Régimen de cambio estructural débil

- El primer escenario es el círculo virtuoso, que aparece representado en el panel i del cuadro 3.1. Este escenario surge de las políticas macroeconómicas que se centran en la competitividad y en las PIT fuertes, normalmente dentro de un contexto de expansión de la economía mundial. Un TCR competitivo y un cambio estructural estimulan el crecimiento económico. El efecto positivo del cambio estructural sobre el aumento de las exportaciones (o en reducir la tasa de crecimiento de las importaciones) impulsa la tasa de crecimiento de la demanda de mano de obra que es compatible con el equilibrio externo. Para que tenga lugar este efecto positivo de demanda de mano de obra, el impacto del cambio estructural sobre el aumento de la demanda debe sobrepasar su impacto en el aumento de la productividad[8]. Al mismo tiempo, el aumento de la productividad es positivo y rápido porque los derrames y las externalidades que genera el cambio estructural superan ampliamente el lastre para el cambio técnico que surge de un TCR depreciado.

- El segundo escenario está impulsado por la absorción de trabajadores, representado en el panel II del cuadro 3.1. Este escenario se produce por una política macroeconómica que acentúa la competitividad y las PIT están ausentes o son débiles. El cambio estructural es muy lento, pero el TCR depreciado sostiene el crecimiento de la demanda. Como resultado el empleo se incrementa. Sin embargo, el aumento de la productividad se ralentiza ya que el TCR aumenta los costes de los bienes de capital y el poder de monopolio de las empresas nacionales. La diferencia entre este escenario y el anterior reside principalmente en la función específica de las PIT. En el primer escenario, las PIT activas vinculan estrechamente la diversificación de la producción con el aumento de la productividad y, por tanto, compensan el impacto negativo del TCR. En el segundo escenario, el efecto del TCR prevalece a causa de los pocos derrames y del aprendizaje limitado. Una política industrial débil es una política que no proporciona incentivos para cambiar a actividades económicas que generen externalidades, rendimientos crecientes y absorción de nuevas tecnologías. Esta falta de apoyo puede ser el resultado de transferencias deficientes de recursos a actividades dinámicas, incentivos diferenciales débiles que no pueden contrarrestar la dependencia de la trayectoria que refuerza las ventajas comparativas estáticas; la transferencia de rentas a industrias o empresas sin metas ni objetivos claros; y el fracaso al construir infraestructuras, capital humano y otros requisitos para el crecimiento convergente con la frontera tecnológica (Cimoli, Porcile y Rovira, 2010).

- El tercer escenario está relacionado con las políticas macroeconómicas o los choques externos que aumentan el TCR. En el caso de los choques externos, estos incrementos pueden derivar de préstamos fáciles en mercados de capital internacionales o por el recrudecimiento de las condiciones comerciales. La revaluación del TCR genera una racionalización defensiva como principal estrategia competitiva y las pérdidas de habilidades, ya que algunos sectores no

---

[8] Oficialmente, $y'(z) > a'(z)$ (véase apéndice).

pueden sobrevivir. Esto aparece en el panel iii del cuadro 3.1. Puede surgir una paradoja a propósito de esta situación, en la que el aumento de la productividad se acelera mientras que el patrón de especialización se traslada hacia productos básicos de baja tecnología. El proceso de destrucción de empleo avanza más rápido que el de la creación de empleo y, por tanto, el desempleo se incrementa. El corolario de esto es que la productividad puede aumentar de manera considerable en algunos sectores dentro de un contexto de crecimiento lento de demanda agregada y desempleo creciente en conjunto. El trabajo se reubica en bienes y servicios no comercializables, en su mayoría en actividades de servicios con una productividad laboral baja.

Algunos responsables de política pueden ver este escenario como un proceso saludable para volver a trasladarse a las ventajas comparativas y a lo que la economía hace mejor. Pueden acoger positivamente tal combinación de crecimiento del empleo más lento y de aumento de la productividad más rápido, sobre todo si su preocupación más importante es la inflación[9]. Sin embargo, existe un riesgo importante de intercambiar un aumento de la productividad a largo plazo por un aumento de la productividad a corto plazo. A largo plazo, la pérdida de sectores intensivos de tecnología perjudicaría el aumento de la productividad. Dicho de otro modo, el impacto negativo del TCR sobre el aprendizaje puede ser importante a corto plazo, mientras que los efectos *estructurales* adversos se vuelven cada vez más importantes a largo plazo (véase Lima y Porcile, 2013).

- El cuarto escenario es un círculo vicioso de caída de la productividad y del empleo, y se muestra en el panel iv del cuadro 3.1. La demanda agregada se estanca o cae incluso con un TCR competitivo, ya sea porque el país está fuertemente endeudado y tiene que hacer uso del intercambio de divisas para hacer frente a la deuda (se convierte en un exportador neto de divisas) o porque existe un choque negativo en las relaciones comerciales que acentúan la restricción externa sobre el crecimiento. El deterioro del papel del cambio estructural y la pérdida del aumento de la productividad se refuerzan mutuamente y reprimen los esfuerzos del país para escapar del círculo vicioso utilizando el TCR. Solo alguna intervención exógena que mitigue el peso de la restricción externa (ya sea a través del impago de la deuda o de una renegociación favorable de sus términos) sería efectiva bajo este escenario.

---

[9] También es necesario distinguir entre la revaluación del TCR que surge gracias a las mejores condiciones comerciales y la revaluación que surge del crédito fácil. La primera puede estar asociada con las altas tasas de aumento de la demanda, impulsadas por las exportaciones florecientes; y la última es más probable que produzca un crecimiento económico lento.

La sección siguiente presenta en estos escenarios el plano productividad —valor añadido para analizar cómo están relacionados con el crecimiento del empleo.

3.2.3 Combinando las variables tanto de la demanda como de la oferta

Los escenarios descritos anteriormente pueden verse en función de la evolución conjunta de la productividad laboral (A) y la demanda/producción agregada (y) (gráfico 3.1, véase también Cimoli y Porcile, 2009). En el espacio Ay el punto D indica los niveles predominantes de productividad e ingresos en t = 0; N_D indica el nivel de empleo; y la proporción $1/N_D$ corresponde a la inclinación de la línea dibujada desde el origen hasta el punto D[10]. Las diferentes trayectorias de la productividad frente a la demanda agregada (y, por tanto del empleo) desde $t = 0$ hasta $t = $ T se describen por las curvas desde D hasta E, F, G y H. Estas trayectorias tienen relación con la forma en que el país combina las interacciones de la oferta y la demanda —que tal y como se ha mencionado, dependen de combinaciones específicas de políticas macroeconómicas y de PIT, así como de choques externos—.

Consideremos, por ejemplo, el escenario del círculo virtuoso en el que las PIT tienen como objetivo fortalecer las habilidades tecnológicas y cambiar el patrón de especialización hacia sectores de alto crecimiento, mientras que la política macroeconómica sostiene ambos a un TCR estable y alto y el aumento del gasto autónomo coherente con el equilibrio externo. Este círculo virtuoso llevará a la economía —después del tiempo t— desde el punto D hasta el punto E. El mercado laboral irá mejorando el poder de negociación de los trabajadores, ya que la tasa de empleo aumenta y los salarios reales tienden también a experimentar un crecimiento.

En el escenario de la absorción de trabajadores, el TCR y la expansión del comercio mundial sostienen la demanda efectiva, pero el cambio estructural y el aprendizaje avanzan a un ritmo más lento. Después del mismo período t, la economía estará en el punto F en lugar de en el punto E, como en el escenario del círculo virtuoso. Este patrón de crecimiento aparece reflejado en el gráfico 3.1 mediante desplazamientos en horizontal, con la productividad laboral contribuyendo suavemente al crecimiento (solo absorción de trabajadores). La gestión de la demanda favorece el crecimiento pero no hay suficiente aprendizaje para reducir la brecha con la frontera tecnológica internacional (PIT débiles). El empleo aumenta

---

[10] Esta proporción multiplicada por el nivel de productividad da el total del producto y la demanda agregada total.

pero los puestos de trabajo serán de peor calidad dentro de este escenario. Esto también conlleva que la demanda de mano de obra cualificada sea endeble, que a su vez implica que no haya casi incentivos para la formación y educación de la mano de obra.

Gráfico 3.1. Patrones alternativos de aumento
de la productividad y los ingresos

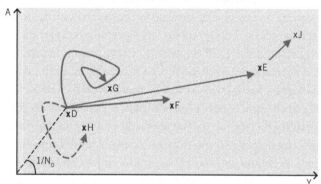

El escenario de la racionalización defensiva refleja un contexto de revaluación del TCR y de falta de PIT. Esta trayectoria aparece representada por la curva que va desde el punto *D* hasta el punto *G*, impulsada por los efectos del TCR sobre la productividad y la caída del empleo. En este caso hay un fuerte salto inicial en la productividad —a causa de un breve repunte de inversión, basado en las importaciones de bienes de capital y bienes intermedios— pero disminuye pronto. Además, si la revaluación del TCR conduce a déficits en la cuenta corriente, el impacto expansionista inicial de mayor productividad puede ir seguido de un período de recesión. La economía entonces puede mostrar oscilaciones cíclicas en torno a una tasa de equilibrio más baja de crecimiento. Las consecuencias sobre el mercado laboral pueden resultar altamente negativas por dos razones. La primera es el impacto directo del TCR bajo sobre la competitividad, la demanda efectiva y, por tanto, el empleo. La segunda razón es que el régimen de racionalización defensiva está asociado con fuertes fluctuaciones en el TCR, inflación y PIB. Este régimen implica la acumulación de desequilibrios (externos e internos) que acabarán en profundas recesiones que pueden perjudicar de forma duradera a la estructura de producción y al mercado laboral.

El escenario del círculo vicioso, representado en el gráfico 3.1 por la línea discontinua que va desde *D* hasta *H*, surge cuando hay un choque externo grave y grandes exportaciones de capital. Esta curva representa el caso en el que el PIB cae o crece a un ritmo muy lento, mientras que los niveles de productividad laboral decrecen. El círculo vicioso está asociado con mercados laborales flojos y la disminución de los salarios reales. Este escenario está acompañado por una caída total de la inversión y dificulta aún más el crecimiento convergente en tecnología.

Los distintos escenarios pueden ser secuenciales. Por ejemplo, una fase del círculo virtuoso de aumento en productividad y empleo, si agota la reserva de mano de obra en la economía en desarrollo, puede conducir a un período de crecimiento, encabezado por el aumento de la productividad. La acumulación de habilidades tecnológicas, después de un largo período de aprendizaje, permite al país no depender tanto del TCR depreciado y sí aumentar la productividad para competir en el mercado internacional. Los mercados laborales cambian a favor de los trabajadores y los salarios reales se incrementan. Este caso viene representado por la flecha que conecta los puntos E y J en el gráfico 3.1. De manera inversa, un período de créditos fáciles asociado con la racionalización defensiva puede generar una deuda externa muy grande que tendrá que ser pagada en la siguiente fase. Un choque negativo inesperado en las condiciones externas desencadena la crisis y traslada la economía hacia el círculo vicioso (desde el punto G hasta el punto de más abajo próximo al H, que no se muestra en el gráfico 3.1).

Históricamente, en las economías desarrolladas, la expansión del empleo y la productividad laboral están relacionadas con la diversificación de la economía, la expansión de actividades de alta tecnología y las exportaciones y el dinamismo resultante de demanda nacional e internacional. Por otro lado, en las economías en desarrollo, el cambio técnico está muy localizado en algunas actividades de exportación (tanto en el sector agrícola como en el industrial), con efectos débiles sobre la demanda total y el cambio estructural. Como resultado, la productividad tiende a crecer a tasas más elevadas que la demanda, lo que implica que persistan el desempleo y el subempleo. Los países que han logrado el crecimiento convergente, como la República de Corea y, más recientemente, China, han llevado a cabo una política macroeconómica comprometida con la competitividad y las PIT comprehensivas. Si bien la industria en China parece seguir la trayectoria descrita por la flecha que va desde D hasta F, como en el escenario de absorción de trabajadores, la República de Corea ya está situada en la trayectoria descrita por la flecha que va desde E hasta J.

En la sección siguiente (sección 3.3) se analizarán diferentes patrones de crecimiento, empleo y cambio estructural en el sector manufacturero para cuatro países de América Latina y la República de Corea. Estos patrones están relacionados con las variables exógenas del modelo —políticas macroeconómicas e industriales, así como choques en los préstamos de capital y las condiciones del comercio—. En la sección 3.4 se analizan las mismas variables para la economía agregada.

3.3 Patrones de cambio estructural, crecimiento y empleo en el sector manufacturero

Esta sección analiza las trayectorias seguidas por los sectores manufactureros de cuatro economías de América Latina (Argentina, Brasil, Chile y México) y la República de Corea. Esta última representa un claro ejemplo de una economía que ha logrado alcanzar el crecimiento convergente con éxito. Para cada país, las distintas fases que se describen en el texto vienen identificadas en el cuadro 3.2 que está al final de la sección (véanse también los gráficos A3.1-A3.5 del apéndice). El crecimiento del valor añadido y el incremento del empleo se calcularon según los datos obtenidos de la PADIWIN para América Latina y de la base de datos STAN para el análisis estructural (OCDE) para la República de Corea. El TCR se obtuvo de la Tabla Mundial de Penn.

El cambio estructural se mide a través de un indicador cuyo objetivo es capturar la intensidad tecnológica de la manufactura, el Índice de Participación Relativa (IPR). El IPR es la relación entre la proporción de industrias de ingeniería[11] en el total del valor añadido de la manufactura en un país determinado (Argentina, Brasil, Chile o México) y esa proporción en un país de referencia. Este capítulo toma a los Estados Unidos como país de referencia. Por lo tanto, un IPR = 0,5 en el país i significa que la proporción de las industrias de ingeniería en el sector manufacturero del país i es la mitad de su proporción en los Estados Unidos. Un IPR más elevado indica un dinamismo KS mayor en la producción de bienes manufacturados. El cambio del IPR a lo largo del tiempo representa un cambio estructural progresivo ($z > 0$; véase el apéndice).

Para hacer la tipología operacional, se identificaron los diferentes patrones de crecimiento mediante la aplicación de umbrales cuantitativos. Consideramos dos variables: el incremento del empleo y el aumento de la productividad. Adoptamos los criterios siguientes: (1) el incremento del empleo es positivo o cero/negativo y (2) el aumento de la productividad es mayor o menor que el 2 %[12]. Al combinar estos dos criterios se obtiene a la matriz siguiente:

Patrones de crecimiento en la fabricación

Incremento del empleo	Aumento de la productividad	
	≥ 2 %	< 2 %
Positivo	*Círculo virtuoso*	*Absorción de trabajadores*
Cero o negativo	*Racionalización defensiva*	*Círculo vicioso*

---

[11] Las industrias de ingeniería comprenden, según la Clasificación Uniforme para el Comercio Internacional (CUCI), la fabricación de productos metalúrgicos, salvo maquinaria y equipamiento; maquinaria y equipamiento; y equipamiento de transporte.

[12] La elección del umbral es arbitraria hasta cierto punto. La elección del punto de corte del 2 % del aumento de la productividad y el incremento del empleo positivo tiene como objetivo asegurar que la economía crezca sobre el 2 % anualmente.

En el resto de esta sección, las distintas fases de crecimiento de Argentina, Brasil, Chile, México y la República de Corea, se clasificarán según esta matriz.

3.3.1 Argentina

Desde 1970 se pueden identificar tres escenarios distintos en Argentina (véase el cuadro 3.2 y el gráfico A3.1 en el apéndice). La racionalización defensiva fue el escenario predominante durante dos períodos (1976-81 y 1990-2001), caracterizada por un TCR bajo, un cambio estructural regresivo o lento y la caída o estancamiento del empleo industrial. Estos períodos corresponden a dos experimentos muy importantes en la política económica. El primero lo aplicó el Gobierno militar que llegó al poder en 1976. Ese Gobierno adoptó un plan audaz de liberalización comercial y financiera. El tipo de cambio nominal se utilizó como ancla para refrenar las expectativas de inflación, ocasionando una revaluación real sólida, y las barreras comerciales se redujeron de manera unilateral. Este período terminó con la crisis de la deuda de 1982. El segundo período de racionalización defensiva estuvo relacionado con el «Plan de Convertibilidad» y la adopción de un régimen de tipo de cambio fijado (Plan Cavallo) bajo la democracia. En ambos casos el TCR bajo se utilizó como arma principal contra la inflación, ya que Argentina salía de un período de súper o híperinflación de principios de la década de 1970 y finales de la de 1980. En ambos casos hubo un intento de volver a las ventajas comparativas estáticas y minimizar la intervención gubernamental, que se consideraba la causa principal del estancamiento económico en Argentina. Al igual que el experimento anterior de la rápida liberación financiera y comercial, el «Plan de Convertibilidad» condujo hacia una mayor crisis externa y a la recesión[13].

El escenario de la absorción de trabajadores —con un alto TCR, un cambio estructural lento y aumentos en el empleo industrial— se da en Argentina durante dos períodos bastante diferentes: en la primera mitad de la década de 1970 y después de la principal devaluación del 2002. En el primer período (1970-75) el TCR se vio tan apreciado como en la década de 1990, pero al mismo tiempo hubo una gran variedad de medidas proteccionistas que mantuvieron al sector manufacturero relativamente protegido de la competencia externa. Durante el segundo período (a partir del 2004) el Gobierno buscó mantener el tipo de cambio a un nivel competitivo mientras que fomentaba una distribución de ingresos más equitativa, con efectos positivos en la demanda agregada efectiva. El PIB del sector manufacturero creció el doble, tan rápidamente como en la primera mitad de la

---

[13] Véase Frenkel (2004), y Damill y Frenkel (2009).

década de 1970, y estuvo acompañado por un aumento moderado de la productividad laboral.

El último escenario visto en Argentina es el de la década de 1980 en el que el valor añadido y el empleo cayeron a causa del coste del servicio de deuda que comprometió gravemente el crecimiento y la inversión. La productividad aumentó de forma moderada en este período, pero se debió al hecho de que el rendimiento se desplomó incluso más rápido que el empleo. Este escenario refleja un círculo vicioso de retraso tecnológico y un descenso de la competitividad.

El cambio estructural responde más lentamente a cambios en la política que la productividad y el empleo. La evidencia muestra que el IPR (cuyo cambio captura el cambio estructural) tendía a permanecer más o menos estable hasta el estallido de una crisis, para después desplomarse. De todas formas, esto no significa que la estructura sea insensible a los macro precios. Durante el período de revaluación monetaria, las empresas se ven afectadas por la caída de la competencia y la demanda, mientras que las habilidades y las competencias laborales se degradan de forma gradual. Durante la crisis, las empresas, la producción y las habilidades humanas se destruyen a una gran escala como resultado del desequilibrio acumulado del período anterior. El impacto negativo de la crisis en el sector de ingeniería se ve reforzado por el hecho de que durante la crisis se realizan más contratos de inversión que otros componentes de la demanda agregada.

Los fenómenos de histéresis son importantes en el cambio estructural. El crecimiento lento y la baja inversión implican quedarse atrás del mundo en cuanto a las habilidades tecnológicas. En un mundo de fronteras tecnológicas internacionales de rápida movilización, resulta extremadamente difícil para una economía recuperar sus sectores intensivos de tecnología, una vez que los han perdido. Esta es la razón por la que los períodos de revaluación monetaria, basados en la racionalización defensiva, vienen seguidos de un círculo vicioso de crecimiento lento en el empleo y el valor añadido.

Argentina desmontó la mayoría del instrumental que tenía como PIT después de 1976, pero continuó aplicando algunas medidas proteccionistas en sectores tales como el automovilístico, el siderúrgico y el petrolífero[14]. En los últimos años, el Gobierno argentino ha querido reconstruir su instrumental para las PIT industriales, en gran parte como respuesta defensiva a la recesión mundial del 2008 y a la revaluación posterior del TCR. Desde el 2007, no fueron los precios más elevados de los productos básicos los que ocasionaron la revaluación, sino el aumento de la inflación, que superó el 20 % en algunos de los últimos años. De forma paralela, hubo un avance hacia la adopción de medidas proteccionistas que no están

---

[14] Véase Katz (1997)

relacionadas de forma clara con el aprendizaje y el crecimiento convergente. En general, la experiencia de Argentina en lo que se refiere a la política industrial ha sido más débil y más discontinua que la de Brasil.

3.3.2 Brasil

Hemos de poner de manifiesto dos diferencias importantes entre Argentina y Brasil. La primera es que a lo largo de su historia posterior a 1930, Brasil se ha comprometido más con el desarrollo industrial que Argentina. En contraste con la manufactura de Argentina, la de Brasil creció en todos los períodos considerados (cuadro 3.2 y gráfico A3.2 del apéndice). En especial, mientras que Argentina intentaba una liberación financiera y comercial a finales de la década de 1970 y abandonaba la mayoría de sus instrumentos de la política industrial en el mismo período, Brasil adoptó el Segundo Plan Nacional de Desarrollo (II PND), que dio un empuje muy importante a la diversificación industrial. Durante la década de 1970, se utilizaron ampliamente la industrialización por sustitución de importaciones y las subvenciones a las exportaciones industriales. La continua utilización de la política industrial en Brasil condujo a niveles más elevados de IPR que en cualquier otro país el América Latina. El IPR en Brasil en la década de 1970 fue casi del 0,7 mientras que en Argentina fue del 0,3.

La segunda diferencia reside en la política del TCR después de 1990[15]. Al igual que Argentina, Brasil utilizó el TCR como ancla para la inflación en la década de 1990, pero sin adoptar un régimen de tipo de cambio fijado en toda regla como el de Argentina. En su lugar, el «Plan Real» de Brasil adoptó una banda de fluctuación para el tipo de cambio nominal. Esta banda se utilizó con fines contra la inflación pero aún dio al Gobierno brasileño más libertad para devaluar y reaccionar ante el desequilibrio externo. Por esta razón, la revaluación de la divisa brasileña, el real, no fue tan grave como la del peso de Argentina. Estas posiciones se invirtieron después del 2002. Argentina trató después de mantener el TCR a un nivel competitivo (y tuvo éxito hasta que la inflación empezó a notarse en el TCR) y en Brasil, a finales de la primera década del 2000, el TCR había caído a los niveles de la década de 1990.

El análisis de la transformación industrial de Brasil sugiere cuatro fases diferentes. Una comprende el período 1970-81, en el que las PIT aseguraron un crecimiento elevado en la manufactura y el empleo, aunque en un contexto de

---

[15] Se puede encontrar un resumen de las políticas de la década de 1990 en América Latina en la CEPAL (2003).

competitividad baja. El IPR aumentó de manera constante, impulsado por las PIT, y dio lugar a un círculo virtuoso. Sin embargo, el TCR se revaluó a finales de la década de 1970. Esto se asoció con el aumento de la deuda externa y la caída de las tasas de crecimiento. En la década de 1980, la crisis de la deuda inauguró una fase de círculo vicioso que duró hasta principios de la década de 1990. La racionalización defensiva prevaleció como consecuencia de los programas de estabilización de la década de 1990 (que utilizaron el TCR como ancla). Una fase de absorción de trabajadores empezó después de la devaluación de 1999. En los últimos años, el TCR ha tendido a revaluarse de nuevo en Brasil. Esto ha impulsado el empleo y el cambio estructural en Brasil hacia una trayectoria más parecida a la de la década de 1990, aunque es demasiado temprano para evaluar los impactos sobre la estructura industrial.

3.3.3 Chile

El análisis sobre la evolución económica en Chile se define en varias fases desde 1970 (cuadro 3.2 y gráfico A3.3 del apéndice). En la segunda mitad de la década de 1970, el desempeño de Chile en términos de crecimiento, en especial en el sector manufacturero, fue lamentable. Chile adoptó una política de rápida liberalización comercial y financiera que trajo consigo la revaluación del TCR en 1976-81. Esto obstaculizó la competitividad, sobre todo en el sector manufacturero. Bajo una política en la que se reducía la presencia del Estado y se desregulaban los mercados, se abandonaron las políticas sectoriales, mientras que —como en Uruguay y Argentina— las políticas macroeconómicas se basaban en el «enfoque monetario hacia la balanza de pagos». Las consecuencias fueron un desplome del IPR y un aumento de la deuda externa que dio lugar a las condiciones del círculo vicioso observado durante la primera mitad de la década de 1980.

El país entró en una trayectoria dinámica de crecimiento solo a mediados de la década de 1980, *pari passu* con la adopción de un TCR y unas iniciativas de política para diversificar la exportación[16]. Si bien el IPR aumentó durante la fase del círculo virtuoso de 1986-97, la revaluación gradual del TCR dificultó el ímpetu de crecimiento y condujo a una nueva caída del IPR. Los controles del capital (controles administrativos y un «requisito de reserva no remunerada» entre 1991 y 1998) permitieron un grado más elevado de autonomía en la política monetaria. Sin embargo, se abandonaron estos controles después de la crisis financiera asiática,

---

[16] Sobre los cambios institucionales y productivos que fomentaron la emergencia de nuevas actividades de exportación en Chile en la década de 1990, véase Katz (2008).

dejando más espacio a la posterior revaluación monetaria. Desde 1997, la manufactura se ha trasladado hacia la racionalización defensiva. El empleo en la manufactura dejó de aumentar, como consecuencia de la lentitud de la diversificación y el crecimiento.

Chile comparte con Argentina el avance radical hacia la liberalización comercial y financiera, junto con la revaluación monetaria en la década de 1970 y el colapso de la década de 1980. La diferencia entre ambos países en la década de 1990 parece residir en el compromiso de Chile con una política de diversificación de la exportación y con un TCR competitivo, que —en contraste con el «Plan de Convertibilidad» en Argentina y, en menor medida, con el «Plan Real» de Brasil— intentó estimular la diversificación. La diferencia en el desarrollo del IPR en los dos países refleja esta diferencia en sus políticas.

Después de 1998, el ímpetu de la diversificación de la exportación en Chile retrocedió, originando tanto una caída del IPR como del crecimiento de la productividad. Todavía existe un importante debate en torno a los factores que están tras el crecimiento más bajo de la productividad. La oleada inicial de diversificación consiguió explorar trayectorias tecnológicas basadas en recursos naturales. No obstante, estas trayectorias tecnológicas se fueron agotando de forma gradual. Para superar los rendimientos decrecientes, se necesitaría una política industrial activa, destinada a desarrollar capacidades con bases tecnológicas más allá del sector primario. Aunque Chile cuenta con algunos instrumentos concebidos para fomentar la innovación y la diversificación, estos instrumentos están fragmentados y mal financiados. Los efectos de este tipo de programas fueron limitados y Chile sigue dependiendo de los recursos naturales, en especial de las exportaciones de cobre. Además, la revaluación del tipo de cambio a lo largo de 1997 puso en peligro la continuidad de la diversificación de la exportación (Ffrench-Davis, 2000 y 2002).

3.3.4 México

Al igual que Brasil, México continuó fomentando la industrialización en la década de 1970 y no renunció a la política industrial hasta mediados de la década de 1980. Durante la mayor parte de la década de 1970, México siguió una trayectoria virtuosa de crecimiento (cuadro 3.2 y gráfico A3.4 del apéndice) aunque la sustitución de las importaciones perdió ímpetu a finales de la década, excepto para algunos sectores de bienes intermedios y de capital (Ros, 2000). A finales de la década de 1970, el TCR se revaluó dentro del contexto del aumento de las exportaciones de petróleo, aunque el desequilibrio en el acumulado de la cuenta corriente condujo a la omisión del pago de la deuda externa en 1982.

Cuadro 3.2 Patrones de crecimiento en el sector manufacturero, 1970-2008

Argentina: sector manufacturero, 1970-2008

Período	IPR (%)	TCR	VA (%)	Empleo (%)	Productividad (%)
1970-75 (AL)	−0,45	0,99	3,49	3,58	−0,08
1976-81 (RD)	0,23	1,12	−1,90	−6,93	5,29
1982-90 (CV)	−4,07	1,41	−0,67	−2,18	1,58
1991-2001 (RD)	−0,74	0,99	2,01	−2,29	4,35
2002-08 (AL)	−0,66	2,17	6,50	5,53	0,90

Brasil: sector manufacturero, 1970-2008

Período	IPR (%)	TCR	VA (%)	Empleo (%)	Productividad (%)
1970-81 (CVir)	3,25	1,07	7,28	5,38	2,00
1982-92 (CV)	0,07	2,00	0,62	−0,67	1,45
1993-98 (RD)	−0,31	1,31	2,59	−3,28	6,16
1999-2008 (AL)	−0,56	1,75	2,76	3,96	−1,10

Chile: sector manufacturero, 1970-2008

Período	IPR (%)	TCR	VA (%)	Empleo (%)	Productividad (%)
1970-73 (AL)	7,26	0,88	2,70	2,69	0,07
1974-81 (RD)	−4,83	0,93	1,55	−3,79	5,50
1982-85 (CV)	−12,99	1,14	−1,57	−0,63	−1,03
1986-97 (CVir)	5,61	1,21	6,43	4,08	2,40
1998-2008 (RD)	−3,49	1,32	2,53	0,66	2,01

México: sector manufacturero, 1970-2008

Período	IPR (%)	TCR	VA (%)	Empleo (%)	Productividad (%)
1970-81 (CVir)	2,93	0,89	7,02	3,67	3,24
1982-94 (CV)	0,43	1,11	2,03	0,16	1,83
1995-2000 (AL)	−0,09	0,96	5,72	4,12	1,51
2001-08 (RD)	−2,45	0,77	1,10	−2,55	3,74

República de Corea: sector manufacturero, 1970-2009

Período	IPR (%)	TCR	VA (%)	Empleo (%)	Productividad (%)
1970-80 (CVir)	7,29	0,82	16,16	8,87	6,75
1981-90 (CVir)	6,66	0,69	12,50	5,09	7,15
1991-2000 (RD)	3,52	0,57	8,91	−1,47	10,46
2001-09 (RD)	1,08	0,57	5,38	−1,22	6,67

Claves: *Variables*: TCR=promedio del tipo de cambio real del período; IPR: tasa de crecimiento del Índice de Participación Relativa; VA=tasa de crecimiento del valor añadido de la fabricación; Empleo=tasa de crecimiento del empleo en el sector manufacturero; Productividad=tasa de crecimiento de la productividad laboral en el sector manufacturero.

Regímenes de crecimiento: AL=Absorción de trabajadores; RD=Racionalización defensiva; CVir=Círculo virtuoso; CV=Círculo vicioso.

Fuente: PADIWIN (CEPAL); Base de datos sobre el análisis estructural STAN (OCDE) y Tabla Mundial de Penn (Universidad de Pensilvania).

En la década de 1990, México avanzó de forma radical hacia una postura más liberal en el comercio y las finanzas, abandonando las PIT. En 1994 el país se unió al Tratado de Libre Comercio de América del Norte (NAFTA), que tuvo dos consecuencias muy significativas para el crecimiento de la manufactura. Por un lado, la manufactura obtuvo un acceso fácil y estable al gran mercado estadounidense, una ventaja que favoreció las exportaciones. Por otro lado, México tuvo que competir con la industria estadounidense en igualdad de condiciones. Como resultado, aumentó el uso de insumos extranjeros y de tecnología importada. El impulso de las exportaciones sostuvo el crecimiento industrial, pero diluyó el contenido tecnológico nacional de crecimiento. Las partes importantes de manufactura, clasificadas formalmente bajo partidas de la ingeniería, fueron actividades intensivas de mano de obra (maquila). En este sentido, aunque el IPR mexicano estaba próximo al de Brasil, el IPR en México no puede tomarse como un indicador preciso de la intensidad tecnológica.

México devaluó de forma brusca su divisa en 1995, dando origen a una fase de absorción de trabajadores. Las exportaciones aumentaron rápidamente, pero se produjo poca tecnología endógena y valor añadido interno. El incremento de las exportaciones no pudo crear vinculaciones con el resto de la economía, lo cual condujo a los Gobiernos a volver a revisar el rechazo previo a las PIT. Más recientemente, tanto las políticas industriales horizontales como las verticales han encontrado un lugar en la agenda del Gobierno mexicano recientemente elegido (en el 2012).

En la segunda mitad de la década de 1990 el TCR comenzó a revaluarse de nuevo en México, primero dentro de un contexto de alta inestabilidad y posteriormente en un entorno más estable (tras la adopción de un régimen selectivo de inflación en 1999). El país finalizó la primera década del nuevo siglo con un TCR mucho más revaluado que en la década de 1990, lo cual ayuda a explicar el patrón emergente de la racionalización defensiva de la década del 2000 (Gallagher y Moreno-Brid, 2008).

3.3.5 República de Corea

Resulta interesante comparar las trayectorias de las economías de América Latina con una economía de crecimiento convergente exitoso, como es la de la República de Corea. En el cuadro 3.2 y en el gráfico A3.5 del apéndice se muestran claramente los principales contrastes.

En primer lugar, el crecimiento de la productividad en la República de Corea en la manufactura no sufrió los retrocesos observados en las economías latinoamericanas. En segundo lugar, las altas tasas del crecimiento de la productividad estuvieron acompañadas por elevadas tasas de aumento del empleo hasta la década de 1990. A partir de entonces, el empleo en la manufactura cayó, pero, al mismo tiempo, el valor añadido de este creció rápidamente —un patrón que sugiere que no fue una estrategia defensiva (es decir, un esfuerzo para evitar la pérdida de cuotas de mercado a causa de la disminución de la competitividad)—. En tercer lugar, el TCR muestra una trayectoria lenta y estable de revaluación a lo largo del tiempo, sin la volatilidad que sufrió la experiencia de América Latina. Esta revaluación refleja el aumento de la productividad que permitió a la República de Corea depender menos del TCR para poder competir. Por último, pero no menos importante, el IRP subió durante todo el período, dando lugar a un proceso sólido de cambio estructural a favor de los sectores dinámicos KS en la producción y en las exportaciones. El papel central del cambio estructural en la República de Corea, que evitó cualquier tipo de discontinuidad en el crecimiento virtuoso, se ve reflejado en el cuadro.

3.4 ¿Dónde van los trabajadores? Productividad agregada y empleo

El análisis anterior se ha centrado en la evolución conjunta de la productividad y el empleo para describir los distintos patrones de crecimiento en el sector manufacturero. Sin embargo, este análisis sectorial no permite sacar conclusiones para toda la economía. Las rápidas pérdidas de puestos de trabajo en la manufactura no tienen porqué ser perjudiciales si se crean nuevos empleos de buena calidad (es decir, empleos que conlleven una productividad similar o más elevada) en otros sectores. Por lo tanto, en esta sección, ampliamos el análisis a toda la economía y contrastamos los patrones del crecimiento general con los de la manufactura.

Si el crecimiento de la productividad en la manufactura va acompañado del aumento de la productividad y la creación de empleo en el sistema total significa que el proceso de desarrollo económico —al menos desde la perspectiva del cambio estructural— va por el buen camino. Sin embargo, esto no siempre ha sido el caso en los cuatro países de América Latina que hemos tomado como ejemplos. Los puntos máximos del aumento de la productividad en la manufactura bajo una racionalización defensiva pueden no mejorar la productividad para el resto de la economía. Durante las fases de racionalización defensiva, la manufactura no difunde la tecnología, sino que, más bien, la racionalización defensiva corta algunas vinculaciones con el resto de la economía.

Hay tres indicadores que demuestran esto. El primero es la tendencia en el valor añadido y la productividad en toda la economía. El movimiento del empleo y la productividad en direcciones opuestas a un nivel agregado sugiere que los trabajadores del sector manufacturero despedidos no podrían encontrar empleos con una productividad similar en otros sectores de la economía. El segundo indicador es la evolución del desempleo. Incluso cuando la productividad por empleado aumenta, si al mismo tiempo el desempleo abierto o la informalidad se incrementan, la productividad de todo el conjunto laboral puede caer. El tercer indicador es un ejercicio de cambios en la participación que descompone el crecimiento total de la productividad en dos fuentes: por un lado, el crecimiento de la productividad en cada sector; y por el otro, la reubicación de trabajadores desde sectores de productividad más baja a otros de productividad más elevada. Si la señal de ambas fuentes es positiva y fuerte, es que se está produciendo un proceso virtuoso de crecimiento.

El cuadro 3.3. y los gráficos del A3.6 al A3.10 del apéndice muestran patrones de crecimiento agregado en la productividad y el valor añadido. En contraste, la racionalización defensiva en la industria está asociada con el estancamiento del empleo o con disminuciones en el crecimiento de la productividad. La información disponible nos permite ampliar el análisis hasta el 2010.

Es cierto que el empleo se estancó en Chile durante la liberalización con la fase de revaluación de la segunda mitad de la década de 1970, mientras que en Argentina, en el mismo período, se estancó el valor añadido y la productividad cayó (gráficos A23.6 y A3.8). En Brasil y Argentina se puede observar un estancamiento similar en la productividad y en el empleo durante los años de la revaluación monetaria de la década de 1990 («Plan Real» y «Plan de Convertibilidad») y en México en la década del 2000 (gráficos A3.6, A3.7 y A3.11 del apéndice). Después de 1998, Chile experimentó un aumento lento de la productividad a nivel agregado a pesar del rápido crecimiento de la productividad en el sector manufacturero. En México, la racionalización defensiva en la manufactura dio como resultado la caída del empleo del 2,5 % anual de media entre el 2001 y el 2005, y estuvo acompañado de la caída del empleo agregado en torno al 0,5 % de media durante el mismo período.

La República de Corea presenta un patrón diferente. Es muy notable su crecimiento económico sostenido que está caracterizado por el aumento de la productividad y el empleo en conjunto. Aunque el crecimiento del empleo aminoró en la década de 1990, las tasas de crecimiento económico y del aumento de la productividad todavía se mantenían altas. En la década del 2000, el rendimiento de la República de Corea fue menos asombroso pero siguió siendo positivo. No obstante, las tasas de crecimiento empeoraron después de la Gran Depresión del 2008. En contraste con muchos países de América Latina, la República de Corea no se benefició del aumento global de la demanda de recursos naturales que se produjo a partir del 2004.

Cuadro 3.3 Patrones de crecimientos para la economía, 1970-2010

Argentina, 1970-2010

Período	VA (%)	Productividad (%)	Empleo (%)
1970-75	3,1	3,2	−0,1
1976-81	2,0	1,0	1,0
1982-90	−0,5	−2,9	2,4
1991-2001	2,8	1,8	1,0
2002-10	7,6	3,6	3,9

Brasil, 1970-2010

Período	VA (%)	Productividad (%)	Empleo (%)
1970-81	7,22	3,11	3,99
1982-92	2,05	−1,50	3,60
1993-98	3,05	1,47	1,55
1999-2010	3,64	1,84	1,77

Chile, 1970-2010

Período	VA (%)	Productividad (%)	Empleo (%)
1970-73	0,9	−0,3	1,2
1974-81	4,0	3,5	0,5
1982-85	3,6	−2,0	5,8
1986-97	7,8	4,4	3,2
1998-2010	3,4	2,3	1,1

México, 1970-2010

Período	VA (%)	Productividad (%)	Empleo (%)
1970-81	6,87	1,31	5,49
1982-94	2,03	−1,37	3,45
1995-2000	5,45	2,16	3,23
2001-10	1,98	0,72	1,25

República de Corea, 1970-2010

Período	VA (%)	Productividad (%)	Empleo (%)
1970-80	7,2	3,7	3,5
1981-90	9,0	6,0	2,9
1991-2000	5,7	4,3	1,4
2001-09	3,9	2,6	1,3

Claves: VA = tasa de crecimiento del valor añadido; Productividad=tasa de crecimiento de la productividad laboral; Empleo=tasa de crecimiento del empleo.

Fuente: Calculado por los autores teniendo en cuenta la base de datos del Centro de Estudios para el Crecimiento y Desarrollo Groningen.

Argentina tuvo un desarrollo especialmente bueno en cuanto al crecimiento del PIB agregado después del 2002. Se dieron diversos factores para obtener este resultado. El año 2002 marcó el punto más bajo en los ciclos económicos argentinos, las condiciones externas para las exportaciones argentinas mejoraron de forma significativa después del 2004. Además, el país siguió unas políticas más heterodoxas que favorecieron el crecimiento. La omisión del pago de la deuda externa liberó a Argentina (al menos temporalmente) de las severas restricciones impuestas por la transferencia de recursos a los países acreedores —el tipo de restricción que obstaculizó el crecimiento y la inversión en la década de 1980—. El mantenimiento del TCR a un nivel competitivo también fue crucial. Aún existen nubes de incertidumbre con respecto a la sostenibilidad del crecimiento que, en especial, retrocedió en los últimos años mientras que la inflación sigue siendo alta. La necesidad de políticas más enérgicas destinadas a estimular el crecimiento y el cambio estructural seguramente serán el punto principal de la agenda del debate sobre política de Argentina en los próximos años.

Gráfico 3.2. Tasas de desempleo en cuatro países de América Latina, 1990-2008 (en porcentajes)

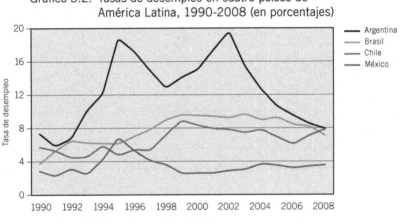

Fuente: División de Desarrollo Económico, CEPAL.

En los cuatro países de América Latina que hemos examinado, las tendencias en el desempleo son coherentes con los patrones que se observan en el gráfico 3.2. En Argentina el desempleo aumentó a lo largo de la década de 1990 y después disminuyó rápidamente tras la devaluación del 2002. En Brasil se incrementó bruscamente durante los años del Plan Real (1994-99) y se mantuvo a niveles elevados hasta que empezó a disminuir lentamente después de las devaluaciones del 2002. Chile mostró niveles bajos y estables de desempleo hasta finales de la década de 1990. Después las tasas dan un salto hasta más o menos el 9 % para después volver a caer. Entre estos cuatro países, México tuvo los niveles más bajos de desempleo.

Los niveles de desempleo se elevaron al máximo durante la crisis del tequila de 1994. En la segunda mitad de la década de 1990, volvieron a los niveles anteriores a la crisis y después se volvieron a incrementar ligeramente en la primera década del siglo XXI.

El análisis *shift-share* pretende identificar dos fuentes diferentes de crecimiento de la productividad: el componente «dentro», que representa los aumentos de la productividad en el interior de cada sector, y el componente «entre», que representa el efecto que tiene que los trabajadores se trasladen de sectores de baja productividad a otros de alta productividad. Ha de tenerse en cuenta que el componente entre de los sectores representa solo una parte del papel que juega el cambio estructural en el desarrollo. En el modelo que se establece en la sección 3.2, el cambio estructural afecta al comportamiento de la demanda efectiva (interna y externa) y la balanza de pagos (BDP), la tasa de crecimiento limitada, así como la productividad y la calidad de los empleos que se crean.

El análisis *shift-share* cubre el período de 1990 a 2008 y se basa en datos obtenidos de la base de datos CEPALSTAT; pero no hay datos comparativos para la proporción del empleo total en diferentes sectores antes de la década de 1990. El cuadro 3.4 muestra los resultados de este análisis.

En el caso de Argentina, hay que destacar que el crecimiento de la productividad agregada durante los once años del «Plan de Convertibilidad» no superó el del período 2002-08, a pesar de un mayor crecimiento de la productividad en la manufactura a principios del período[17]. Parece que, mientras que el sector manufacturero expulsó a la mano de obra a sectores de menor productividad durante la década de 1990, atrajo mano de obra de estos mismos sectores en la década del 2000. En consecuencia, el componente entre los sectores fue más importante en Argentina durante la década del 2000 que durante la de 1990. Lo mismo ocurre con Brasil. A pesar de todo el crecimiento de la productividad en la manufactura que se produjo en la década de 1990, el crecimiento de la productividad agregada fue mucho más bajo que en la década del 2000. Además, el componente «entre» fue negativo en Brasil durante el primer período.

Un caso algo desconcertante es el de Argentina durante el período 1970-75: se basó en la absorción de trabajadores y la economía mostró un patrón de racionalización defensiva. En este caso la protección aseguró los incrementos del empleo en la manufactura a niveles de productividad muy bajos, mientras que el aumento de la inestabilidad económica condujo a un crecimiento lento y a una caída en el empleo agregado.

---

[17] La tasa de crecimiento del segundo período puede que sea exagerada ya que comenzó al final de la crisis del 2002, aún así es impresionante.

En el caso de Chile, el análisis *shift-share* muestra que el crecimiento económico que se produjo entre 1990 y 1998 estuvo asociado al crecimiento más elevado de la productividad y un componente entre de los sectores mayor que durante el período posterior. Esto confirma la presencia del patrón virtuoso durante la década de 1990. En México, por el contrario, hubo un cambio estructural regresivo a principios de la década. El crecimiento de la productividad se aceleró después de la crisis de 1995 y continuó durante la primera década del siglo XXI, aunque en un contexto de crecimiento agregado más lento. Como resultado, la productividad en la década del 2000 fue menos dinámica en México que en Argentina, Brasil y Chile.

Cuadro 3.4 Análisis *shift-share*

Argentina, 1990-2008

Período	Crecimiento de la productividad laboral (%)	Efecto	
		Dentro (%)	Entre (%)
1990-2001	21,49	19,06	2,43
2002-08	21,47	17,06	4,42

Brasil, 1992-2008

Período	Crecimiento de la productividad laboral (%)	Efecto	
		Dentro (%)	Entre (%)
1992-98	6,01	8,07	−2,06
1999-2008	18,11	17,90	0,21

Chile, 1990-2008

Período	Crecimiento de la productividad laboral (%)	Efecto	
		Dentro (%)	Entre (%)
1990-97	33,66	24,20	9,46
1998-2008	29,43	26,62	2,81

México, 1990-2008

Período	Crecimiento de la productividad laboral (%)	Efecto	
		Dentro (%)	Entre (%)
1990-94	1,40	13,34	−11,94
1995-2000	10,49	6,41	4,08
2001-08	9,21	1,45	7,77

Fuente: CEPALSTAT, América Latina y el Caribe, por actividad económica.

¿Cuál es la conclusión del análisis del comportamiento agregado de la economía? Los períodos de alto crecimiento de la productividad en la manufactura pueden no fomentar el crecimiento de la productividad en el resto de la economía. El aumento del desempleo y el crecimiento económico más lento asociados con restricciones externas ponen en peligro el desempeño de la economía en un contexto de revaluación del TCR —en especial si no hay PIT o, en algunos casos, refuerza los efectos negativos del TCR sobre la competitividad—.

3.5 Observaciones finales

Hemos analizado la modernización tecnológica, el cambio estructural y el crecimiento de la productividad y del empleo en cuatro economías de América Latina (Argentina, Brasil, Chile y México) y en la República de Corea (como referencia del éxito del crecimiento convergente) durante el período de 1970 al 2008. El marco estructuralista-evolutivo está dando lugar a diferentes escenarios de crecimiento basados en la combinación de tres regímenes: régimen de demanda, régimen de productividad y régimen de cambio estructural. Las distintas trayectorias del aumento de los ingresos, el crecimiento del empleo y la productividad y el cambio estructural surgen bajo distintos valores paramétricos, definidos por la combinación de políticas macroeconómicas, PIT y los choques en la economía internacional.

Sostenemos que cuando se revalúa el TCR y las PIT son frágiles o inexistentes el crecimiento de la productividad está impulsado por la racionalización y las respuestas defensivas que no están relacionadas con la expansión de la demanda efectiva. En este caso, los sectores intensivos de tecnología pierden competitividad y el empleo se traslada hacia actividades de productividad más baja. Por el contrario, cuando el tipo de cambio es competitivo y las políticas TI, activas, se favorece la diversificación de la producción, se aumenta el empleo de mayor calidad, así como la productividad. La combinación de la política del TCR y las PIT es vital, ya que sin las PIT, el TCR solo puede sostener un patrón de absorción de trabajadores que no puede cerrar la brecha tecnológica. Al mismo tiempo, sin un TCR competitivo, las PIT no pueden fomentar el rápido crecimiento de la demanda y explotar plenamente los rendimientos crecientes. Nuestro análisis también resalta los riesgos de los largos períodos de revaluación del TCR que afectan negativamente el cambio estructural y, por tanto, al crecimiento a largo plazo.

Referencias

Agosín, M. R.; Alvarez, R.; Bravo-Ortega, C. 2012. «Determinants of export diversification around the world», en *The World Economy*, vol. 35, núm. 3, pp. 295-315.

Amsden, A. 1989. *Asia's next giant: South Korea and late industrialization* (New York, Oxford University Press).

Baldwin, R. 1988. «Hysteresis in import prices: The beachhead effect», en *American Economic Review*, vol. 78, pp. 773-785.

—; Krugman, P. R. 1989. «Persistent trade effects of large exchange rate shocks», en *Quarterly Journal of Economics*, vol. 104, núm. 4, pp. 635-654.

Bell, M. 2006. «Time and technological learning in industrialising countries: How long does it take? How fast is it moving (if at all)?», en *International Journal of Technology Management*, vol. 36, núm. 1-3, pp. 25-39.

Blecker, R. 1999. «Kaleckian macro models for open economies», en J. Deprez y J. T. Harvey (eds.): *Foundations of international economics: Post-Keynesian perspectives* (London, Routledge).

—. 2009. *Long-run growth in open economies: Export-led cumulative causation or a balance-of-payments constraint?, paper presented at the 2nd Summer School on Keynesian Macroeconomics and European Economic Policies, Research Network Macroeconomics and Macroeconomic Policies*, Berlin, 2-9 August.

Bresser-Pereira, L. C. 2008. «Dutch disease and its neutralization: A Ricardian approach», en *Brazilian Journal of Political Economy*, vol. 28, núm. 1, pp. 47-71.

Cimoli, M. 1988. «Technological gaps and institutional asymmetries in a North-South model with a continuum of goods», en *Metroeconomica*, vol. 39, núm. 3, pp. 245-274.

—; Porcile, G. 2009. «Sources of learning paths and technological capabilities: An introductory roadmap of development processes», en *Economics of Innovation and New Technology*, vol. 18, núm. 7, pp. 675-694.

—; —. 2011. «Learning, technological capabilities and structural dynamics», en J. A. Ocampo y J. Ros (eds.): *The Oxford handbook of Latin American economics* (Oxford, Oxford University Press).

—; —. 2014. «Technology, structural change and BOP constrained growth: A structuralist toolbox», en *Cambridge Journal of Economics*, vol. 38, Issue 1, pp. 215-237.

—; —; Rovira, S. 2010. «Structural convergence and the balance-of-payments constraint: Why did Latin America fail to converge», en *Cambridge Journal of Economics*, vol. 34, núm. 2, pp. 389-411.

Damill, M.; Frenkel, R. 2009. «Las políticas macroeconómicas en la evolución reciente de la economía argentina», en *Nuevos Documentos CEDES*, 65.

Díaz-Alejandro, C. F. 1983. «Stories of the 1930s for the 1980s», en P. A. Armella, R. Dornbusch y M. Obstfeld (eds.): *Financial policies and the world capital market: The problem of Latin American countries* (Chicago, IL, University of Chicago Press).

Dosi, G.; Pavitt, K.; Soete, L. 1990. *The economics of technical change and international trade* (London and New York, Harvester Wheatsheaf Press and New York University Press).

—; Lechevalier, S.; Secchi, A. 2010. «Introduction: Interfirm heterogeneity? Nature, sources and consequences for industrial dynamics», en *Industrial and Corporate Change*, vol. 19, núm. 6, pp. 1867-1890.

ECLAC (Economic Commission for Latin America and the Caribbean). 2003. *A decade of light and shadow: Latin America and the Caribbean in the 1990s* (Santiago, United Nations).

—. 2007. *Progreso técnico y cambio estructural en América Latina* (Santiago and International Development Research Centre). Disponible en: *http://www.eclac.cl/publicaciones/xml/9/32409/LCW136.pdf* (consultado el 18 de diciembre de 2013).

—. 2008. *Structural change and productivity growth: Old problems, new opportunities* (Santiago, United Nations).

Eichengreen, B. 2008. *The real exchange rate and economic growth*, Working Paper núm. 4, Commission on Growth and Development (Washington, DC, International Bank for Reconstruction and Development, World Bank).

Ffrench-Davis, R. 2000. *Reforming the reforms in Latin America: Macroeconomics, trade and finance* (London, Palgrave Macmillan).

—. 2002. *Chile between neoliberalism and equitable growth* (Ann Arbor, MI, University of Michigan Press).

Frenkel, R. 2004. *From the boom in capital inflows to financial traps*, Initiative for Policy Dialogue Working Paper Series (New York, Initiative for Policy Dialogue).

Freund, C.; Pinerola, M. D. 2008. *Export surges: The power of a competitive currency*, Policy Research Working Paper 4750, October (Washington, DC, World Bank).

Gallagher, K.; Moreno-Brid, J. C. 2008. «The dynamism of Mexican exports: Lost in (Chinese) translation?», en *World Development*, vol. 8, núm. 36, pp. 1365-1380.

Hausmann, R.; Hwang, J.; Rodrik, D. 2007. «What you export matters», en *Journal of Economic Growth*, vol. 12, núm. 1, pp. 1-25.

Katz, J. 1997. *Structural reforms, the sources and nature of technical change and the functioning of the national systems of innovation: The case of Latin America*, paper presented at the stepi International Symposium on Innovation and Competitiveness in nies, Seoul, Republic of Korea, May.

—. 2008. *Una nueva visita a la teoría del desarrollo económico*, Colección de Documentos de Proyecto, lc/w.167, lc/bue/w.21 (Santiago, United Nations).

Lima, G. T.; Porcile, G. 2013. «Economic growth and income distribution with heterogeneous preferences on the real exchange rate» en *Journal of Post Keynesian Economics*, vol. 35, núm. 4, pp. 651-674.

McMillan, M.; Rodrik, D. 2011. «Globalization, structural change and productivity growth», en M. Bacchetta y M. Jansen (eds.): *Making globalization socially sustainable* (Geneva, ILO and WTO).

Ocampo, J. A. 2005. «The quest for dynamic efficiency: Structural dynamics and economic growth in developing countries», en J. A. Ocampo (ed.): *Beyond reforms, structural dynamics and macroeconomic vulnerability* (Palo Alto, CA, Stanford University Press).

—. 2011. «Macroeconomy for development: Countercyclical policies and production sector transformation», en *CEPAL Review*, vol. 104, pp. 7-35.

—; Rada, C.; Taylor, L. 2009. *Growth and policy in developing countries: A structuralist approach* (New York, Columbia University Press).

Pacheco-Lopez, P.; Thirlwall, A. P. 2006. «Trade liberalization, the income elasticity of demand for imports and economic growth in Latin America», en *Journal of Post Keynesian Economics*, vol. 29, núm. 1, pp. 41-61.

Prebisch, R. 1950. *The economic development of Latin America and its principal problems* (New York, United Nations).

Rapetti, M. 2011. *Macroeconomic policy coordination in a competitive real exchange rate strategy for development*, Working Paper 2011-9 (Amherst, MA, Department of Economics, University of Massachusetts).

Razmi, A.; Rapetti, M.; Skott, P. 2009. *The real exchange rate as an instrument of development policy*, Working Paper 2009-07 (Amherst, MA, Department of Economics, University of Massachusetts).

Reinert, E. S. 1995. «Competitiveness and its predecessors: A 500 year cross-national perspective», en *Structural Change and Economic Dynamics*, vol. 6, pp. 23-42.

Rodríguez, O. 2007. *El estructuralismo latinoamericano* (México, Siglo xxi).

Rodrik, D. 2008. «The real exchange rate and economic growth», *Brookings Papers on Economic Activity*, vol. 39, núm. 2 (Washington, DC, Brookings Institution).

Ros, J. 2000. *Development theory and the economics of growth* (Ann Arbor, MI, University of Michigan Press).

Saviotti, P.; Frenken, K. 2008. «Export variety and the economic performance of countries», en *Journal of Evolutionary Economics*, vol. 18, núm. 2, pp. 201-218.

Setterfield, M. 2009. *Neoclassical growth theory and heterodox growth theory: Opportunities for and obstacles to greater engagement*, Working Paper 09-1 (Hartford, CT, Trinity College, Department of Economics).

Stalling, B.; Peres, W. 2000. *Growth, employment and equity: The impact of economic reforms in Latin America and the Caribbean* (Washington, DC, Brookings Institution Press).

Thirlwall, A. 2011. *Balance of payments constrained growth models: History and overview*, School of Economics Discussion Paper 1111 (Canterbury, University of Kent).

Apéndice

Marco teórico: Regímenes de demanda, productividad y cambio estructural

Comprender la evolución del desempleo requiere un análisis sobre los determinantes de la demanda de trabajadores. El crecimiento del empleo total (n) es igual al crecimiento del PIB (y) menos la tasa de crecimiento de la productividad laboral (a):

$$(1) \quad n = y - a$$

Las letras minúsculas representan las tasas de crecimiento proporcionales (p. ej. el crecimiento de los ingresos es $y = (dY / dt) / Y$). Primero nos centraremos en el crecimiento económico y, a continuación, en los determinantes del crecimiento de la productividad.

Los keynesianos señalan que para frenar el desempleo debemos fijarnos principalmente en el crecimiento de la demanda efectiva, en lugar de en los cambios en las instituciones del mercado laboral (tales como cambios en la fuerza de los sindicatos, la flexibilidad de los contratos laborales y la rigidez nominal y real de los salarios y los precios). En este apéndice presentamos un simple modelo heurístico Norte (economía desarrollada) – Sur (economía de crecimiento convergente) que muestra la interacción entre el empleo, el patrón de especialización y el crecimiento de la demanda efectiva.

El punto de partida es la literatura sobre la restricción externa sobre el crecimiento. La literatura argumenta que en países especializados en una pequeña serie de productos básicos (normalmente de baja tecnología) las tasas de crecimiento están restringidas por el surgimiento periódico de desequilibrio externo, que con frecuencia adopta la forma de una crisis de la balanza de pagos (BDP). Los países no pueden crecer durante largos períodos con un aumento del déficit por cuenta corriente como porcentaje del producto interior bruto (PIB). Por tanto, las tasas de crecimiento deben ajustarse para restablecer el equilibrio[18]. Las variables de la oferta (asimetrías tecnológicas con el Norte) y las de la demanda (patrones y cambios en la demanda internacional para el consumidor y los bienes de capital; la tasa

---

[18] Diversos países en desarrollo han experimentado patrones de crecimiento discontinuos y de freno y avance marcados por la crisis externa —algunos de ellos con consecuencias que persisten durante largos períodos—. Para un análisis sobre la restricción externa sobre el crecimiento desde la perspectiva del estructuralismo de América Latina, véase Rodríguez (2007). Otras revisiones y ampliaciones a estos análisis se pueden encontrar en Blecker (2009), Cimoli y Porcile (2011), Setterfield (2009) y Thirlwall (2011). Para el análisis de la restricción externa y sus vínculos con las políticas macroeconómicas, véase Ocampo, Rada y Taylor (2009, cap. 7).

de crecimiento de la economía global) se combinan para definir la tasa de crecimiento compatible con el equilibrio a largo plazo en la cuenta corriente.

Las ecuaciones (2) y (3) expresan la tasa de crecimiento de las exportaciones (x) y las importaciones (m) como función del tipo de cambio real (r), el crecimiento de los ingresos nacionales (en la ecuación de las importaciones), los ingresos internacionales (en la ecuación de las exportaciones) y el cambio estructural:

$$(1) \quad x = x\,(p, z, y^*),\ x'(p) > 0, x'(z) > 0, x'(y^*) > 0$$
$$(2) \quad m = m\,(p, z, y),\ m'(p) < 0, m'(z) < 0, m'(y) > 0$$

En las ecuaciones (2) y (3) y es el crecimiento del PIB real en el Sur, y^* es el crecimiento del PIB real en el Norte; z representa la diversificación de la estructura económica (el cambio estructural hacia sectores con mayor eficiencia keynesiana y schumpeteriana); y $r = p^*e\,/\,p$ es el tipo de cambio real (p^* y p son los precios externos e internos, respectivamente y e es el tipo de cambio nominal definido en unidades de moneda nacional por unidad de moneda extranjera). El equilibrio en la balanza comercial, donde m y x representan el volumen de importaciones y exportaciones, implica:

$$(1) \quad p^*\,em = px$$

La condición dinámica para el equilibrio en la cuenta corriente (asumiendo una cuenta corriente equilibrada inicialmente) es:

$$(2) \quad p^* + e + m = p + x$$

Al tomar (2) y (3) en (5) nos da:

$$(3) \quad y = y\,(p, z, y^*),\ y'(p) > 0, y'(z) > 0,\ y'(y^*) > 0$$

En términos de Kaldor, la ecuación (6) representa el *régimen de demanda* de la economía, que hace que la tasa de crecimiento económico sea compatible con el equilibrio en la cuenta corriente. La elasticidad del crecimiento con respecto a r es positivo, lo que implica que se da la condición Marshall-Lerner. A su vez, la elasticidad del crecimiento en relación con la diversificación está representada por el positivo (negativo) que se deriva de la tasa de crecimiento de las exportaciones (importaciones) en relación con el cambio estructural (z). El régimen de demanda kaldoriano normalmente se ve asociado con el crecimiento dirigido por la exportación. Sin embargo, tal y como muestra Blecker (2009), esta tasa de crecimiento puede ser incompatible con el equilibrio de la cuenta corriente y, por tanto, no ser sostenible a largo plazo.

Es necesario tener en cuenta la respuesta de las importaciones al crecimiento acelerado y no solo la respuesta del crecimiento a más exportaciones. Por ello, el régimen de demanda está definido según el modelo de crecimiento restringido de la BDP. El crecimiento de la productividad (a) depende del TCR, el crecimiento económico y el cambio estructural. De la siguiente forma:

$$(1) \quad a = a\ (p, y, z),\ a'\ (p) < 0,\ a'\ (y) > 0,\ a'\ (z) > 0$$

La ecuación (7) define el *régimen de productividad* de Kaldor. El razonamiento de la ecuación (7) tiene tres variables. La primera es el TCR, que se supone que afecta al crecimiento de la productividad por dos razones[19]: fomenta las importaciones de bienes de capital y aumenta la presión de la competencia externa sobre las empresas nacionales (véase la subsección 3.2.1)[20]. La segunda variable en el razonamiento de la ecuación (7) representa el aprendizaje práctico que depende de la tasa de crecimiento económico (y), tal y como establece la Ley Kaldor-Verdoorn.

Por último, el cambio estructural (z) depende del TCR y del crecimiento de la productividad.

$$(1) \quad z = z\ (p, a),\ z'\ (p) > 0,\ z'\ (a) > 0$$

Un TCR y una a más elevados favorecen la competitividad y la diversificación, y esta es la razón por la que los derivados de z en relación a r y a son positivos.

Las ecuaciones (1), (6), (7) y (8) forman un sistema de cuatro ecuaciones con cuatro desconocidos: el crecimiento económico (y), el crecimiento de la productividad (a), el crecimiento del empleo (n) y el cambio estructural (z). Los parámetros exógenos son el TCR (r), la tasa de crecimiento de la economía global (y^*) y los coeficientes kaldorianos que vinculan el crecimiento de la productividad con el crecimiento económico y el cambio estructural. Los valores de los parámetros responden a cambios en las políticas y a condiciones externas. El TCR está definido por una mezcla de políticas macroeconómicas y por los choques externos inesperados en los préstamos y en las condiciones comerciales. Los coeficientes tecnológicos se ven afectados por las políticas industriales y tecnológicas (PIT). Ha de tenerse en cuenta que aunque el Gobierno no controle totalmente el TCR, se supone que las políticas macroeconómicas tienen una influencia en esta variable. La experiencia de países tales como Brasil, Alemania y la República de Corea en la década de 1960 y parte de la de 1970, y más recientemente de China, sostiene esta hipótesis.

---

[19] Esto es una cuestión de debate en los estudios. Véase Lima y Porcile (2013).

[20] Véase Blecker (1999).

Evolución de la productividad y del valor añadido en el sector manufacturero, 1970-2008

Gráfico A3.1. Argentina: sector manufacturero, 1970-2008

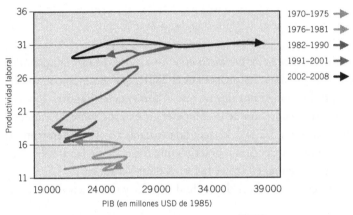

Nota: La reciprocidad del nivel del empleo viene dado por $\dfrac{\partial(Q/L)}{\partial Q}=1/L$, la pendiente de la curva del gráfico de arriba.

Gráfico A3.2. Brasil: sector manufacturero, 1970-2008

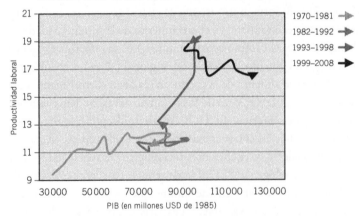

Gráfico A3.3. Chile: sector manufacturero, 1970-2008

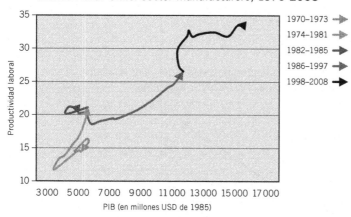

Gráfico A3.4. México: sector manufacturero, 1970-2008

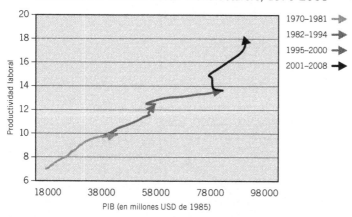

Gráfico A3.5. República de Corea: sector manufacturero, 1970-2009

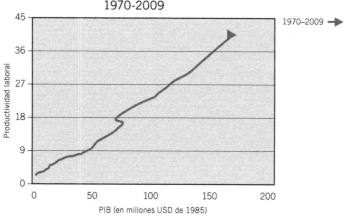

Evolución de la productividad y del valor añadido en la economía, 1970-2010

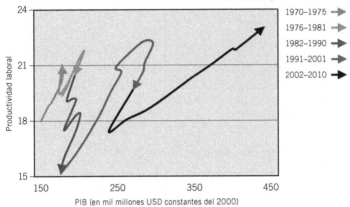

Gráfico A3.6. Evolución de la productividad y del valor añadido en la economía, 1970-2010: Argentina

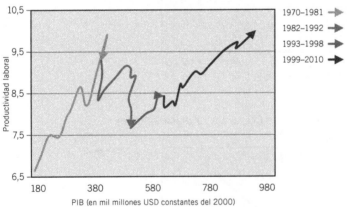

Gráfico A3.7. Evolución de la productividad y del valor añadido en la economía, 1970-2010: Brasil

Gráfico A3.8. Evolución de la productividad y del valor añadido
en la economía, 1970-2010: Chile

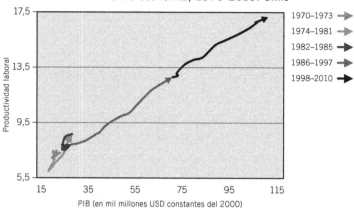

Gráfico A3.9. Evolución de la productividad y del valor añadido
en la economía, 1970-2010: México

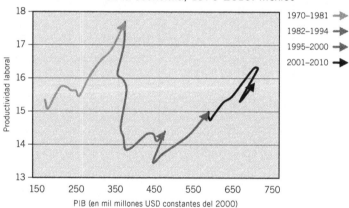

Gráfico A3.10. Evolución de la productividad y del valor añadido
en la economía, 1970-2009: República de Corea

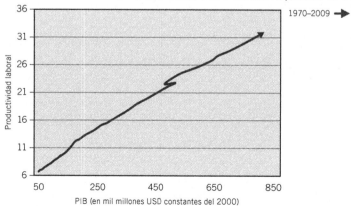

Una teoría sobre las capacidades para la transformación productiva: aprendiendo a crecer de manera convergente 4

Irmgard Nübler

4.1 Introducción

Los patrones y procesos de transformación productiva han variado enormemente en todos los países. Algunos de ellos han mostrado un alto desempeño, sosteniendo un crecimiento rápido durante largos períodos. Estos países de alto desempeño han conseguido desarrollar un patrón de crecimiento y transformación estructural que ha generado un cambio tecnológico rápido y sostenido y un aumento de la productividad, la creación de más y mejores empleos, estructuras ocupacionales más sofisticadas, y patrones de empleo que dan como resultado el incremento de los ingresos y la reducción de la pobreza. En resumen, han conseguido el crecimiento convergente de alto desempeño y el desarrollo económico. Otros han atravesado un proceso de transformación más irregular y desigual con brotes de crecimiento seguidos de desaceleraciones. Sin embargo, otros no han conseguido desencadenar casi ningún tipo de transformación y han continuado dependiendo, en gran medida, de actividades tradicionales en la economía rural y de actividades informales en la economía urbana.

Este desempeño diferenciado entre países y regiones, en sus patrones y procesos de crecimiento convergente, da lugar a cuestiones de política y retos importantes. Una de ellas es el papel de las capacidades en la transformación productiva. Los economistas adoptan distintas perspectivas sobre cómo las capacidades facilitan y moldean la transformación productiva. Una vertiente de literatura, la perspectiva del cambio estructural, argumenta que las capacidades determinan los productos y tecnologías que las empresas y las economías pueden desarrollar de forma sencilla (Hausmann y otros, 2011; Richardson, 1972). Una segunda vertiente, la perspectiva del proceso, analiza las capacidades como el determinante del comportamiento de las empresas y las economías y sus competencias para desempeñar tales tareas como la coordinación, la inversión, la innovación, la identificación y la solución de problemas y el aprendizaje (Chang, 2010; Dosi, Winter y Nelson, 2000; Lall, 1992 y 2000; Nelson, 2008; Nelson y Winter, 1982; Sutton, 2012; Teece, Pisano y Shuen, 1997). Así pues, estas dos vertientes diferenciadas de la literatura analizan las capacidades como los determinantes de dos dimensiones de transformación productiva: los *patrones* y el *proceso* de la transformación estructural. Sin embargo, la economía del desarrollo hasta ahora no ha conseguido integrar estas dos perspectivas en un modelo de crecimiento y transformación productiva[1].

Los modelos de crecimiento predominantes han descuidado las capacidades casi por completo. Estos modelos consideran el desarrollo económico como un proceso de acumulación de factores de la producción y de tecnología, asumiendo una relación mecanicista entre la inversión en capacidades productivas y crecimiento, con las fuerzas del mercado dirigiendo los procesos de acumulación y de crecimiento. Robert Lucas (1988) resume esta perspectiva en su artículo «On the mechanics of economic development»[2]. En él distingue tres modelos de acumulación: «[Un] modelo que pone énfasis sobre la acumulación del capital humano y el cambio tecnológico, un modelo que pone el énfasis sobre la acumulación del capital humano a través de la escolarización y un modelo que pone el énfasis sobre la acumulación de capital humano especializado a través del aprendizaje práctico». Dos décadas después de que Lucas publicara el artículo, la Comisión para el Crecimiento y el Desarrollo (2008, p. 37) concluyó que a los economistas les faltaba entender bien el vínculo existente, por un lado, entre tecnología, capital humano, educación y formación y, por otro lado, el crecimiento económico y que, por tanto, los «[investigadores] deben tener un modelo equivocado de crecimiento» y que, a causa de las habilidades específicas de un país, no hay un conjunto de normas de «tamaño único» para guiar a los responsables de política que buscan fomentar el crecimiento.

Este capítulo cambia el enfoque de la *mecánica* a la *dinámica* del desarrollo económico, elaborando un marco analítico para comprender mejor el proceso del crecimiento convergente y las fuerzas que dirigen su dinámica. El marco presenta

---

[1] Es importante distinguir esta visión «productivista» de las capacidades de la «humanística» desarrollada por Amartya Sen (Chang, 2010). Sen desarrolló un concepto de capacidades humanas para proporcionar una medida nueva para el desarrollo. Por el contrario, la visión «productivista» explica el modo en que las capacidades colectivas, a nivel de las empresas y de las economías, moldean el cambio estructural y tecnológico en la economía.

[2] (N. T.): Sobre la mecánica del desarrollo económico.

las habilidades como determinantes clave del crecimiento convergente y el desarrollo económico.

Cabe señalar que, a pesar de la centralidad de las capacidades en la literatura sobre la transformación productiva, el concepto ha seguido estando en la caja negra. Dosi, Winter y Nelson (2000, p. 1) señalan que «[e]l término "capacidades" flota como un iceberg en el nebuloso océano Ártico, un iceberg entre muchos, que no parece muy distinto a los otros icebergs próximos a él». Por tanto, este capítulo desarrolla una teoría sobre las capacidades para explicar el modo en que pueden moldear la dinámica del crecimiento convergente, dónde residen los distintos tipos de capacidades, cómo se crean y se transforman y el papel de las políticas para fomentarlas y darles forma.

La teoría consiste en tres componentes. En el primero se elabora el concepto del crecimiento convergente que define el fenómeno como un proceso de transformación productiva reflejado en la diversificación hacia nuevos productos y actividades de mayor valor añadido, así como a la modernización tecnológica, la creación de puestos de trabajo más productivos y mejores y patrones de empleo que dan como resultado el aumento salarial y la reducción de la pobreza. El concepto de crecimiento convergente considera las capacidades productivas (productive capabilities) y las habilidades productivas (productive capacities) como dos conceptos básicamente diferentes pero interrelacionados, integra el cambio estructural y la dimensión del proceso de transformación productiva, analizado por las distintas tradiciones económicas, y elabora los canales a través de los cuales las capacidades dan forma a ambas dimensiones de transformación productiva y, por tanto, determinan el crecimiento.

Teniendo esto en cuenta, el capítulo desarrolla un concepto de las capacidades basadas en el conocimiento, que es el segundo componente de la teoría sobre las capacidades para la transformación productiva. El concepto argumenta que las capacidades que conducen y gobiernan el cambio productivo están presentes en varias formas de conocimiento colectivo compartido o agregado a nivel de la empresa, la mano de obra, las economías y las sociedades. Por ello, si bien las habilidades productivas residen en la esfera «material» de la economía (en factores e infraestructuras de producción tangibles), las capacidades productivas existen en la esfera intangible o «inmaterial» del conocimiento[3]. El gráfico 4.2 representa el concepto de las habilidades basado en el conocimiento vinculado al marco del crecimiento convergente.

---

[3] Esta distinción entre la esfera material y la del conocimiento para explicar el desarrollo económico se remonta a List (1909 [1841]); y los nuevos historiadores económicos como McCloskey, Goldstone y Mokyr la han destacado recientemente (véase Nübler, de próxima publicación).

127

Así pues, el desarrollo de capacidades es principalmente un proceso de aprendizaje y, por consiguiente, existe la necesidad de elaborar un concepto de aprendizaje que explique cómo se generan las capacidades. Sin embargo, los economistas solo tienen una comprensión limitada sobre la naturaleza de los procesos de aprendizaje que llevan a expandir las capacidades para el crecimiento convergente de alto desempeño y el desarrollo económico[4]. Por ello, este capítulo elabora un concepto de aprendizaje que aborda las teorías explícitas del conocimiento y el aprendizaje desarrolladas en las distintas disciplinas como la filosofía, la ciencia cognitiva y la sociología (p. ej. Bandura, 1986; Boyd y Richardson, 1985; Polanyi, 1958) y las aplica al contexto económico.

Este enfoque interdisciplinario muestra que el aprendizaje para conseguir el crecimiento convergente es un proceso complejo y costoso, que implica la acumulación de formas diferentes de conocimiento caracterizadas por propiedades distintas y adquiridas a través de procesos de aprendizaje muy diferentes —una observación que resalta la relevancia del aprendizaje, no solo en las escuelas y colegios, sino también en el sistema de producción y en las redes sociales, culturales y organizacionales—. Además, el concepto demuestra la importancia del aprendizaje, no solo a nivel de los individuos, sino también a nivel colectivo de los grupos sociales —en las empresas, en las organizaciones, en la economía y en el conjunto de la sociedad—. Asimismo, el aprendizaje es una habilidad. Aprender para aprender es la característica principal de los sistemas de aprendizaje de alto desempeño en un contexto económico dinámico. Este concepto de aprendizaje colectivo es el tercer componente de la teoría de las capacidades para la transformación productiva.

La teoría de las habilidades contribuye a entender mejor el vínculo entre la educación, la formación y el aprendizaje tecnológico, por un lado, y el crecimiento económico, por el otro. La Comisión para el Crecimiento y el Desarrollo (1998) identificó este vínculo como una brecha del conocimiento. El concepto de las capacidades basado en el conocimiento vinculado a la transformación productiva muestra que la transformación de las capacidades, a través del aprendizaje individual y colectivo, es la que lidera la dinámica del crecimiento convergente, ya que amplía el conjunto de opciones para la diversificación y diversifica las

---

[4] El crecimiento económico y las teorías sobre el comercio utilizan conceptos como «aprendizaje práctico» o «derrames del conocimiento». Sin embargo, el proceso de aprendizaje no está modelado de forma explícita, sino que se supone que se da como resultado o como «efecto derivado» de la producción (Arrow, 1962), el comercio (Young, 1991) y la inversión en I+D (Cohen y Levinthal, 1989). La teoría del capital humano supone que el aprendizaje de los individuos tiene lugar como resultado de la inversión en educación y formación. Stiglitz (1999) analiza el conocimiento como un bien público y las implicaciones de la política pública para la provisión, el uso y la transferencia y diseminación de estos bienes.

competencias colectivas necesarias para generar procesos rápidos y sostenidos de transformación productiva.

El marco define un ámbito amplio para las políticas industriales ya que han de promover la evolución conjunta de los dos procesos interrelacionados, al construir capacidades para la transformación productiva en un proceso de aprendizaje y al acumular capacidades productivas a través de la inversión en factores de producción, tanto en las industrias avanzadas ya existentes, como en las de nueva creación. Este capítulo se centra en políticas para promover la evolución de las habilidades en la esfera del conocimiento. El marco ofrece recomendaciones para una estrategia de aprendizaje integrado que genere habilidades para patrones de alto desempeño y procesos de transformación productiva. Tal estrategia de aprendizaje engloba políticas de educación, formación, tecnología, I+D, comercio e inversión, fomentando el aprendizaje en todos los sectores, a todos los niveles y en múltiples lugares, y promoviendo a las instituciones para que desencadenen, aceleren y sostengan estos procesos de aprendizaje. La estrategia de aprendizaje forma una parte fundamental de una agenda de desarrollo industrial y económico.

Este capítulo está estructurado de la forma siguiente: la sección 4.2 establece un concepto de crecimiento convergente que se centra en la dinámica de la transformación económica y presenta las habilidades como el motor principal de la dinámica del crecimiento convergente. La sección 4.3 presenta un concepto de habilidades basado en el conocimiento y explica dónde residen estas habilidades (memorias colectivas). La sección 4.4 explica cómo se generan las habilidades (aprendizaje colectivo). La sección 4.5 esboza una estrategia de aprendizaje para crear un proceso de desarrollo de las habilidades de alto desempeño. La sección 4.6 expone las conclusiones.

4.2 Un concepto dinámico de crecimiento convergente

Esta sección desarrolla un concepto de crecimiento convergente ahondando en diferentes tradiciones de la economía del desarrollo, desde la escuela histórica alemana a la economía institucional, la economía evolutiva y la economía estructural. Reconoce el amplio potencial de los países en desarrollo para lograr el crecimiento convergente ya que pueden imitar o tomar productos y tecnologías existentes de todo el mundo; pero también explica los límites a los que estos países en desarrollo han de enfrentarse para explotar estos potenciales.

4.2.1 Dos dimensiones de crecimiento convergente

El concepto mantiene que la dinámica del crecimiento convergente es determinada por las dimensiones del cambio estructural y del proceso de la transformación productiva. La dimensión del cambio estructural está relacionada con los patrones del cambio en la estructura económica (diversificación, diferenciación del producto y modernización tecnológica), mientras que la dimensión del proceso está relacionada con el ritmo y sostenibilidad de este cambio. El desempeño en el crecimiento convergente se mide mediante estos patrones y procesos de transformación productiva.

Patrones de transformación productiva – Lo que usted produce importa

El patrón de cambio en la estructura económica es importante ya que determina la medida en la que los países pueden conseguir sus objetivos de desarrollo. De hecho «... no todos los bienes son iguales en cuanto a sus consecuencias para el desempeño económico» (Hausmann y otros, 2007, p. 1). Algunos patrones de cambio estructural y tecnológico, y de especialización en ciertos bienes, contribuyen más que otros a mejoras en la productividad, los ingresos y los salarios, la creación de empleos más productivos y de mejor calidad y oportunidades para el aprendizaje en el proceso de producción.

La evidencia empírica muestra que las tasas elevadas de aumento de la productividad se consiguieron en países que lograron cambiar la producción desde actividades tradicionales a modernas, en concreto a productos comercializables e industriales, y a desarrollar bienes de exportación relativamente complejos (Hausmann, Hwang y Rodrik, 2007; Rodrik, 2009). En el proceso de la transformación productiva, se ha identificado el sector manufacturero como el «sector líder» por sus economías de escala, las fuertes vinculaciones hacia adelante y hacia atrás y las amplias oportunidades de progreso tecnológico y de derrame de conocimientos. Asimismo, la manufactura genera una gran cantidad de empleos productivos, tanto a través de efectos directos como indirectos, creados por vinculaciones a otros sectores y a los efectos inducidos por los ingresos[5].

Ocampo, Rada y Taylor (2009) identifican el sector manufacturero como aquel con el mayor potencial para el aumento de la productividad y el crecimiento del empleo en países de renta baja, aunque la modernización tecnológica y la diversificación dentro de la agricultura también son importantes para apoyar la transformación productiva. Por el contrario, en los países de renta alta, con un rápido

---

[5] Para revisar estos estudios, véase Lavopa y Szirmai (2012).

crecimiento a largo plazo, la manufactura ha servido como motor para el aumento de la productividad, pero no para la creación de empleos; en estos países, el crecimiento neto del empleo ha surgido del sector de los servicios. Roncolato y Kucera (2013) analizan el potencial de los servicios avanzados como un «sector líder» en el desarrollo económico, resaltando las divergencias entre los puntos de vista de los economistas y argumentando que el sector de los servicios puede ser un complemento rezagado, un complemento principal o un sustituto para la manufactura.

Una literatura emergente está analizando el impacto del cambio tecnológico sobre las propiedades de las tareas y los puestos de trabajo y, por lo tanto, sobre la calidad del empleo. Los puestos de trabajo y las tareas se clasifican en categorías según sean rutinarias o no rutinarias, analíticas, interactivas, manuales, cognitivas, cualificadas o no cualificadas (Autor, Levy y Murnane, 2003; Balconi, Pozzali y Viale, 2007; Chandler, 1977). Como las tecnologías y los procesos de producción que se aplican en los distintos sectores económicos difieren en importantes propiedades económicas, tales como la fragmentabilidad, la intensidad de factores, la modularización, la automatización de las tareas y la base del conocimiento, se asocian con distintos perfiles profesionales. Por todo ello, el carácter del cambio tecnológico, que se fomenta en una estrategia de crecimiento convergente, conlleva implicaciones muy importantes para la calidad de los puestos de trabajo y la estructura ocupacional de la economía (Nübler, de próxima publicación)[6].

Los países también necesitan alcanzar un buen balance al perseguir objetivos múltiples de desarrollo teniendo en cuenta las sinergias potenciales y los costos de oportunidad. La rápida intensificación tecnológica y la naturaleza ahorrativa en mano de obra del cambio tecnológico impulsan el aumento de la productividad, pero a su vez destruyen puestos de trabajo. Así pues, el desafío al que se enfrentan los países en desarrollo es poder diversificarse en una amplia variedad de nuevas actividades económicas (y promover tanto la demanda interna como la externa) para generar nuevos puestos de trabajo y conseguir efectos de empleo neto positivos. Un análisis comparativo de los procesos de transformación productiva en la República de Corea y Costa Rica, durante la década de 1960 y la de 1970, demuestra que la República de Corea consiguió unas tasas de crecimiento mucho más elevadas en productividad y empleo al promover de forma simultánea la ampliación industrial y la profundización tecnológica; mientras que en Costa Rica se avanzó más lentamente en la ampliación industrial que en la profundización tecnológica (Nübler, de próxima publicación).

Estos hallazgos empíricos sugieren que el desempeño de los países en relación con los patrones de cambio estructural y tecnológico han de evaluarse a la luz de

---

[6] Véase, por ejemplo, Lall (2000); Pavitt (1984); Pérez (1983); Nelson y Winter (1982).

sus objetivos de desarrollo y las aspiraciones que tengan sus sociedades. No hay un patrón de «tamaño único» de transformación productiva de alto desempeño.

Procesos de transformación productiva –
Ritmo y sostenibilidad

Además de patrones de alto desempeño, los países necesitan desarrollar procesos de alto desempeño de transformación productiva. Esto es importante en vista de las altas tasas de desempleo, el rápidamente creciente número de jóvenes que ingresan en el mercado laboral y la pobreza persistente en muchos países en desarrollo. Los procesos de alto desempeño vienen expresados por una rápida expansión de las capacidades productivas y una rápida transformación productiva, que absorben la tecnología y se diversifican en una amplia gama de productos e industrias diferentes. Reinert (2009) encuentra que los países que consiguen un ritmo rápido de crecimiento convergente dieron el salto a paradigmas tecnológicos predominantes que generaron «explosiones de productividad» a través de rendimientos crecientes, el aprendizaje rápido, las sinergias, la innovación y la rápida diversificación.

El alto desempeño de los procesos también se mide en función de la sostenibilidad. Los países pueden trasladarse de niveles de renta baja a media y posteriormente a niveles de ingreso avanzados solo si pueden sostener tasas de crecimiento elevadas en la renta per cápita durante un período de tiempo considerable. El debate reciente sobre la «trampa de la renta media» sugiere que trasladarse de un nivel medio a uno avanzado parece ser un desafío para muchos países de renta media. Las tasas de crecimiento tienden a disminuir a medida que se aproximan a los umbrales de renta media-alta, y por tanto estos países corren el riesgo de caer en la trampa de la renta media[7]. Si bien un número creciente de estudios explora, de manera empírica, las tendencias y los factores que están relacionados con la disminución de la dinámica del crecimiento en países de renta media, la economía del desarrollo no proporciona modelos o marcos que expliquen la trampa de renta media.

Como resumen: las dos dimensiones de transformación productiva y de crecimiento convergente son complementarias y, por tanto, han de evolucionar juntas. Un crecimiento convergente exitoso requiere un alto desempeño, tanto en la dimensión del cambio estructural, como en la dimensión del proceso de crecimiento convergente.

---

[7] Véase, por ejemplo, Agénor y Canuto (2012); Eichengreen, Park y Shin (2011); Foxley y Sossdorf (2011); Jankowska, Nagengast y Perea (2012).

4.2.2 Capacidades productivas y habilidades productivas

El concepto de crecimiento convergente elaborado en este capítulo lo define como un proceso dinámico de transformación productiva. Este concepto distingue entre «el potencial para el crecimiento convergente» y el espacio «factible» o «realista» para el crecimiento convergente. La brecha entre el conjunto de técnicas, actividades y productos que se han logrado dominar en un país y los que están disponibles a nivel global define su «potencial para el crecimiento convergente». En el gráfico 4.1 el espacio global de productos y tecnologías (GPTS, por sus siglas en inglés) describe las tecnologías y los productos que existen en el mundo, mientras que el espacio de las capacidades productivas describe el conjunto de tecnologías y productos que domina un país en un momento determinado. De ahí que el potencial para el crecimiento convergente de un país se compare con su GPTS. Las capacidades productivas son determinadas por los factores de producción acumulados en el país.

Gerschenkron (1962) considera la brecha entre el GPTS y las capacidades productivas de un país como «beneficios del retraso», ya que proporcionan a los países en desarrollo el potencial de desarrollar más rápidamente tecnologías que toman del resto del mundo e imitar productos que ya se producen en países más avanzados. El desafío al que se enfrentan los países en desarrollo es conseguir el crecimiento convergente dentro del GPTS para imitar una amplia gama de productos diferentes, ampliar el alcance de sus propias actividades económicas y tecnologías dentro del GPTS para navegar más rápido por este espacio y sostener este proceso.

Este concepto de crecimiento convergente argumenta que cada país o sociedad ha desarrollado un conjunto específico de habilidades que determina su ámbito factible para expandir las capacidades productivas y el crecimiento convergente dentro del GPTS. Determinan la dirección del cambio realista de un país y la naturaleza de la diversificación, la diferenciación de los productos y la modernización tecnológica que puede conseguir un país. El ámbito factible o espacio para la transformación productiva está ilustrado por el espacio de las habilidades en el gráfico 4.1. La línea divisoria de este espacio distingue aquellos productos y tecnologías que el país puede adoptar de manera más sencilla que otros que están más allá de su alcance.

Las habilidades también determinan el ritmo y la sostenibilidad del proceso de transformación. Los países necesitan desarrollar competencias que permitan a las empresas y a la economía identificar nuevas oportunidades para cambiar, invertir y aumentar las capacidades productivas en nuevas industrias y tecnologías seleccionadas y gestionar procesos de transformación estructural y tecnológica rápidos y sostenidos. Los países en desarrollo difieren en sus posibilidades de expansión de capacidades productivas hacia nuevos productos, industrias y tecnologías, en la gestión del proceso de transformación y en la explotación de su potencial de crecimiento convergente.

Gráfico 4.1. Un concepto de crecimiento convergente

Abramovitz (1986) presenta las «habilidades sociales» como una variable para explicar las diferencias en el desempeño entre los países desarrollados de hoy en día durante sus fases históricas de crecimiento convergente. Concluye que los países que lograron converger rápidamente con las tecnologías avanzadas estaban a la cola tecnológicamente pero avanzados en habilidades sociales. Las importantes contribuciones de Abramovitz hacen referencia a la idea de que los países difieren en sus habilidades, que esas habilidades determinan la posibilidad de que un país pueda implementar un cambio económico y tecnológico, que estas habilidades están plasmadas en la sociedad y que no son dadas sino adquiridas. Abramovitz etiquetó estas habilidades como *sociales* porque están encarnadas en la sociedad. Sin embargo, este capítulo las llama habilidades productivas o dinámicas para acentuar la función que tienen al dirigir la dinámica de la transformación productiva y del crecimiento.

4.2.3 *Las habilidades se expresan en forma de opciones y competencias*

El concepto dinámico de crecimiento convergente establece dos vínculos distintos entre las habilidades específicas de un país y la dinámica de la transformación productiva. En primer lugar, las habilidades se expresan en forma de opciones para el cambio estructural y tecnológico. El concepto de opciones implica que las habilidades específicas de un país no se traducen automáticamente en capacidades productivas y transformación productiva. Más bien, los países necesitan traducir opciones en capacidades productivas a través de la inversión en nuevos factores de producción, infraestructuras e I+D y la reasignación de los recursos. El concepto de opciones también implica que las habilidades son condiciones previas para la transformación productiva y que el desarrollo de habilidades ha de preceder a la transformación de las estructuras productivas y la modernización tecnológica.

Este concepto de crecimiento convergente sugiere que aún los países con dotaciones de factores y ventajas comparativas similares pueden haber desarrollado diferentes habilidades y, por tanto, pueden contar con distintas opciones para la transformación productiva dentro del espacio global de productos y tecnologías (GPTS). Esto contrasta con la teoría económica predominante que asume, de forma implícita, que todos los países han desarrollado todas las habilidades relevantes y, en consecuencia, son capaces de imitar todos los productos dentro del GPTS. En este modelo, la selección de productos dentro del GPTS, en la que los países deben fijar sus objetivos, viene determinada por el coste y la ventaja comparativa. Así pues, a Lin y Treichel (capítulo 2 en este volumen) les falta tener en cuenta las habilidades en su Marco para la Identificación y Facilitación del Crecimiento y limitan su análisis a las capacidades productivas y a las ventajas comparativas. El concepto del crecimiento convergente elaborado en este capítulo indica que las ventajas comparativas y las habilidades son dos conceptos analíticos distintos y que hay que complementar el análisis de las ventajas comparativas, para la diversificación y la transformación productiva, con un análisis de las habilidades y las opciones para la transformación productiva integradas en estas habilidades.

En segundo lugar, las habilidades se expresan en competencias colectivas para gestionar y dirigir el proceso de transformación productiva. Estas competencias juegan un papel central al determinar el ritmo y la sostenibilidad del proceso de crecimiento convergente. Determinan el desempeño, tanto de las empresas individuales como de la economía en su conjunto, al navegar a través del GPTS e imitar nuevos productos y tecnologías en los que no tienen ninguna experiencia previa. La naturaleza de las competencias que los países han acumulado determinará su comportamiento en traducir las opciones en diversificación económica y cambio tecnológico.

Para finalizar, el concepto de crecimiento convergente desarrollado en este capítulo define el crecimiento convergente en función de dos dimensiones de transformación productiva y considera las habilidades como una fuerza primordial que conduce la dinámica de ambas dimensiones. Las habilidades se expresan en las opciones que definen el alcance y el carácter de la transformación productiva y en las competencias que permiten a los países traducir las opciones en capacidades productivas.

Hay que añadir que las opciones y las competencias son complementarias y ambas necesitan desarrollarse de forma simultánea para generar un proceso de crecimiento convergente de alto desempeño. La dinámica de la transformación productiva resulta de la evolución conjunta de las opciones y las competencias para la transformación productiva, así como de la coordinación del desarrollo de las habilidades con la inversión en capacidades productivas. Los Gobiernos que aspiran a formular una estrategia de desarrollo económico consistente necesitan alinear el desarrollo de las habilidades con el de las capacidades productivas. La ampliación y transformación continua de las habilidades específicas de un país es una condición previa fundamental, el motor de la transformación productiva sostenida y del logro del crecimiento convergente.

4.3 Un concepto de las habilidades basado en el conocimiento

Los responsables de política que aspiran a fomentar las habilidades se enfrentan a una cuestión vital: ¿dónde residen las habilidades? Es decir, la pregunta es: ¿quiénes son los «portadores» de las opciones y las competencias colectivas para la transformación productiva de alto desempeño? Esta sección propone un concepto de habilidades colectivas basado en el conocimiento. Sugiere que las habilidades para la transformación productiva residen en la esfera del conocimiento y, por tanto, en la esfera «inmaterial» de la economía. Las habilidades son intangibles. El concepto basado en el conocimiento distingue entre el conocimiento conceptual y el procedimental como bloques distintos de construcción de las habilidades (véase el gráfico 4.2)[8]. El conocimiento conceptual, o «saber que», hace referencia a ideas, principios, reglas y modelos abstractos o generales. Los conceptos permiten a los individuos categorizar y estructurar la información y los datos, analizar e interpretar fenómenos empíricamente observados, conseguir entenderlos y darles significado y hacer elecciones.

Por el contrario, el conocimiento procedimental hace referencia al «saber hacer» y determina lo bien que los individuos, las empresas y las economías se desempeñan en el trabajo, la producción y los procesos de aprendizaje. Por ejemplo, el desempeño de un equipo de fútbol no está determinado únicamente por el conocimiento conceptual y procedimental de cada jugador, sino que está marcado

---

[8] Chang (2010, p. 54) sostiene que la «dinámica no puede conseguirse a través de actividades aisladas de los individuos, sino que se crean en forma de competencias individuales que están organizadas y coordinadas dentro de las empresas, en el conocimiento que se crea de manera colectiva en el contexto de una división del trabajo compleja».

fundamentalmente por el conocimiento procedimental colectivo que reside a nivel del equipo. Lo mismo ocurre con los equipos de trabajadores que componen una empresa.

Gráfico 4.2. Una teoría de las habilidades para el crecimiento convergente

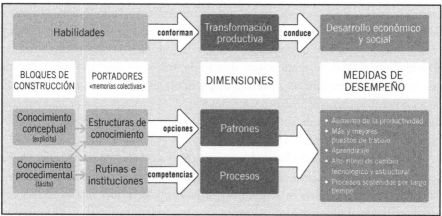

Las dos secciones siguientes analizan las estructuras, rutinas e instituciones del conocimiento como formas distintas del conocimiento colectivo y explican cómo el conocimiento conceptual y procedimental conforman las opciones y competencias para la transformación productiva de diferentes maneras. Estas dos secciones establecen el vínculo entre el conocimiento y la esfera material de la economía y el nexo del conocimiento, las habilidades y la transformación productiva.

4.3.1 Estructuras de conocimiento: portadores de opciones para el cambio estructural y tecnológico

Cada grupo social construye estructuras de conocimiento específicas durante el proceso de aprendizaje. A medida que los individuos adquieren una amplia gama de conocimiento conceptual y procedimental, el grupo social va desarrollando una estructura de conocimiento concreta. Estas estructuras de conocimiento se pueden describir con base en la naturaleza, la combinación, la diversidad, la variedad y la complejidad particulares de los elementos del conocimiento. La estructura de conocimiento se puede considerar como una forma de «memoria colectiva».

La estructura de conocimiento concreta, integrada en la mano de obra, determina las opciones que tiene un país para la transformación estructural y tecnológica dentro del GPTS. Definimos cada producto del GPTS como un conjunto de tareas distintas pero complementarias que tienen que ser ejecutadas durante la producción y a través de distintos elementos de conocimiento que se necesitan para ejecutar estas tareas. Algunos productos requieren conjuntos similares de conocimiento y el grado de similitud determina el parentesco entre los productos. Por el contrario, se considera que los productos están distantes cuando su producción consta de pocos elementos de conocimiento en común. De ahí que podamos estructurar el GPTS en comunidades de conocimiento tecnológico, cada una definida por un conjunto particular de conocimiento subyacente a las tareas y productos. Los estudios que analizan el flujo de trabajadores y empresas entre las actividades y productos económicos, dentro de una economía, apoyan la idea de que actividades económicas y productos particulares están relacionados por un conocimiento y unas habilidades similares y que los productos se relacionan con distintas comunidades de conocimiento tecnológico (Neffke y Henning, 2009; Newman, Rand y Tarp, 2011).

El gráfico 4.3 ilustra la idea de las estructuras y opciones de conocimiento. La estructura de conocimiento existente en la mano de obra se muestra en el espacio de conocimiento azul dentro de la elipse formada por una línea discontinua, cada punto representa un elemento diferente de conocimiento. De P1 a P5 se representan cinco productos diferentes, y los vínculos a los puntos representan los elementos del conocimiento que necesitan combinarse para su producción. Estos cinco productos diferentes pueden producirse con la estructura del conocimiento existente. Suponemos que P1, P2 y P3 ya son parte del programa de producción del país. El espacio de las opciones del país está descrito por los productos P4 y P5. Estos productos pueden desarrollarse fácilmente combinando y recombinando los elementos del conocimiento existentes en la mano de obra.

Gráfico 4.3. Base del conocimiento de la mano de obra
y opciones para la transformación productiva

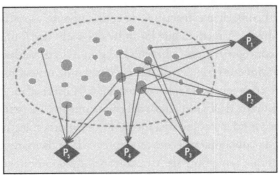

Fuente: Nübler (de próxima publicación).

Asimismo, asumimos que P1 a P4 pertenecen a la misma comunidad de conocimiento tecnológico, ya que estos productos comparten conjuntos similares de elementos del conocimiento. El producto P5 pertenece a una comunidad del conocimiento diferente que abarca los productos P6 a Pn (que no se muestra en el gráfico). Los puntos P6 a Pn no se han desarrollado aún en el país porque su mano de obra no ha desarrollado los elementos de conocimiento complementarios. La estructura del conocimiento no proporciona opciones para diversificarse en estos productos.

El concepto de comunidades de conocimiento sugiere que los países y las empresas encuentran relativamente sencillo diversificarse dentro de una comunidad de conocimiento tecnológico en la que la mano de obra ya ha obtenido una experiencia considerable y, también, ha acumulado una importante serie de conocimientos. Estos elementos del conocimiento pueden recombinarse fácilmente para la producción de nuevos bienes. La literatura proporciona muchos ejemplos de diferentes países sobre la evolución de las líneas de producto y las industrias, que reflejan la diversificación dentro de las comunidades del conocimiento a través de la recombinación de elementos del conocimiento complementarios (véase Nübler, de próxima publicación). Además, las empresas poseen amplias opciones para diversificarse dentro de las comunidades del conocimiento tecnológico, cuando los elementos de conocimiento pueden transferirse a una amplia gama de productos diferentes. En contraste, las comunidades del conocimiento que se caracterizan por el conocimiento específico del producto o de la industria tienden a abarcar pocos productos, ya que permiten a las empresas transferir estos elementos de conocimiento específicos solo a un número limitado de productos. Por ejemplo, el perfil de especialización en las industrias extractivas es muy específico, por tanto, muchos conjuntos de conocimiento desarrollados por la mano de obra en estas industrias no puede reasignarse o transferirse fácilmente. Por consiguiente, proporcionan opciones limitadas para la diversificación.

Este marco explica el rápido desarrollo de la industria de *software* en la India. En el transcurso de un largo proceso histórico, la India ha desarrollado una estructura de conocimiento específica, adoptando un conocimiento formal a través del sistema educativo y el programa de estudios modelado por el sistema británico; el dominio del inglés (ya que la educación secundaria y la terciaria se imparten en inglés); la especialización técnica y en ingeniería desarrollada en institutos de tecnología de alto nivel y el conocimiento en tecnología de la información (TI), adquirido durante la experiencia de «*body-shopping*»[9]; y el hecho de trabajar en la comunidad de la diáspora, sobre todo en Silicon Valley, en los Estados Unidos

---

[9] «*Body-shopping*» es la práctica que llevan a cabo las empresas consultoras que contratan y dan formación a trabajadores de tecnología de la información para contratar sus servicios por períodos breves.

(véase el capítulo 8 de Vijayabaskar y Babu en este volumen). Esta estructura de conocimiento particular generó opciones para que la India entrara en la industria del *software* y permitiera al país, a principios de la primera década del siglo XXI, beneficiarse de la ventana de oportunidades que se abría por la alta demanda de servicios de *software*, a causa del problema del año 2000. Consideramos la industria de *software* como una comunidad de conocimiento particular que se define por una gama amplia de productos distintos que utilizan un conjunto de elementos de conocimiento similares.

Aunque los países y las empresas encuentren sencillo diversificarse dentro de las comunidades de conocimiento tecnológico, encontrarán difícil entrar en nuevas comunidades y llevar a cabo actividades económicas y productos para los que aún no han desarrollado los elementos relevantes de conocimiento. Por tanto, los países necesitan desarrollar opciones para poder entrar en comunidades de conocimiento más avanzadas, enriqueciendo la base de conocimiento de la mano de obra con elementos de conocimiento de importancia estratégica para entrar en dichas comunidades. En consecuencia, el cambio hacia comunidades de conocimiento más avanzadas, para un proceso sostenido de crecimiento convergente, puede exigir que los países no solo tengan que mejorar, sino también transformar principalmente su estructura de conocimiento si pretenden entrar en comunidades de conocimiento «distantes». Necesitan desarrollar expresamente elementos de conocimiento tecnológico y científico más sofisticados, enseñar competencias laborales estratégicas «clave», tales como la disciplina, la precisión, la creatividad o el pensamiento crítico, y apoyar el desarrollo de sistemas de creencias y elementos de conocimiento cultural que faciliten los saltos dentro del GPTS.

Esto pone de relieve la importancia del aprendizaje, fuera del sistema de producción, en las escuelas y centros de formación, y de atraer a empresas extranjeras o desarrollar «industrias nacientes» como fuente de conocimiento técnico avanzado.

Este enfoque basado en el conocimiento explica tanto la diversificación incremental hacia productos relacionados dentro de las comunidades de conocimiento, como los saltos a productos distantes en nuevas comunidades de conocimiento. Si bien el aprendizaje dentro del sistema de producción explica la transformación productiva incremental en particular, el aprendizaje fuera del sistema de producción resulta fundamental para explicar los saltos hacia nuevas comunidades. El enfoque del «espacio producto» de Hausmann y otros (2011) explica principalmente la diversificación incremental. Si bien reconocen la importancia del conocimiento productivo en la formación de habilidades, asumen, de manera implícita, que las habilidades se crean mayoritariamente en el sistema de producción. Por tanto, limitan su análisis a la generación de habilidades que permiten solo patrones de diversificación incremental.

4.3.2 Rutinas e instituciones: portadoras de competencias para el proceso de alto desempeño

Además de las estructuras de conocimiento, los grupos sociales también construyen rutinas e instituciones. El concepto de las habilidades basado en el conocimiento argumenta que las rutinas y las instituciones se establecen por una combinación de reglas (conocimiento conceptual) y de saber hacer (conocimiento procedimental)[10]. El conocimiento procedimental determina el desempeño del grupo social al aplicar y poner en práctica las reglas. Las rutinas e instituciones son la «memoria» en los grupos sociales del «saber hacer». No pueden diseñarse, pero necesitan evolucionar en un proceso de aprendizaje.

Las competencias para generar procesos de transformación productiva de alto desempeño vienen incorporadas en las rutinas e instituciones. Los economistas de la tradición evolutiva argumentan que las instituciones y las rutinas configuran el comportamiento de la economía y las empresas, respectivamente. Nelson y Winter (1982) toman la perspectiva de la empresa y argumentan que «el comportamiento de las empresas se puede explicar según las rutinas que emplean». De ahí que las rutinas sean portadoras de competencias colectivas en el ámbito de las empresas y las organizaciones y que las instituciones sean portadoras de competencias en el ámbito de la economía. El alto desempeño se consigue cuando las reglas y el conocimiento procedimental subyacentes en las rutinas e instituciones cumplen los estándares de excelencia.

El ámbito empresarial

Las competencias de las empresas para cambiar a un producto nuevo o para adoptar tecnologías novedosas desde el GPTS son vitales en el proceso dinámico de la transformación productiva. Su posibilidad para cambiar y gestionar el proceso de transición está integrada en las rutinas que las empresas pueden trasferir y aplicar al nuevo contexto económico. Las competencias con un valor dinámico elevado se relacionan con la habilidad de las empresas para analizar las opciones integradas en su mano

---

[10] Esta definición de las instituciones amplía el concepto propuesto por North (1990) que define las instituciones como las «reglas del juego» que guían y limitan el comportamiento de los jugadores. Las instituciones se convierten en portadoras de las competencias colectivas cuando se definen por las reglas y el conocimiento procedimental («saber cómo jugar al juego»).

de obra y para identificar nuevas actividades potenciales que puedan desarrollarse a la luz de estructuras de conocimiento dado, para invertir y adaptar tecnologías, para identificar y solucionar los problemas que surjan durante el proceso de cambio, para crear y gestionar el conocimiento, para administrar los recursos a la luz de los requisitos de los nuevos productos o procesos y para controlar la calidad de los productos y procesos.

Un estudio de Vietnam que analiza el comportamiento de entrada, salida y cambio de empresas muestra que un número considerable de empresas está cambiando —es decir, que está entrando en una nueva actividad y abandonando la que realizaba anteriormente (Newman, Rand y Tarp, 2011)—. Lo que es más importante es que el estudio muestra que las empresas que están realizando el cambio cuentan con una ventaja sobre las empresas recién establecidas que se incorporan al mercado, ya que sus niveles de productividad tienden a estar por encima de los de las empresas que acaban de incorporarse. Esto apoya el argumento de que las empresas que realizan el cambio pueden transferir rutinas ya establecidas, mientras que las nuevas empresas han de construir dichas rutinas. Sin embargo, las empresas que realizan el cambio muestran una productividad inferior que las empresas ya establecidas en el nuevo sector, una discrepancia que refleja el conocimiento procedimental y las competencias adquiridas mediante la experiencia sustancial en el sector.

Además, el estudio de Vietnam muestra que la tendencia a cambiar es mayor entre las empresas nacionales que entre las empresas multinacionales. Esta observación destaca el importante papel de las empresas nacionales para dirigir la dinámica de la transformación como iniciadoras y catalizadoras de la transformación estructural y del fortalecimiento del conocimiento procedimental en las empresas nacionales para conseguir un proceso de crecimiento convergente rápido y sostenido. De hecho, las escasas habilidades de las empresas nacionales para cambiar a nuevas actividades económicas se puede considerar como un factor que explica la trampa de la renta media. Esto secunda el argumento de Amsden (2009) de que la propiedad de los negocios marca la diferencia, ya que las empresas nacionales realizan unas contribuciones al desarrollo económico distintas que las empresas extranjeras.

El ámbito de la economía

Las instituciones son portadoras importantes de competencias colectivas en el ámbito de la economía. Las diferentes tradiciones económicas destacan las distintas funciones de las instituciones que son relevantes en un contexto dinámico. Las teorías sobre el mercado acentúan la función de las instituciones para mejorar el mercado, ya que coordinan las actividades, recopilan y difunden la información, guían y limitan los comportamientos y las elecciones y reducen el riesgo asociado a las actividades de emprendedurismo. Las instituciones promueven el crecimiento ya que crean incentivos para participar en las nuevas actividades económicas y para invertir en las capacidades productivas, tales como nuevas tecnologías y especializaciones (North, 1990), y en el «auto descubrimiento» (Hausmann y Rodrik, 2003). Las instituciones promueven los procesos relacionados con el conocimiento, tales como la creación y compartición del conocimiento en la investigación y el desarrollo, al facilitar la cooperación entre una amplia variedad de actores complementarios, como las empresas, las instituciones educativas público-privadas y las organizaciones de formación y de investigación (Brown, 1999).

Schumpeter (1911) argumenta que el «espíritu emprendedor» de una sociedad y el emprendedurismo «pionero» constituyen el motor central del proceso de «destrucción creativa», transformación productiva y crecimiento. Asimismo, argumenta que la estructura institucional de la sociedad es la que crea el emprendedurismo. Las sociedades con un alto nivel de espíritu emprendedor son las que han desarrollado instituciones que recompensan las actividades emprendedoras. Nelson (2008, p. 9) argumenta que «un cambio económico a largo plazo debe entenderse como aquel que implica la evolución conjunta de tecnologías en uso y de estructuras institucionales que las apoyan y las regulan».

Además, las instituciones que construyen relaciones de confianza y consenso social tienen un elevado valor dinámico, ya que apoyan las reformas y la aceptación, tanto por parte de los ganadores como de los perdedores, de los cambios económicos (Franck, 1998; Schubert, 2009).

4.3.3 Complementariedad de las estructuras de conocimiento, las rutinas y las instituciones

Las opciones y las competencias colectivas son complementarias, y el crecimiento convergente exitoso requiere que se construyan ricas y diversas estructuras de conocimiento en la mano de obra, así como rutinas e instituciones «inteligentes» en las empresas y en la economía. Las opciones prometedoras para la transformación productiva que no se complementan de forma simultánea con el desarrollo de las competencias colectivas nacionales no pueden dar lugar a un proceso de crecimiento convergente sostenido y prolongado.

Costa Rica constituye un ejemplo. Después de una rápida expansión del sistema educativo, sobre todo de la educación secundaria durante las décadas de 1960 y 1970, el país había acumulado opciones para desarrollar un conjunto amplio de productos manufacturados durante los años posteriores. Estas opciones fueron de hecho aprovechadas, a partir de la década de los 1990's, por instituciones de desarrollo que tuvieron éxito en atraer inversión extranjera directa (IED) y fomentar las exportaciones. Sin embargo, el país no consiguió formar las instituciones para promover el desarrollo de habilidades en las empresas nacionales. Esta estrategia dio como resultado una fundamental transformación y sofisticación de la estructura de exportación de Costa Rica pero no de su estructura de producción global (véase el capítulo 6 de Paus en este volumen). Esta estrategia también corre el riesgo de perder la dinámica de la transformación estructural porque el país desaprovecha las actividades de diversificación y cambio de las empresas nacionales.

En contraste, la República de Corea siguió una estrategia de enriquecer la estructura del conocimiento de la mano de obra y, simultáneamente, mejorar las rutinas en las empresas nacionales. Esta estrategia dio como resultado un proceso de transformación de alto desempeño, tanto en las estructuras de producción como de exportación, y altas tasas de crecimiento en la productividad y el empleo durante las décadas de 1960, 1970 y 1980 (Nübler, de próxima publicación).

4.4 Un concepto de aprendizaje colectivo

Las teorías del aprendizaje desarrolladas en varias disciplinas explican que tanto los individuos como las empresas, las organizaciones y las sociedades aprenden a través de la acumulación de conocimiento conceptual y procedimental. La aplicación de estas distintas teorías a la acumulación de habilidades sugiere que el aprendizaje a nivel colectivo significa, fundamentalmente, enriquecer y transformar las estructuras de conocimiento inherentes en los grupos sociales y desarrollar gradualmente rutinas e instituciones complejas e «inteligentes». Las estructuras de conocimiento, las rutinas y las instituciones, identificadas anteriormente como «memorias colectivas» de los grupos sociales, evolucionan en un proceso de aprendizaje.

El desarrollo de habilidades es un proceso evolutivo, acumulativo y gradual. Sin embargo, el proceso de aprendizaje involucrado en la formación de estructuras de conocimiento es diferente del involucrado en la construcción de rutinas e instituciones. Así pues, las opciones y las competencias para la transformación productiva se configuran en procesos diferentes que resaltan la relevancia del aprendizaje a distintos niveles y en múltiples lugares. El gráfico 4.4 muestra los elementos principales de un concepto de aprendizaje colectivo para la transformación productiva.

Gráfico 4.4. Un concepto de aprendizaje colectivo para la transformación productiva

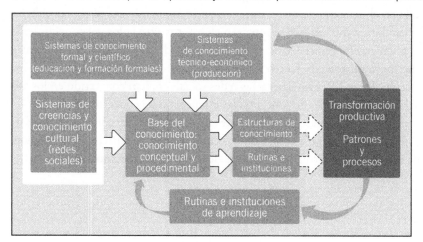

4.4.1 Evolución de las estructuras de conocimiento

Las estructuras de conocimiento en una empresa o en una economía se construyen en un proceso acumulativo. Se forman a partir de elementos de conocimiento conceptual que se pueden articular y codificar, almacenar en libros y ordenadores y, por tanto, transmitirse fácilmente. Los individuos desarrollan conceptos al organizar y categorizar información y al integrar la información nueva en conceptos existentes; de ese modo construyen estructuras de conocimiento y modelos mentales cada vez más complejos. Además, los individuos desarrollan conocimiento procedimental en un proceso de experiencia y práctica. El conocimiento procedimental, o «saber hacer», es un conocimiento tácito que no puede articularse. El carácter, la complejidad y la diversidad de la educación, la formación, la experiencia laboral y la socialización, a la que los individuos están expuestos, configuran sus modelos mentales y, por tanto, también la mezcla particular de conocimiento presentes en la mano de obra y la sociedad.

El conocimiento y los sistemas de creencias socialmente provistos y compartidos son fundamentales al determinar las estructuras de conocimiento a nivel colectivo (véase el gráfico 4.4). El programa de estudios que se imparte en el sistema educativo formal y el tipo de tecnologías que se aplican en el sistema de producción, así como los sistemas de conocimiento (p. ej. ideologías, filosofías, religiones) que son prominentes en el sistema social, constituyen los determinantes más importantes de la naturaleza, la diversidad y la complejidad de las estructuras de conocimiento integradas en los grupos sociales. La estructura de conocimiento integrada en el personal de una empresa o en la mano de obra nacional obliga a realizar cambios a medida que se integran elementos avanzados del conocimiento formal, técnico, empresarial y de gestión, además de creencias y conocimientos culturales no tradicionales dentro del sistema de conocimiento ya existente. Con la revolución de las TIC, Internet y las redes sociales se han convertido en los factores más importantes de influencia en las estructuras de conocimiento.

Los países que pretenden transformar sus estructuras de conocimiento para mejorar las opciones para la transformación productiva se enfrentan al reto concreto de influir y transformar los sistemas de conocimiento compartido.

4.4.2 La evolución de las rutinas e instituciones

Las rutinas e instituciones evolucionan a medida que los grupos sociales van participando en un proceso de aprendizaje colectivo. Este proceso implica la adopción de normas (conocimiento explícito) y la acumulación de conocimiento procedimental tácito al aplicar estas normas de manera repetida cuando se llevan a cabo las tareas. El grupo social aprende a ejecutar varias tareas aplicando las normas y los principios; por ejemplo, en tareas de secuenciación y coordinación. Al adquirir cada vez más experiencia y práctica, el equipo acumula un conocimiento cada vez más complejo de «saber hacer». Este conocimiento procedimental representa el elemento tácito de las rutinas e instituciones ya que solo puede establecerse cuando el grupo social deja de centrarse, de manera consciente, en las normas y va cambiando gradualmente su foco hacia el proceso en su conjunto. El alto desempeño evoluciona a través de un proceso de práctica dirigido a cumplir los estándares de excelencia establecidos por aquellos que ya han dominado el proceso y ya han demostrado un desempeño elevado. La evolución de las rutinas de alto desempeño se refleja en las curvas de aprendizaje identificadas por muchos estudios que exploran el impacto del aprendizaje a través de la práctica y la experiencia en la productividad del equipo. Asimismo, las rutinas que permiten a las empresas planificar, gestionar e implementar procesos de diversificación y de cambio tecnológico de alto desempeño se adquieren a través de un proceso de aprendizaje práctico.

Este concepto de aprendizaje sugiere que las empresas aprenden a cambiar a nuevos sectores a través de «practicar el cambio». Aprenden a trasferir sus rutinas de producción a un nuevo contexto económico y a gestionar este proceso de forma efectiva mediante la ejecución repetida de esa tarea. En el ámbito de las sociedades, las instituciones evolucionan a medida que adoptan normas, tales como leyes y reglamentos, y las adaptan al entorno cambiante (aprendizaje adaptativo) y aprenden a aplicar esas normas y a desarrollar el conocimiento procedimental y, a su vez, intentan cumplir con los estándares de excelencia. La evidencia empírica muestra que mientras que un país puede adoptar normas que se han aplicado con éxito en otros países, necesita tener una experiencia y una práctica considerables en el ámbito de la sociedad para aprender el conocimiento procedimental requerido para el alto desempeño en la aplicación y seguimiento de esas normas.

4.4.3 La dinámica del aprendizaje colectivo: aprendiendo a aprender el crecimiento convergente

Este concepto de aprendizaje argumenta que la esfera productiva y la esfera del conocimiento están interrelacionadas y que la transformación productiva representa un motor fundamental del proceso de aprendizaje. El concepto destaca dos canales a través de los cuales el sistema productivo se convierte en el catalizador del proceso de aprendizaje. Por un lado, el sistema productivo es un lugar primordial de aprendizaje y, por tanto, la naturaleza de los productos que se desarrollan y las tecnologías que se aplican en el proceso de producción determinan los elementos tecnológicos, empresariales y vocacionales involucrados y la naturaleza y complejidad de las rutinas que los trabajadores y el personal de las empresas pueden aprender. Además, la transformación productiva influye tanto en el conjunto de conocimiento formal como en el cultural de forma indirecta; por ejemplo, mediante el aumento de los niveles de ingresos, en las necesidades de capital humano específico y de competencias laborales. Por consiguiente, la transformación productiva tiene el potencial de mejorar las habilidades que, a su vez, amplían la gama de opciones y aumentan las competencias para la transformación productiva. Esto destaca la importancia para un proceso dinámico de crecimiento convergente de proporcionar oportunidades de aprendizaje cada vez más complejas en el entorno productivo y de impulsar un proceso dinámico de aprendizaje. Esta relación viene indicada en el gráfico 4.4 mediante la flecha que señala desde el sistema de producción hacia varios sistemas de conocimiento compartido. El impacto del sistema productivo en los diversos sistemas de conocimiento resalta la importancia para un proceso dinámico de crecimiento convergente de proporcionar oportunidades de aprendizaje cada vez más complejas en el sistema de producción, pero también para mejorar el empleo, los salarios y los ingresos.

El concepto del aprendizaje pone de manifiesto la causación circular y el círculo virtuoso de aprendizaje y de transformación productiva, que representa un motor muy importante de la dinámica del crecimiento convergente. Por lo tanto, las políticas industriales son las encargadas no solo de liderar el proceso de inversión y la transformación estructural para conseguir una alta productividad y el crecimiento del empleo, sino también de identificar las actividades económicas y las tecnologías en las industrias, en la agricultura y en el sector de los servicios, que continuamente abren oportunidades de aprendizaje en productos y tecnologías cada vez más complejos.

Por otro lado, la configuración de procesos de aprendizaje efectivos, rápidos y sostenidos requiere que los trabajadores, las empresas, los gobiernos y las sociedades aprendan a aprender. Estas «meta» rutinas e instituciones están en el centro de las organizaciones y las sociedades que aprenden. El concepto de aprender a aprender implica la adopción de normas que faciliten y aceleren el aprendizaje (por ejemplo, a través del seguimiento al avance y de mecanismos de retroalimentación) y la evolución de procedimientos de aprendizaje (conocimiento de «cómo aprender»). Estos procedimientos representan conocimiento tácito y, por tanto, solo se pueden adquirir mediante un proceso de aprendizaje práctico que, a su vez, intenta cumplir los estándares de excelencia en el aprendizaje. En el entorno empresarial, los procedimientos de aprendizaje están incorporados en las rutinas del aprendizaje. En el entorno social, son inherentes a las instituciones que apoyan el aprendizaje en distintos niveles y en lugares diferentes.

4.5 Diseño e implementación de estrategias de aprendizaje

Los países tienen el reto de desarrollar una estrategia de aprendizaje comprensivo y coherente con el fin de generar procesos de desarrollo de habilidades de alto desempeño alineados con sus estrategias de transformación productiva. En esta sección del capítulo, se analizan los elementos importantes de una estrategia nacional de aprendizaje para construir de manera efectiva las habilidades para la transformación productiva.

4.5.1 Estructuras de logro educativo y opciones para la transformación productiva

El desafío educativo dentro de un contexto de crecimiento convergente es la formación de una estructura de conocimiento en la mano de obra que abra un conjunto amplio de opciones para la transformación productiva. La estructura de logro educativo (ELE) desarrollada en un país determinado indica la naturaleza y la complejidad del conocimiento formal acumulado en la mano de obra. Las ELE se definen por la participación en las diferentes categorías educativas (la no escolarización primaria, secundaria inferior, secundaria superior, terciaria) de la mano de obra. Como los individuos desarrollan el conocimiento conceptual y el procedimental mediante un proceso acumulativo, cada categoría educativa refleja un conjunto particular de elementos del conocimiento, lo cual implica que a niveles más elevados de educación se reflejan niveles más elevados de complejidad y especialización. Así pues, la participación en las distintas categorías educativas indica la naturaleza y la diversidad del conocimiento formal en la mano de obra.

En otra obra he desarrollado una tipología de las estructuras de logro educativo (ELE) y sus vínculos con las opciones factibles para los patrones de transformación productiva integrados en la mano de obra (Nübler, 2013). Un análisis comparativo entre países, así como casos prácticos de países de alto crecimiento, demuestra que la estructura de logro educativo configura los patrones factibles de transformación tecnológica y estructural (ÍDEM, de próxima publicación). Estas conclusiones tienen implicaciones importantes para las políticas educativas y ponen de relieve la necesidad de ver la transformación productiva, la educación y las políticas industriales en estrecha relación.

La tipología de las ELE incluye: (a) el medio fuerte, (b) el medio faltante y (c) la de en forma de L[11].

Las ELE de «medio fuerte» son aquellas con alta participación de las categorías de educación media (educación secundaria inferior y superior). Estas proporcionan una gama más amplia de opciones para desarrollar y diversificar la actividad manufacturera. Tales estructuras predominan en los países asiáticos y, en especial, en los países de crecimiento convergente exitoso. El análisis de países con altas tasas de crecimiento durante un período de tiempo considerable muestra que esos países expandieron la educación en una secuencia especial durante la fase de crecimiento convergente, al aumentar primero la participación en primaria, seguida de secundaria inferior y por último de secundaria superior, como la categoría de participación en educación más elevada de la mano de obra. Este enfoque creó una base amplia de conocimiento formal y dio lugar a opciones para desarrollar una base industrial extensa, tal y como indica el alto porcentaje de la manufactura en el total del PIB (Nübler, 2013).

Los Gobiernos desempeñaron una función muy importante al utilizar varios instrumentos para dar forma a estas estructuras educativas favorables. La República de Corea representa un caso interesante ya que hizo cumplir las cuotas,

---

[11] Véase Nübler (2013) para una tipología más detallada que engloba seis estructuras diferentes de logro educativo.

que limitaban la entrada de los graduados en educación secundaria al nivel terciario (véase el capítulo 7 de Cheon, en este volumen). El Gobierno pretendía aumentar la participación en la educación secundaria para preparar a la mano de obra e incorporarla a industrias seleccionadas que demandaban una alta participación de empleados, técnicos, maquinistas, etc. —todas las profesiones que requieren la educación secundaria—.

Las ELE de «medio faltante» son aquellas con baja participación en la educación secundaria pero alta participación en la primaria y la terciaria. La participación en la educación terciaria en las estructuras medio faltante superan la participación en la secundaria superior al menos en un 20 %. Las estructuras de medio faltante proporcionan opciones limitadas para desarrollar una base amplia de manufactura. Más bien, la participación relativamente alta en la educación terciaria proporciona opciones para desarrollar productos de tecnología media y alta dentro de una pequeña base manufacturera, así como en los sectores de servicios de alto nivel. Las ELE de medio faltante pueden encontrarse principalmente en países de América Latina, pero también en Tailandia y Sudáfrica. Tales estructuras permiten a los países crecer hacia niveles de renta media pero no les permiten desarrollar una elevada y sostenida dinámica de crecimiento convergente que caracterizan las ELE medio fuertes.

Las políticas en materia de educación en estos países se enfrentan con el reto de transformar las ELE desde la estructura de medio faltante a las de medio fuerte si quieren desarrollar opciones para una base manufacturera amplia y para la posterior profundización tecnológica que se deriva de ella. Todo ello requiere que se promueva, en un primer lugar, la educación secundaria inferior y, posteriormente, la educación secundaria superior. Según cual sea la estructura existente, esto puede implicar trasladar los recursos desde la educación terciaria a la secundaria y disminuir la participación de la educación terciaria.

Las ELE «en forma de L» se caracterizan por la alta proporción de la no escolarización y la educación primaria, pero con muy baja proporción en la educación secundaria inferior, superior y en la educación terciaria. Estas estructuras son más comunes en los países menos desarrollados (PMD) y predominan en países africanos. Las políticas en muchos países pobres durante los últimos veinte años, sobre todo aquellos guiados por el Consenso de Washington, se centraron en la educación básica y descuidaron la educación secundaria y la terciaria. Como consecuencia, estos países no pueden desarrollar ni siquiera una industria de baja tecnología intensiva en mano de obra, como, por ejemplo, la fabricación de prendas de vestir (Nübler, de próxima publicación). Las políticas de educación necesitan transformar rápidamente estas estructuras hacia las de medio fuerte, mejorando la participación en la educación secundaria inferior y superior. Esto dará forma a una estructura del conocimiento con opciones para entrar en la manufactura de tecnología baja y media. Para acelerar este proceso, es necesario que las políticas pongan el objetivo en la educación formal de los jóvenes y también que proporcionen incentivos y oportunidades para los adultos, con el fin de que mejoren sus niveles de logro educativo, sobre todo, en el nivel de secundaria.

Para finalizar, la consecución de una estructura de logro educativo correcta y el fortalecimiento y remodelación de estas estructuras para un proceso sostenido de transformación productiva plantea uno de los desafíos más importantes de una estrategia de aprendizaje y de las políticas educativas, dentro de un contexto de crecimiento convergente.

4.5.2 Las políticas industriales configuran oportunidades para el aprendizaje en todo el conjunto de la economía

La naturaleza y complejidad de las estructuras de producción y de las tecnologías existentes en un país determinan no solo la productividad, el crecimiento y los puestos de trabajo, sino también las oportunidades para el aprendizaje en el proceso de producción. Las estructuras de producción y las tecnologías difieren en sus perfiles de conocimiento, competencias laborales y ocupacionales y en la complejidad de los procesos tecnológicos y organizacionales. Por lo tanto, determinan la naturaleza y la complejidad del conjunto de conocimientos que pueden adquirir los trabajadores en la esfera de la producción y de las rutinas que las empresas pueden acumular. De este modo, el patrón de transformación estructural y tecnológica determina la naturaleza y la velocidad del aprendizaje tecnológico en la mano de obra y en las empresas. Asimismo, el cambio estructural y tecnológico continuo aumenta las oportunidades para los trabajadores y las empresas para aprender a aprender, es decir, para conseguir experiencia en el aprendizaje y desarrollar rutinas de aprendizaje eficaces.

Este argumento sugiere que los países deben tratar de trasladarse, de forma deliberada, hacia actividades económicas, productos y tecnologías que creen curvas de aprendizaje pronunciadas y, además, de diseñar trayectorias de cambio estructural y tecnológico que den como resultado un proceso de aprendizaje de alto desempeño, dinámico, rápido y sostenido a todos los niveles. Lall (2000), Chang (2010) y con anterioridad List[12] (1909 [1841]) identificaron la manufactura como

---

[12] «Si consideramos todas las profesiones relacionadas con la manufactura, resulta evidente a primera vista que desarrollan y ponen en marcha una variedad incomparablemente mayor y un número más elevado de cualidades mentales y habilidades que la agricultura» (List, 1909 [1841], p. 161).

151

un tipo de actividad económica que crea un gran potencial para el aprendizaje en una amplia variedad de actividades complejas. Por consiguiente, las políticas industriales que promueven la manufactura son componentes importantes de una estrategia nacional de aprendizaje. Al fomentar las actividades económicas en comunidades de conocimiento avanzado, crean oportunidades para que los trabajadores adquieran nuevos conjuntos de conocimiento tecnológico y empresarial. Esto genera y amplía las opciones para que las empresas se diversifiquen hacia nuevos productos dentro de esa comunidad. Además, al fomentar las tecnologías que proporcionan oportunidades para que las empresas nacionales desarrollen rutinas tecnológicas y organizacionales cada vez más complejas, se mejoran las competencias de las empresas para trasladarse hacia nuevos productos en comunidades de conocimiento existentes y también para dar el salto a nuevas comunidades de conocimiento.

Las políticas de comercio, inversión, tecnología, I+D y tipo de cambio se analizan como formas importantes de la política industrial que dan forma y pueden acelerar o retrasar el aprendizaje en la esfera de la producción. La protección de la importación ha sido el instrumento tradicional (aplicado por todos los países de crecimiento convergente exitoso) para estimular a las industrias nacientes que buscan proporcionar oportunidades e incentivos para adquirir competencias laborales y sistemas de conocimiento avanzados y, así, poder ser competitivas. Una investigación reciente ha analizado la importancia de los aranceles en el apoyo al aprendizaje: Nunn y Trefler (2010) han hallado que las estructuras arancelarias que protegen las actividades intensivas en educación (el «sesgo de la cualificación» de la estructura arancelaria de un país) están correlacionadas positivamente con el crecimiento del PIB per cápita a largo plazo.

Igualmente, la promoción de las exportaciones tiene el potencial de apoyar el aprendizaje[13]. La integración creciente en la economía mundial a través de las exportaciones, sobre todo en las primeras fases de la exposición al comercio, fomenta «el aprender a exportar», por ejemplo, al crear oportunidades para que las empresas adquieran conocimiento de los mercados de exportación y acumulen el conocimiento tácito de «cómo exportar» a través de la experiencia. Además, algunos estudios sugieren que la liberalización del comercio tiene el potencial de inducir efectos de «aprendizaje mediante la exportación». Muestran que, a medida que las empresas productivas nacionales se van exponiendo al comercio y a la competencia, mejoran la productividad y que esta consecuencia puede deberse al aprendizaje y no a la autoselección de empresas más productivas en actividades de

---

[13] Para una revisión sobre los estudios del aprendizaje gracias a la exportación y a aprender a exportar, véase Sliva, Aricano y Alfonso (2010).

exportación. En contraste, una amplia experiencia demuestra que la rápida liberalización comercial que tuvo lugar, por ejemplo, en muchos países africanos durante la década de 1990, contribuyó a un estancamiento o un deterioro del sector industrial, que desde entonces ha proporcionado unas oportunidades de aprendizaje extremadamente limitadas.

Estas variantes diferentes de la política comercial —protección de la importación, fomento de la exportación y liberalización del comercio— juegan papeles diferentes en una estrategia de aprendizaje para conseguir el crecimiento convergente. Si bien la protección de la importación crea oportunidades para el aprendizaje en el proceso de producción, la liberalización gradual del comercio crea presiones para aprender y cumplir los estándares de calidad y de desempeño establecidos por los mercados internacionales. Por último, el posterior fomento de la exportación aumenta la producción y el espacio para el aprendizaje dentro de la industria, proporcionando oportunidades de aprendizaje a un número más amplio de trabajadores y de empresas nacionales.

Las políticas de tipo de cambio tienen el potencial de fomentar el crecimiento de sectores industriales más sofisticados intensivos en aprendizaje y contribuyen a que los trabajadores y las empresas aceleren el aprendizaje. Esta estrategia es especialmente relevante en vista del limitado espacio de política que tienen los países de crecimiento convergente para aplicar políticas comerciales. Astorga, Cimoli y Porcile (capítulo 3 de este volumen) muestran la importancia de la combinación de políticas de tipo de cambio real con políticas industriales y tecnológicas para crear estos efectos de aprendizaje. Mientras que los tipos de cambio competitivos mejoran la competitividad y la demanda de exportación, políticas tecnológicas e industriales activas fomentan el cambio estructural y la diversificación de la producción hacia sectores tecnológicamente avanzados. La combinación de estas políticas crea un círculo virtuoso de aumento de productividad, modernización tecnológica, generación de empleos más sofisticados y productivos y aprendizaje. Los autores proporcionan evidencia empírica de países de América Latina para demostrar que, sin el apoyo de las políticas industriales y tecnológicas que creen y aceleren los procesos de aprendizaje, la depreciación del tipo de cambio real preservaría un patrón de absorción de trabajadores que es incapaz de cerrar la brecha tecnológica.

Las políticas de inversión pública también tienen el potencial de proporcionar el espacio y los incentivos para el aprendizaje de los trabajadores locales y las empresas nacionales. Los proyectos de desarrollo de infraestructuras fomentan el aprendizaje al establecer normas de licitación y adjudicación para asegurar el compromiso de la mano de obra y las empresas nacionales en la producción de las infraestructuras (Nübler y Ernst, 2014). Los incentivos a las empresas nacionales para aprender en tales proyectos son elevados cuando los Gobiernos aseguran que las oportunidades para volver a utilizar las competencias recién desarrolladas surgirán en futuros proyectos de inversión público-privados.

4.5.3 Transformando los sistemas de creencias

Los sistemas de creencias, tales como el conocimiento cultural, la filosofía, la ideología y la religión, juegan un papel fundamental en el proceso de configuración de habilidades para la transformación productiva. Los sistemas de creencias se construyen socialmente y proporcionan, por lo general, actitudes, valores, preferencias y éticas laborales que son compartidos. Influyen en el comportamiento al limitar o aumentar las opciones de los individuos.

Los sistemas de creencias también juegan un papel importante en el desarrollo tecnológico y económico. Según el «Nuevo Consenso» en la historia económica, el crecimiento del capitalismo moderno no se puede explicar de forma adecuada solo a través de factores «materiales». Este argumenta que el desarrollo industrial en los países occidentales se desencadenó por un cambio notable en los sistemas de conocimiento social y en los sistemas de creencias (McCloskey, 2010; Mokyr, 2002). Lo que creó al capitalismo moderno fue un cambio en el modo de pensar de la gente sobre los negocios, el intercambio, la innovación y el beneficio; la libertad y la dignidad humanas; la educación y la formación. Las nuevas ideas del período de la Ilustración dieron al ser humano la supremacía de la razón sobre las creencias religiosas. El surgimiento de una «Cultura Mecánica» y una «Revolución Burguesa» impulsaron la creación, y la amplia difusión, de un nuevo conocimiento científico y tecnológico. Lo más importante es que estos nuevos sistemas de creencias también recompensaban el emprendedurismo, que apoyó la rápida adopción de tecnologías en la economía, dando como resultado la aparición de sectores industriales dinámicos.

En un contexto de crecimiento convergente, la dinámica económica requiere una cultura de innovación, creatividad, imaginación y apertura hacia el cambio e ideas nuevas. Estas características son cada vez más importantes a medida que los países se trasladan desde la fase de imitación a la de innovación. Por consiguiente, los sistemas educativos deben fomentar el pensamiento crítico, la curiosidad y la diversidad (véase el capítulo 7 de Cheon en este volumen). Florida (2002) identifica la tolerancia, la tecnología y el talento como las tres *Tes* del desarrollo. Argumenta que es necesario el compromiso con la tolerancia y la apertura a la diversidad en todos los segmentos de la población para formar una clase creativa en un país.

Asimismo, los sistemas de conocimiento social y de creencias configuran las elecciones de los individuos con respecto a la educación, la formación y las ocupaciones. Estas elecciones son determinantes fundamentales de la estructura de conocimientos en la mano de obra y las opciones para el cambio tecnológico y estructural en la economía. La evidencia demuestra que tales decisiones no se pueden explicar mediante modelos de elección racional. Denzau y North (1994) argumentan que los individuos desarrollan modelos mentales a través de sus propias experiencias y del aprendizaje social. Las decisiones que toman los individuos con poca frecuencia están guiadas por sistemas de creencias establecidos socialmente. Esto implica que los sistemas de creencias a través del valor y el prestigio, que ellos atribuyen a diferentes tipos de educación, campos de estudio, ocupaciones y empleos, influyen de manera significativa en las elecciones que se realizan en materia de educación y ocupación. Brock y Durlauf (2001) argumentan en líneas similares. Explican las elecciones discretas en un modelo de interacción social y explican cómo las expectativas de los grupos sociales forman las elecciones individuales y la demanda de educación.

Por consiguiente, en un contexto de crecimiento convergente, los Gobiernos tienen el desafío de apoyar la transformación de sistemas de creencias compartidos hacia una dirección que motive a los estudiantes a elegir la educación y las profesiones que abran opciones para llevar a cabo el cambio estructural. Las instituciones necesitan desarrollarse de un modo en el que puedan ayudar a las sociedades a remodelar las expectativas sociales y las percepciones de varios tipos de educación, campos de estudio y profesiones. La remodelación de las expectativas y los valores sociales implica un proceso de socialización a largo plazo en el que el diálogo social, que promueve la Organización Internacional del Trabajo como forma de gobernanza, cuente con el potencial de reconciliar los conflictos entre los intereses de los Gobiernos en la transformación de la estructura del conocimiento para el crecimiento convergente tecnológico y los intereses de los estudiantes, sus familias y los trabajadores que quieren conseguir un puesto de trabajo con un alto prestigio social (Nübler, 2008).

4.5.4 Instituciones, estándares y redes: acelerando y sosteniendo los procesos de aprendizaje

El «saber hacer» y el conocimiento procedimental tácito «inteligente» solo se pueden acumular mediante un proceso de experiencia y práctica. Esto es cierto en el ámbito individual (por ejemplo, aprender a desarrollar un programa informático) y en el ámbito empresarial (por ejemplo, aprender a desarrollar procedimientos

155

tecnológicos de alto desempeño o de control de calidad). Estos procesos de aprendizaje se pueden mejorar y acelerar de forma notable trabajando codo con codo y mediante la interacción directa con expertos y equipos con experiencia. El trabajador o el personal de la empresa puede observar las rutinas que siguen los expertos o equipos de expertos de alto desempeño y, así, poder imitarlos. A lo largo de este proceso, los aprendices reciben retroalimentación de los trabajadores y equipos expertos y mejoran mediante la práctica con el objetivo de cumplir sus altos estándares demostrados. Las instituciones desempeñan un papel fundamental en la creación de estas condiciones de aprendizaje.

El aprendizaje a través de la práctica ha sido el modo tradicional de la formación profesional, en donde un joven adquiere un amplio conjunto de conocimientos y habilidades profesionales de un oficio, trabajando al lado de un maestro artesano en un taller o en una empresa. Sin embargo, para que este tipo de aprendizaje funcione en una red de aprendizaje de alto desempeño debe estar incorporado dentro de un marco institucional que defina las normas y los estándares de formación y haga que se cumplan en todas las empresas. El marco institucional necesita asegurar que tanto los empleadores como los jóvenes estén motivados para participar en el aprendizaje y que se de formación al aprendiz en todas las competencias y habilidades laborales de los estándares establecidos. Los expertos son los que definen estos estándares que han de cumplirse dentro de redes formales e informales. En la Europa medieval estos sistemas de aprendizaje estaban organizados por gremios, que recibían del Estado el privilegio de regular y controlar la formación profesional en los talleres. Hoy día, tienen lugar al amparo de leyes nacionales de aprendizaje formal y de organizaciones encargadas de definir y controlar las ordenanzas y los niveles de formación; como, por ejemplo, en Alemania, Austria y Suiza; o bien, por medio de reglas informales o consuetudinarias provistas por asociaciones informales de artesanos en muchos países en desarrollo.

Las redes organizacionales entre las empresas agrupadas en una región, como los parques industriales y las zonas francas industriales, entre las empresas dentro de una cadena de valor y en emprendimientos conjuntos, tienen el potencial de convertirse en importantes redes de aprendizaje. Muchos países de crecimiento convergente exitoso consideraron a las empresas extranjeras como una fuente de conocimiento crucial para el desarrollo de las empresas nacionales. Aplicaron políticas de inversión que atrajeron la IED, adquirieron empresas en países extranjeros en industrias estratégicas, fomentaron los emprendimientos conjuntos, establecieron rutinas para la colaboración y aseguraron que el personal de las empresas nacionales y extranjeras trabajara estrechamente. Todo ello dio como resultado la transferencia de rutinas tecnológicas y organizacionales y el aprendizaje rápido en las empresas nacionales. La República de Corea y China aplicaron estas estrategias y, como consecuencia del rápido aprendizaje en las empresas nacionales, estos países han desarrollado importantes industrias nacionales que han sabido competir en los mercados internacionales, por ejemplo, la industria automovilística en la República de Corea y, más recientemente, la industria de paneles solares en China.

Las cadenas de valor también pueden convertirse en lugares importantes de aprendizaje para los subcontratistas nacionales si las empresas líderes entablan relaciones vitales entre las matrices y las filiales. Esta supervisión, por parte de la empresa matriz, genera la trasferencia continua de competencias tecnológicas, técnicas de gestión y procedimientos de control de calidad para mantener las redes de abastecimiento en la frontera competitiva dentro de la industria internacional (Kinoshita, 2000). La industria de componentes de automóvil en la India representa un ejemplo de cadenas de valor donde la insistencia de las empresas matrices en cuanto a los estándares y la certificación se ha convertido en un instrumento importante para gestionar el flujo del conocimiento dentro de la cadena de valor y crear una red de aprendizaje tanto vertical como horizontalmente. Las empresas ensambladoras internacionales que suministran al mercado mundial crearon emprendimientos conjuntos con compañías nacionales y desarrollaron una red de empresas nacionales que se alimentan dentro de la cadena de valor. Un estudio en profundidad de ciento una empresas de componentes para el automóvil en la India muestra que las empresas matrices exigen, incluso a las pequeñas empresas que operan en la economía informal, que apliquen los estándares y obtengan la certificación. Unni y Rani (2008, p. 116) señalan que:

> (...) para convertirse en subcontratista o proveedor, es obligatorio para las empresas seguir los procedimientos de certificación como ISO 900:2000 y TS-16949, que mantienen y mejoran la calidad. Aproximadamente el 40 % de las empresas contaban con certificación ISO y algunas más estaban en proceso de obtenerlo. (...) Existe una presión cada vez mayor por parte de las empresas matrices sobre las pequeñas empresas para que consigan la certificación, sin la cual podrían perder sus contratos. La presión de las grandes empresas se debía principalmente a que querían convertirse en compañías TS-16949. Para que una empresa pueda tener la certificación TS-16949, es obligatorio que todos sus subcontratistas posean la certificación ISO.

Las experiencias de la República de Corea, China y la India contrastan con la de países como México y Costa Rica, que no han sido capaces de desarrollar niveles altos de competencias en la mayoría de las empresas nacionales. En México han fracasado muchas iniciativas para fomentar la industria automovilística nacional durante las últimas décadas, principalmente debido a que las políticas e instituciones no pudieron crear procesos de aprendizaje en el entorno empresarial nacional. Incluso una gran proporción de subcontratistas en la industria automovilística son de propiedad extranjera (Nübler, de próxima publicación). El sexto capítulo de este volumen, escrito por Paus, muestra cómo la estrategia de desarrollo aplicada en Costa Rica a partir de la década de 1980 ha creado unas instituciones muy potentes para atraer la IED y promover las exportaciones de bienes y servicios cada vez más sofisticados, pero que no ha logrado desarrollar instituciones igualmente fuertes que puedan favorecer el aprendizaje y la acumulación de procedimientos competentes en el entorno empresarial del país.

Los estándares constituyen una institución importante que apoya, refuerza y dirige el aprendizaje del conocimiento procedimental y el desarrollo de competencias de alto desempeño en las empresas. Los estándares definen lo que se considera como proceso de alto rendimiento y una ejecución competente de las tareas. El establecimiento de estándares y los mecanismos de aplicación facilitan y aceleran el proceso de construcción de procedimientos colectivos tácitos. Los organismos nacionales e internacionales establecen estándares laborales pero también técnicos, de calidad u orientados hacia el proceso y, además, controlan, evalúan y comparan el desempeño de las empresas en relación con esos estándares.

La certificación de dominio de procesos según estándares proporciona un incentivo importante para que los trabajadores y las empresas aprendan, si el certificado tiene valor económico. Se ha señalado con anterioridad esto en el ejemplo de la cadena de valor de los componentes para el automóvil de la India, en el que la certificación ISO era un requisito previo para que las empresas nacionales pudieran acceder a la cadena de valor. Además, el sector del *software* de la India representa un caso interesante de cómo el establecimiento de estándares y de certificación en diferentes niveles ha impulsado el proceso de aprendizaje de las empresas indias y ha incrementado su competitividad en el mercado mundial del *software* y en las cadenas de valor. Actualmente, la India es la sede del mayor número de empresas que poseen certificaciones de calidad como ISO-9001/9000-3 y del nivel 5 del Modelo de Madurez y Capacidad del Instituto de Ingeniería de Sistemas (SEI-CMM). Estas certificaciones internacionales señalan las competencias de las empresas de *software* indias y, por tanto, tienen un alto valor económico.

Para finalizar, las redes profesionales y organizacionales tienen el potencial de convertirse en redes de aprendizaje potentes para estimular el aprendizaje y desarrollar las competencias colectivas en el entorno empresarial. Sin embargo, para impulsar este potencial se requieren instituciones de gobernanza, a nivel sectorial o económico, que proporcionen estímulos y ejerzan presión y además faciliten apoyo para conseguir procesos de aprendizaje de alto desempeño en las empresas de participación y en las cadenas de valor.

4.6 Conclusiones

Este capítulo ha desarrollado una teoría de las habilidades para la transformación productiva con objeto de proporcionar un marco para el análisis del crecimiento convergente, las fuerzas que incentivan su dinámica y políticas para mejorar y transformar las habilidades para el alto desempeño en desarrollo económico. El crecimiento convergente se define como un proceso de transformación productiva que engloba tanto el cambio tecnológico como la diversificación hacia nuevas actividades y sectores económicos. La dinámica de la transformación productiva se describe en función de la dimensión del cambio estructural (el patrón del cambio tecnológico y la diversificación) y la dimensión del proceso (velocidad y sostenibilidad). Las habilidades colectivas se identifican como el motor principal de ambas dimensiones de la transformación productiva. Como resultado, el crecimiento convergente está determinado no solo por la acumulación de factores de producción y la cambiante estructura de dotación de esos factores, sino también por la transformación de las habilidades productivas específicas del país, integradas en la sociedad.

Asimismo, se ha elaborado un concepto de habilidades colectivas basado en el conocimiento que afirma que las habilidades vienen incorporadas en las estructuras de conocimientos, así como en las rutinas e instituciones desarrolladas por los grupos sociales, tales como el personal de las empresas o la mano de obra nacional. Las estructuras de conocimientos son las portadoras de opciones ya que definen la gama de productos y tecnologías que pueden imitarse de una manera realista. Por lo tanto, determinan los patrones factibles de la transformación productiva. En contraste, las rutinas y las instituciones son las portadoras de las competencias para traducir esas opciones en inversión y para conseguir procesos rápidos y sostenidos de crecimiento convergente. Por último, se ha propuesto un concepto de aprendizaje colectivo. Se considera el aprendizaje para las desarrollar habilidades como un proceso evolutivo de transformación y enriquecimiento de las estructuras de conocimiento, las rutinas y las instituciones. El desarrollo de procedimientos de aprendizaje de alto desempeño (aprender a aprender) es el núcleo de las sociedades de aprendizaje.

La dinámica del crecimiento convergente y del desarrollo económico es el resultado de la interrelación entre la transformación productiva y el aprendizaje colectivo. Una dinámica de alto desempeño se consigue gracias a la evolución simultánea de las esferas materiales y las esferas de conocimiento, en donde se refuerzan respectivamente el cambio estructural y tecnológico y la transformación de las habilidades a través de un proceso circular y acumulativo. La evolución de rutinas e instituciones de aprendizaje de alto desempeño en las empresas y sociedades mejora la dinámica que acelera el aprendizaje y, así, impulsa los procesos de transformación económica, crecimiento, creación de empleo y desarrollo.

El alto desempeño del crecimiento convergente se expresa en patrones de cambio estructural que ayudan a los países a conseguir objetivos y expectativas de desarrollo de sus sociedades, y en procesos de cambio rápidos y sostenidos. Este concepto de crecimiento convergente es distinto del definido por la economía predominante, el cual mide el crecimiento convergente en función del aumento de la productividad y las tasas de crecimiento del PIB y amplía la perspectiva evolutiva de la convergencia tecnológica al tener en cuenta también el espacio producto y la perspectiva del cambio estructural. Por lo tanto, el concepto de crecimiento convergente desarrollado en este capítulo sostiene que se trata de un proceso complejo, no lineal y acumulativo del desarrollo económico y social.

Las habilidades se presentan como un criterio complementario a la ventaja comparativa para guiar a los países en su selección de actividades económicas y trayectorias para lograr el crecimiento convergente. Incluso los países con una dotación de factores similares pueden ser muy distintos respecto a sus habilidades y, por tanto, respecto a las opciones y competencias que tienen para aplicar el cambio estructural y adoptar tecnologías nuevas. Así pues, el análisis de las ventajas comparativas (latentes) para seguir unas trayectorias de crecimiento convergente «óptimas« (véase el marco GIF que se describe en el segundo capítulo de este volumen) necesita complementarse con un análisis de las habilidades específicas del país y de las opciones y competencias factibles integradas en estas habilidades.

Asimismo, el concepto de crecimiento convergente cambia el centro de atención del crecimiento hacia múltiples objetivos de desarrollo, afirmando que pueden surgir sinergias y costos de oportunidad entre los objetivos de desarrollo básicos de aumento de la productividad, la creación de puestos de trabajo productivos y buenos y procesos de aprendizaje rápidos y sostenidos. Por consiguiente, los países necesitan desarrollar patrones de transformación productiva que consigan un buen equilibrio al fomentar estos objetivos de manera simultánea. Esto reta a los economistas a desarrollar una mejor comprensión del impacto de distintos patrones y trayectorias de cambio tecnológico y estructural no solo en la productividad, sino también en la cantidad, así como en los tipos y la calidad de los empleos creados y en los efectos del aprendizaje generados en distintos sectores y por tecnologías diversas.

Reconocer que el desarrollo de las habilidades es tan importante para la transformación productiva como para la inversión en las capacidades productivas amplía, notablemente la definición y el alcance de la política industrial. Las políticas industriales deben promover el proceso de construcción tanto de habilidades como de capacidades productivas. En este contexto, el desarrollo de las habilidades en las empresas nacionales tiene una importancia estratégica para la diversificación. Las empresas nacionales, sobre todo las pequeñas, que normalmente están vinculadas a su región, tienden a trasladarse hacia nuevas actividades como estrategia de supervivencia y crecimiento, impulsando así la dinámica de la diversificación.

Además, el concepto de habilidad propone que los procesos de transformación productiva pasen por diferentes fases, a medida que las economías cambian hacia nuevas comunidades de conocimiento tecnológico cada vez más complejas. Esto implica que, a medida que converjan en su crecimiento, los países también necesitan transformar la naturaleza de sus conjuntos de habilidades con el fin de abrirse a nuevas opciones y desarrollar aquellas competencias que necesiten para entrar en comunidades de conocimiento más avanzadas y en las actividades relacionadas. El fracaso a la hora de conseguir una transformación fundamental de opciones y competencias puede explicar la trampa de la renta media que se ha observado de manera empírica. El marco sugiere que los países de renta media desarrollaron habilidades que les permitieron convergir en su crecimiento hasta cierto punto: sin embargo, no consiguieron desarrollar a tiempo esas otras habilidades (por ejemplo, las competencias para la investigación y el desarrollo, los sistemas de creencias, etc.) que se necesitan para dar el paso desde la fase de la imitación a la fase de innovación del crecimiento convergente. El marco de las habilidades para el crecimiento convergente sugiere que la trampa de renta media puede ser realmente una trampa de las habilidades.

El concepto de aprendizaje colectivo lleva a sugerir una estrategia de aprendizaje integral. Las habilidades se crean en distintos procesos de aprendizaje en diversos lugares y niveles. Las industrias son lugares importantes de aprendizaje. El desarrollo de tecnologías, industrias y empleos sofisticados es fundamental para mejorar la dinámica del proceso de desarrollo de habilidades y de aprendizaje ya que proporciona oportunidades para adquirir un conjunto nuevo de conocimientos en el sistema de producción. Según este enfoque, el aumento de las oportunidades para que las empresas, la mano de obra y las sociedades aprendan dentro del sistema de producción ofrece una justificación muy importante para que los países en desarrollo desafíen las ventajas comparativas durante la fase de crecimiento convergente. Fue Friedrich List (1841) quien, con base en un análisis histórico del proceso de desarrollo llevado a cabo en diferentes países, llegó a la conclusión de que las pérdidas (de eficiencia) que surgen a raíz de políticas que apoyan el aprendizaje y el desarrollo de las habilidades (fuerzas productivas) se pueden justificar gracias a los beneficios del desarrollo económico que surgen a partir de estas habilidades para períodos futuros. Chang y otros han adoptado recientemente este argumento. Dentro de esta tradición, la teoría de las capacidades explica que las estrategias que desafían las ventajas comparativas y fomentan, de forma deliberada, las industrias y las comunidades de conocimiento tecnológico con altas oportunidades de aprendizaje tienen el potencial de producir grandes beneficios en función de la dinámica del crecimiento convergente, el desarrollo y la creación de empleo.

La educación y la formación en los colegios y escuelas también moldean las habilidades. El alto valor de la educación para el desarrollo económico reside en su capacidad para enseñar a la mano de obra conceptos y habilidades tecnológicas avanzadas y remodelar los sistemas de creencias sociales, incluso cuando la economía está aún en un nivel bajo de desarrollo tecnológico. Todo ello permite a los países, que todavía están especializados en productos de baja tecnología, enriquecer la base del conocimiento de la mano de obra, transformar la estructura de conocimientos y desarrollar las opciones para introducir productos y tecnologías más sofisticadas o, incluso, saltar hacia comunidades de conocimiento tecnológico avanzado.

Los Gobiernos tienen una función clara sobre qué papel jugar para fomentar, dirigir y acelerar el proceso de aprendizaje. Las políticas para promover el desarrollo de las habilidades productivas están relacionadas con distintas áreas y necesitan una estrategia integral y coordinada. Las políticas de educación, formación, comercio, inversión, I+D, tecnología, tipo de cambio y de migración pueden jugar un papel fundamental en la estrategia de aprendizaje ya que contribuyen a transformar y enriquecer las estructuras de conocimiento en la mano de obra y favorecen la evolución de rutinas e instituciones. Una vez más, pueden surgir sinergias y costos de oportunidad cuando se establecen estas políticas para promover múltiples objetivos de desarrollo.

Por último, las «meta» instituciones desencadenan, aceleran y sostienen procesos de aprendizaje ya que apoyan el desarrollo de procedimientos de alto desempeño en la mano de obra, las empresas o en economías. Un marco institucional con altas competencias para apoyar procesos rápidos y sostenidos de aprendizaje, y el desarrollo de las habilidades, genera incentivos y ejerce presión para aprender, fomenta la experimentación y el aprendizaje como consecuencia, recompensa el pensamiento crítico y la creatividad y, además, proporciona medidas de apoyo directo para tal actividad. Estas competencias se construyen a través de un proceso de aprendizaje. Las sociedades desarrollan procedimientos de aprendizaje (instituciones) a medida que van consiguiendo más experiencia en el aprendizaje y van desarrollando altas competencias para aprender. Estas competencias se encuentran en el núcleo de las economías y sociedades de aprendizaje.

Referencias

Abramovitz, M. 1986. «Catching up, forging ahead, and falling behind», en *Journal of Economic History*, vol. 46, núm. 2, pp. 385-406.

Agénor, P.; Canuto, O. 2012. *Middle-income growth traps, World Bank Policy Research Working Paper 6210* (Washington, DC, World Bank).

Amsden, A. H. 2009. «Nationality of firm ownership in developing countries: Who should 'crowd out' whom in imperfect markets», en M. Cimoli, G. Dosi y J. E. Stiglitz (eds.).

Arrow, K. J. 1962. «The economic implications of learning by doing», en *Review of Economic Studies*, vol. 29, núm. 3, pp. 155-173.

Autor, D. H.; Levy, F.; Murnane, R. J. 2003. «The skill content of recent technological change: An empirical exploration», en *Quarterly Journal of Economics*, vol. 118, núm. 4, pp. 1279-1333.

Balconi, M.; Pozzali, A.; Viale, R. 2007. «The "codification debate" revisited: A conceptual framework to analyze the role of tacit knowledge in economics», en *Industrial and Corporate Change*, vol. 16, núm. 5, pp. 823-849.

Bandura, A. 1986. *Social foundations of thought and action: A social cognitive theory* (Englewood Cliffs, NJ, Prentice-Hall).

Boyd, R.; Richerson, P. J. 1985. *Culture and the evolutionary process* (Chicago, University of Chicago Press).

Brock, W. A.; Durlauf, S. N. 2001. «Discrete choice with social interactions», en *Review of Economic Studies*, vol. 68, pp. 235-260.

Brown, P. 1999. «Globalisation and the political economy of high skills», en *Journal of Education and Work*, vol. 12, núm. 3, pp. 233-251.

Chandler, A. D. 1977. *The visible hand* (Cambridge, MA, London, The Belknap Press of Harvard University).

Chang, H. J. 2010. «Hamlet without the Prince of Denmark: How development has disappeared from today's 'development' discourse», en S.R. Khan y J. Christiansen (eds.): *Towards new developmentalism: Markets as means rather than master* (Abingdon, Routledge).

Cimoli, M.; Dosi, G.; Stiglitz, J. E. (eds.). 2009. *Industrial policy and development: The political economy of capabilities accumulation* (New York, Oxford University Press).

Cohen, W. M.; Levinthal, D. A. 1989. «Innovation and learning: The two faces of R & D», en *Economic Journal*, vol. 99, núm. 397, pp. 569-96.

Commission on Growth and Development. 2008. *The growth report: Strategies for sustained growth and inclusive development* (Washington, DC, World Bank).

Denzau, A. T.; North, D. C. 1994. «Shared mental models: Ideologies and institutions», en *Kyklos*, vol. 47, núm. 1, pp. 3-31.

Dosi, G.; Winter, S.; Nelson, R. R. 2000. *The nature and dynamics of organizational capabilities* (New York, Oxford University Press).

Eichengreen, B.; Park, D.; Shin, K. 2011. *When fast growing economies slow down: International evidence and implications for China*, NBER Working Paper núm. 16919 (Cambridge, MA, National Bureau of Economic Research).

Florida, R. 2002. *The rise of the creative class: And how it's transforming work, leisure, community, and everyday life* (New York, Basic Books).

Foxley, A.; Sossdorf, F. 2011. *Making the transition from middle income to advanced economies*, The Carnegie Papers (Washington, DC, Carnegie Endowment for Peace).

Franck, T. M. 1998. *Fairness in international law and institutions* (New York, Oxford University Press).

Gerschenkron, A. 1962. *Economic backwardness in historical perspective: A book of essays* (Cambridge, MA, Belknap Press of Harvard University).

Hausmann, R.; Hidalgo, C. A.; Bustos, S.; Coscia, M.; Chung, S.; Jimenez, J. 2011. *The atlas of economic complexity: Mapping paths to prosperity* (Cambridge, MA, Harvard University, Center for International Development, Harvard Kennedy School, and Macro Connections, Massachusetts Institute of Technology).

—; Hwang, J.; Rodrik, D. 2007. «What you export matters», en *Journal of Economic Growth*, vol. 12, núm. 1, pp. 1-25.

—; Rodrik, D. 2003. «Economic development as self-discovery», en *Journal of Development Economics*, vol. 72, núm. 2, pp. 603-33.

Imbs, J.; Wacziarg, R. 2003. «Stages of diversification», en *American Economic Review*, vol. 93, núm. 1, pp. 63-86.

Jankowska, A.; Nagengast, A. J.; Perea, J. R. 2012. *The product space and the middle income trap: Comparing Asian and Latin American experiences*, Working Paper núm. 311 (Paris, OECD Development Centre).

Khan, M. H.; Blankenburg, S. 2009. «The political economy of industrial policy in Asia and Latin America», en M. Cimoli, G. Dosi y J. Stiglitz (eds.).

Kinoshita, Y. 2000. *r&d and technology spillovers via fdi: Innovation and absorptive capacity*, Working Paper núm. 163 (Prague, Center for Economic Research and Graduate Education, Economic Institute).

Lall, S. 1992. «Technological capabilities and industrialization», en *World Development*, vol. 20, núm. 2, pp. 165-86.

—. 2000. «The technological structure and performance of developing country manufactured exports, 1985-98», en *Oxford Development Studies*, vol. 28, núm. 3, pp. 337-69.

Lavopa, A.; Szirmai, A. 2012. *Industrialization, employment and poverty*, UNU-MERIT Working Paper, núm. 81 (Maastricht, United Nations University, Maastricht Economic and Social Research Institute on Innovation and Technology).

List, F. 1909 [1841]. *The national system of political economy* (London, Longmans, Green & Co.).

Lucas, R. E. 1988. «On the mechanics of economic development», en *Journal of Monetary Economics*, vol. 22, núm. 1, pp. 3-42.

McCloskey, D. 2010. *Bourgeois dignity and liberty: Why economics can't explain the modern world* (Chicago and London, University of Chicago Press).

Mokyr, J. 2002. *The gifts of Athena: Historical origins of the knowledge economy* (Oxfordshire and Princeton, NJ, Princeton University Press).

Neffke, F.; Henning, M. S. 2009. *Skill-relatedness and firm diversification* (Jena, Max Planck Institute, Evolutionary Economics Group).

Nelson, R. R. 2008. «Economic development from the perspective of evolutionary economic theory», en *Oxford Development Studies*, vol. 36, núm. 1, pp. 9-23.

—; Winter, S. G. 1982. *An evolutionary theory of economic change* (Cambridge, MA, Harvard University Press).

Newman, C.; Rand, J.; Tarp, F. 2011. *Industry switching in developing countries* (Helsinki, World Institute for Development Economic Research).

North, D. C. 1990. *Institutions, institutional change and economic performance* (Cambridge, MA, Cambridge University Press).

Nübler, I. 2008. *Economic impact of social dialogue on training*, paper prepared for the International Labour Office workshop on The Role of International Labour Standards in Creating Economic Dynamics, Geneva, June.

—. 2013. *Education structures and industrial development: Lessons for education policies in African countries*, paper presented to the unu-wider Conference on Learning to Compete: Industrial Development and Policy in Africa, Helsinki, Finland, 24-25 June. Disponible en: *http://www1.wider.unu.edu/L2Cconf/sites/default/files/L2CPapers/ Nübler.pdf* [consultado el 20 de octubre del 2013].

—. Próxima publicación. *Capabilities, productive transformation and development: A new perspective on industrial policies* (Geneva, ILO).

—; Ernst, C. 2014. «Creating productive capacities, employment and capabilities for development: The case of infrastructure investment», en I. Islam y D. Kucera (eds.): *Beyond macroeconomic stability: Structural transformation for inclusive development* (Geneva and Basingstoke, ILO and Palgrave Macmillan).

Nunn, N.; Trefler, D. 2010. «The structure of tariffs and long-term growth», en *American Economic Journal: Macroeconomics*, vol. 2, núm. 4, pp. 158-94.

Ocampo, J. A.; Rada, C.; Taylor, L. 2009. *Growth and policy in developing countries: A structuralist approach* (New York, Columbia University Press).

Pavitt, K. 1984. «Sectoral patterns of technical change: Towards a taxonomy and a theory», en *Research Policy*, vol. 13, núm. 6, pp. 343-73.

Perez, C. 1983. «Structural change and assimilation of new technologies in the economic and social systems», en *Futures*, vol. 15, núm. 5, pp. 357-75.

Polanyi, K. 1958. *Personal knowledge: Towards a post-critical philosophy* (New York, Harper Torchbooks).

Reinert, E. S. 2009. «Emulation versus comparative advantage: Competing and complementary principles in the history of economic policy», en M. Cimoli, G. Dosi and J. E. Stiglitz (eds.).

Richardson, G. B. 1972. «The organisation of industry», en *Economic Journal*, vol. 82,Núm. 327, pp. 883-96.

Rodrik, D. 2009. *Growth after the crisis*, Working Paper núm. DP7480 (London, Centre for Economic Policy Research).

Roncolato, L.; Kucera, D. 2013. «Structural drivers of productivity and employment growth: a decomposition analysis for 81 countries», en *Cambridge Journal of Economics*, doi: 10.1093/cje/bet044.

Ryle, G. 1949. *The concept of mind* (Chicago, University of Chicago Press).

Schubert, C. 2009. *Is novelty always a good thing? Towards an evolutionary welfare economics*, Papers on Economics and Evolutions núm. 0903 (Jena, Max Planck Institute of Economics).

Schumpeter, J. A. 1911. *The theory of economic development: An inquiry into profits, capital, credit, interest and the business cycle* (Transaction Publishers).

Silva, A.; Aricano, A. P.; Afonso, O. 2010. *Learning-by-exporting: What we know and what we would like to know*, Universidade do Porto, Faculdade de Economia do Porto, FEP Working Papers, núm. 364. Disponible en: *http://www.eseig.ipp.pt/docentes/amn/wp-content/uploads/2010/07/LBE_whatweknowand-whatwewould-liketo-know1.pdf* [consultado el 2 de diciembre del 2013].

Stiglitz, J. E. 1999. «Knowledge as a global public good», en I. Kaul, I. Grunberg, M. A.

Stern (eds.): *Global public goods: International cooperation in the 21st Century* (New York, Oxford University Press).

Sutton, J. 2012. *Competing in capabilities: The globalization process* (New York, Oxford University Press).

Teece, D. J.; Pisano, G.; Shuen, A. 1997. «Dynamic capabilities and strategic management», en *Strategic Management Journal*, vol. 18, núm. 7, pp. 509-33.

Tregenna, F. 2009. «Characterising deindustrialisation: An analysis of changes in manufacturing employment and output internationally», en *Cambridge Journal of Economics*, vol. 33, pp. 433-66.

Unni, J.; Rani, U. 2008. *Flexibility of labour in globalizing India: The challenge of skills and technology* (New Delhi, Tulika Books).

Young, A. 1991. «Learning by doing and the dynamic effects of international trade», en *Quarterly Journal of Economics*, vol. 106, núm. 2, pp. 369-405.

La política industrial en la era de la industrialización verticalmente especializada

5

William Milberg, Xiao Jiang y Gary Gereffi

5.1 Introducción

La expansión de las cadenas de valor mundiales (CVM) a partir de la década de 1990 ha jugado un papel muy importante en el cambio de patrón del comercio internacional y en la alteración del proceso de industrialización y desindustrialización. Sturgeon (2001) define las CVM, a veces conocidas también como cadenas de productos básicos mundiales o redes globales de producción, como «la secuencia de las actividades productivas (es decir, de valor añadido) que dirigen y facilitan el uso final». El comercio de productos intermedios en lugar de bienes y servicios finales ha crecido muy rápido y, por consiguiente, el nivel de especialización vertical —el contenido importado de las exportaciones— ha aumentado en casi todos los países del mundo. Desde el sector de componentes para automóviles de Sudáfrica hasta la industria textil de Camboya, los productores de floricultura de Kenia y las empresas de servicios corporativos de la India, las CVM incluyen una amplia variedad producción de bienes y servicios comerciados. Los servicios, incluidos los financieros, que se producen normalmente dentro de redes globales de producción y servicios, como los logísticos, representan un factor importante en muchas redes globales de producción de bienes[1].

Como consecuencia de estos cambios, ahora el desarrollo económico se produce muy a menudo como un proceso de «escalamiento (upgrading) industrial» dentro de las CVM. Si el desarrollo económico requiere un cambio en la estructura

---

[1] Véase Cattaneo, Gereffi y Staritz (2010); y Staritz, Gereffi y Cattaneo (2011) para conocer ejemplos de la amplia gama de industrias que analizan los últimos estudios de las CVM.

de la producción que implique una transformación industrial y una actividad de mayor valor añadido y, si la producción cada vez se encuentra más organizada dentro de las CVM, el desarrollo se producirá dentro de estas cadenas. Hoy en día, la modernización económica en las CVM —bien sea avanzando hacia funciones de mayor valor añadido dentro de la misma cadena o dando un salto a otras cadenas tecnológicamente más sofisticadas pero relacionadas— se reconoce como un canal importante para la industrialización (Humphrey y Schmitz, 2002).

Muchas investigaciones han considerado estos cambios en el desarrollo comercial y económico como el resultado de la expansión de las CVM, y el tema es de interés creciente para las organizaciones internacionales, incluidas la Organización Mundial del Trabajo (OIT), el Banco Mundial, la Organización para la Cooperación y el Desarrollo Económico (OCDE), la Organización de las Naciones Unidas para el Desarrollo Industrial (ONUDI) y la Comisión de las Naciones Unidas sobre Comercio y Desarrollo (UNCTAD)[2]. El enfoque de las CVM ayuda a explicar los cambios estructurales en la economía mundial, como el auge del comercio de bienes intermedios, la acentuada volatilidad del comercio mundial, el número creciente de acuerdos comerciales a nivel regional y el carácter engañoso de las estadísticas publicadas acerca de las balanzas comerciales bilaterales y sectoriales (OCDE, 2011). Sin embargo, ¿qué supone todo esto en cuanto al papel del Estado en el desarrollo económico?

Los debates del siglo XX acerca de los méritos de la política industrial como estrategia para el desarrollo económico se ocasionaron antes de la difusión de estas complejas redes internacionales de producción. La política industrial, vista a través de los lentes de las CVM, diferirá, por tanto, de los argumentos tradicionales acerca de esta política. El enfoque de las CVM pone énfasis en las empresas en lugar de en los Estados, lo que hace que sea menos evidente la función del Estado en las primeras fases de la industrialización tardía. En este capítulo avanzamos el análisis de la política industrial de diversas formas. En primer lugar, exponemos el caso de que la importancia de las CMV altera el terreno de actuación para los Estados desarrollistas. Comenzamos explicando por qué las estrategias de la

---

[2] La «Iniciativa Fabricado en el Mundo» de la OMC y la declaración del Director General Pascal Lamy en *The Financial Times* en 2011 afirmando que «Fabricado en China ya no significa nada» representan el gran interés en las CVM y en la especialización vertical, ya que las principales organizaciones internacionales se ocupan del comercio internacional y del desarrollo económico. Además de la publicación conjunta de la OMC y la OCDE sobre toda una serie de datos de valor añadido (OCDE, 2013), se le ha tomado especial atención por parte de la OMC (Escaith, Lindenbery y Miroudot, 2010), la OCDE (Miroudot y Ragoussis, 2009), el Banco Mundial (Cattaneo, Gereffi y Staritz, 2010), ONUDI (Sturgeon y Memedovic, 2011), la OIT (Milberg, 2004) y la Comisión de Comercio Internacional de los Estados Unidos (Dean, Fung y Wang, 2007) y se ha mejorado enormemente nuestra comprensión acerca de la magnitud y las tendencias que conlleva.

política industrial en épocas anteriores, en especial la sustitución de importaciones y la orientación a la exportación, no se ajustan realmente a la economía mundial contemporánea. La cuestión clave es la función de la especialización vertical (EV) que se define como el contenido importado de las exportaciones. La especialización vertical es, por lo general, mayor cuando la producción se organiza en las CVM que abarcan múltiples países, lo que significa que el comercio intraindustrial de bienes intermedios se vuelve mucho más importante.

La expansión de las CVM está estrechamente vinculada al crecimiento del comercio de bienes intermedios, pero las implicaciones para las economías en desarrollo depende del tipo de CVM involucrado. En las cadenas impulsadas por el productor, típicas de industrias intensivas en tecnología y capital, como la automovilística, la electrónica y la farmacéutica, las corporaciones multinacionales (CMN) controlaban todo el proceso de producción y fue predominante el comercio intrafirma. La inversión extranjera directa (IED), en estas cadenas impulsadas por el productor, se encontraba estrechamente asociada a las políticas de industrialización por sustitución de importaciones (ISI) que fueron características durante las décadas de 1960 y 1970 en América Latina y algunos países de Asia y África.

Sin embargo, el surgimiento de las CVM impulsadas por el comprador, que estaban al principio organizadas por los minoristas más importantes y las marcas mundiales de los Estados Unidos y de Europa, fue lo que marcó el comienzo de la transición de las ISI a la industrialización orientada a la exportación (IOE) en el Asia Oriental y en algunos países de América Latina, que comenzó a mediados de la década de 1960 y se aceleró a lo largo de la de 1990 (Gereffi, 1995 y 2001). La característica distintiva de estas cadenas impulsadas por el comprador era que estaban controladas por el capital comercial (minoristas y vendedores como Walmart, Nike y Starbucks) y no por CMN industriales y, por consiguiente, las redes internacionales de subcontratación sustituyeron la IED de una manera considerable. Esto significó que la producción ya no se llevaba a cabo solo en economías en desarrollo, sino que la mayoría de los distribuidores eran empresas de propiedad nacional dedicadas al montaje y al posterior empaquetado total (denominadas fabricante de equipos originales u OEM, por sus siglas en inglés) que dependían en gran medida de los insumos importados. Una de las principales dinámicas de modernización en las cadenas impulsadas por el comprador era el intento, por parte de los países en desarrollo, de conseguir más valor fabricando más insumos a nivel local en lugar de importarlos y avanzar en la cadena de valor desde la producción hasta el diseño y la marca, que en la literatura se denominan ODM (fabricantes de diseño original) y OBM (fabricantes de marca original) (Gereffi, 1999).

A medida que se ha ido generando un mayor desarrollo dentro del contexto de las CVM, este ha ido tomando la forma de modernización hacia funciones de mayor valor añadido en esa cadena de valor o en nuevas cadenas que generan más valor añadido. En este capítulo, nos referimos a ello como «industrialización verticalmente especializada» o IVE. Con ella, el centro de atención se sitúa menos en la economía nacional y más en las vinculaciones del conjunto de actores de la cadena de valor. Existen diferencias, tanto empíricas como de política, entre la IOE y la IVE. Con la IOE, las economías orientadas a la exportación, como Hong Kong (China), Singapur, la República Popular de China y la República de Corea en el Asia Oriental, así como México y las economías de América Central en América Latina, basaron su crecimiento en cultivar vínculos de exportación con grandes compradores de los mercados occidentales. Estas «economías que responden a la demanda» se centraron en movilizar muchos bienes de consumo a través de las CVM y en modernizar diversos productos, procesos y funciones a lo largo de la cadena (Hamilton y Gereffi, 2009; Humphrey y Schmitz, 2002).

Aunque la IOE se centraba normalmente en las exportaciones a economías industriales avanzadas de Occidente, la IVE se basaba, en mayor grado, en vínculos más amplios con la base de suministro de las CVM ya establecida en economías en desarrollo. La producción de la exportación basada en la IVE implica un alto grado de comercio Sur-Sur —la principal fuente de las importaciones de China para sus exportaciones de iPhone es la República de Corea (OCDE, 2011)—. Después de la profunda y prolongada recesión de 2008-10, muchos países están cambiando sus mercados de exportación del Norte al Sur en la economía mundial (Staritz, Gereffi y Cattaneo, 2011) y las economías emergentes están encerrándose en ellas mismas para poner más énfasis en la producción para mercados nacionales y utilizar CVM organizadas a nivel más regional (Gereffi, de próxima publicación). Si bien la IVE ha destacado el contenido importado de las exportaciones como una estrategia de industrialización, a diferencia de la IOE, también se puede utilizar para promover políticas de CVM orientadas a mejorar los mercados regionales y nacionales.

Al fomentar la capacidad y la actividad de las empresas nacionales, la estrategia del Gobierno debe tener en cuenta los intereses y el poder de las empresas líderes en las CVM, las redes internacionales (y cada vez más las regionales) de empresas competidoras y cooperadoras proveedoras y las organizaciones no gubernamentales internacionales (ONG). Como las empresas líderes a menudo pueden inducir una mayor competencia entre las compañías proveedoras en diferentes países, los Estados deben tener menos influencia que antes a la hora de estimular la innovación y el crecimiento de la productividad entre las empresas (proveedoras) nacionales. La amplia difusión de las CVM implica una política industrial enfocada en regular los vínculos con la economía mundial —principalmente el comercio, la IED y los tipos de cambio— mucho más que en los casos de políticas ISI, que se centraban en construir capacidades nacionales, pero al mismo tiempo de forma distinta que los regímenes de la IOE, que se centran en las exportaciones de bienes finales (Baldwin, 2011).

Como consecuencia, situamos la cuestión de la política industrial en un marco general relacionado con la internacionalización de la producción y, de este modo, ofrecemos una categorización de los asuntos políticos enmarcados por grupos distintos de países, incluidas las economías industriales avanzadas, las grandes economías emergentes y las economías más pequeñas. Los países más pequeños y de renta baja normalmente buscan la mejora a través de la reducción de la especialización vertical y mediante el avance hacia actividades de mayor valor añadido, o a través de la captura de más valor añadido mediante la creación de funciones más sofisticadas dentro de la cadena. Los países de renta media se enfrentan a la dificultad de trasladarse hacia actividades de mayor sofisticación tecnológica que puedan permitirles conseguir un reconocimiento del nombre de los productos existentes o establecer nuevas líneas de productos y nuevas marcas. Si no se consigue superar este obstáculo se puede caer hasta cierto punto en la «trampa» de la renta media en el país (Jankowska, Nagengast y Perea, 2012; Ohno, 2009). Los países de renta alta se enfrentan al desafío de que la modernización, que normalmente implica centrarse en las «competencias básicas», es decir, en funciones como el *marketing*, el desarrollo del producto y las finanzas. Estas son funciones de alto valor añadido con baja elasticidad en el empleo. Puede ser resultado del proceso de «desindustrialización» que deben atravesar los países de renta alta[3] (Rowthorn y Wells, 1987), pero si se gestiona mal podría desembocar en una tasa de desempleo elevada de larga duración con los desafíos relativos a la política de gestión de la demanda y de desarrollo de las competencias laborales que conlleva.

En tercer lugar, proponemos una estrategia exhaustiva de cómo la ISI, la IOE y la IVE se complementan como un nuevo contexto para hablar sobre política. En las secciones 5.3 y 5.4 se destaca esto y mostramos que las políticas de los países orientadas a bienes comercializables cambian de forma considerable cuando la IVE es prominente. Si bien es cierto que, con la ISI, los países en desarrollo intentan limitar las importaciones y, con la IOE, se centran en fomentar las exportaciones;

---

[3] Este tipo de desindustrialización sucede porque el crecimiento de la productividad en el sector manufacturero es tan rápido que, a pesar del aumento de los resultados, se reduce el empleo en este sector, ya sea completamente o como proporción del empleo total. Sin embargo, ello no conduce automáticamente al desempleo ya que cuanto mayores son los ingresos se crean más puestos de trabajo nuevos en el sector de los servicios en una escala suficiente como para absorber a todos los trabajadores desplazados del sector manufacturero. Paradójicamente, este tipo de desindustrialización es un síntoma de éxito económico (Rowthorn y Wells, 1987, p. 5).

con la IVE el punto fuerte está en como utilizar los bienes comercializables intermedios para capturar más valor en las CVM. Como los bienes intermedios importados se usan en productos de exportación bajo la IVE, el avance en las CVM supone, *a priori*, permitir las importaciones de los bienes intermedios necesarios para que circulen por el país. Sin embargo, la modernización económica conlleva que los países también traten de estimular la producción nacional de estos mismos artículos, que a menudo la inician compañías de propiedad extranjera y, finalmente, las empresas nacionales.

En cuarto lugar, observamos más detenidamente los últimos cambios acontecidos a causa de la crisis financiera de 2008 y el final del apoyo generalizado a las políticas de neoliberalismo del Consenso de Washington. Sostenemos que se ha producido un cambio en la composición de la demanda final global, con las CVM impulsadas por el comprador, lideradas por las empresas en los países industrializados, que han visto reducida su importancia, y con países en desarrollo desempeñando una función más importante, sobre todo los mercados emergentes de China y la India. En relación con este cambio en la composición de la demanda final, está el reconocimiento de la eficiencia relativa de las redes regionales de suministro, que es, en parte, el fruto de décadas de las redes de producción lideradas por las CMN a nivel regional, por ejemplo en Asia Oriental, América del Norte y Europa Occidental y Oriental. Los cambios en las condiciones de la demanda y suministro globales son probablemente los que enmarquen las elecciones de la política industrial a medida que evolucione la IVE.

Concluimos el capítulo con un resumen de cinco desafíos a los que se enfrenta la política industrial y que plantea la IVE en comparación con la ISI y la IOE. No es coincidencia que las CVM surgieran en un período de continua desregulación y liberalización, como ya señaló Feenstra (1998). No obstante, la industrialización dentro del contexto de las CVM presenta algunos de los viejos dilemas de la política industrial y da lugar a otros nuevos. Por ejemplo, el surgimiento de las CVM refleja la importancia del acceso al mercado, definido por las empresas líderes «compradoras» y «productoras», pero el proceso de modernización se enfrenta a los mismos obstáculos de fallas del mercado, tal y como se han identificado en épocas anteriores de industrialización, que tienen que ver con mercados de capital incompletos o con la incertidumbre de las estructuras de bajo coste, en relación con una nueva estructura de producción[4]. En niveles más elevados de especialización vertical, el proteccionismo comercial puede dañar a las empresas nacionales cuando sus exportaciones dependen, en gran medida, de los insumos importados. Por otro

---

[4] Véase Haque (2007) para más información sobre la falla del mercado de capital, Rodrik (2004) para más información sobre costes y Shapiro (2007) para una perspectiva general.

lado, la modernización dentro de las CVM requiere cierto «desafío» de la ventaja comparativa, típicamente incentivado por la intervención de política (Chang, 2002).

5.2 El comercio de bienes intermedios, la especialización vertical y la modernización

Durante el siglo XX se experimentaron dos oleadas de política industrial. A mediados del siglo, América Latina y los países en desarrollo de Asia del Sur adoptaron políticas ISI con el fin de cambiar de la producción de productos básicos (caracterizada por mercados de factores y de productos competitivos y por la baja elasticidad de los ingresos de la demanda global) hacia productos manufacturados. Según las ideas de Prebisch y Singer (1954), lo lógico era mejorar las condiciones comerciales para aumentar la elasticidad de ingresos de la demanda para las exportaciones e incrementar la productividad de la producción nacional.

La industrialización por sustitución de importaciones siempre fue polémica debido a la fuerte relación con el Estado. Se han criticado los regímenes de la ISI ya que no estimulan la innovación y fomentan la búsqueda de la renta económica (Shapiro, 2007). No obstante, la ISI supuso una estrategia exitosa para muchos países durante varias décadas y generó largos períodos de alto crecimiento en algunos casos[5].

Sin embargo, con la crisis de la deuda de América Latina y la posterior adopción de un ajuste estructural orientado al mercado, las iniciativas hacia la industrialización cambiaron el foco a los mercados mundiales y, específicamente, al crecimiento de la exportación[6]. La IOE se fue convirtiendo lentamente en la estrategia de desarrollo neoliberal aceptada en América Latina (Dussel Peters, 2000).

Los países asiáticos ya se habían trasladado hacia el crecimiento orientado a las exportaciones —a finales de las décadas de 1960 y 1970— en parte como resultado del surgimiento de las CVM impulsadas por el comprador. Estos eran grandes minoristas y empresas de marca comercial que descubrieron que podían disminuir los costes y aumentar la rentabilidad de la inversión al subcontratar la fabricación en el Asia Oriental, empezando por Japón, pero trasladándose posteriormente a la República de Corea y Taiwán (China). Normalmente, estas relaciones comerciales no consistían en un comercio intrafirma, ya que normalmente

---

[5] Véase Bénétrix, O'Rourke y Williamson (2012).

[6] Véase Dussel Peters (2000) y Jenkins (2012) para un análisis de los estudios sobre el ajuste estructural en América Latina.

no acarreaban IED. Empresas proveedoras de propiedad nacional en el Asia Oriental desarrollaron a gran velocidad la capacidad de fabricar y de exportar. El éxito del Asia Oriental implicó una serie de intervenciones estatales estratégicas mediante créditos específicos y subvenciones para las exportaciones, límites estrictos a la entrada de IED y protección de las importaciones para aumentar la producción, la productividad, la competitividad de la exportación, las exportaciones y el crecimiento económico (Amsden, 1989; Evans, 1995; Wade, 1990). La industrialización del Asia Oriental, por lo general, implicó el fortalecimiento de grandes y, a menudo, conglomeradas empresas nacionales con vínculos estrechos a las fuentes nacionales de financiación y al Estado desarrollista.

De este modo, la nueva fase de la política industrial —con una orientación hacia las CVM— no se produjo de repente con la crisis del 2008, sino que fue el resultado de una tendencia a largo plazo hacia una confianza mayor de las grandes corporaciones en los países industrializados sobre los proveedores nacionales en los países en desarrollo; es decir, de la expansión de las redes globales de producción y del desarrollo gradual de la capacidad manufacturera entre las empresas proveedoras del país en desarrollo. Tal y como se muestra en el gráfico 5.1, los países en desarrollo han conseguido aumentar su participación en las exportaciones mundiales de manufacturas durante los últimos veinticinco años, como sugirieron Prebisch y Singer.

Gráfico 5.1. Participación de los países en desarrollo en las exportaciones mundiales de bienes manufacturados, 1984-2010 (en porcentajes)

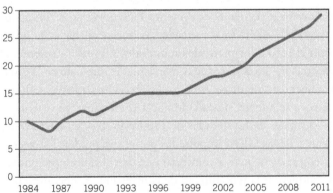

Fuente: Base de Datos Mundial del Grupo del Banco Mundial.

Las redes globales de producción empezaron a ser cada vez más importantes en el comercio y en el desarrollo durante la década de 1990, comenzando con la entrada de China en el comercio mundial y en el sistema de producción. Y, a principios de la primera década del siglo XXI, cuando el auge del «puntocom» se tambaleaba, las empresas de productos electrónicos y de informática comenzaron a realizar las operaciones de montaje en instalaciones extranjeras, en lugares de bajo coste[7]. La participación de los países en desarrollo en las exportaciones mundiales continuó aumentando durante este período (véase el gráfico 5.1), pero su composición también empezó a cambiar a medida que las importaciones de bienes intermedios iban aumentando de forma constante durante la década de 1990 y se aceleraban en la década del 2000. Representó más del 50 % del mercado mundial durante el período completo, según los datos obtenidos de la base de datos de las Naciones Unidas Comtrade sobre la Clasificación de las Grandes Categorías Económicas.

Gráfico 5.2. El cambio en la especialización vertical, 1995-2005

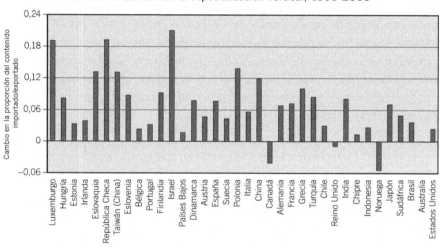

Fuente: Base de datos STAN de la OCDE.

Tal y como señalan Sturgeon y Memedovic (2011), la proporción de los bienes intermedios en el comercio mundial en realidad disminuyó ligeramente en la década del 2000 pero ese leve descenso (con una proporción todavía superior al 50 %) oculta algunos detalles importantes. En primer lugar, la proporción de productos genéricos (de productos básicos) en los bienes intermedios disminuyó a medida que otros bienes intermedios especializados empezaban a tener presencia en la proporción creciente del comercio en bienes intermedios. En segundo lugar, la proporción del comercio de bienes intermedios manufacturados de los países en desarrollo aumentó de forma significativa durante este período, alcanzando hasta el 35,2 % en el 2006, de la proporción del 25,5 % en el año 1992 (ídem, p. 14). En

---

[7] Friedman (2005) aporta algunos ejemplos anecdóticos.

tercer lugar, China no es el único país en experimentar un aumento importante de las exportaciones de bienes intermedios. China es el país en desarrollo dominante respecto a las exportaciones de bienes intermedios manufacturados, con el 8,6 % del porcentaje total mundial en el año 2006. Las siguientes grandes proporciones en las exportaciones provienen de México (2,4 %), Malasia (1,7 %), la India (1,3 %), Brasil (1,0 %) y Turquía (0,9 %) (Miroudot y Raoussis, 2009).

La especialización vertical permite medir de forma más precisa la integración de un país en la red global de producción. Un sector de un país determinado que se dedica solo al montaje, utilizando todos los componentes importados, tendrá un nivel muy alto de especialización vertical. Un sector donde la mayoría de los insumos se produzcan internamente tendrá un nivel muy bajo de especialización vertical. Meng, Yamano y Webb (2011) muestran que, a nivel nacional (un promedio ponderado de especialización vertical en todos los sectores manufactureros del país), casi todos los países del sondeo experimentaron un aumento de la especialización vertical entre 1995 y el 2005 (véase el gráfico 5.2). En apariencia, este aumento no es ni bueno ni malo. La cuestión es el modo en el que ha alterado las estrategias del Estado para conseguir el desarrollo económico y que esto esté vinculado a la modernización.

5.2.1 Escalamiento e industrialización verticalmente especializada

Los datos acerca de la especialización vertical proporcionan una idea sobre el crecimiento y el tamaño de las CVM, pero ¿cuál es exactamente la relación entre la especialización vertical y el desarrollo económico? Aquí debemos tener en cuenta la cuestión del escalamiento en las CVM. El escalamiento económico —normalmente llamado «escalamiento industrial» o simplemente «escalamiento»— se define como la capacidad de los productores «de fabricar productos mejores, de fabricar productos de forma más eficiente o de avanzar hacia actividades de mayor especialización.» (Pietrobelli y Rabellotti, 2006, p. 1). En la terminología de las CVM, el escalamiento se define como «la posibilidad para los productores (de los países en desarrollo) de ascender en la cadena de valor, ya sea mediante un cambio a posiciones funcionales mejor recompensadas o mediante la fabricación de productos que tengan más valor añadido invertido en ellos y que puedan proporcionar más beneficios a los productores» (Gibbon y Ponte, 2005, p. 87-88). La mayor parte de los estudios sobre el escalamiento ponen la atención en el grado de la sofisticación tecnológica de la producción y, sobre todo, en el valor añadido.

Humphrey (2004) y Humphrey y Schmitz (2002) identifican cuatro tipos distintos de escalamiento económico: escalamiento del proceso, escalamiento del producto, escalamiento funcional y escalamiento intersectorial (o de la cadena). El escalamiento del proceso es el crecimiento de la productividad de actividades existentes en la cadena de valor. El escalamiento del producto es el avance hacia productos de mayor valor añadido dentro de la misma cadena de valor. La mayoría de los estudios que hay sobre distintos ejemplos han tratado sobre el escalamiento funcional; es decir, el avance hacia aspectos más sofisticados o integrados tecnológicamente de un proceso de producción determinado. Por ejemplo, Bair y Gereffi (2001) muestran la forma en que los proveedores mexicanos que suministraban a empresas líderes estadounidenses iban avanzando con el tiempo en algunos aspectos de mayor valor en la producción de pantalones vaqueros. Si bien en 1993 las empresas mexicanas solo participaban en el «montaje» (costura), posteriormente fueron adoptando otra serie de funciones, incluida la producción de textiles, el corte, el lavado, el acabado y la distribución. No obstante, las funciones importantes de diseño y desarrollo del producto, las finanzas, el *marketing* y la venta al por menor siguen siendo funciones de empresas estadounidenses.

Sin embargo, el escalamiento económico no siempre es la estrategia más adecuada para el crecimiento sostenible a largo plazo. Una trayectoria de escalamiento identificada de actividades de producción integrada o de «paquete completo» (también conocida como fabricación de equipo completo, OEM) a la fabricación de diseño original (ODM) y a fabricación de marca original (OBM) ha resultado muy beneficiosa para algunas empresas en las CVM tales como ciertas compañías de ropa del Asia Oriental (Gereffi, 1999). Sin embargo, no puede funcionar para todos ya que el riesgo y la competitividad son mucho mayores en los segmentos más avanzados de las CMV. Algunas empresas prefieren permanecer en su sector específico más seguro de la producción OEM sin intentar escalamiento adicional. De este modo, para esas empresas la «degradación económica» es una estrategia empresarial. En la industria informática de Taiwán, por ejemplo, Acer decidió que podía escalar desarrollando su propia marca de ordenadores y tuvo éxito al llevarlo a cabo; su competencia, Mitac, al principio optó por seguir una estrategia OBM también, pero en seguida volvió al OEM, donde los beneficios eran menores pero más seguros (Gereffi, 1995, p. 131-132).

5.2.2 La IVE en la teoría y en la práctica

La entrada en nuevas industrias y en sus mercados de exportación suele ser solo posible si se suministra el ensamble de los componentes importados. Este ha sido el patrón típico en los sectores de prendas de vestir, electrónica y vehículos a motor.

En estos ejemplos, las primeras fases de la IVE están asociadas con elevados niveles de especialización vertical y, generalmente, por un bajo valor añadido en las exportaciones. Las zonas francas industriales fomentan esta entrada y el acceso al mercado de exportación, pero también plantean retos importantes para el escalamiento tecnológico.

El escalamiento en las CVM es intrínsecamente complejo ya que necesita que la empresa o grupo de empresas avancen hacia nuevos aspectos de mayor valor añadido de la cadena (y, así, capturar valor añadido de otros en la cadena) y, al mismo tiempo, que permanezcan como proveedores activos en la cadena. Esto quiere decir que las empresas de un país específico tendrán que reducir el grado de especialización vertical y aumentar el ambito o valor de los insumos que producen. De este modo, la industrialización exitosa estará relacionada con la disminución de la especialización vertical. Esto fue lo que ocurrió con los productores de pantalones vaqueros que hemos mencionado anteriormente, ya que adquirieron nuevas facetas del proceso de producción y disminuyeron los niveles de especialización vertical en el proceso.

La industria textil en la Europa Central y Oriental (ECO) representa un ejemplo excelente de cómo se han entrelazado las trayectorias de escalamiento y degradación. A principios de la década de 1980, algunas de las economías de la ECO empezaron a llevar a cabo el comercio de perfeccionamiento pasivo (OPT, por sus siglas en inglés) para mercados no soviéticos en Europa Occidental, sobre todo con compradores y contratistas alemanes. Teniendo en cuenta el legado como economías industriales establecidas, el énfasis en las exportaciones de prendas de vestir puede considerarse como una degradación económica. Dentro del sector de las prendas de vestir, las economías más avanzadas, como Eslovaquia, pudieron ascender vertiginosamente del OPT a la producción de exportación de paquete completo (OEM) y finalmente a la ODM y la OBM, mientras que economías menos desarrolladas, como Bulgaria, tuvieron mucha más dificultad de avanzar más allá de los contratos básicos del OPT. Sin embargo, en las economías de la ECO, normalmente era más sencillo desarrollar estrategias de escalamiento ODM y OBM para el mercado minorista que para exigentes mercados de moda rápida de Europa Occidental (Evgeniev y Gereffi, 2008; Pickles y otros, 2006).

Las empresas líderes en los países industrializados operan a un nivel mayor de especialización vertical, ya que cada vez se centran más en facetas de la producción que implican una competencia básica y añaden valor elevado (como los servicios de pre y postfabricación, entre los que se incluyen I+D, diseño y *marketing*) y externalizan los demás, por tanto, aumentan el contenido importado de las exportaciones en el proceso. El famoso ejemplo de Apple Inc. muestra este patrón, ya que las actividades de menor valor añadido —en su mayor parte la producción— se han externalizado al Asia Oriental, mientras que la empresa matriz estadounidense sigue realizando I+D, diseño de productos, marketing y actividades financieras desde su sede en los Estados Unidos. La presión ejercida por estas empresas para aumentar el valor de sus acciones incentiva este modelo de incremento de la especialización vertical (Milberg y Winkler, 2013, cap. 6).

El panorama que surge es una relación en forma de U entre la especialización vertical y el valor añadido por trabajador. En el gráfico 5.3 se presenta un diagrama del nivel de especialización vertical en industrias de tecnología media y alta, en cada uno de los cuarenta y cinco países, así como la renta per cápita en esos países. En la primera fase de la industrialización, la especialización vertical tiende a ser elevada y a disminuir. Las economías de renta alta tendrán una especialización elevada y creciente. Los países de renta media son los que tienen la tarea más dura. Al reducir la especialización vertical, desde las primeras etapas de la producción de montaje, ahora deben innovar para generar aumentos en el valor añadido por trabajador. El gráfico 5.3 no es una prueba de la relación en forma de U entre la especialización vertical y la industrialización. Lo presentamos aquí como un marco conceptual para que se piense sobre las consecuencias globales de las CVM. Habrá que investigar más para comprobar y mejorar la hipótesis.

Gráfico 5.3. Especialización vertical y PIB per cápita (en USD), en 45 países, 2005

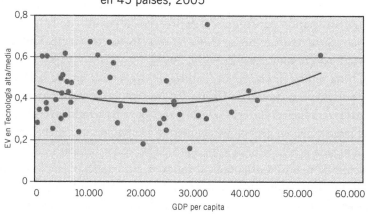

Nota: La especialización vertical (EV) es el contenido importado de las exportaciones en manufacturas de tecnología alta y media.
Fuente: Cálculos del autor basados en los datos sobre EV obtenidos de la base de datos STAN de la OCDE.

China ha surgido como el centro dominante de las cadenas de valor mundiales en Asia. El gran éxito de China en la era de la IVE se ha desarrollado gracias a una serie de factores, como el enorme mercado nacional y el uso estratégico de las políticas industriales (véase el capítulo de Lo y Wu en este volumen) que han hecho que el país sea el único entre las economías emergentes que ha puesto condiciones a la IED, que incluyen (hasta la adhesión a la OMC) mayoría de participación nacional en la propiedad de las empresas y requisitos de participación en la tecnología. Una característica notable del éxito de China es el tamaño y los clústeres geográficos de su producción de electrónica y prendas de vestir (Appelbaum, 2008; Gereffi, 2009). Los clústeres de productores dan ventajas de acceso al desarrollo de habilidades, equipos, empresas líderes y redes de logística.

El papel del Estado en el éxito del rápido crecimiento económico y la reducción de la pobreza en China es mucho más parecido al de Japón y al de la República de Corea que al de cualquier otro país de América Latina. El desarrollo de China cuenta con características únicas más allá de la obvia relacionada con el tamaño. China ha tenido unos costes unitarios bajos y ha conseguido una flexibilidad y una velocidad de respuesta enormes como proveedor dentro de las CVM, basándose en la regulación cuidadosa de su mano de obra y, sobre todo, de la migración del campo a las ciudades. La financiación regional y municipal de infraestructuras y el desarrollo empresarial han incentivado el crecimiento de los clústeres industriales con capacidad de producción modular a gran escala. Se ha fomentado la inversión extranjera y las empresas de participación de capital extranjero con empresas nacionales, bajo condiciones rigurosamente controladas, incluido el uso específico de las Zonas Económicas Especiales que eran controladas y evaluadas y solo continuaban cuando conseguían el éxito en el desarrollo de la industria nacional. La subvaluación de la divisa china ha servido como principal subsidio para los exportadores (Brandt, Rawsky y Lin, 2005).

Aunque China representa la mayor historia de éxito en la era de la IVE, la IVE no es un fenómeno exclusivo de China. En México, las políticas para atraer la inversión extranjera fueron un éxito al principio, pero ha tenido solo un éxito limitado en el largo plazo en generar escalamiento. Ha habido una preocupación constante relacionada con la falta de capacidad de las zonas francas industriales o a la producción de maquila orientada al montaje para generar vinculaciones hacia atrás con los proveedores nacionales ya que México ha sido atractivo, en gran medida, debido a los bajos costes de la mano de obra (Dussel Peters, 2000). Sin embargo, frente a la necesidad de escalar para poder enfrentar la competencia china, las maquiladoras de México intentaron ascender en la cadena de valor, añadiendo nuevas capacidades a medida que el foco de la producción del ensamblaje cambiaba de industrias de tecnología relativamente baja, como la de las prendas de vestir y la de los juguetes, a complejos de producción de mayor tecnología, orientados a los automóviles, la electrónica, el aeroespacial, que incluyen la coordinación de la investigación y el desarrollo, y otras funciones que desempeñan las sedes (Carrillo y Lara, 2005). Costa Rica también ha llevado a cabo esfuerzos explícitos para fomentar la IVE mediante la negociación de Acuerdos Comerciales Preferenciales (ACP) con los Estados Unidos, la Unión Europea y China que aumentaron la proporción de las exportaciones totales del país relacionadas con CMV vinculadas a IED a 43% (Monge-Ariño, 2011).

La IVE también presenta una serie de desafíos para la política en los países de renta media y renta alta. Los países de renta media se enfrentan al problema de haber llegado a un umbral de disminución de especialización vertical en relación con otros países en desarrollo; pero para conseguir aumentar más los ingresos necesitan de la innovación y la posibilidad de aumentar los niveles de la especialización vertical en el proceso de externalización de trabajo de menor valor añadido. La dificultad para trasladarse a esta etapa más innovadora puede ser uno de los factores importantes para la «trampa de renta media» (Jankowska, Nagengast y Perea; Ohno, 2009).

Por último, la especialización vertical en los países industrializados parece haber dado lugar a una disminución de la elasticidad-empleo de la innovación. Las empresas estadounidenses más innovadoras generan poco empleo en los Estados Unidos, donde este está dominado por el sector minorista de bajos salarios. Por ejemplo, según Davis (2012), el total del empleo en el 2012 en seis de las empresas más innovadoras —Apple (60.400), Microsoft (90.000), Facebook (3.000), Cisco (71.824), Google (32.467) y Amazon.com (33.700)— era de 291.392 puestos de trabajo. Esta cifra es muy pequeña, inferior a la del empleo en una sola cadena de supermercados de tamaño mediano, Kroger (338.000), y cerca de un octavo del total de Walmart, que contaba con 2,2 millones de empleados en el 2011.

5.2.3 El «escalamiento social» y la IVE

Otro aspecto que debe tenerse en cuenta en el análisis es cómo se traduce el escalamiento económico en logros sociales relacionados con el empleo, los salarios, los estándares laborales y medioambientales. La teoría económica (es decir, la teoría neoclásica de distribución del ingreso) asume que los salarios aumentan a la par que se incrementa la productividad y, de este modo, la conexión entre el escalamiento económico y el social es automática. Y gran parte de los estudios sobre el escalamiento industrial se centran en «historias exitosas» en las que el escalamiento económico y social coinciden. Un estudio empírico reciente ha descubierto que esta feliz coincidencia no suele ocurrir. Bernhardt y Milberg (2013) definen el escalamiento económico en función de la participación en el mercado de la exportación y el crecimiento del valor unitario y el escalamiento social en función del empleo y los salarios reales.

Basándose en datos por sectores como el de las prendas de vestir, la horticultura, los teléfonos móviles y los servicios turísticos, han hallado que el escalamiento económico en las CVM concuerda con la mejora social en solo dieciséis de los treinta casos. Concluyen que el escalamiento económico es una condición necesaria pero no suficiente para la mejora social.

La literatura sobre las CVM ha resaltado la función desempeñada por los mecanismos de «gobernanza privada» para abordar estas cuestiones (Mayer y Gereffi, 2010). Los ejemplos de «gobernanza privada» incluyen códigos voluntarios de conducta por parte de las empresas líderes en las CVM para regular las condiciones laborales, llevando a cabo campañas corporativas internas de responsabilidad social o contratando a grupos de supervisión de terceros, como la Asociación para el Trabajo Justo (FLA, por sus siglas en inglés) y el Consorcio de los Derechos de los Trabajadores. La función de la FLA en la negociación de acuerdos complejos entre Foxconn y sus trabajadores, Apple Inc. y las Autoridades chinas parece ser una historia exitosa de gobernanza privada. No obstante, existe un escepticismo considerable en relación con la efectividad potencial de estas iniciativas privadas. Como respuesta, algunos investigadores se han centrado en la función del Estado para hacer respetar y mantener las normas —que, por tanto, supone otra función para la política industrial—. En concreto, Piore y Shrank (2008 y 2006) hallaron que el control ejercido por supervisores del Gobierno en el ámbito nacional ha sido muy exitoso en aumentar los estándares laborales en diversos países de América Latina y el Caribe.

5.3 La política industrial después del Consenso de Washington

La crisis de 2008-09 hizo evidente que el Consenso de Washington había llegado a su fin, lo cual lleva consigo el fin del modelo de IOE tradicional analizado en la sección anterior. El crecimiento económico bajo la IOE se vio limitado por la restricción de los nuevos mercados de exportación o la expansión de los mercados existentes y la capacidad de los países para entrar en un sector específico que tuviera un potencial de crecimiento por encima del promedio y donde existiera espacio para la modernización. Hubo una gran competencia en estos mercados, ya que entraron muchos países y empresas.

La IOE fue interrumpida por una serie de fuerzas y terminó con el devastador choque de demanda de la crisis financiera en el 2008 y el estancamiento que se derivó en los Estados Unidos y Europa. La crisis plantea un desafío muy importante al modelo de crecimiento orientado a la exportación impulsado por el comprador. La demanda (y sin duda el crecimiento de la demanda) en los mercados finales ha cambiado de los Estados Unidos y Europa a las grandes economías emergentes de la India, China y Brasil. La proporción del producto interior bruto mundial de los países BRICS (Brasil, Federación de Rusia, la India, China y Sudáfrica) se duplicó entre el 2000 y el 2010, alcanzando el 16 % en este último año (gráfico 5.4). Al mismo tiempo, las capacidades productivas de estas grandes economías emergentes empezaron a alcanzar unos niveles formidables en cuanto a sofisticación tecnológica y economías de escala.

Gráfico 5.4. Participación BRICS en el producto interior bruto real mundial, 1990-2010 (en porcentajes)

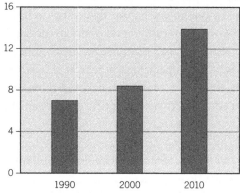

Nota: BRICS = Brasil, Federación de Rusia, la India, China y Sudáfrica.
Fuente: Cálculos del autor basados en los datos obtenidos de la Base de Datos Mundial del Grupo del Banco Mundial.

Otros factores económicos y políticos han jugado un papel durante la última década en desafiar el modelo de la IOE impulsada por el comprador. Entre ellos se incluyen los siguientes:

1. La importancia decreciente del papel del Banco Mundial por razones políticas y económicas. En el frente político, las políticas del Consenso de Washington se iban percibiendo cada vez menos efectivas para fomentar el desarrollo en muchos países, y también exponían a muchos países a choques externos, en especial a aquellos vinculados a flujos de capital a corto plazo. En el frente económico, el Banco Mundial se redujo en su importancia relativa en proveer ayuda para el desarrollo, ya que los grandes donantes privados, los bancos nacionales de desarrollo, las ayudas gubernamentales para el comercio y los fondos soberanos de riqueza ampliaron su poder y su alcance.

2. La importancia cada vez menor de la OMC. Con el fracaso de la Ronda de Doha para el desarrollo, la OMC redujo su enfoque hacia cuestiones más técnicas de facilitación del comercio. En este contexto político los países

empezaron cada vez más a ver la liberalización del comercio regional como una herramienta para construir el espacio de política en el ámbito regional, cuando antes ese espacio se consideraba limitado a un mercado interno.

3. El aumento de la capacidad productiva de una serie de mercados emergentes, incluidos pero no limitados a China, Brasil y la India. Estos países se convirtieron en los participantes más importantes en la producción mundial de manufacturas y servicios y ampliaron mucho su presencia en el comercio mundial de productos básicos y alimenticios.

4. La financiarización de las grandes corporaciones no financieras en países industrializados, compañías que tradicionalmente habían sido empresas líderes en las CVM. La financiarización favoreció los cambios en el ámbito de la producción, con gerentes que cada vez más buscaban centrarse en las «competencias básicas» y en externalizar el resto de las operaciones y acortar el horizonte temporal para evaluar el éxito de la empresa. La maximización del valor de las acciones a corto plazo se convirtió en el objetivo común del comportamiento de las empresas.

5. La ampliación de las capacidades en los mercados emergentes que conlleva un aumento de las capacidades y del poder de negociación de los grandes proveedores de los mercados emergentes. Desde principios de la década del 2000, las empresas como Li & Fung y Foxconn consiguieron más habilidad para establecer los términos de los contratos con las empresas líderes. Ha habido otros factores que han impulsado el aumento de poder de los proveedores, como el crecimiento de la demanda final en las propias economías emergentes, la eliminación de las regulaciones internacionales que contribuían a la fragmentación de la producción (por ejemplo el Acuerdo Multifibras sobre los textiles) y las tendencias tecnológicas que hacen la producción de subensambles modulares más factible en industrias clave, como la electrónica, la aeronáutica y la automovilística.

Como resultado de todo esto, el poder político de los Gobiernos de los mercados emergentes se intensificó, junto con la reducción del papel del G8 y de las organizaciones internacionales (como las instituciones de Washington y la OMC) a las que han dominado las economías avanzadas. Todos estos factores han dado lugar a un descenso de la lógica de la IOE impulsada por el comprador y han supuesto el surgimiento de una nueva fase, cuya característica política principal es la política industrial regional.

5.3.1 La integración regional con los países del BRICS como centros regionales

En el mundo posterior al Consenso de Washington, las economías más grandes están cambiando sus estrategias de desarrollo hacia redes de producción regionales y hacia la política industrial regional. Hoy en día, la política industrial está centrada en las economías emergentes, sobre todo en los países del BRICS y sus regiones de alrededor[8]. La estrategia de escalamiento de China se encuentra en una escala global ya que se ha convertido en un gran comprador de materias primas (Kaplinsky, 2010). El surgimiento de China como destacado comprador mundial significa que el comercio Sur-Sur continuará expandiéndose como proporción del comercio mundial. También significa que el objetivo de escalamiento se centrará más en la transformación de las materias primas. Hasta la fecha, China ha demandado materias primas no procesadas al resto del mundo, insistiendo en hacer por su cuenta el procesamiento. Esto establece un espacio claro para la modernización en los países en desarrollo aparte de China, con el fin de capturar más del valor añadido del procesamiento de las materias primas.

La política de desarrollo actual de Sudáfrica pone especial énfasis en la integración regional como base para la modernización industrial, centrada en la minería, la agricultura y la industria farmacéutica (Davies, 2012). Sudáfrica ha anunciado una estrategia enfocada en el procesamiento de minerales que se envían a China. Esta preferiría ser quien efectuara el procesamiento. Sin embargo, para Sudáfrica, el objetivo del escalamiento implica el desarrollo de competencias y el aumento de salarios junto con el incremento de los beneficios. En este caso, la política industrial está orientada a trasladar la producción de China a África. La dimensión regional de la política industrial de Sudáfrica se basa en una perspectiva relacionada con que una entidad regional más grande tendrá acceso a más minerales y materias primas, más capacidad productiva y de transformación y mayores mercados —todo ello con el fin de fomentar el escalamiento—.

Las estrategias de integración regional, incluidos los ACP, pero también los TLCs acuerdos de cooperación económica y las redes de producción dirigidas por las multinacionales (CMN), cada vez se basarán más en estrategias centradas en la oferta, en lugar de en las consideraciones tradicionales por el lado de la demanda, que normalmente justifica la integración regional. La lógica de

---

[8] Jim O'Neill, presidente de Goldman Sachs, acuñó el término «BRIC» a principios de la década de 1990 (y posteriormente se incluyó Sudáfrica, en el 2010). Ahora sostiene que hay un mayor número de «economías en crecimiento» (BRICS + 11) que pertenecen actualmente a esta categoría, incluidas la República de Corea, México, Turquía e Indonesia, entre otras (O'Neill, 2011).

la oferta es diferente de la lógica por el lado de la demanda tradicional de la integración regional, que destaca el aumento del tamaño del mercado, el acceso al mercado y la posibilidad de capturar economías de escala, al servir a este mercado más grande. A pesar del alcance global de China en lo que se refiere a las exportaciones e importaciones, el país ha reconocido la importancia de la red regional de producción del Asia Oriental. América Latina está siguiendo su ejemplo a través de Mercosur y otras iniciativas regionales. Como se ha señalado anteriormente, Sudáfrica también está cambiando claramente hacia una estrategia de mercado regional de África del Sur.

La estrategia de desarrollo de Brasil cuenta con ingredientes similares y otros distintos en comparación con Sudáfrica y China. Aunque Brasil pertenece a Mercosur, un acuerdo comercial regional que incluye a Argentina, Uruguay, Paraguay y Venezuela, esto no refleja una visión de toda América Latina análoga a la de Sudáfrica, ni las eficiencias económicas de la división regional de trabajo menos formal del Asia Oriental de la que China forma parte. Al igual que Sudáfrica en la Comunidad de Desarrollo de África Austral (SADC, por sus siglas en inglés), Brasil domina Mercosur en tamaño y nivel de desarrollo económico y, por tanto, disfruta relativamente menos de los beneficios centrados en la oferta o la demanda de la integración regional. Sin embargo, Brasil está muy preocupado por la llamada «primarización» de sus exportaciones (Jenkins, 2012), que enfatiza las exportaciones de productos primarios con niveles de procesamiento relativamente bajos.

Un gran desafío para Brasil es cómo aumentar el contenido tecnológico de sus exportaciones con el fin de escalar hacia actividades de mayor valor, tanto en los productos primarios como en los sectores manufactureros. Su mayor socio comercial, China, representó aproximadamente el 15 % de las exportaciones e importaciones de Brasil en el año 2010. Desde el punto de vista de las CVM, lo que es notable es que el patrón de las exportaciones de Brasil a China está sesgado a productos (tanto básicos como manufacturados) con un nivel muy bajo de procesamiento. Un buen ejemplo es la cadena de valor de la soja. Aproximadamente un 95 % de las exportaciones de soja de Brasil a China en el año 2009 eran granos no procesados. Por el contrario, no hubo prácticamente ninguna exportación de harina o aceite de soja a China. Con el fin de continuar con su estrategia de promover la industria de procesamiento de soja, China impuso un arancel del 9 % en las importaciones de aceite de soja, mientras que el arancel para las importaciones de soja sin procesar era solo del 3 %. Otra serie de productos de soja procesada, importados también, pagaban una una tasa de impuesto al valor añadido mayor que los granos sin procesar. Esta misma política proteccionista de barreras arancelarias y no arancelarias impuestas por el Gobierno chino para proteger a los productores nacionales se aplicó a otra serie de productos intermedios primarios y procesados provenientes de Brasil, incluidos el cuero, el hierro y el acero, la pasta y el papel (Jenkins, 2012, p. 28-29).

En cuanto a las importaciones, la estructura de comercio internacional de China ha influido también a Brasil. En 1996, los productos de baja tecnología representaron el 40 % de las importaciones que realizó Brasil de China, y los productos de alta tecnología representaron el 25 %. En el 2009, el patrón se invirtió casi totalmente: los productos de alta tecnología fueron del 41,4 % del total y los de baja tecnología el 20,8 %. Si observamos esta tendencia en función del uso final de las importaciones, las importaciones de los bienes de consumo de China a Brasil cayeron del 44 % al 16 % entre 1996 y el 2009, mientras que las importaciones de bienes de capital se duplicaron, del 12 % al 25 %; y algunas partes para bienes de capital del 12 % al 25 % (ídem, p. 29-31). Por consiguiente, Brasil ha estado subordinado a ocupar los peldaños más bajos de la escala del valor añadido en su comercio con China durante las últimas décadas, lo que plantea un desequilibrio estructural a largo plazo para Brasil si la situación no cambia.

El enfoque regional también ha obtenido el apoyo de países más pequeños que ven las conexiones regionales como vitales para complementar sus propias capacidades. Los países pequeños pueden superar el carácter efímero de los ACP con el uso de acuerdos comerciales regionales que estén respaldados por vínculos regionales entre CMN. Por ejemplo, Costa Rica tiene claras restricciones de oferta, relacionadas con las capacidades y habilidades productivas; y está intentando unirse a México para mejorar el desarrollo de sus competencias laborales. En Nicaragua, las empresas de ropa han estado comprando textiles al Asia Oriental y el país intenta llegar a acuerdos de suministro con empresas en Honduras y Guatemala. En resumen, los vínculos de las CMN son importantes para la integración política y económica de un modo que no había ocurrido con anterioridad.

Esta no es una situación completamente nueva: ASEAN había sido impulsado en parte por la búsqueda de Toyota de una red regional de producción segura, y los componentes para los automóviles eran una cuestión importante de las empresas de automoción que promovía el NAFTA.

Hoy en día, China también quiere asegurar su sistema de producción regional; Sudáfrica ha anunciado una política industrial y de integración regionales, para promover el escalamiento en la producción de materias primas y Brasil y sus vecinos del Mercosur están llevando a cabo una ampliación de la unión aduanera para desarrollar las capacidades por el lado de la oferta a nivel regional.

5.3.2 Estrategias de desarrollo regional y nuevas formas de políticas industriales

El atractivo de una estrategia de desarrollo basada en la región no es solo la construcción de una base de demanda o reducir los costes del transporte, aunque ambos casos son importantes. La lógica de una política industrial regional viene también del legado de los acuerdos de comercio regionales y de las redes de producción de las CMN existentes. Todavía estamos en un mundo organizado por cadenas de suministro, pero en donde esas redes de producción se enfrentan a una serie de restricciones distintas, la lógica del regionalismo está a la vanguardia de la política de desarrollo.

Las cadenas de suministro regionales están ancladas en una nueva serie de políticas que van más allá de la liberalización del comercio hacia una política industrial regional. El sector privado tiene una función más importante que la que tenía en otras iniciativas de regionalización, que se realizaron con anterioridad, y cuenta con un conjunto más amplio de industrias involucradas, desde los minerales a la agricultura, la industria textil o la de los teléfonos móviles.

La política industrial, en este contexto, no es solo una vuelta hacia las políticas ISI de las décadas de 1960 y 1970, sino una nueva forma de reconocer los elementos en juego, incluidos los nuevos mercados finales, los nuevos productos (electrónica de consumo, servicios de ingeniería, servicios de Internet y otros servicios empresariales) con nuevos requisitos de competencias laborales y bases de conocimiento, así como nuevas fuentes de créditos y de ayudas. Esta forma de política industrial regional también representa la lógica de las CVM y, en especial, el cambio en la estructura de las CVM hacia sistemas con una base más regional, que han surgido como resultado de los factores enunciados anteriormente.

¿Cómo serán entonces las políticas industriales en la época posterior al Consenso de Washington? Estarán impulsadas por el reconocimiento de que las cadenas de suministro regionales están ancladas en un conjunto distinto de realidades. La política comercial por sí sola no es una política industrial apropiada para garantizar el crecimiento y el desarrollo. La política industrial tendrá que promocionar negocios directamente y desarrollar competencias laborales y capacidades en respuesta a las necesidades del sector privado.

Con la gran participación de los países en desarrollo en estas CVM, la estrategia de industrialización ha cambiado y el «escalamiento» dentro de las CVM desempeña una función mayor a la hora de conseguir el objetivo de la política de desarrollo (Baldwin, 2011; Milberg y Winkler, 2011). El auge de la exportación de manufacturas de China estuvo impulsado por una cuidadosa conexión con corporaciones multinacionales extranjeras y, en especial, por la producción de productos de marca occidental como las prendas de vestir, el calzado y los juguetes, tal y como se ha analizado anteriormente. A menudo, estas eran CVM impulsadas por el comprador, en donde la empresa líder era una gran empresa minorista extranjera con identidad de marca y un enorme poder sobre otros proveedores de la competencia mundial. Aunque la expansión de los servicios de TI de la India no fue tanto una consecuencia de la política gubernamental como en el caso del éxito de la manufactura de China, se orientó a la prestación de servicios de «tareas» como parte de las CVM en los negocios y las finanzas.

La competitividad de las exportaciones sigue siendo una característica crucial de esta fase, pero las exportaciones ahora son el resultado de la participación en las redes de producción mundiales y, por tanto, a menudo dependen de las importaciones de otras partes de la red. De este modo, la especialización vertical puede ser mayor en un sector y en un país determinado durante las etapas iniciales de industrialización.

5.4 La política industrial y los desafíos de la IVE

Al contrario que en las oleadas anteriores de pensamiento sobre la política industrial, en el marco de las CVM las políticas estatales solo son un determinante de la industrialización y de los logros sociales. Las estrategias empresariales son el motor principal para el escalamiento, tanto de empresas líderes extranjeras como de empresas proveedoras nacionales. La política industrial bajo la IVE debe observar a las empresas líderes y a sus estrategias, así como a los Estados (y los actores no estatales, como las ONG) para crear políticas, estrategias y campañas que influyen en los resultados del escalamiento económico y la mejora social. Las empresas proveedoras de un país en desarrollo deben conectar estrechamente y negociar con varios conjuntos de empresas líderes. Esto contrasta de forma acusada con la ISI, la IOE y las estrategias de «industrialización tardía» dirigidas por el Estado. Por lo tanto, la IVE obliga al Estado a encontrar un equilibrio complicado desde la perspectiva de la política. En lugar de presentar una teoría auténtica de política industrial en la IVE, identificamos seis desafíos que plantean las CVM y la IVE para la política industrial que no estaban presentes en la época de la IOE.

(1) Desintegración de la industria

El primer desafío que nos encontramos bajo la IVE es la necesidad de cambiar desde la política industrial tradicional cuyo objetivo era desarrollar la «industria», en donde la «industria» se concibe como una estructura de producción completamente integrada (por ejemplo, Chenery y Watanabe, 1955). Con las CVM, las mejoras competitivas no provienen del desarrollo de un ámbito de actividades totalmente integradas en una industria, sino del posicionamiento en tareas de mayor valor añadido asociadas con la industria. Por ejemplo, los subsidios destinados a fomentar el desarrollo de una industria integrada verticalmente podrían resultar muy ineficientes. Las políticas comerciales proteccionistas, que tradicionalmente podían justificarse con el argumento de la industria naciente para desarrollar capacidades y «aprender-haciendo» podrían ser contraproducentes en el contexto de las CVM si las importaciones son vitales para el éxito de la exportación. Según la OCDE: «Se puede argumentar que las CVM necesitan políticas más finas, dado el impacto que tienen las CVM en las economías a un nivel mucho más desagregado. Las distintas actividades/fases/tareas en el proceso de producción vienen determinadas por diversos factores; así pues, para que las políticas gubernamentales sean efectivas han de estar centradas en actividades más específicas» (OCDE, 2011, p. 35).

Las CVM presentan una nueva serie de externalidades que resultan de la coordinación de redes, y estos efectos secundarios deben recibir el apoyo del Estado, tanto para que la coordinación sea exitosa y haya difusión entre sectores (Scharnk y Whitford, 2009) como para dar a conocer «la tasa potencial de retorno en las nuevas actividades» (Rodrik, 2008). La experimentación y la «persuasión» simultánea de la actividad, tanto en sentido ascendente como descendente, son clave (ídem). Chu (2011), por ejemplo, describe el modo en el que la política industrial automovilística de China ha utilizado subvenciones para el aprendizaje y la experimentación.

El corolario de este primer desafío es el riesgo de una industrialización «débil», por la cual un país entra en una industria pero solo en sus aspectos de baja calificación, como el montaje de productos electrónicos y los centros de llamadas en el sector de la TI, sin tener la capacidad para «escalar» dentro de esa CVM (véase Dussel Peters, 2008; y Gallagher y Zarsky, 2007, sobre el ejemplo de México). Esto es una nueva forma de las «trampas de equilibrio de bajo nivel» identificadas en épocas anteriores en las que los países estaban atrapados en la producción de bienes finales de bajo valor añadido. Al igual que en épocas anteriores, estas trampas necesitan una respuesta por parte del Estado. Para Chang (en Lin y Chang, 2009), lo que se necesita es una política que «desafíe» la ventaja comparativa. Al igual que Shapiro (2007), señala que los países «necesitan más que una señal del mercado para desplazar la trampa del equilibrio».

(2) Promoción de la exportación junto con la liberalización de las importaciones de bienes intermedios.

El segundo desafío está relacionado con la dimensión de la política comercial de la política industrial. Si bien la política industrial tradicional puede haber incluido la protección de la industria nacional con la lógica de protección de la importación de una industria naciente, el éxito competitivo bajo las CVM requiere un acceso fácil y barato a las importaciones, en especial para los bienes intermedios necesarios.

(3) Coordinación con las empresas líderes y proveedoras

El tercer desafío está relacionado con la función de las CMN. La política industrial tradicional buscaba construir la capacidad nacional para eventualmente competir con las CMN líderes. Como las CVM están gobernadas por las CMN, la política industrial debe relacionarse con estas empresas líderes de una manera muy diferente. La globalización de la producción ha hecho la industrialización hoy día diferente del proceso orientado a la exportación de bienes finales de hace apenas veinte años. El problema al que se enfrentan las empresas y los Gobiernos en la actualidad no es tanto la búsqueda de nuevos productos intensivos de capital para vender a los consumidores de los países extranjeros. Por el contrario, se necesita un ascenso a través de la cadena de producción de un producto básico determinado o un conjunto de productos básicos hacia actividades de mayor valor añadido. Esto conlleva el aumento de la productividad y las competencias laborales mediante la mecanización y la introducción de tecnologías nuevas. Asimismo, requiere ajustarse a las estrategias corporativas existentes y conectarse estrechamente con un conjunto diverso de empresas líderes.

Al mismo tiempo, la captura de valor dentro de la CVM depende de la constelación de poder entre las empresas líderes, las empresas proveedoras y los trabajadores. Como la política comercial tradicional se basaba en la suposición de que el valor añadido de la industria devengaba totalmente a los actores nacionales, la cuestión del poder dentro de la estructura de producción era menos crucial para el análisis del bienestar nacional.

(4) Promoción de las redes de producción regionales

Hemos visto que las CVM se han ido regionalizando y que la lógica de la regionalización ya no es simplemente el objetivo tradicional de la expansión del mercado, sino que también se basa en las CVM, sobre todo en el sector de la electrónica en el Asia Oriental y el sector textil en el África del Sur (Morris, Staritz y Barnes, 2011).

(5) Apoyo institucional para la modernización social

El quinto desafío tiene que ver con la traducción del escalamiento industrial dentro de las CVM en beneficios sociales en el ámbito nacional sostenibles, incluidos el crecimiento del empleo y los salarios, así como la mejora de los estándares laborales y medioambientales. Una serie de estudios recientes ha cuestionado hasta qué punto el escalamiento industrial consigue siempre traer consigo esta «mejora social». Al explorar las condiciones en las que se da conjuntamente el escalamiento económico y la mejora social, el análisis de la cadena de valor destaca la importancia de las iniciativas de múltiples partes interesadas y de las vinculaciones entre las empresas, los trabajadores y los productores a pequeña escala, que han facilitado el escalamiento conjunto en casos tan diversos como los cultivadores de cacao en el África Occidental, el aumento de los salarios para los trabajadores del sector textil en Bangladesh, la mejora de las condiciones y salarios en las fábricas de Foxconn en China y la localización de beneficios del turismo en China (Barrientos, Gereffi y Rossi, 2011).

(6) Medición del valor añadido en el comercio

La importancia de la especialización vertical significa que el valor añadido en el comercio no será el mismo que los valores comerciales medidos a través de estadísticas estándar. En algunos casos esta gran discrepancia entre ambos está muy bien documentada (por ejemplo: Linden, Kraemer y Dedrick, 2007; Xing y Detert, 2010, sobre los productos electrónicos para el consumidor de Apple). La OCDE (2011) informó que, basándose en el valor añadido, el desequilibrio comercial bilateral entre los Estados Unidos y China se redujo en algo más de la mitad. Esto puede tener consecuencias importantes para la estrategia bilateral y sectorial, ya que las estadísticas estándar del valor comercial pueden dar una imagen distorsionada.

5.5 Conclusiones

Rodrik sostiene que el argumento teórico a favor de la política industrial es abrumador dada la omnipresencia de externalidades y fallas del mercado, pero que los datos empíricos son menos claros. Puede decirse que incluso China, con su explosivo crecimiento económico y la rápida expansión de la exportación, ha adoptado un enfoque experimental en lugar de una política industrial sistemática (Rodrik,

2008). En este capítulo hemos argumentado que el caso a favor de la política industrial no ha disminuido sino que ha cambiado como resultado de la globalización de la producción.

En un mundo sin CVM, las políticas normalmente operan en el espacio de protección o liberalización comercial según sean los objetivos de la política. Las políticas como estas tratan en su mayor parte de ver la forma de cómo influir en los flujos comerciales existentes entre sus propios países y los socios comerciales (por ejemplo, la protección de la importación y/o la expansión de la exportación). Sin embargo, en un mundo en el que las CVM son habituales, las exportaciones e importaciones están entrelazadas. Algunas exportaciones pueden tener un alto contenido importado y algunas importaciones pueden tener un elevado contenido exportado. Así pues, las políticas que influyen en las exportaciones e importaciones no serán tan efectivas como lo serían en un mundo sin CVM. Por el contrario, deberían diseñarse políticas para gestionar en cierta medida las CVM. Cuando hablamos de la gestión de las CVM, estamos operando en el espacio de la organización industrial en lugar de en el de las políticas comerciales macro. Por ejemplo, para algunos países en desarrollo, el desafío ya no es la protección o la liberalización comercial, sino la gestión de la relación entre las empresas líderes extranjeras y las empresas nacionales de bajo valor añadido, con el fin de conseguir el escalamiento industrial y capturar más valor añadido en la cadena de valor.

Lo que es nuevo en la IVE no es la función de las CMN; así que la cuestión para el Estado desarrollista bajo una IVE no trata solamente sobre el papel de las CMN en el desarrollo económico. La IVE es diferente del desarrollo impulsado por las CMN porque su dependencia o apoyo no es solo en las CMN, sino en las empresas manufactureras del país en desarrollo. Esto ha creado un cambio cualitativo en la producción y el comercio a nivel mundial y ha alterado el abanico de estrategias para los países en desarrollo, básicamente alejando el desarrollo del modelo estricto impulsado por las CMN durante la mayor parte del período de la IOE y cambiando el comercio hacia bienes intermedios. Estos nuevos canales comerciales no están necesariamente impulsados por las CMN, sino que simplemente se trata de comercio de bienes intermedios.

La función del Estado desarrollista es diferente bajo la IVE que en las épocas anteriores de la ISI y la IOE. Hemos presentado un marco conceptual en referencia a la relación entre la especialización vertical y el nivel del desarrollo económico, con el desarrollo desde niveles altos de EV que necesitan el escalamiento y una reducción de EV. El desarrollo más allá de este punto, a menudo, ha implicado el deshacerse de ciertas actividades y centrarse en la competencia básica. Teniendo en cuenta los desafíos de la IVE, tanto en los países desarrollados como en los países en desarrollo, podría parecer que Estado tendría de nuevo la importante función de promover el desarrollo económico. Tal y como se ha argumentado, esta función reconoce el legado del desarrollo de las CVM durante los últimos veinte años o más, pero también las recientes indicaciones de los cambios en los mercados finales y las instituciones de gobernanza global. Esta combinación de factores significa que la política industrial en la época de la IVE tendrá algunas características nuevas y responderá a una serie de desafíos nuevos. Ya están en marcha las iniciativas de integración regional con los países del BRICS como centros regionales.

Referencias

Amsden, A. 1989. *Asia's next giant: South Korea and late industrialization* (Oxford, Oxford University Press).

Appelbaum, R. 2008. «Giant transnational contractors in East Asia: Emergent trends in global supply chains», en *Competition & Change*, vol. 12, núm. 1, pp. 69-87.

Bair, J.; Gereffi, G. 2001. «Local clusters in global value chains: The causes and consequences of export dynamism in Torreon's blue jeans industry», en *World Development*, vol. 29, núm. 11, pp. 1885-1993.

Baldwin, R. 2011. *Trade and industrialization after globalisation's 2nd unbundling: How building and joining a supply chain are different and why it matters*, cepr Discussion Papers 8768 (London, Centre for Economic Policy Research).

Barrientos, S.; Gereffi, G.; Rossi, A. 2011. «Economic and social upgrading in global production networks: A new paradigm for a changing world», en *International Labour Review*, vol. 150, núm. 3, pp. 319-340.

Bénétrix, A. S.; O'Rourke, K. H.; Williamson, J. G. 2012. *The spread of manufacturing to the periphery 1870-2007: Eight stylized facts*, nber Working Paper núm. 18221 (Cambridge, MA, National Bureau of Economic Research).

Bernhardt, T.; Milberg, W. 2013. «Does industrial upgrading generate employment and wage gains?», en A. Bardhan, C. Kroll y D. Jaffee (eds.): *The Oxford Handbook of Offshoring and Global Employment* (Oxford, Oxford University Press).

Brandt, L.; Rawski, T.; Lin, G. 2005. *China's economy: Retrospect and prospect* (Washington, DC, Woodrow Wilson International Institute for Scholars).

Carrillo, J.; Lara, A. 2005. «Mexican maquiladoras: New capabilities of coordination and the emergence of new generations of companies», en *Innovation: Management*, Policy & Practice, vol. 7, núm. 2, pp. 256-273.

Cattaneo, O.; Gereffi, G.; Staritz, C. 2010. *Global value chains in a postcrisis world* (Washington, DC, World Bank).

Chang, H. J. 2002. *Kicking away the ladder: Development strategy in historical perspective* (London, Anthem).

Chenery, W.; Watanabe, T. 1955. «International comparisons of the structure of production», en *Econometrica*, vol. 26, núm. 4, pp. 487-521.

Chu, W. 2011. «How the Chinese government promoted a global automobile industry», en *Industrial and Corporate Change*, vol. 20, núm. 5, pp. 1235-1276.

Davies, R. 2012. *Keynote address of Minister of Trade and Industry, South Africa*, presented at the Capturing the Gains Global Summit, Cape Town, 3-5 Dec. Disponible en: *http://www.capturingthegains.org/pdf/Rob_Davies_Keynote_CtG_Summit_Dec_2012.pdf* [consultado el 11 de octubre del 2013].

Davis, G. 2012. *Correspondence with the authors*, University of Michigan School of Business.

Dean, J.; Fung, K.; Wang, Z. 2007. *Measuring the vertical specialization in Chinese trade*. usitc Working Paper núm. 2007-01-A (Washington, DC, USITC).

Dussel Peters, E. 2000. *Polarizing Mexico: The impact of liberalization strategy* (Boulder, CO, Lynne Rienner).

—. 2008. «GCCs and development: A conceptual and empirical review», en *Competition & Change*, vol. 12, núm. 1, pp. 11-27.

Escaith, H.; Lindenberg, N.; Miroudot, S. 2010. *International supply chains and trade elasticity in times of global crisis*, WTO Staff Working Paper ERSD-2010-8 (Geneva, WTO).

Evans, P. 1995. *Embedded autonomy: State and industrial transformation* (Princeton, Princeton University Press).

Evgeniev, E.; Gereffi, G. 2008. «Textile and apparel firms in Turkey and Bulgaria: Exports, local upgrading and dependency», en *Economic Studies*, vol. 17, núm. 3, pp. 148-179.

Feenstra, R. 1998. «Integration of trade and disintegration of production in the global economy», en *Journal of Economic Perspective*, vol. 12, núm. 4, pp. 31-50.

Friedman, T. 2005. *The world is flat: A brief history of the twenty-first century* (New York, Farrar, Straus and Giroux).

Gallagher, K.; Zarsky, L. 2007. *The enclave economy: foreign investment and sustainable development in Mexico's Silicon Valley* (Cambridge, MA, MIT Press).

Gereffi, G. 1995. «Global production systems and Third World development», en B. Stallings (ed.): *Global change, regional response: The new international context of development* (New York, Cambridge University Press).

—. 1999. «International trade and industrial upgrading in the apparel commodity chain», en *Journal of International Economics*, vol. 48, núm. 1, pp. 37-70.

—. 2001. «Beyond the producer-driven/buyer-driven dichotomy: The evolution of global value chains in the Internet era», en *ids Bulletin*, vol. 32, núm. 3, pp. 30-40.

—. 2005. «The global economy: Organization, governance and development», en N. Smelser y R. Swedberg (eds.): *Handbook of economic sociology*, 2nd ed. (Princeton, NJ, Princeton University Press and Russell Sage Foundation).

—. 2009. «Development models and industrial upgrading in China and Mexico», en *European Sociological Review*, vol. 25, núm. 1, pp. 37-51.

—. Próxima publicación. «Global value chains in a post-Washington Consensus world: Shifting governance structures, trade patterns and development prospects», en *Review of International Political Economy*.

Gibbon, P.; Ponte, S. 2005. *Trading down: Africa, value chains, and the global economy* (Philadelphia, PA, Temple University Press).

Hamilton, G.; Gereffi, G. 2009. «Global commodity chains, market makers and the emergence of demand-responsive economies», en J. Bair (ed.): *Frontiers of commodity chain research* (Stanford, CA, Stanford University Press).

Haque, I. 2007. Rethinking industrial policy, UNCTAD Discussion Papers núm. 183 (Geneva, UNCTAD).

Humphrey, J. 2004. *Upgrading in global value chains*, ILO Policy Integration Department Working Paper Series núm. 28 (Geneva, ilo).

—; Schmitz, H. 2002. «How does insertion in global value chains affect upgrading in industrial clusters?», en *Regional Studies*, vol. 36, núm. 9, pp. 1017-1027.

Jankowska, A.; Nagengast, A.; Perea, J. 2012. *The product space and the middle-income trap: Comparing Asian and Latin American experiences*, OECD Development Centre Working Paper núm. 311 (Paris, OECD Development Centre).

Jenkins, R. 2012. «Fear for manufacturing? China and the future of industry in Brazil and Latin America», en *The China Quarterly*, vol. 209, pp. 59-81.

Kaplinsky, R. 2010. *The role of standards in global value chains*, World Bank Policy Research Working Paper Series núm. 5396 (Washington, DC, World Bank).

Lamy, P. 2011. «Global manufacturing and outsourcing of business functions», en *Global Forum on Trade Statistics* (Geneva, Eurostat and WTO).

Lin, J.; Chang, H. J. 2009. «Should industrial policy in developing countries conform to comparative advantage of defy it? A debate between Justin Lin and Ha-Joon Chang», en *Development Policy Review*, vol. 27, núm. 5, pp. 483-502.

Linden, G.; Kraemer, K. L; Dedrick, J. 2007. *Who captures value in a global innovation system? The case of Apple's iPod*, Personal Computing Industry Center Recent Work Series (Irvine, University of California Irvine).

Mayer, F.; Gereffi, G. 2010. «Regulation and economic globalization: Prospects and limits of private governance», en *Business & Politics*, vol. 12, núm. 3, artículo 11.

Meng, B.; Yamano, N.; Webb, C. 2011. *Application of factor decomposition techniques to vertical specialization measurements*, IDE Discussion Paper núm. 276 (Chiba, Institute of Developing Economies).

Milberg, W. 2004. «The changing structure of trade linked to global production systems: What are the policy implications?» en *International Labour Review*, vol. 143, núm. 1-2, pp. 45-90.

—; Winkler, D. 2011. «Economic and social upgrading in global value chains: problems of theory and measurement», en *International Labour Review*, vol. 150, núm. 3, pp. 341-366.

—; —. 2013. *Outsourcing economics: Global value chains in capitalist development* (New York, Cambridge University Press).

Miroudot, S.; Ragoussis, A. 2009. *Vertical trade, trade cost, and fdi*. OECD Trade Policy Working Paper núm. 95 (Paris, OECD).

Monge-Ariño, F. 2011. *Costa Rica: Trade opening, fdi attraction, and global production sharing*, Staff Working Paper ERSD-2011-09 (Geneva, WTO Economic Research and Statistics Division).

Morris, M.; Staritz, C.; Barnes, J. 2011. «Value chain dynamics, local embeddedness, and upgrading in the clothing sectors of Lesotho and Swaziland», en *International Journal of Technological Learning, Innovation and Development*, vol. 4, núm. 1, pp. 96-119.

OECD (Organisation for Economic Co-operation and Development). 2011. *Global value chains: Preliminary evidence and policy issues* (Paris).

—. 2013. «OECD-WTO trade in value added initiative (tiva)». Disponible en: *http://www.oecd.org/industry/ind/measuringtradeinvalue-addedanoecdwtojointinitiative.htm*

Ohno, K. 2009. *The middle income trap: Implications for industrialization strategies in East Asia and Africa*, grips Development Forum (Tokyo, National Graduate Institute for Policy Studies).

O'Neill, J. 2011. *The growth map: Economic opportunity in the brics and beyond* (New York, Penguin).

Pickles, J. *et al.* 2006. «Upgrading to compete: Global value chains, clusters and SMEs in Latin Americae, in *Environment and Planning*, vol. 38, núm. 12, pp. 2305-2324.

Pietrobelli, C.; Rabellotti, R. 2006. «Clusters and value chains in Latin America: In search of an integrated approach», en C. Pietrobelli and R. Rabellotti (eds.): *Upgrading to compete: Global value chains, clusters and SMEs in Latin America* (Washington, DC, Inter-American Development Bank).

Piore, M.; Schrank, A. 2006. «Latin America: Revolution or regulation», en *Boston Review*, vol. 31, núm. 5, pp. 1-11.

—; —. 2008. «Toward managed flexibility: The revival of labour inspection in the Latin world», en *International Labour Review*, vol. 147, núm. 1, pp. 1-23.

Prebisch, R. 1954. *International co-operation in a Latin American development policy* (New York, United Nations).

Rodrik, D. 2004. *Industrial policy for the twenty-first century*, CEPR Discussion Paper núm. 4767 (London, Centre for Economic Policy Research).

—. 2008. *Normalizing industrial policy*, The Commission on Growth and Development Working Paper Series, núm. 3 (Washington, DC, World Bank).

Rowthorn R.; Wells, J. 1987. *De-industrialization and foreign trade* (Cambridge, Cambridge University Press).

Schrank, A.; Whitford, J. 2009. «Industrial policy in the United States: A neo-Polanyian interpretation», en *Politics & Society*, vol. 37, núm. 4, pp. 521-553.

Shapiro, H. 2007. *Industrial policy and growth*, undesa Working Paper Series núm. 53 (New York, United Nations Department of Economic and Social Affairs).

Singer, H. 1960. «The distribution of gains between investing and borrowing countries», en *American Economic Review*, vol. 40, núm. 2, pp. 473-485.

Staritz, C.; Gereffi, G.; Cattaneo, O. (eds.). 2011. Special issue on «Shifting end markets and upgrading prospects in global value chains» en *International Journal of Technological Learning*, Innovation and Development, vol. 4, Núm. 1-3.

Sturgeon, T. 2001. «How do we define value chains and production networks?», en *ids Bulletin*, vol. 32, núm. 3, pp. 9-18.

—; Memedovic, O. 2011. *Mapping global value chains: Intermediate goods trade and structural change in the world economy*, UNIDO Working Paper Series núm. 5 (Vienna, UNIDO, Development Policy and Research Branch).

Wade, R. 1990. *Governing the market: Economic theory and the role of government in East Asian industrialization* (Princeton, Princeton University Press).

Xing, Y.; Detert, N. 2010. *How the iPhone widens the United States trade deficit with the People's Republic of China*, ADBI Working Paper Series núm. 257 (Tokyo, Asian Development Bank Institute).

Parte II

Replanteando las estrategias de desarrollo industrial: la dimensión de las capacidades

Las estrategias de desarrollo Industrial en Costa Rica: Cuando el cambio estructural y la acumulación de capacidades en el ámbito nacional divergen[*]

6

Eva Paus

> «La barrera más fundamental para un desarrollo
> sostenido son las capacidades internas».
>
> Lee (2009, p. 1)

6.1 Introducción

El desarrollo económico es un proceso de transformación económica y social en el que la producción se desplaza cada vez más hacia actividades de mayor valor añadido y aumenta la demanda en los mercados internacionales (McMillan y Rodrik, 2011; Ocampo, Rada y Taylor, 2009; Shapiro y Taylor, 1990). El motor principal de este cambio estructural es el avance continuo de las capacidades en el ámbito nacional en las empresas, la economía, la mano de obra y la sociedad. Estas capacidades colectivas se definen por una dimensión estructural y una dimensión del proceso. Por un lado, las capacidades se reflejan en las opciones factibles que tienen las empresas o la economía dentro del espacio producto para la diversificación y el avance hacia nuevos productos o actividades económicas. Por otro lado, determinan las competencias para que las empresas, la economía y la sociedad se beneficien de estas opciones (Nübler, en este volumen). En particular, las capacidades tecnológicas en el entorno empresarial son impulsoras importantes de la transformación productiva, las empresas locales adoptan y adaptan las tecnologías existentes y, finalmente, innovan

---

[*] Este documento se preparó como contribución al proyecto de investigación de la OIT sobre las capacidades la transformación productiva y el desarrollo, coordinado por Irmgard Nübler.

y se vuelven competitivas a nivel internacional en un mayor número de actividades intensivas de conocimiento (Astorga, Cimoli y Porcile, en este volumen; Cimoli y otros, 2009). Estas capacidades que se generan en el entorno empresarial no se desarrollarán sin un espacio para el aprendizaje que esté estructurado de forma adecuada y sin el requisito del desarrollo conjunto con las capacidades sociales (Paus, 2012).

Este capítulo analiza los vínculos entre el cambio estructural y el desarrollo de las capacidades tecnológicas a nivel nacional en Costa Rica, un país de renta media de América Central con una población de casi cinco millones y un PIB per cápita de 8.675 dólares estadounidenses en el año 2011. Costa Rica se ha mantenido durante mucho tiempo entre los países de renta media. Durante el período de la industrialización por sustitución de importaciones (ISI), desde principios de la década de 1960 hasta principios de la década de 1980, el país combinó un rápido crecimiento económico con la consolidación del estado de bienestar. Posteriormente, bajo el nuevo modelo económico (NME) de las políticas de mercado liberal, su estructura de exportación cambió drásticamente, partiendo de los productos primarios a los productos de tecnología media y alta. Esta transformación presenta un contraste muy marcado con la reespecialización en las exportaciones de recursos naturales de los países de América del Sur y el creciente dominio de bienes de baja tecnología intensivos en mano de obra, en el resto de América Central.

En función de estos logros, no resulta sorprendente que Costa Rica haya sido aclamada como un «modelo para el desarrollo» (Trejos, 2009) y un «claro ejemplo de éxito» (Banco Mundial, 2009). Sin embargo, cuando cambiamos la atención del crecimiento y la transformación de las exportaciones al desarrollo de las capacidades nacionales, surge un nuevo panorama. Descubrimos que la historia de éxito es muy irregular y que el modelo de desarrollo es defectuoso.

El cambio en la estructura de las exportaciones ha sido impulsado principalmente por la inversión extranjera directa (IED) en los sectores de alta tecnología y no refleja las capacidades de las empresas locales. La acumulación de las capacidades sociales bajo la ISI permitió el aumento de la IED bajo el nuevo modelo económico. Sin embargo, las deficiencias posteriores en el avance de las capacidades sociales crearon una restricción vinculante en la modernización de muchos sectores. El desarrollo de las capacidades de las empresas locales se ha visto limitado por ambas estrategias. El ejemplo de Costa Rica demuestra que en una fase de crecimiento convergente, los países más rezagados necesitan una estrategia de desarrollo que se centre explícitamente en la acumulación de capacidades en las empresas locales y en prestar una atención especial a la co-evolución de las capacidades sociales para respaldar a las empresas locales y el ascenso en las cadenas de valor de las filiales de las corporaciones multinacionales. Estas conclusiones se reflejan en el marco dinámico para el crecimiento convergente que concibe este crecimiento como un proceso interrelacionado de aprendizaje colectivo y de acumulación de capacidades productivas que conlleva un aprendizaje también interrelacionado en distintos ámbitos colectivos, en donde las habilidades colectivas son causa y consecuencia de la transformación productiva en la economía (Nübler, en este volumen).

6.2 El desarrollo de las capacidades tecnológicas en los pequeños países rezagados en la era de la globalización: consideraciones analíticas

6.2.1 Las capacidades a nivel social y empresarial

Una larga corriente de pensamiento estructuralista sostiene que todo aquello que produce y exporta un país es importante para el crecimiento y el desarrollo. Las distintas actividades tienen distintos potenciales para generar derrames tecnológicos y se caracterizan por obtener beneficios distintos y enfrentar diversas elasticidades de demanda. Como resultado, el desarrollo económico es un proceso en el que la producción se va trasladando hacia actividades que generen una mayor cantidad de beneficios dinámicos.

Para analizar la dinámica que se esconde tras la acumulación de capacidades tecnológicas, necesitamos comprender los procesos endógenos de transformación en el país. El pensamiento económico evolutivo es especialmente afín a esta labor ya que se centra en la dependencia de la trayectoria y la causalidad acumulativa, así como en el reconocimiento de que, en la producción, el aprendizaje lleva su tiempo (Nelson y Winter, 1982). Las capacidades a nivel social y empresarial deben desarrollarse de una manera sinérgica para poder impulsar este aprendizaje a lo largo del tiempo (Paus, 2012).

Las capacidades sociales son aquellas ampliamente difundidas que permiten, complementan e impulsan el avance de las capacidades a nivel empresarial. Cuentan con componentes infraestructurales, educativos, institucionales y organizacionales (Abramovitz, 1986). Esta noción de las capacidades sociales es distinta del concepto de las capacidades basadas en el conocimiento, desarrollado por Nübler en este volumen. Abramovitz, por ejemplo, hace referencia a las infraestructuras físicas también como parte de las capacidades, mientras que Nübler las considera como parte de las capacidades productivas, las cuales distingue de las habilidades.

El componente educativo es especialmente importante ya que la acumulación y difusión del aprendizaje y las competencias laborales son un factor muy importante en un avance sostenido en la cadena de valor. La escolarización básica y avanzada, así como la formación, permiten a la gente dominar nuevas formas de organización, producción y distribución en un entorno nacional e internacional cambiante.

El componente infraestructural hace referencia a las infraestructuras físicas y la calidad de los servicios de estas. En la economía mundial actual, el avance de las infraestructuras relacionadas con los servicios de infraestructuras relacionados a su vez con la TIC es muy importante para permitir que el país progrese más hacia una producción basada en el conocimiento.

El componente organizacional incluye las capacidades de coordinación entre las entidades institucionales más importantes y los actores privados para fomentar la educación, la formación y las infraestructuras de tal modo que estén en sincronía o que adelanten las necesidades del sector productivo. El avance hacia una economía basada en el conocimiento requiere que se efectúe un salto cualitativo en las capacidades a nivel social y empresarial, con una demanda creciente de coordinación de las capacidades. Invertir en conocimiento y tecnología significa expandir las capacidades de investigación, construir redes de colaboración en la investigación y la innovación, traducir ideas en patentes y patentes en productos comercializables. En otras palabras, se trata de construir un sistema de innovación nacional. Si las capacidades para coordinar estas actividades son escasas o están fragmentadas, se pierde un elemento fundamental para facilitar que un amplio número de sectores se trasladen hacia una producción intensiva en conocimiento.

Las instituciones cuentan con un amplio conjunto de normas que gobiernan el proceso de acumulación. Las señales económicas generadas por estas instituciones deben ser favorables a la inversión en el sector privado, para modernizar y diversificar la producción. Asimismo, resulta vital el apoyo institucional y la estructura de incentivos que permite y obliga a las empresas locales a alcanzar un umbral de capacidad que les permita absorber los derrames tecnológicos y así avanzar por la escalera de la tecnología.

Durante el proceso del crecimiento convergente, las empresas locales se centran al principio en saber cómo adaptar la tecnología extranjera al contexto nacional, a través de la imitación, la ingeniería inversa, el aprendizaje a través de la práctica y el uso. Sin embargo, cuanto más avanza un país, la innovación se vuelve más importante para la modernización y la competitividad. Finalmente, el desarrollo endógeno de nuevos productos, servicios y procesos ha de convertirse en la fuente principal de competitividad.

La fragmentación creciente de los procesos de producción a lo largo de las fronteras nacionales y la facilidad con la que las multinacionales reorganizan sus cadenas de valor por todo el globo constituyen características distintivas del proceso actual de globalización. A medida que las multinacionales aumentan sus redes globales, los países rezagados consiguen más oportunidades de atraer la inversión extranjera directa a su terreno, ya que tienen que ser lugares competitivos para la producción de solo una parte de un producto o servicio. Esto tiene especial importancia para los pequeños países rezagados en cuanto al desarrollo, como es el caso de Costa Rica. La inversión extranjera directa puede ayudar al avance de las capacidades tecnológicas nacionales si genera derrames tecnológicos. Sin embargo, no hay nada que sea automático en cuanto a estos derrames (Goerg y Greenaway, 2004; Paus y Gallagher, 2008). Solo se darán cuando haya un potencial de derrame y una potencialidad de absorción local (Paus, 2005).

6.2.2 *La estructura de incentivos adecuada para lograr el cambio estructural dinámico*

La protección arancelaria bajo la ISI permitió a las empresas locales gozar del tiempo suficiente para hacerse competitivas en la producción de productos nuevos. Sin embargo, las oportunidades para el aprendizaje obtienen la recompensa de la acumulación de conocimiento solo si vienen acompañadas de medidas disciplinarias que controlen la búsqueda de rentas económicas y estén apoyadas por políticas que proporcionen los insumos complementarios que sean necesarios para avanzar hacia las nuevas actividades. En los países exitosos del Asia Oriental, el mecanismo de control recíproco (un término acuñado por Amsden, 2001) a menudo consistió en estándares de desempeño de las exportaciones, mediante los cuales las empresas que se beneficiaban de la protección y el apoyo de la industria naciente tuvieron que empezar a exportar un porcentaje cada vez mayor de sus productos muy al principio del proceso de aprendizaje en el que se encontraban. La mayoría de los países de América Latina y África no tenían tales medidas disciplinarias y, si las tenían, no hicieron que se cumplieran.

Los Gobiernos necesitan complementar el control sobre la búsqueda de rentas económicas con el apoyo a las empresas para que adquirieran nuevas capacidades. Cuanto mayor es la brecha entre las capacidades existentes en las empresas y aquellas que se necesitan para las nuevas actividades, mayor es la necesidad de llevar a cabo políticas públicas que faciliten un salto en el desarrollo de las capacidades.

Las políticas macroeconómicas desempeñan una función muy importante en relación con la configuración de los precios relativos que influyen en la producción y en las decisiones de exportación. El tipo de cambio real es de especial importancia. Si se orienta hacia el control de la inflación o el abaratamiento de las importaciones, y no a incentivar las exportaciones, impedirá la acumulación de capacidades y la producción se desplazará hacia productos no comercializables.

El progreso en el desarrollo de las capacidades tecnológicas depende de forma crucial de la evolución conjunta de la acumulación de capacidades a nivel de las empresas, los individuos y las organizaciones. Las capacidades tecnológicas nacionales pueden crecer si todos los elementos se complementan y se refuerzan entre ellos, si avanzan todos juntos evolutivamente como parte de un todo coherente y determinado. Por el contrario, si faltan las instituciones clave, las políticas trabajan con objetivos contradictorios o, si no se desarrollan los insumos complementarios (por ejemplo, elementos específicos de infraestructuras o competencias laborales), el progreso de las capacidades tecnológicas nacionales se reducirá o incluso llegará a bloquearse.

6.3 La acumulación desigual de las capacidades tecnológicas en Costa Rica bajo la ISI

6.3.1 Una base sólida para la industrialización por sustitución de importaciones

A lo largo de la historia, Costa Rica, al igual que todos los países latinoamericanos, ha dependido de un pequeño número de productos básicos que exportaba para generar el crecimiento económico; el más importante era el café, que empezó a exportar a principios del siglo XIX, y el banano, a finales del mismo siglo. Sin embargo, a diferencia de otros países de América Latina, Costa Rica tiene un largo historial de compromiso con el desarrollo humano. En 1886, el Gobierno estableció la educación primaria libre y obligatoria. Como resultado la tasa de alfabetización aumentó drásticamente, del 10,9 % en 1864 al 67,2 % en 1972 (Deneulin, 2005).

Durante la década de 1940, los sucesivos Gobiernos pusieron en marcha los pilares básicos para conseguir el estado de bienestar y para el desarrollo de las capacidades a diferentes niveles de la sociedad: reformas en la seguridad social, que incluían el seguro médico y programas de bienestar social; leyes laborales que establecieron la jornada de ocho horas y el salario mínimo; la educación secundaria libre y obligatoria; y la segunda universidad pública, la Universidad de Costa Rica, así como importantes instituciones de investigación como el Centro Agronómico Tropical de Investigación y Enseñanza.

El compromiso con la estabilidad política y la paz se ve reflejado en la abolición del ejército en 1949 y la descentralización del poder político, en la forma en que las funciones y los derechos de las ramas del poder ejecutivo y legislativo del Gobierno estaban estructuradas (Lehoucq, 2006; Wilson, 1998). La Constitución de 1949 también creó instituciones autónomas, agencias gubernamentales semiindependientes que tenían encomendadas tareas específicas. Hubo otras dos reformas que fueron de especial importancia para la acumulación de capacidades en la ISI. La primera, la nacionalización del sector bancario (1948) dio al Gobierno un control estrecho sobre la asignación de los créditos. Los créditos se destinaban a la modernización de la agricultura y al apoyo del proceso de industrialización (Sánchez-Ancochea, 2004). La segunda reforma consistió en el establecimiento de un servicio civil basado en méritos en lugar de patrocinio (1953) que creó capacidades para la puesta en práctica de políticas.

6.3.2 Objetivos de la industrialización por sustitución de importaciones y las políticas gubernamentales

La ley de Protección Industrial y Desarrollo de 1959 situó al cambio estructural en el centro de la estrategia de desarrollo. La manufactura interna de bienes previamente importados tenía como fin generar el crecimiento y reducir la restricción de la balanza de pagos. El objetivo de la creación de tecnologías locales era permitir un desarrollo más dinámico del sector de bienes primarios, y formar parte del Mercado Común Centroamericano (MCCA) tenía como fin superar las limitaciones de escala de un pequeño mercado nacional.

Los Gobiernos utilizaron principalmente políticas horizontales para fomentar los desplazamientos del sector privado hacia nuevas actividades con mayor valor añadido: la protección arancelaria, créditos subvencionados, un tipo de cambio sobrevaluado (que disminuyó el coste de bienes de capital importados) y la exención de impuestos para la utilización en la producción nacional de bienes primarios, intermedios y de capital importados.

En la década de 1970, la ISI entró en una segunda fase en Costa Rica. El sesgo antiexportador del paquete de políticas había exacerbado los problemas de la balanza de pagos, lo que impulsó al Gobierno a establecer incentivos para la producción de maquila y para las exportaciones en el año 1972. Además, el Gobierno aumentó de una forma agresiva su papel de regulador a productor, comenzando con el establecimiento de la Corporación Costarricense de Desarrollo (CODESA).

En general, las políticas ISI abrieron un espacio de aprendizaje para los productores locales y apoyaron la producción local de nuevos productos. Sin embargo, no implicaron medidas disciplinarias que hubieran obligado a las empresas locales a utilizar las rentas proporcionadas por la protección y los créditos subvencionados para ser competitivas a nivel internacional. Asimismo, el sesgo antiexportador de un tipo de cambio fijo más la alta protección arancelaria proporcionó un desincentivo para exportar a mercados fuera del MCCA.

6.3.3 Cambio estructural y acumulación de capacidades de las empresas locales

Entre 1962 y 1980, la economía de Costa Rica creció a un promedio anual del 6,1 % —6,9 % durante la primera fase de la ISI (1962-73) y un 4,8 % durante la segunda fase (1974-80)— (Cordero, 2000). Entre 1960 y 1979, la proporción del valor añadido manufacturado en el PIB aumentó del 13,2 % al 22 %, y la proporción de las exportaciones manufacturadas en el total de las exportaciones aumentó del 2,4 % a aproximadamente el 30 % (Buitelaar, Padilla y Urrutia-Alvarez, 2000). El mercado de América Central desempeñó una función importante en la expansión de las exportaciones. Las exportaciones a América Central crecieron de menos del 5 % en la década de 1960 a más del 20 % en las de 1970 y 1980 (Rodríguez, 1998).

El cambio estructural no se limitó a la expansión del sector industrial, también se dio en el agrícola y en el manufacturero. La producción agrícola se modernizó, sobre todo en el café y en el banano (Sánchez-Ancochea, 2004) y se cultivaron productos agrícolas no tradicionales para la exportación, como flores, plantas ornamentales, frutas y verduras (Ulate, 1992).

Cuadro 6.1 La estructura del sector industrial de Costa Rica (distribución en porcentajes), 1960-80

	1960	1970	1980
Alimentos, bebidas, tabaco	69,1	54,4	49,3
Textiles y prendas de vestir	11,3	10,3	7,9
Madera y productos de madera	7,9	5,7	5,0
Papel y productos de papel	2,2	4,3	4,8
Químicos y productos químicos	4,8	12,1	18,7
Productos minerales no metálicos	2,2	2,6	2,6
Productos metálicos fabricados	1,4	8,9	10,1
Otros	1,1	1,7	1,6

Fuente: Sánchez-Ancochea (2004), basado en cifras de Costa Rica.

En el sector manufacturero la participación del sector alimentario dominante disminuyó, mientras que la participación de los productos químicos y metálicos fabricados aumentó (cuadro 6.1). Estos últimos también representaban una proporción importante en el aumento de las exportaciones de bienes manufacturados (ídem). El cambio estructural hacia nuevas actividades de mayor valor añadido se reflejó en un mayor aumento de la productividad. A nivel agregado, la productividad laboral se incrementó a un promedio anual del 3,3 % durante la primera fase de la ISI y de un 1,8 % durante la segunda (cuadro 6.2). Sin embargo, las empresas locales solo fueron parcialmente responsables del cambio estructural y del aumento de la productividad. Los productores extranjeros desempeñaron una función prominente tanto en la producción nacional como en las exportaciones (Ulate, 1983)

Cuadro 6.2 Descomposición del crecimiento teniendo en cuenta la escolarización de los trabajadores, 1963-2000 (en porcentajes)

	PIB/L	C/T	Escolarización	FPT
1963-73	3,31	1,18	1,06	1,07
1972-80	1,81	1,49	1,27	−0,95
1980-84	−1,67	−0,18	1,33	−2,83
1984-2000	1,45	0,41	0,81	0,23
1963-2000	1,68	0,76	1,02	−1,10

PIB/L = Productividad laboral; C/T = proporción capital/trabajo; FPT = Factor total de productividad.
Fuente: Rodríguez-Clare, Sáenz y Trejos (2004).

6.3.4 Fuerte acumulación de capacidades sociales

A lo largo del período de la ISI, los sucesivos Gobiernos se comprometieron a aumentar e intensificar el acceso a la educación y la salud y a mejorar las infraestructuras. En algunos casos, la acumulación de capacidades sociales estuvo intencionadamente vinculada a las necesidades del sector privado y en otras ocasiones la conexión fue más tenue.

La inversión en la educación pública se incrementó del 2,6 % del PIB en 1960 al 6,2 % en 1980 (cuadro 6.3). A finales de este período, la escolarización tanto en primaria como en secundaria fue generalizada. Las tasas de matrícula en secundaria se duplicaron entre 1965 y 1975, aumentando del 26 % al 53 %. La década de 1970 también experimentó una fuerte expansión en la educación superior, con el establecimiento de otras tres universidades públicas que ayudaron a formar a científicos e ingenieros que eran necesarios para la ISI (Rodríguez-Clare, 2001). La creación de diversas instituciones en el campo de la ciencia y la tecnología reflejaba cierta conciencia sobre la importancia de fomentar esfuerzos autóctonos en la ciencia y la tecnología, aunque Segura y Vargas (1999) sugieren que estos esfuerzos no fueron parte de ninguna estrategia global de desarrollar capacidades. El establecimiento del Consejo Nacional para Investigaciones Científicas y Tecnológicas (CONICIT) en 1972 no fue en principio una respuesta a ninguna necesidad percibida del sector productivo, sino del deseo del sector académico de fomentar la investigación (Buitelaar, Padilla y Urrutia-Álavarez, 2000). En 1965, se estableció el Instituto Nacional de Aprendizaje (INA) en respuesta a estudios sobre la educación nacional y a proyecciones sobre la producción futura, así como a estudios de instituciones similares en América Latina, como el Servicio Nacional de Aprendizaje (SENA) de Colombia y el Serviço Nacional de Aprendizagem Industrial (SENAI) de Brasil (Rosal, 2001).

Cuadro 6.3 Indicadores de educación y formación profesional para Costa Rica, 1950-2000

	1950	1955	1965	1975	1985	1990	2000
Tasa de alfabetización (%)							
Total	21,2		14,3	10,2	6,9		4,7
Hombres	20,9		14,1	10,2	7,0		5,0
Mujeres	21,5		14,5	10,3	6,9		4,5
Tasa bruta de escolarización							
Escuela Primaria		91,5	105,2	107,1	98,8	102,5	107,8
Escuela Secundaria		17,4	26,5	52,7	49,7	50,5	64,7
Gasto en educación pública/PIB	1,5	2,6[a]	5,2[b]	6,2[c]		3,9	4,7
Inscripción en cursos INA			261	13.605	30.405	38.976	118.488

[a] 1960 [b] 1970 [c] 1980   INA = Instituto Nacional de Aprendizaje.
Fuente: CONARE (2008) para los datos sobre la educación; INA (2009) para los datos de inscripciones.

Los Gobiernos también realizaron grandes inversiones en nuevas infraestructuras. Al aumentar la red vial, mejoraron la red de transportes del país. Además, el ICE, el Instituto Costarricense de Electricidad (una institución semiautónoma) aumentó la cobertura eléctrica de forma considerable hasta lugares remotos del país, con precios subvencionados.

En torno al año 1980, el modelo ISI había entrado en problemas. El MCCA se derrumbó al estallar las guerras civiles en El Salvador y en Guatemala, la deuda externa había alcanzado niveles insostenibles, las ineficiencias de las empresas públicas se acumulaban y la coalición política subyacente al modelo social-demócrata costarricense empezaba a deshilacharse. Después de desplomarse los precios del café y el banano y de que los tipos de interés de la deuda externa se dispararan a principios de la década de 1980, Costa Rica declaró una moratoria de su deuda externa en julio de 1981. Su divisa, el colón, se devaluó en un 600 % entre agosto de 1980 y mayo de 1982.

La crisis económica obligó a Costa Rica a pedir ayuda a las instituciones de Washington y, bajo la presión del FMI, la Agencia de Estados Unidos para el Desarrollo Internacional y otras, el Gobierno de Monge (1982-86) optó por el Nuevo Modelo Económico (NME) de liberalización del mercado con un papel considerablemente reducido del Gobierno en la economía.

6.4 El cambio estructural y las capacidades nacionales bajo el nuevo modelo económico: trayectorias divergentes

El objetivo del NME era la macroestabilización y el crecimiento a través de la integración plena en la economía mundial. Se suponía que la liberalización de las importaciones, el fomento de las exportaciones y la afluencia de inversión extranjera directa darían al país acceso y exposición a las nuevas tecnologías, al *marketing* y a las redes mundiales, y que así las empresas locales mejorarían la competitividad.

El mayor logro bajo el NME ha sido la gran afluencia de la inversión extranjera directa que buscaba la eficiencia en el sector de la alta tecnología. El alto nivel de las capacidades sociales que se habían acumulado durante el período de la ISI, la localización del país y los incentivos especiales atrajeron a los inversores extranjeros que se sirvieron de Costa Rica como plataforma de exportación de electrónica, instrumental médico y servicios basados en la tecnología de la información (TI). No obstante, las capacidades sociales no se han desarrollado junto con las necesidades del sector privado. Las deficiencias crecientes en la educación, la innovación y las infraestructuras se han convertido en restricciones vinculantes para la modernización generalizada.

La falta de un apoyo coherente para lograr la acumulación de capacidades por parte de las empresas locales ha dado como resultado un panorama diverso de capacidades de producción. El sector nacional del *software* ha prosperado y tanto en agricultura como en manufactura existen un gran número de productores y exportadores de éxito. Sin embargo, en el caso concreto del sector manufacturero, la mayoría de las compañías son micro o pequeñas empresas, las cuales producen para el mercado nacional, tienen una productividad baja y no se encuentran en condiciones de beneficiarse de los derrames potenciales de la inversión extranjera directa.

6.4.1 Las políticas comerciales y de inversión bajo el NME

El fomento del comercio y la atracción de la inversión extranjera directa han sido la piedra angular de la estrategia del NME de Costa Rica. La liberalización de las importaciones se produjo de forma gradual, a medida que el promedio de las tasas arancelarias disminuía desde más del 60 % en 1985 hasta el 11,7 % en 1995, y al 4,6 % en el 2007. Con el fin de contrarrestar el sesgo antiexportador que conllevaba la protección arancelaria de principios de la década de 1980, en 1984 el Gobierno estableció certificados tributarios (Certificados de Abono Tributario, o CAT) por un valor del 15 % del de las exportaciones y siguió un sistema de reintegro de los derechos de exportación que se ha mantenido desde 1972.

Si bien los CAT fueron un éxito a la hora de estimular las exportaciones no tradicionales, también impulsaron la sobrefacturación y las exportaciones ficticias, así como un aumento de la carga fiscal. Como resultado, a principios de la década de 1990 se redujeron y en 1999 se abolieron. En 1996, el Régimen de Perfeccionamiento Activo, o PA, se convirtió en la nueva estructura para el sistema de reintegro de los derechos de exportación.

Para fomentar las exportaciones y atraer la inversión extranjera directa, a principios de la década de 1980, Costa Rica estableció las Zonas Francas que ofrecieron importaciones libres de impuestos y una gran variedad de exenciones fiscales, la más importante la de los impuestos sobre los beneficios. Aunque las Zonas Francas están abiertas tanto a las compañías nacionales como extranjeras, los requisitos de inversión y exportación son demasiado elevados para que una Zona Franca sea una opción factible para la mayoría de las compañías locales. El Gobierno también proporcionó incentivos para las inversiones en la industria del turismo, con el objetivo de promocionar el ecoturismo.

Desde mediados de la década de 1990, Costa Rica ha tenido una política agresiva de procurar acuerdos de libre comercio y de inversión. Según las autoridades nacionales, el objetivo era mitigar la vulnerabilidad del país a las prácticas comerciales injustas y garantizar el acceso al mercado. Hasta la fecha, Costa Rica ha firmado acuerdos con Canadá, el CARICOM, Chile, China, México, Panamá, Perú y los Estados Unidos.

El cambio de la política hacia el libre comercio y la inversión extranjera vino acompañado de cambios en la arquitectura institucional. Se abolieron algunas entidades (por ejemplo, CODESA en 1990) o se marginalizaron (por ejemplo, el

Ministerio de Economía, Industria y Comercio), mientras que otras se crearon por primera vez y adquirieron una importante influencia política. Entre las más importantes se encuentran la Agencia de Promoción de la Inversión en Costa Rica CINDE (1982), el Ministerio de Comercio Extranjero (COMEX) y PROCOMER, una entidad pública no gubernamental encargada de la promoción de la exportación y la administración de regímenes de exportaciones especiales (ambas fundadas en 1996).

Las políticas gubernamentales activas eran consideradas como inherentemente problemáticas a una estrategia en la que se esperaba que los precios relativos en los mercados internacionales determinaran los patrones de producción y la competitividad. De hecho, el objetivo de los contratos de exportación y las subvenciones a través de los certificados tributarios (CAT) era incentivar a los productores para que exportaran en los nuevos mercados internacionales. Sin embargo, estos incentivos fueron igual de deficientes en cuanto a su diseño como lo fueron bajo la ISI. En ambos períodos facilitaron las oportunidades de aprendizajes de las empresas, pero les faltó incorporar e imponer medidas disciplinarias que hubieran obligado a las compañías a convertir las rentas generadas en retornos de aprendizaje. Los contratos de exportación no incluyeron ningún mecanismo que obligara a los productores nacionales a aprender, a incorporar el cambio tecnológico y a hacerse competitivos conforme los CAT iban siendo gradualmente eliminados.

6.4.2 La transformación estructural de la estructura de la exportación: el papel fundamental de la inversión extranjera directa

Después de la «Década de Pérdidas» de 1980, el PIB per cápita de Costa Rica aumentó a un promedio anual del 3,7 % entre 1990 y el 2008, aunque el crecimiento fue muy desigual. La economía no redujo la brecha con los países de rentas altas de la OCDE (gráfico 6.1). El crecimiento de los factores continuó siendo la fuerza motora principal detrás del crecimiento en la productividad laboral[1].

Las exportaciones de bienes y servicios (sobre todo del turismo) han sido el motor principal del crecimiento económico. Entre 1991 y el 2008 el valor de las exportaciones de mercancías se incrementó en un 250 % hasta 6,7 mil millones de dólares estadounidenses. La proporción de las exportaciones aumentó del 27 % en 1980 hasta cerca del 50 % en el año 2000 y posteriormente se estabilizó en torno a

---

[1] En un estudio más reciente sobre el crecimiento la productividad total de los factores (PTF) en Costa Rica, que cubre el período hasta el año 2008, Jiménez, Robles y Arce (2009) calculan una tasa más elevada de aumento de la PTP para el período del NME. Sin embargo, no está claro en qué medida la diferencia se debe a los distintos datos utilizados para realizar los cálculos.

ese nivel. Por el contrario, la proporción de las importaciones siguió aumentando, alcanzando el 56 % en el año 2008. El déficit comercial resultante ha sido financiado, en gran medida, por los beneficios provenientes del turismo y la afluencia de inversión extranjera directa (Alonso, 2009). La proporción del valor añadido agrícola en el PIB continuó disminuyendo, representando solo el 7 % en el año 2008. La proporción industrial permaneció estable en torno al 30 %, mientras que el sector de los servicios se incrementó de forma considerable.

El cambio más destacable durante el período del NME ha sido la transformación de la estructura de las exportaciones (gráfico 6.2). La proporción de las exportaciones agropecuarias disminuyó del 50 % en 1991 hasta el 22 % en 2008, y su composición cambió notablemente. Las exportaciones tradicionales (café, banano, azúcar, carne) representaban más de tres cuartas partes de las exportaciones agrícolas en 1991, pero en el 2008 las exportaciones no tradicionales (p. ej. piña, melón y yuca) llegaron al 50 % del total de las exportaciones agropecuarias.

Gráfico 6.1. PIB por persona empleada: Costa Rica en comparación con países de renta alta y otros países de América Latina (PPA dólares estadounidenses constantes, 1990)

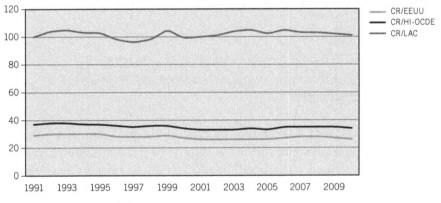

Fuente: Indicadores del Desarrollo Mundial.

Las estadísticas costarricenses sobre exportación distinguen entre tres diferentes regímenes de exportaciones: las Zonas Francas, el PA y el régimen regular de exportación sin ningún incentivo. Las Zonas Francas han impulsado una transformación drástica de las exportaciones de Costa Rica durante los últimos 25 años. En el 2008, las exportaciones de la Zona Franca representaban la mitad de las exportaciones de Costa Rica, en comparación con el 7,6 % de 1991. Los dos sectores más grandes son el del equipamiento electrónico y eléctrico y el del instrumental médico y de precisión, que juntos representaron el 71 % de las exportaciones de la Zona Franca y el 37 % del total de las exportaciones del país en el 2008 (cuadro 6.4).

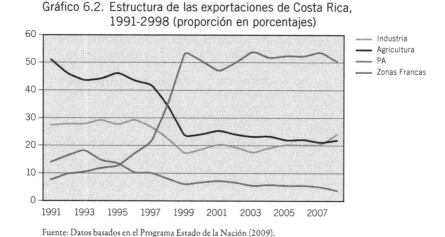

Gráfico 6.2. Estructura de las exportaciones de Costa Rica,
1991-2998 (proporción en porcentajes)

Fuente: Datos basados en el Programa Estado de la Nación (2009).

Alonso (2009) calcula que en el año 2008, el 78 % de todas las compañías en las Zonas Francas eran de origen extranjero y que representaban el 93 % del valor de las exportaciones de estas Zonas. No hay datos disponibles similares para los exportadores de origen nacional bajo el régimen PA o el regular, pero sabemos que hay un gran número de inversores extranjeros que operan en cada régimen. En 2008 la inversión extranjera bajo el régimen de la Zona Franca fue de un total de 445 millones de dólares estadounidenses, en comparación con 770 millones bajo el régimen regular, 286 millones en turismo y 35 millones en el sector financiero (Alonso, 2009).

Los activos específicos de localización que atrajeron a los inversores extranjeros incluyeron el nivel educativo de la mano de obra, la estabilidad política, los atractivos incentivos tributarios de las Zonas Francas y la localización geográfica del país. Al principio, la agencia de promoción de la inversión CINDE actuó de forma indiscriminada en su búsqueda de inversión extranjera directa. La mayor parte de la inversión estuvo destinada a la confección de prendas de vestir, dadas las disposiciones especiales de acceso al mercado de los Estados Unidos en virtud de la Iniciativa de la Cuenca del Caribe y el régimen de producción compartida bajo el programa 807 del Sistema Armonizado de Tarifas de los Estados Unidos. Sin embargo, cuando los demás países de América Central se hicieron más atractivos para realizar los trabajos de confección después de finalizar las guerras civiles a principios de la década de 1990, CINDE comenzó a buscar la inversión extranjera directa en sectores de mayor valor añadido, como la electrónica, el instrumental médico y más tarde los servicios basados en TI.

Cuadro 6.4 Exportaciones de bienes por sector y régimen de exportaciones de Costa Rica, 2008 (en millones de dólares estadounidenses)

	Régimen de exportaciones regulares	Régimen PA	Régimen de Zona Franca	TOTAL
Agricultura, ganadería, pesca	2.215,5	3,5	82,8	2.302,4
Industria	2.010,8	357,4	4.899,6	7.267,8
Equipos electrónicos y eléctricos	279,4	2,5	2.563,3	2.845,2
Alimentos	413,0	116,4	495,1	1.024,5
Instrumental de precisión y médicos	4,6	0,7	983,5	988,8
Químicos	370,4	14,6	206,6	591,7
Metal y mecánica	261,9	39,3	94,0	395,2
Textil, prendas de vestir, productos de cuero	48,5	114,8	201,4	364,6
Productos de plástico	143,7	1,0	69,0	213,7
Productos de caucho	46,0	0,0	166,9	212,9
Papel y productos de papel	158,0	48,6	1,3	207,9
Minerales no metálicos	90,2	0,0	12,9	103,1
Total	**4.226,3**	**360,9**	**4.982,4**	**9.569,7**

Fuente: PROCOMER (2009, p. 9).

En 1996, Intel eligió Costa Rica como lugar para su primera planta en América Latina de prueba y ensamblaje de microchips. La decisión tuvo un papel decisivo en cuanto a la magnitud y origen del posterior flujo de inversión extranjera en Costa Rica (cuadro 6.5). Situó al país en el mapa para las multinacionales del sector de alta tecnología. En la actualidad, la inversión extranjera directa en Costa Rica está concentrada en tres sectores principales: la fabricación avanzada de productos electrónicos y de sus componentes, instrumental médico, así como TI y los servicios que facilitan la TI.

Muchas de las actividades realizadas en las Zonas Francas se encuentran en el extremo inferior del espectro de habilidades dentro del área de la alta tecnología, por ejemplo en el montaje y no en el diseño de instrumental médico. No obstante, puede ser un buen punto de partida para luego desplazarse hacia actividades de mayor valor añadido dentro de esos sectores.

Cuadro 6.5 Reasignación interna de la inversión extranjera directa, por sectores (en dólares estadounidenses)

Sectores	2000	2001	2002	2003	2004	2005	2006	2007	2008	2009	2010	2011
Agricultura	–11,2	0,5	–8,6	–36,3	50,6	+37,1	62,2	0,5	447,6	68,0	–6,4	34,9
Agroindustria	11,5	5,2	2,8	8,4	–0,3	29,6	–3,2	32,3	19,4	4,8	37,0	3,6
Otros minoristas	15,5	11,1	15,2	6,0	23,9	47,6	56,3	72,8	79,6	–3,0	62,1	71,4
Supermercados												257,5
Manufactura	296,2	231,6	483,0	386,7	456,0	344,9	439,3	689,2	554,7	407,3	965,9	714,6
Servicios extraterritoriales	17,3	57,4	52,8	83,2	17,3	73,3	60,4	55,0	80,4	29,9	59,4	244,1
Concesión trabajos públicos	–	–	–	–	–	–	–	2,5	65,0	211,5	26,0	22,7
Telecomunicaciones	–	–	–	–	–	–	–	–	–	–	–	339,0
Generación de electricidad	–	–	–	–	–	–	–	–	–	–	–	18,2
Sector financiero	27,1	43,1	17,2	2,2	22,6	40,9	343,4	74,0	29,0	87,1	70,0	107,4
Turismo	51,3	102,5	76,0	88,3	41,4	53,5	136,1	321,3	291,5	253,6	81,0	113,5
Estado resal	15,0	9,0	21,0	31,0	178,4	234,6	364,5	644,6	485,1	265,6	147,0	228,1
Otros	–14,1	0,0	0,0	5,7	3,9	–0,5	10,3	3,9	25,9	21,8	23,5	1,8
Total	**408,6**	**460,4**	**659,4**	**575,1**	**793,8**	**861,0**	**1.469,1**	**1.896,1**	**2.078,2**	**1.346,5**	**1.465,6**	**2.156,6**

Fuente: BCCR, CINDE, PROCOMER, COMEX y TIC (cortesía de Sandro Zolezzi, CINDE).

6.4.3 Acumulación limitada de capacidades en las empresas locales

Si bien un gran número de compañías locales se han convertido en exportadoras de éxito, la amplia mayoría de las empresas locales son pequeñas, no tienen acceso a la información tecnológica ni a los mercados de exportación y financieros y no exportan. En el sector manufacturero los exportadores locales que han logrado el éxito son principalmente aquellos que habían acumulado una experiencia en exportación bajo la ISI y se aprovecharon de la subvención del CAT para desarrollar las capacidades necesarias para conseguir competitividad internacional, por ejemplo, Atlas Eléctrica (una empresa pequeña de cocinas y frigoríficos), Durman Esquivel (empresa de tuberías para la construcción) y Abonos Agro (empresa de materiales de construcción).

Las capacidades en el sector agrícola han aumentado de forma considerable. Los avances en la tecnología han impulsado la productividad en los cultivos de café, que se encuentra entre las más altas del mundo. Además el marketing inteligente y la modernización del café costarricense lo ha situado en la categoría gourmet y de mayor valor, por ejemplo, el Café Britt.

El sector local de *software* constituye uno de los campos más importantes de desarrollo de nuevas capacidades locales. Sin barreras de entrada y muchas oportunidades de producción en nichos, las empresas de *software* han descubierto que es más fácil establecerse a pequeña escala, si se tiene el entrenamiento y el financiamiento necesarios. Cuando las multinacionales en el campo de la TI comenzaron a operar en Costa Rica y Panamá en la década de 1970, la Universidad de Costa Rica y el Instituto Tecnológico de Costa Rica crearon los primeros programas de grado en ciencias informáticas para formar empleados con las habilidades necesarias para el sector. Los graduados que salían de estos programas fueron los primeros en establecer empresas locales de *software* (Alonso, 2008). El aumento de la conectividad a través de la fibra óptica dio un ímpetu adicional al sector a finales de la década de 1990. En el 2006 había unas 600 empresas locales de *software*, con unas ventas por valor de 300 millones de dólares estadounidenses y con 9.400 empleados. Se centraron principalmente en el desarrollo de soluciones de *software* horizontal y vertical (Mata y Mata Marín, 2009).

Sin embargo, las empresas de TI son una excepción. La mayoría de las compañías locales en Costa Rica no han conseguido prosperar con el NME. Las micro, pequeñas y medianas empresas formales constituyen el 18 % de todas las empresas y las microempresas informales representan el 81 % de las unidades de producción (Banco Mundial, 2009, p. 30). Más del 80 % de las compañías considera el mercado nacional su mercado primario (MICIT, 2009). Entre un número reducido de empresas que exportaron, muchas dejaron de hacerlo después de solo un año (Banco Mundial, 2009).

En una estrategia donde se pone énfasis en el comercio y la integración en la economía mundial, la generación de oportunidades económicas se ha entendido de manera estrecha como el acceso a los mercados, no como el espacio de aprendizaje con las políticas de apoyo y las medidas disciplinarias necesarias para impulsar el aprendizaje. Durante la primera fase del NME, el Gobierno creó unas subvenciones para la exportación que sirvieran como incentivo para entrar en el mercado internacional. Sin embargo, al igual que bajo la ISI, no se incorporaron mecanismos que obligaran a las empresas a hacerlo. Asimismo, no hubo un reconocimiento general de que los productores locales necesitaban el apoyo de políticas que les permitieran aprender y hacer frente a los desafíos de la competencia internacional, en especial en relación a la gran falta de información, los problemas de coordinación y las fallas del mercado.

Muchos estudios han identificado la falta de información y el acceso a la financiación como los obstáculos principales para lograr el avance de las capacidades tecnológicas a nivel empresarial. En los últimos años, se han creado varios fondos públicos para fomentar el cambio técnico en las pequeñas y medianas empresas (pymes). Por ejemplo, en el año 2002, se creó el Fondo Propyme para apoyar a las pymes. Sin embargo, el presupuesto era pequeño (un millón de dólares estadounidenses en el 2008) e, incluso con ese nivel tan bajo, prácticamente no se utilizó.

Costa Rica no es la única que carece de avance estratégico en cuanto a las capacidades tecnológicas. Según un análisis de doce clústeres de América Latina, Pietrobelli y Rabellotti (2004) sostienen que «la principal laguna del enfoque de políticas actual en la mayoría de los países es la falta de una visión integrada y consistente sobre el desarrollo y la modernización de las pymes locales».

6.4.4 *Derrames tecnológicos limitados de los productores extranjeros*

La consecución de derrames depende de las interacciones complejas que haya entre la capacidad de absorción del país anfitrión y el potencial de derrame de la inversión extranjera directa (Paus, 2005). El origen de los insumos de muchas de las grandes multinacionales en las Zonas Francas de Costa Rica (p. ej. Intel, Baxter) proviene de sus filiales en todo el mundo o de proveedores de insumos que han sido examinados y que suministran a la corporación en una escala global. Además, hay una serie de insumos importantes que no pueden producirse en Costa Rica en la actualidad, ya sea porque la escala necesaria es demasiado grande o la tecnología que requieren es

Cuadro 6.6 Encadenamientos hacia atrás de las Zonas Francas de Costa Rica, 2004 y 2008

	N.º de compañías		Exportaciones ($ EEUU)		Importaciones ($ EEUU)		Compra de ByS nacionales ($ EEUU)		Empleo		Compras/ importaciones nacionales	
	2004	2008	2004	2008	2004	2008	2004	2008	2004	2008	2004	2008
Maquinaria, material y partes eléctricas	37	40	1.560,2	2.436,5	1.655,3	2.487,2	44,9	49,7	8.647	8.331	2,7	2,0
Servicios	54	112	146,9	307,8	151,9	271,0	48,0	163,4	6.985	21.736	31,6	60,3
Textiles, ropa, cuero y calzado	31	22	333,6	196,2	261,1	176,5	21,5	18,8	7.689	6.557	8,2	10,7
Instrumentos de precisión y equipos médicos	19	18	541,5	965,9	213,0	363,4	13,6	53,3	4.367	6.437	6,4	14,7
Agroindustria	17	17	306,9	511,6	21,9	43,1	114,8	218,6	2.982	3.226	524,2	507,2
Plástico, caucho y sus manufacturas	11	12	138,8	233,3	83,5	148,5	26,9	34,7	1.568	2.098	32,2	23,4
Productos metálicos	10	14	48,5	89,8	34,6	53,6	21,1	44,7	740	1.200	61,0	83,4
Agricultura, ganadería	3	5	24,7	63,9	0,4	0,9	14,4	28,6	749	1.263	3.600,0	3.177,8
Químicos y medicinas	6	3	67,5	83,4	17,5	19,1	15,7	18,8	114	103	89,7	98,4
Otros	16	16	73,2	94,7	51,0	62,0	14,1	15,0	1.772	1.792	27,6	24,2
Total	204	259	3.241,7	4.983,2	2.490,3	3.625,2	334,9	645,5	35.613	52.742	13,4	17,8

Fuente: COMEX, PROCOMER (2009) y Alonso (2009).

demasiado sofisticada. Por el contrario, las pequeñas y medianas multinacionales, de las cuales Costa Rica cuenta con muchas, se muestran mucho más ansiosas de que sus fuentes de suministro estén en el país anfitrión, ya que no disponen de las mismas redes mundiales de proveedores.

Canales importantes para los derrames tecnológicos en Costa Rica son los encadenamientos hacia atrás, la movilidad del capital humano formado que trabaja en las compañías transnacionales de alta tecnología, el impacto de estas corporaciones en otras áreas relevantes de producción como en la logística y los niveles educativos, en especial en el ámbito técnico. Los encadenamientos hacia atrás de la inversión extranjera han aumentado en términos absolutos, pero no necesariamente en términos relativos. El gasto nacional de los productores extranjeros aumentó de 99 millones de dólares estadounidenses en 1997 hasta alcanzar los 645 millones en el 2008, lo que supone el 17,8 % de las importaciones (cuadro 6.6).

Los servicios y la agroindustria son los que más gastaron en bienes y servicios nacionales (ByS), tanto en términos absolutos como relativos. Sin embargo, en los sectores de alta tecnología, el de electrónica e instrumental médico, el aumento relativo del encadenamiento hacia atrás ha estado limitado. Cuando excluimos los servicios y la agroindustria, la proporción de compras nacionales en relación con las importaciones ha aumentado ligeramente en los últimos años, del 7,4 % en el 2004 hasta el 7,9 % en el 2008. El abastecimiento de las empresas nacionales a menudo se limita a la impresión, el embalaje y la logística; no obstante, algunas compañías se han convertido en proveedores competitivos de insumos de material para multinacionales, principalmente de partes metálicas y plásticas (Cordero y Paus, 2010).

El abastecimiento nacional no implica necesariamente compras a empresas costarricenses. Monge (2005) sugiere que los proveedores nacionales que suministran a Intel con productos y servicios de alta tecnología son predominantemente empresas extranjeras, una parte de la cadena de suministro global de Intel; mientras que las empresas nacionales suministran principalmente servicios y logística de baja tecnología. Giuliani (2008) llega a una conclusión similar en un nivel más general.

Una de las razones de los encadenamientos hacia atrás limitados es la insuficiente capacidad de absorción nacional. No se realizó un esfuerzo sostenido para apoyar la promoción de encadenamientos hasta el establecimiento de la Costa Rica Provee (CRP) en el año 2001. CRP se encargaba de ayudar a los proveedores potenciales de insumos de Costa Rica a las multinacionales a convertirse en los proveedores reales. Su integración formal en PROCOMER en 2004 supuso un paso importante hacia la institucionalización del fomento de los encadenamientos. CRP apoyó 18 encadenamientos en el 2003 y 213 en el 2009, con unas ventas acumuladas de proveedores de 28,8 millones de dólares estadounidenses. Dos tercios de estas conexiones de encadenamientos fueron con compañías de electrónica e instrumental médico (Programa Estado de la Nación, 2009).

A finales del 2010, CRP pasó a llamarse Departamento de Encadenamiento Productivo para la Exportación, después del establecimiento del Comité sobre Encadenamientos hacia atrás. Sus recursos continúan siendo limitados, cuenta con un personal formado por siete personas y un presupuesto de menos de 400.000 dólares estadounidenses. Con estos recursos tan limitados, tanto humanos como financieros, es difícil ver cómo el nuevo departamento puede lograr un salto cualitativo en los encadenamientos nacionales.

Los estudios sugieren la posibilidad de que se produzcan muchos derrames a través de la movilidad laboral, pero no existen pruebas contundentes de su alcance real en Costa Rica. Monge-González, Bonilla y Rodríguez (2012) hallaron que alrededor de un tercio de los aproximadamente 41.000 trabajadores que dejaron su empleo en las multinacionales entre los años 2001 y 2007 fueron contratados posteriormente por empresas locales. Sin embargo, no encontraron pruebas estadísticas acerca de si la productividad laboral en estas empresas fue más elevada.

Los inversores extranjeros han tenido un impacto importante en la educación tecnológica en Costa Rica. Intel se ha situado a la vanguardia en esta área. Intel CR ha trabajado con tres universidades públicas en programas educativos y ha donado laboratorios para asegurar que estos programas de estudio se llevaran a cabo. Además ha iniciado muchos programas de nivel K-12[2] para conseguir que los estudiantes y profesores se involucren en la ciencia a través de ferias científicas, talleres para profesores y otras actividades (Monge-González y González-Alvarado, 2007).

6.5 La acumulación de capacidades sociales bajo el nuevo modelo económico: a la zaga de las necesidades del sector privado

Bajo la ISI, los Gobiernos costarricenses tenían el compromiso firme de intensificar el acceso a la educación formal, proporcionando formación profesional y aumentando las redes de infraestructura del país. Sin embargo, con el nuevo modelo

---

[2] (N.T.): K-12 es una designación para la suma de educación primaria y secundaria. La expresión es un acortamiento de jardín de infancia (K) de 4 a 6 años de edad a través de duodécimo grado (12) para jóvenes de 17 a 19 años, los primeros y los últimos grados de la educación gratuita.

económico, la acumulación de capacidades sociales se ha quedado cada vez más corta en cuanto a las necesidades del sector privado. La falta de una visión estratégica y de financiación ha dado como resultado un mayor número de dificultades en los diferentes frentes educativos y enormes deficiencias en infraestructuras, sobre todo de carreteras y puertos.

6.5.1 Educación y formación profesional

A lo largo de la estabilización y ajuste económico en la década de 1980, el gasto en educación disminuyó de forma considerable en cuanto al porcentaje del presupuesto del Gobierno y al porcentaje por estudiante. Los gastos públicos en educación como una parte del PIB alcanzaron solo un 4 % en 1988. No fue hasta el 2003 cuando la proporción había vuelto al nivel del 6 % del año 1979 (Programa Estado de la Nación, 2009). Esto ha tenido graves consecuencias para aquellos que se quedaron fuera de la escolarización durante esos años, así como para la sociedad y la economía en su totalidad. Ha restringido la expansión de la proporción de la mano de obra con educación secundaria y por tanto el espacio de opciones para la economía nacional de aumentar la manufactura. Esto llegó a ser evidente con el cambio de Costa Rica de una estructura de logro educativo de «medio fuerte» a una de «medio faltante» y en consecuencia, una pérdida de las opciones para el desarrollo industrial en general (Nübler, 2013 y de próxima publicación).

Cuadro 6.7   Nivel educativo de la mano de obra, Costa Rica, 1976 y 2008 (en porcentajes)

	1976	2008
Universidad	5,2	19,7
Secundaria completada	5,2	11,7
Secundaria sin completar	16,3	25,1
Primaria completada	28,5	27,6
Primaria sin completar	34,6	13,1
Sin escolarizar	10,2	2,8

Fuente: Jiménez, Robles y Arce (2009), basado en datos obtenidos de encuestas realizadas en hogares por el Instituto Nacional de Estadística y Censos.

Entre 1976 y 2008, la media del nivel educativo de la mano de obra mejoró notablemente (cuadro 6.7). No obstante, las tasas de graduación en secundaria siguieron siendo bajas. Según las estadísticas de cohorte del Ministerio de

Educación, solo el 27 % de los que entraron en la escuela primaria alcanzaron el grado 11 (Programa Estado de la Nación, 2005). Para mejorar las bajas tasas de graduación, el Gobierno de Arias (2006-10) empezó el programa «Avancemos», que proporcionaba un estipendio mensual a las familias pobres siempre y cuando los hijos permanecieran en la escuela secundaria, con un estipendio en aumento conforme aumentaba el nivel de grado.

La brecha existente entre las competencias laborales necesarias en el sector productivo y las cualificaciones conseguidas a través de los sistemas educativos y de formación ha aumentado en los últimos años. Hay escasez de trabajadores que tengan un buen nivel de inglés y de trabajadores con la preparación técnica precisa, tanto a nivel de técnico de nivel medio como de doctorado, en la rama de las ciencias e ingeniería. Esta brecha se manifiesta con más fuerza en empresas que han tenido éxito con el NME, es decir, en muchas filiales de las multinacionales y en los productores locales de bienes y servicios comercializables, que habían tenido éxito también.

A finales de la primera década del siglo XXI se fue reconociendo el problema de que el sistema educativo planteaba graves restricciones para conseguir el escalamiento y la mejora económica. Este reconocimiento impulsó una serie de iniciativas nuevas. Aumentó el número de institutos técnicos de secundaria. La escasez de profesionales de nivel medio en las áreas técnicas, por ejemplo, de graduados en escuelas técnicas de dos años, llevó a la creación de la quinta universidad pública, la Universidad Técnica Nacional (UTN) en el 2009. En cuanto al nivel K-12, se ha incrementado el uso de la tecnología digital en las clases y se ha mejorado la calidad de la enseñanza del inglés. Desde principios del 2014, la Universidad de Costa Rica ofrece un programa de doctorado en Ciencias Informáticas y el Instituto Tecnológico de Costa Rica imparte un doctorado en Ingeniería Informática y un máster en Electrónica. Sin embargo, no existe un marco global que establezca prioridades y que dirija la coherencia y continuidad de estas acciones en todos los sectores e instituciones.

6.5.2 Escasas habilidades en la investigación y el desarrollo

El canal principal para la adquisición de tecnología extranjera ha sido la importación de bienes de capital. La concesión de licencias de tecnología extranjera no ha tenido prácticamente relevancia y el gasto nacional en actividades científicas y tecnológicas ha sido pequeño. En el año 2007, las importaciones de bienes de capital sumaban unos dos mil millones de dólares estadounidenses, en comparación con apenas 52 millones en pagos de cánones por las licencias, y gastos nacionales en ciencia y tecnología de $350 millones.

Gráfico 6.3. Inversión en investigación y desarrollo como proporción
del PIB, países de renta media, 2007 (en porcentajes)

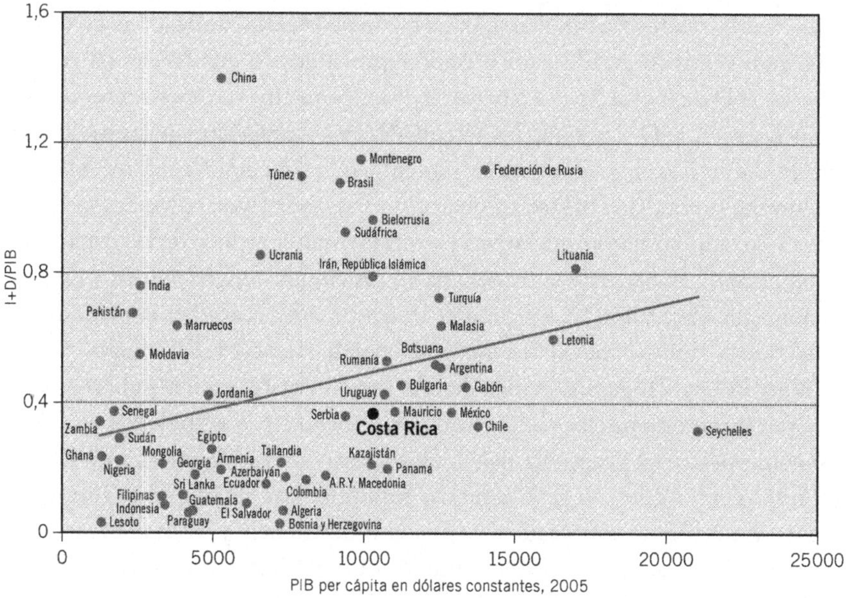

Fuente: Datos obtenidos de Indicadores sobre el Desarrollo Mundial.

Cuadro 6.8 Desglose de la inversión de Costa Rica en ciencia
y tecnología (C+T) (en millones de dólares estadounidenses)

	2006	2007	2008
Sector público			
Total	**87,2**	**114,0**	**130,6**
I+D	13,0	15,3	19,9
Enseñanza y formación	20,6	26,6	27,6
Servicios científicos y técnicos	53,6	72,1	83,1
Sector académico			
Total	**158,5**	**195,1**	**237,2**
I+D	35,4	47,0	56,9
Enseñanza y formación	102,5	120,3	142,9
Servicios científicos y técnicos	20,7	27,8	37,4
Empresas privadas			
I+D	43,7	27,7	35,9
Todos los sectores			
Total	**301,4**	**350,3**	**416,1**
I+D	97,2	96,2	118,8
Enseñanza y formación	124,4	148,1	171,5
Servicios científicos y técnicos	79,8	106,0	125,7

Fuente: MICIT (2009).

Los gastos en investigación y desarrollo (I+D) en el 2007 ascendieron al 0,36 % del PIB, 0,11 puntos porcentuales por debajo de la línea de tendencia de los países de renta media (gráfico 6.3). La razón de I+D ha cambiado poco durante los últimos veinte años. El sector privado representa solo una tercera parte de los gastos en I+D de Costa Rica. La mayoría de las compañías costarricenses no están involucradas en I+D y, aunque las actividades de investigación de las multinacionales en Costa Rica han aumentado, siguen siendo limitadas (cuadro 6.8).

Durante la era del NME se aprobaron una serie de leyes, se fundaron instituciones y se emprendieron iniciativas para fomentar el avance de las capacidades tecnológicas de la ciencia y la tecnología en los círculos universitarios y de investigación aplicada a través de los encadenamientos entre la academia y la industria. De hecho, en 1990 se creó el Sistema Nacional de Ciencia y Tecnología (SNCT) mediante la Ley 7169, con la idea de que fuera el instrumento gubernamental que sirviera para planificar el desarrollo de la ciencia y la tecnología, y se consideró como parte del programa nacional de desarrollo. El Gobierno de Figueres (1994-98) llevó a cabo un gran esfuerzo para impulsar el sistema de innovación del país. En 1996, se estableció el Ministerio de Ciencia y Tecnología para que dirigiera esta iniciativa, y en 1999 se fundó el CENAT (Centro Nacional de Alta Tecnología) para conectar al Gobierno, la industria y la academia en relación a la investigación de alta tecnología. El gran esfuerzo del Gobierno de Figueres para conseguir que Intel estableciera su primera instalación de producción de América Latina en Costa Rica, puede considerarse como parte de esta ampliación de las iniciativas.

Muchas de estas iniciativas han generado resultados positivos, pero el problema general ha sido que demasiadas de estas acciones han sido de corta duración, con una financiación insuficiente y descoordinada, por lo que a menudo no han sobrevivido al cambio de Gobierno. No ha habido una estrategia de ciencia y tecnología coherente, integral y sostenida.

Como las empresas multinacionales cada vez quieren aprovechar más el talento a escala mundial, sus filiales normalmente intentan desarrollar capacidades de investigación en los países anfitriones para mantener o mejorar su posición dentro de la estructura corporativa. El hecho de que Hewlett-Packard e Intel hayan abierto pequeños centros de investigación en Costa Rica demuestra la voluntad de las filiales de las multinacionales para mejorar las actividades intensivas en tecnología del país. Se podría conseguir un mayor potencial si se superasen las deficiencias de la educación técnica.

Otro ejemplo del potencial de Costa Rica proviene de uno de los suyos: Franklin Chang, un astronauta de la NASA desde 1981 hasta 2005. Chang estableció la Ad Astra Rocket en Costa Rica en 2005 en Guanacaste, se trata de una filial cuya propiedad total es de la compañía matriz homónima estadounidense. El objetivo de la empresa era llevar el motor Vasimir a su total despliegue operativo en el espacio a finales del 2013. Ahora existe un mini clúster de pequeñas empresas locales alrededor de la Ad Astra Rocket que colaboran en la Alianza Aeroespacial de Costa Rica.

En el sector agropecuario, ha habido una serie de instituciones públicas de investigación bien establecidas que han colaborado con gran éxito en la investigación aplicada con actores del sector privado, por ejemplo el Colegio Universitario para el Riego y el Desarrollo del Trópico Seco, la Escuela Centroamericana de Ganadería (ECAG), el Instituto Costarricense del Café y el Instituto Nacional de Biodiversidad (INBio). Sin embargo, existe una opinión generalizada de que los proyectos cooperativos entre el sector de investigación académico y el sector productivo son pocos y dispersos (por ejemplo, Macaya Trejos y Cruz Molina, 2006). Las principales razones son la falta de conocimiento por parte de las empresas de lo que sucede en las universidades, la falta de conocimiento en relación a las necesidades de las empresas por parte de las universidades y los institutos de investigación y el coste de la innovación (MICIT, 2009).

6.5.3 Las graves deficiencias en las infraestructuras

Los cambios en la estructura productiva, el crecimiento económico y el aumento del turismo han incrementado de manera considerable la demanda de infraestructuras. En 2008 había alrededor de un millón de vehículos en el país, tres veces más que en 1991. Durante el mismo período, el número de pasajeros internacionales que llegaban al aeropuerto internacional de San José se cuadruplicó, alcanzando los cuatro millones en el año 2008. La carga que se manejó en las instalaciones portuarias de Limón-Moín pasó de 2,1 millones de toneladas métricas en 1980 a 9,9 millones en el 2007.

La expansión, regulación y planificación de la infraestructura fue lamentablemente inadecuada para satisfacer la demanda creciente. El Informe de Competitividad Global de 2012-13 sitúa a Costa Rica en el puesto 57 de la competitividad global entre los 144 países considerados, y en el puesto 95 en cuanto a las infraestructuras: el puesto 60 en infraestructuras de transporte aéreo, el 131 en la calidad de las carreteras y el 140 en las infraestructuras portuarias (solo por delante de Haití, Bosnia y Herzegovina, Tayikistán y Kirguistán).

Las crecientes carencias han dado lugar a respuestas constructivas. Con el Gobierno de Chinchilla (2010-14), se iniciaron cuatro importantes proyectos de mejora de las carreteras, tres de ellos financiados a través de préstamos externos (el Banco

Interamericano de Desarrollo y el Banco de Desarrollo de América Latina) y otro a través de una concesión privada. Asimismo, el Gobierno adjudicó una concesión a APM Terminals para construir y operar una nueva terminal destinada a los contenedores de transporte. La inversión prevista es de mil millones de dólares estadounidenses y la terminal debería estar operativa en el año 2016.

6.6 Conclusiones

Durante los últimos quince años, Costa Rica ha conseguido realizar una notable transformación en cuanto a su estructura de exportación, avanzando desde productos primarios a bienes de tecnología media y alta. Este positivo cambio estructural es, si cabe, más destacable ya que las exportaciones de la mayoría de los demás países de América Latina han llegado a estar dominadas por los recursos naturales y los productos de baja tecnología. No obstante, el éxito de las exportaciones de Costa Rica no se traduce en un claro éxito del desarrollo. Por un lado, el país ha conseguido con gran éxito atraer la inversión extranjera directa a sectores de alta tecnología, como resultado del desarrollo de las capacidades sociales bajo la ISI, las ventajas de localización y los atractivos incentivos. Al valerse de Costa Rica como plataforma de exportación, los productores extranjeros han sido el motor del crecimiento y de transformación de las exportaciones del país. Por otro lado, el sector de producción nacional se ha hecho cada vez más dual, ya que solo un determinado número de empresas se ha vuelto competitivo a nivel internacional, mientras que un gran número de micro y pequeñas empresas producen para el mercado nacional y enfrentan profundos desafíos para poder competir.

Las consistentes políticas proactivas de los Gobiernos para atraer a los inversores extranjeros contrastan fuertemente con la falta de políticas proactivas y coherentes para favorecer el desarrollo de las capacidades de las empresas locales. Asimismo, la insuficiente inversión del sector público en educación, infraestructuras e investigación y desarrollo bajo el NME constituye un contraste muy marcado con el énfasis que se puso sobre el desarrollo de las capacidades sociales bajo la ISI. En otras palabras, el país ha desarrollado las opciones y las competencias colectivas para atraer la inversión extranjera directa de productos y servicios que clasifican como de tecnología alta y media; sin embargo, sus instituciones son menos «inteligentes» a la hora de crear y mantener los procesos de aprendizaje de alto rendimiento al nivel de las empresas nacionales (Nübler, en este volumen). Una de las principales lecciones que la experiencia de Costa Rica ofrece a otros países es la importancia de llevar a cabo políticas proactivas coherentes que promuevan la evolución conjunta de las capacidades a nivel social y empresarial a lo largo del tiempo.

Costa Rica es un país de renta media alta que necesita competir y desarrollarse aumentando la productividad y llevando a cabo un cambio concertado hacia una economía basada en el conocimiento. En este capítulo he argumentado que la disparidad que existe en el desarrollo de las capacidades a nivel social y empresarial ha evitado que haya un avance hacia una modernización generalizada. El éxito reciente que ha experimentado la industria del *software* en Costa Rica demuestra cómo, con la co-evolución de los factores correctos se pueden acumular las capacidades. El análisis que se presenta aquí resalta tres desafíos muy importantes que es necesario enfrentar para colocar el desarrollo del país en una trayectoria sostenible: el carácter dual del sector productivo, la falta de coordinación en la articulación de las políticas, y la tasa tributaria inadecuada.

El mercado no desempeña ni puede desempeñar una función de coordinación en muchas áreas que son de vital importancia para el desarrollo de las capacidades locales. Se necesitan mecanismos institucionales y no del mercado para asegurar, por ejemplo, que las competencias laborales provistas por el sistema educativo y de formación estén en sincronía con la especialización que se necesita en el sector productivo. Una estrategia coherente para el sector de la producción ha de centrarse firmemente en el avance de las capacidades, con un diseño de políticas consciente de la estructura dual de la producción que existe en el país. Esto significa que las políticas gubernamentales deben de apoyar de forma contundente un avance hacia actividades de mayor innovación, destinadas fundamentalmente productores nacionales de éxito y a las filiales de las multinacionales en los sectores de alta tecnología.

El apoyo estratégico para desarrollar una estrategia cohesiva de avance en la innovación nacional es importante y urgente, sobre todo porque muchos países de desarrollo tardío en Asia han avanzado con mucha fuerza en esta dirección. En 1996, el PIB per cápita en China era solo el 28 % del de Costa Rica (PPC de dólares estadounidenses constante, del año 2005), sin embargo, la proporción de I+D era casi el doble que la de Costa Rica. En el año 2008, la renta per cápita de China había alcanzado el 55 % del nivel de Costa Rica y su proporción de I+D era de casi cuatro veces más que la de Costa Rica. La capacidad de China para competir con sus productos a lo largo de todo el espectro de la tecnología plantea un gran desafío para las perspectivas de desarrollo de Costa Rica y de otros países en desarrollo.

Al mismo tiempo, las políticas han de orientarse hacia las muchas pymes que existen en el país, proporcionando financiación e información sobre las posibilidades tecnológicas y de mercado, así como el fomento de las conexiones entre los proveedores y las filiales de las multinacionales. El desarrollo del sector de las pymes es importante para crear puestos de trabajo decentes para muchos trabajadores costarricenses. PROCOMER proporciona un servicio integral a los exportadores. Si el apoyo a las pymes estuviera también más «agrupado», el alcance y el apoyo podrían ser más eficaces. La escala de los esfuerzos de política también es importante. Por ejemplo, siete empleados comprometidos con su trabajo, con un presupuesto de menos de 500.000 dólares estadounidenses, no son suficiente para lograr un aumento importante de los encadenamientos entre las empresas locales y las filiales de las multinacionales.

La falta de apoyo no es exclusiva de Costa Rica, ya que se ha extendido en América Latina bajo las políticas de libre mercado del Consenso de Washington. Asimismo, el resultado de estas políticas también se ha generalizado: el sector productivo está formado por un grupo dinámico de productores extranjeros, un pequeño número de compañías nacionales de éxito y un número elevado de pymes, y en especial de micro empresas, con bajos niveles de productividad (Khan y Blankenburg, 2009).

La falta de coordinación entre las distintas entidades institucionales a la hora de priorizar y aplicar las políticas ha demostrado ser el obstáculo principal para la puesta en marcha de una estrategia de desarrollo coherente para conseguir una economía basada en el conocimiento[3]. El Plan Nacional de Desarrollo de 2006-10 de Costa Rica sostenía que «la seria atomización de las competencias en el sector público en cuanto a las políticas para el sector productivo imposibilita una acción unificada y eficaz del Estado en el desarrollo de la competitividad» (citado en Alonso, 2008). Ahora existen más de cien instituciones autónomas, la mayoría con autonomía presupuestaria, sin mecanismos institucionales que las hagan rendir cuentas o que las hagan coordinar sus actividades. Para superar este desafío y para buscar las formas de conectar los puntos dentro del panorama político de formulación y aplicación de políticas atomizadas institucionalizado, se necesita una reforma de la estructura de gobernanza en la que actualmente «la mayor parte de lo que es público en las políticas públicas se realiza fuera de los ministerios ejecutivos» (Lehoucq, 2006).

El avance de la acumulación de capacidades locales necesitará más recursos públicos que los que el Gobierno tiene actualmente a su disposición. Si bien las concesiones al sector privado pueden superar algunos de los problemas de infraestructuras, existen muchas áreas donde el Gobierno tendrá que seguir avanzando. En teoría, hay espacio suficiente para aumentar la tasa tributaria, ya que es de tres

---

[3] En un estudio sobre las intervenciones de política en las áreas clave de desarrollo productivo de Costa Rica, Monge-González, Rivera y Rosales-Tijerino (2010) han descubierto que, en cinco de los seis casos, las fallas de mercado no se abordaron de manera óptima y habría sido necesaria una coordinación institucional más potente.

a cuatro puntos porcentuales inferior que el promedio de la tasa de países con un PIB per cápita similar. Sin embargo, para traducir esta posibilidad teórica en una realidad, se requiere una comprensión compartida entre los principales grupos de interés y los partidos políticos sobre los elementos clave que se necesitan para llevar a cabo la reforma tributaria.

Para conseguir un cambio estructural generalizado que induzca al crecimiento, se necesita realizar un cambio en el enfoque analítico desde el crecimiento hasta la acumulación de capacidades y un cambio en el enfoque de políticas desde la actual fe en el proceso de modernización impulsado por el mercado hasta la aceptación de un Estado proactivo que apoye el avance sinérgico de las capacidades a nivel social y empresarial. Puede que sea difícil construir un Estado eficaz, así como la coordinación de las actividades, pero estas tareas son esenciales en el entorno actual de la globalización dominada por China (Paus, 2009).

Referencias

Abramovitz, M. 1986. «Catching up, forging ahead, and falling behind», en *The Journal of Economic History*, vol. 46, núm. 2, pp. 385-406.

Alonso, E. 2008. *Costa Rica: Conceptualización de nuevos incentivos para la atracción deinversión extranjera directa en alta* (Washington, DC, Inter-American Development Bank).

—. 2009. *Análisis sobre el comportamiento e importancia de la inversión extranjera directa en Costa Rica*, background paper for the 15th State of the Nation Report. Disponible en: *http://www.estadonacion.or.cr/files/biblioteca_virtual/015/Alonso2009IED.pdf* [consultado el 20 de octubre del 2013].

Amsden, A. 2001. *The rise of «the rest». Challenges to the West from late-industrializing economies* (Oxford and New York, Oxford University Press).

Buitelaar, R.; Padilla, R.; Urrutia-Alvarez, R. 2000. «Costa Rica: Sistema nacional de innovación», en A. U. Quirós (ed.): *Empleo, crecimiento y equidad: Los retos de las reformas económicas de finales del siglo* XX *en Costa Rica* (San José, Editorial de la Universidad de Costa Rica).

Cimoli, M.; Dosi, G.; Nelson, R.; Stiglitz, J. E. 2009. «Institutions and policies shaping industrial development: An introductory note», en M. Cimoli, G. Dosi y J. E. Stiglitz (eds.): *Industrial policy and development. The political economy of capabilities accumulation* (Oxford, Oxford University Press).

CONARE (Consejo Nacional de Rectores). 2008. Estado de la educación Costaricense. Segundo informe (San José).

Cordero, J. 2000. «El crecimiento económico y la inversión: El caso de Costa Rica», en A. U. Quirós (ed.): *Empleo, crecimiento y equidad: Los retos de las reformas económicas de finales del siglo* XX *en Costa Rica* (San José, Editorial de la Universidad de Costa Rica).

—; Paus, E. 2010. «Foreign investment and economic development in Costa Rica: The unrealized potential», en D. Chudnovsky y K. P. Gallagher (eds.): *Rethinking foreign investment for development* (London, Anthem Press).

Deneulin, S. 2005. «Development as freedom and the Costa Rica human development story», en Oxford Development Studies, vol. 33, issue 3-4, pp. 493-510.

Giuliani, E. 2008. «Multinational corporations and patterns of local knowledge transfer in Costa Rican high-tech industries», en *Development and Change*, vol. 39, núm. 9, pp. 385-407.

Goerg, H.; Greenaway, D. 2004. «Much ado about nothing? Do domestic firms really benefit from foreign direct investment», en *The World Bank Research Observer*, vol. 19, núm. 2, pp. 171-197.

INA. 2009. *INA en cifras* (San José).

Jiménez, R.; Robles, E.; Arce, G. 2009. «Educación y crecimiento económico en Costa Rica», en L. Mesalles and O. Céspedes (eds.): *Obstáculos al crecimiento económico de Costa Rica* (San José, Academia de Centroamérica), pp. 181-224.

Khan, M.; Blankenburg, S. 2009. «The political economy of industrial policy in Asia and Latin America», en M. Cimoli, G. Dosi and J. E. Stiglitz (eds.): *Industrial policy and development. The political economy of capabilities accumulaton* (Oxford, Oxford University Press).

Lee, K. 2009. *How can Korea be a role model for catch-up development? A «capabilitybased view»*, Research paper núm. 2009/34 (Helsinki, UNU/WIDER).

Lehoucq, F. 2006. *Policymaking, parties, and institutions in Democratic Costa Rica* (Mexico City, Centro de Investigaciones y Docencia Económica).

Macaya Trejos, G.; Cruz Molina; A. (eds.). 2006. *Estrategia siglo XXI: Visión de la ciencia y la tecnología en Costa Rica: una construcción colectiva*, vol. ii (San José, Fundación Costa Rica Estados Unidos de América para la Cooperación).

Mata, F. J.; Mata Marín, G. 2009. *Foreign direct investment and the ict cluster in Costa Rica: Chronicle of a death foretold?* (San José, Universidad Nacional).

McMillan, M.; Rodrik, D. 2011. *Globalization, structural change and productivity growth*, Working Paper 17143 (Cambridge, MA, National Bureau of Economic Research).

MICIT (Ministerio Ciencia Tecnología y Telecomunicaciones). 2009. *Indicadores Nacionales 2008. Ciencia, tecnología e innovación* (San José).

Monge, J. 2005. «Intel-driven enterprise linkages in Costa Rica», en R. Rasiah (ed.): *Foreign firms, technological capabilities and economic performance. Evidence from Africa, Asia and Latin America* (Cheltenham and Northampton, Edward Elgar).

Monge-González, R.; Bonilla, J. C. L.; Rodríguez, J. A. 2012. *Movilidad laboral y derrames de conocimiento* (Madrid, Editorial Académica Española).

—; González-Alvarado, C. 2007. *The role and impact of mncs in Costa Rica on skills development and training. The case of Intel, Microsoft, and Cisco*, paper prepared for the International Labour Organization, Geneva.

—; Rivera, L.; Rosales-Tijerino, J. 2010. *Productive development policies in Costa Rica: Market failures, government failures, and policy outcomes*, IDB Working Paper Series núm. IDB-WP-157 (Washington, DC, Inter-American Development Bank).

Nelson, R.; Winter, S. 1982. *An evolutionary theory of economic change* (Cambridge, MA, Harvard University Press).

Nübler, I. 2013. *Education structures and industrial development: Lessons for education policies in African countries,* paper presented to the UNU WIDER Conference on Learning to Compete: Industrial Development and Policy in Africa, Helsinki, Finland, 24-25 junio. Disponible en: *http://www1.wider.unu.edu/L2Cconf/sites/default/files/Nubler.pdf* [consultado el 20 de octubre del 2013].

—. Próxima publicación. *Capabilities, productive transformation and development: A new perspective on industrial policies* (Geneva, ILO).

Ocampo, J. A.; Rada, C; Taylor, L. 2009. *Growth and policy in developing countries. A structuralist approach* (New York, Columbia University Press).

Paus, E. 2005. *Foreign investment, development and globalization. Can Costa Rica become Ireland?* (New York, Palgrave Macmillan).

—. 2009. «The rise of China: Implications for Latin American development», en *Development Policy Review,* vol. 27, núm. 4, pp. 419-456.

—. 2012. «Confronting the middle income trap. Insights from small latecomers», *Studies in Comparative International Development,* vol. 47, núm. 2, pp. 115-138.

—; Gallagher, K. 2008. «Missing links: Foreign investment and industrial development in Costa Rica and Mexico», en *Studies in Comparative International Development,* vol. 42, núm. 4, pp. 53-80.

Pietrobelli, C.; Rabellotti, R. 2004. *Upgrading in clusters and value chains in Latin America. The role of policies* (Washington, DC, Inter-American Development Bank).

PROCOMER (Promotora del Comercio Exterior de Costa Rica). 2009. *Estadísticas de comercio exterior de Costa Rica 2008* (San José).

Programa Estado de la Nación. 2005. *Estado de la nación en desarrollo humano sostenible. xi informe* (San José).

—. 2009. *Estado de la nación en desarrollo humano sostenible. xv informe* (San José).

Rodrígues, E. 1998. *Costa Rica: Policies and conditions for export diversification.* Working Paper núm. 154, World Institute for Development Economics Research (WIDER) (Helsinki, UNU/WIDER).

Rodriguez-Clare, A. 2001. «Costa Rica's development strategy based on human capital and technology: How it got there, the impact of Intel, and lessons for other countries», en *Journal of Human Development,* vol. 2, núm. 2, pp. 311-324.

—; Sáenz, M.; Trejos, A. 2004. «Análisis del crecimiento económico en Costa Rica: 1950-1980» en M. Agosín, R. Machado and P. Nazal (eds): *Pequeñas economías. Grandes desafíos. Políticas económicas para el desarrollo de Centroamérica* (Washington, DC, Inter-American Development Bank).

Rosal, M. H. 2001. *La capacitación y formación profesional en Centroamérica, México, Panamá y República Dominicana* (San José, ILO)

Sánchez-Ancochea, D. 2004. *Leading coalitions and patterns of accumulation and distribution in small countries,* unpublished PhD dissertation (New York, New School of Social Research).

Segura, O.; Vargas, L. 1999. *Institutional innovation and policy learning in Costa Rica.* Working paper presented to the Triple Helix meeting in Rio de Janeiro, Brazil.

Shapiro, H.; Taylor, L. 1990. «The state and industrial policy», en *World Development,* vol. 18, núm. 6, pp. 861-878.

Trejos, A. 2009. *Country role models for development success,* Research Paper 2009/54 (Helsinki, World Institute for Development Economics Research).

Ulate, A. Q. 1983. *Empresas extranjeras y nacionales acogidas al régimen de incentivos fiscales: Su importancia en el sector industrial,* Working Paper 54, Instituto Investigaciones en Ciencias Económicas (San José, Universidad de Costa Rica).

—. 1992. «Aumento de las exportaciones: Obsesion del ajuste estructural» en J. M. Villasuso (ed.): *El nuevo rostro de Costa Rica* (San José, CEDAL).

Wilson, B. 1998. *Costa Rica. Politics, economics, and democracy* (Boulder, CO, Lynne Rienner Publishers).

World Bank. 2009. *Costa Rica. Competitiveness diagnostic and recommendations,* vol. 1, Report núm. AAA39 - CR (Washington, DC).

Las estrategias de desarrollo de competencias laborales y la «vía alta» para el desarrollo en la República de Corea[*]

7

Byung You Cheon

7.1 Introducción

Durante más de cuatro décadas, desde comienzos de la de 1970, la República de Corea ha mantenido un crecimiento económico sólido y equitativo. El aumento de la productividad permitió lograr no solo altas tasas de crecimiento económico, sino también un incremento concomitante de los salarios y del empleo, lo cual contribuyó a reducir la desigualdad. El desarrollo de las competencias laborales ha sido un elemento fundamental de esta «vía alta» para el desarrollo, que da prioridad al «crecimiento con equidad» o «crecimiento compartido». La educación y la formación han sido la causa y consecuencia de las altas tasas de crecimiento, la rápida evolución tecnológica, la apertura de la economía y una distribución más equitativa de los ingresos, lo cual dio lugar a un círculo virtuoso de rápido crecimiento convergente.

Las políticas gubernamentales de educación y formación, aplicadas en consonancia con otras políticas económicas y sociales, contribuyeron en gran medida a establecer y mantener ese proceso dinámico. En otras palabras, hubo una estrecha coordinación entre las políticas en materia de educación y formación y la política industrial. Sin esa coordinación de la estrategia de desarrollo de competencias laborales con la estrategia de desarrollo industrial, habría sido difícil para el país sustentar ese modelo de desarrollo durante un período tan largo.

No obstante, debido a los rápidos cambios registrados en el entorno económico, ese equilibrio se vio sometido a una presión creciente, tanto interna como

---

[*] El contenido de este capítulo es una versión revisada de un informe sobre investigaciones llevadas a cabo bajo los auspicios de la OIT. (N. del T.: La expresión «vía alta» que se ha utilizado para traducir el término inglés *high-road* se refiere a una vía de desarrollo de alto nivel tecnológico y laboral).

externa. La crisis financiera asiática de 1997 dio mayor impulso a la apertura económica y al cambio tecnológico, pero también incrementó la desigualdad social y económica. Desde entonces, el papel desempeñado por el Gobierno en la economía nacional, tanto por lo que respecta al desarrollo de competencias laborales como a las políticas industriales, se ha reducido. El desafío al que se enfrenta la economía en el siglo XXI consiste en encontrar la forma de desarrollar instituciones y políticas que le permitan responder de manera flexible a un entorno caracterizado por una mayor apertura económica y un cambio tecnológico, y restaurar al mismo tiempo el «crecimiento compartido» para propiciar la prosperidad y la equidad mediante la adopción de nuevas políticas de educación y desarrollo de competencias laborales en el ámbito nacional.

El objeto del presente capítulo es analizar la experiencia de Corea en materia de educación y desarrollo de competencias laborales durante las últimas cuatro décadas, a fin de comprender de qué manera las políticas e instituciones gubernamentales coordinaron esas políticas con la política industrial. En otras palabras, se trata de examinar lo que Nübler denomina «capacidades colectivas» para impulsar el proceso de convergencia económica y el desarrollo industrial (véase el capítulo 4 de este volumen).

El capítulo está estructurado de la siguiente forma: en la sección 7.2 se examina el rápido desarrollo económico de Corea y sus resultados en el ámbito del bienestar social desde la década de 1960 y se analiza la función central de la educación y la formación en ese proceso. En la sección 7.3 se examina el papel desempeñado por los responsables políticos y las instituciones competentes para ajustar y coordinar las políticas de educación, investigación y desarrollo (I+D) y desarrollo industrial. En la sección 7.4 se examinan los problemas relativos al sistema de educación y formación a los que se enfrenta el país a medida que avanza en la fase de innovación del desarrollo económico y la economía del conocimiento. Por último, en la sección 7.5 se presentan las lecciones extraídas y las conclusiones.

7.2 Desarrollo económico y desarrollo de competencias laborales en la República de Corea

7.2.1 La vía alta para el desarrollo: hasta la crisis de 1997 y posteriormente

Los buenos resultados económicos obtenidos por la República de Corea durante las cuatro décadas pasadas se consideran como un ejemplo de éxito en la economía mundial. Durante ese período, las tasas de crecimiento registradas en el país se mantuvieron por encima del 7 %, como resultado de lo cual la renta per cápita aumentó desde el 17,2 % del promedio de la OCDE y el 11,8 % del nivel de los Estados Unidos en 1970 a más del 90 % del promedio de la OCDE en el 2010 (gráfico 7.1). Este notable proceso de «**crecimiento convergente**» continuó incluso después de la crisis financiera de 1997.

Gráfico 7.1. PIB per cápita de Corea en comparación con la OCDE, Japón y los Estados Unidos (República de Corea = 100 %)

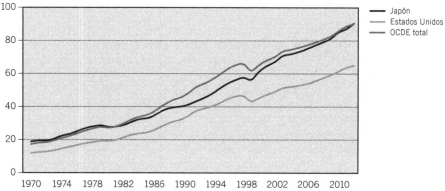

Nota: PIB en precios actuales y paridad del poder adquisitivo.
Fuente: Cálculos del autor, basados en datos procedentes de la base de datos sobre análisis estructural (STAN) de la OCDE.

Este rápido crecimiento de la República de Corea fue impulsado por el aumento de la productividad, que había superado desde hacía tiempo las tasas de crecimiento de la productividad laboral de los países desarrollados (véase el gráfico 7.2). Entre 1992 y 2002 la producción del país aumentó en promedio en un 5,6 % al año, muy por encima del 3 % registrado en la zona de la OCDE. El componente más importante de este crecimiento fue el incremento de la productividad laboral, del orden del 4,3 % anual, el doble del promedio de la OCDE (OCDE, 2004).

Esa disminución de la brecha de productividad refleja el éxito de la transición de una estructura industrial basada en industrias intensivas de mano de obra y salarios bajos hacia sectores de capital y de investigación y desarrollo. Ese proceso de transformación estructural comenzó a mediados de la década de 1970 con la creación de la industria pesada y la industria química mediante políticas industriales específicas. A partir de los primeros años de la década de 1980 se orientó hacia industrias basadas en el conocimiento con estrategias de I+D, basadas en un proceso de crecimiento convergente, mediante ingeniería inversa e imitación duplicativa (ídem, 2005). La inversión en investigación y desarrollo ha aumentado considerablemente desde mediados de la década de 1980: la inversión en I+D

como porcentaje PIB aumentó del 1,84 % en 1990 al 2,85 % en 2005 y ha sobrepasado la de la OCDE desde 1993 y la de los Estados Unidos desde el 2003, aun
cuando el volumen absoluto de I+D es ahora bajo (gráfico 7.3).

Gráfico 7.2. Tasa de crecimiento de la productividad laboral,
1980–2010 (en porcentajes)

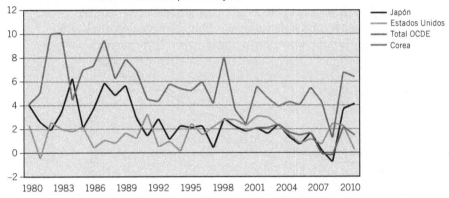

Fuente: Estimaciones del autor, basadas en datos procedentes de la base de datos STAN de la OCDE.

Gráfico 7.3. Inversión en I+D como porcentaje del PIB, República de Corea,
Japón, Estados Unidos y OCDE, 1991–2004 (en porcentajes)

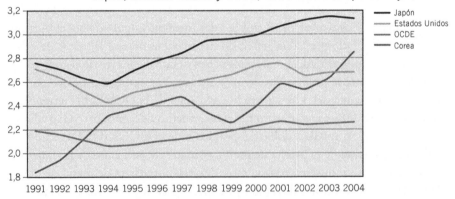

Fuente: Cálculos del autor, basados en datos procedentes de la base de datos STAN de la OCDE.

Como es sabido, la República de Corea comenzó el proceso de industrialización a mediados de la década de 1960 con una estrategia orientada hacia afuera
y basada en las exportaciones. En una primera etapa de desarrollo del país, el
Gobierno adoptó políticas de crecimiento orientadas a la exportación con el lema
«desarrollar la nación mediante las exportaciones». Hasta la crisis de 1997, la

apertura de la economía nacional estuvo sometida a un cuidadoso control por parte del Gobierno, y entre 1975 y 1997 la proporción del PIB correspondiente al comercio se mantuvo relativamente estable. Sin embargo, creció rápidamente después de la crisis (gráfico 7.4), como consecuencia de una regulación financiera menos rigurosa y una disminución de los obstáculos al comercio que aceleraron la apertura de la economía al mercado internacional. Recientemente, el énfasis puesto por Corea en los sectores intensivos en tecnología ha potenciado también la importancia del comercio internacional en su economía.

Gráfico 7.4. Proporción del PIB correspondiente al comercio, 1970-2010 (en porcentajes)

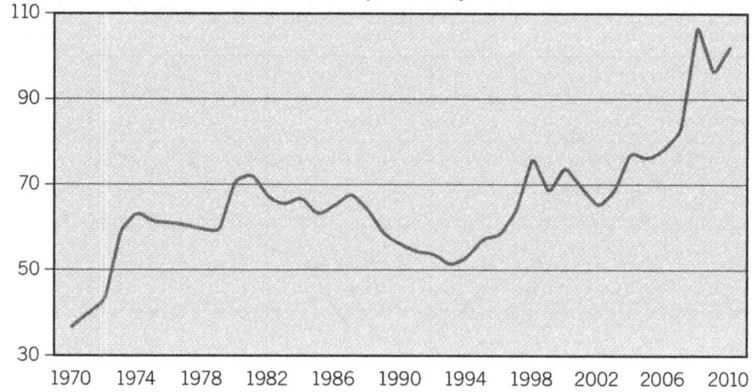

Fuente: Cálculos del autor, basados en datos procedentes de la base de datos STAN de la OCDE.

Junto con una elevada productividad y el aumento de la producción propiciado por el comercio, la vía alta para el desarrollo da prioridad al «crecimiento con equidad» o «crecimiento compartido». Este fenómeno observado en las economías del Asia Oriental ha sido ampliamente reconocido, por ejemplo por el Banco Mundial (1993) y por Campos y Root (1996). Antes de la crisis de 1997, el rápido crecimiento registrado en la República de Corea estuvo acompañado de reducciones de la desigualdad y la pobreza. La desigualdad de los ingresos, medida con el coeficiente de Gini, comenzó a disminuir a partir de mediados de la década de 1970 (Jomo, 2006; OCDE, 1994) y siguió disminuyendo en los años que precedieron a la crisis de 1997 (gráfico 7.5). A medida que aumentaba el crecimiento, también aumentaron los salarios y el empleo: la tasa de empleo (proporción de personas empleadas en relación con el total de la mano de obra) ha aumentado de manera constante a pesar de haberse registrado un elevado crecimiento de la productividad laboral y también un aumento de los salarios reales, aunque más lento que el de la productividad.

No obstante, tras la crisis de 1997 el Fondo Monetario Internacional exigió a la República de Corea que abriera su economía a los mercados mundiales de productos y capitales. Este factor, combinado con la inversión pública en sectores con alto grado de tecnología, dio lugar a una reducción del potencial para la creación de empleo. La desigualdad aumentó de manera considerable y la tasa de empleo se estancó. El país se vio así confrontado a la urgente necesidad de encontrar la forma de sustentar el aumento de la productividad y al mismo tiempo crear empleos y reducir la desigualdad y la pobreza —una combinación de objetivos que suponía un reto, tanto para las políticas industriales como para los sistemas de desarrollo de competencias laborales—.

Gráfico 7.5. Tendencias del coeficiente de Gini, 1982–2007

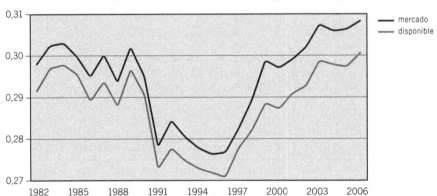

Source: Cálculos de Roh Dae-Myung (Instituto de Salud y Asuntos Sociales de la República de Corea), basados en la encuesta sobre ingresos y gastos de los hogares de la Oficina Nacional de Estadística de la República de Corea.

7.2.2 El crecimiento con equidad bajo presión: la función clave de la educación y la formación

La inversión en el desarrollo de competencias laborales fue fundamental para que Corea pudiera mantener tasas elevadas de crecimiento económico y preservar al mismo tiempo la equidad. Esto no habría sido posible sin la ampliación de oportunidades de educación y formación. Como señalan Green y otros (1999), el «milagro económico» ha ido acompañado de un «milagro educativo». La República de Corea no solo consiguió dotarse de una economía industrializada en el lapso de una generación, sino que creó además un sistema completo de colegios, escuelas politécnicas y universidades, junto con una red de centros públicos y privados de formación.

Se organizó la educación formal de manera que respondiese específicamente a las necesidades de la economía proporcionando una mano de obra altamente cualificada. La consiguiente ampliación de la base de competencias laborales permitió el rápido desarrollo económico de la República de Corea. Nübler (2013, de próxima publicación) sostiene que es crucial aumentar la diversidad, la variedad y la complejidad de la estructura de conocimiento de la mano de obra y transformar y enriquecer la combinación específica de elementos de conocimiento. El desarrollo de estructura de logro educativo de medio fuerte es esencial para mejorar las posibilidades de desarrollo del sector manufacturero y ampliar el alcance del desarrollo industrial.

Este capítulo muestra de qué manera la República de Corea ha logrado una rápida expansión y una transformación fundamental de la base nacional de competencias laborales y de conocimientos mediante la educación formal. El promedio de años de educación cursados aumentó para todos los grupos de edad de la población de 7,6 años en 1980 a 11,6 años en el 2010. Para la cohorte comprendida entre los 20 y 29 años, el aumento correspondiente fue de 9,9 años en 1980 a 14,1 años en el 2010 (cuadro 7.1).

Cuadro 7.1 Promedio de años de educación cursados por grupo de edad

	Todas las edades	6-19	20-29	30-39	40-49	50+
1980	7,6	6,5	9,9	9,2	7,5	4,2
1985	8,6	6,7	11,0	10,1	8,5	4,6
1990	9,5	7,7	12,0	11,1	9,5	5,5
1995	10,3	7,0	12,7	12,1	10,5	6,3
2000	10,6	5,7	13,1	12,8	11,2	7,2
2005	11,2	4,2	13,8	13,6	12,3	8,2
2010	11,6	4,8	14,1	14,0	13,0	9,1

Fuente: Censo de Población, Oficina Nacional de Estadística de la República de Corea.

Como se indica más adelante, la ampliación de la educación se llevó a cabo muy rápidamente y estuvo en estrecha coordinación con la estrategia de desarrollo industrial. Gracias a eso, no hubo situaciones prolongadas de escasez de competencias laborales, a pesar de unos períodos de crecimiento sostenido sin precedentes. Esto confirma el marco de capacidades desarrollado por Nübler, según el cual la transformación de la estructura del conocimiento de la mano de obra tiene que preceder a la transformación estructural de la economía, ya que determina el espacio de opciones para la diversificación industrial mediante el desarrollo de nuevas industrias.

Los recursos para esta ampliación de la educación fueron proporcionados por la población y por el Gobierno. En el año 2008, la República de Corea destinó el 7,6 % del PIB a las instituciones educativas de todos los niveles, porcentaje muy superior al promedio del 5,9 % de la OCDE y la segunda proporción más alta entre los países de la OCDE después de Islandia (OCDE, 2011). Aunque el gasto público en educación como porcentaje del PIB (4,7 %) es ligeramente inferior al promedio de la OCDE (5,0 %), el gasto privado en educación es el más alto de la OCDE: 2,8 % en 2008. Las altas tasas de crecimiento sostenido, los rápidos cambios tecnológicos, los índices elevados de creación de empleo, los aumentos de los salarios reales y una distribución más equitativa de los ingresos, sirvieron de incentivo para que el sector privado invirtiese en la educación y asumiera gran parte de los costes.

Al mismo tiempo, la rápida evolución de la economía de Corea, que incidió en las tendencias de la exportación y la estructura de la industria y del empleo, generó una amplia gama de nuevas oportunidades de empleo. Dado que las personas con mayor nivel de instrucción estaban en mejores condiciones para aprovecharlas, esto intensificó la demanda de educación (J.W. Lee, 2001). La estrategia de desarrollo orientada hacia el exterior también contribuyó a la ampliación de la base de competencias laborales. El acceso a mercados más grandes y más competitivos impulsó la demanda de trabajadores cualificados y propició la formación basada en la demanda. Al mismo tiempo, esto mejoró las perspectivas para utilizar los conocimientos y competencias adquiridos, lo cual constituyó un incentivo para que la población procurara alcanzar un mayor nivel de educación. Como resultado de ello, se creó un círculo virtuoso en el cual la educación y el crecimiento se reforzaron mutuamente.

Asimismo, una distribución más equitativa de los ingresos contribuyó de manera sustancial a la ampliación de la base de competencias laborales, al facilitar el acceso a un nivel superior de educación e incentivar al mismo tiempo el deseo de alcanzarlo como único medio para mejorar el estatus social. La República de Corea redujo considerablemente la desigualdad educativa entre 1970 y 1995. En 1970 la desigualdad educativa medida con el coeficiente de Gini superaba la del Brasil en 0,439, pero en 1995 había disminuido drásticamente a 0,189, el valor más bajo en un grupo de doce países en desarrollo examinados por López, Thomas y Wang (1998).

Sin embargo, desde mediados de la década de 1990 el panorama ha cambiado. La base educativa ha seguido ampliándose, con tasas más elevadas de acceso a la educación superior, pero las desigualdades se han acentuado. En el 2011, los hogares de altos ingresos, con más de seis millones de won surcoreanos (KRW) mensuales, gastaron 11,7 veces más en educación que los hogares de ingresos bajos, con un millón de KRW mensuales, o menos. En 1993, la proporción correspondiente era solo 5,5 veces mayor (Cheon y otros, 2013). Esta diferencia creciente puede reflejar un aumento del gasto en educación privada. Las universidades y colegios coreanos de enseñanza superior se clasifican en general en función de los resultados obtenidos por los estudiantes en los exámenes de ingreso, y una competencia cada vez más intensa ha llevado a muchas familias a gastar sumas considerables en clases de apoyo y educación privada. Como resultado de ello, la expansión de la educación está incrementando ahora la desigualdad y manteniendo las diferencias basadas en el estatus social en lugar de reducir la desigualdad y aumentar la movilidad social, como se pretendía inicialmente. Esta creciente desigualdad en la educación y los ingresos se ha producido al mismo tiempo que la apertura general de la economía a los mercados mundiales más allá del alcance de la reglamentación gubernamental, la continua evolución tecnológica y el debilitamiento de las políticas industriales.

7.3 Política gubernamental en materia de educación y formación

La sección siguiente examina la política aplicada por el Gobierno coreano en materia de educación y formación en la era de la industrialización (1965-95) y en particular el nuevo énfasis en la política relativa a la educación superior y la política de investigación y desarrollo.

7.3.1 Políticas de educación y formación en la era de la industrialización

Un bajo nivel de inversión pública en educación no significa que la política gubernamental no sea importante para el desarrollo de las competencias laborales. Las políticas de educación y formación de la República de Corea no solo han desempeñado un papel importante en la ampliación de la base de competencias laborales del país, con miras a aumentar las posibilidades de desarrollo industrial, sino también en la gestión de la oferta y la demanda de mano de obra y en la mejora de los niveles de especialización en función de la demanda de las industrias. Durante la etapa de industrialización (1965-95), el desarrollo de las competencias laborales fue impulsado por el Gobierno y complementado por el sector privado. Durante este período se puso énfasis en la educación general y formal, y los principales aspectos de la política gubernamental en este ámbito pueden resumirse como se indica a continuación.

En primer lugar, las políticas de educación y formación estaban estrechamente vinculadas a los objetivos nacionales de desarrollo. A la hora de tomar decisiones sobre el suministro de educación y formación, las necesidades de la economía se consideraban prioritarias con respecto a las de otras partes interesadas, como por ejemplo, los docentes, los ministerios gubernamentales e incluso los padres (Ashton y otros, 1999). En la práctica, esto se tradujo en una ampliación secuencial de la educación y la formación mediante la puesta en práctica por el Gobierno de una serie de políticas que transformarían la base de conocimientos de la fuerza laboral, a fin de prepararla para la diversificación prevista y de responder a la evolución de la demanda de especialización una vez establecidas esas industrias.

La República de Corea estableció la enseñanza primaria universal en 1960, antes del despegue de la industrialización que tuvo lugar más adelante en la misma década. La universalización de la educación media se produjo alrededor de 1985, y la de la educación secundaria, unos quince años más tarde, a finales de la década de 1990, aunque la enseñanza secundaria de nivel superior no es aún gratuita. El importante cambio en la política económica registrado en la década de 1970, con el énfasis que puso el Gobierno a partir de ese momento en la industria pesada y la industria química, se reflejó en la ampliación de los cursos de formación técnica y profesional en la educación secundaria y superior y la introducción de un sistema de formación profesional. La educación superior dejó de estar reservada a una élite para tener un alcance masivo durante la década de 1980, antes de que la economía basada en el conocimiento cobrara pleno impulso.[1] Otro nuevo aspecto de este proceso registrado en la década de 1990 fue la expansión de los programas de posgrado (J. L. Lee, 2002): el número de títulos de doctorado obtenidos por cada 10.000 personas aumentó de 0,6 en 1990 a 1,9 en 2006. En el siglo XXI, las decisiones del Gobierno con respecto a la asignación de fondos para las políticas de desarrollo de los recursos humanos siguen estando basadas en las previsiones de la oferta y la demanda de los sectores de importancia estratégica para la economía nacional. Según los términos empleados por Nübler (en este volumen), la política de educación orientada al futuro consiste en ampliar, consolidar y diversificar la estructura de conocimiento de la mano de obra y aumentar de esa forma el espacio de opciones para que las empresas nacionales puedan desarrollar nuevas industrias y actividades económicas —para impulsar la transformación estructural de conformidad con los planes nacionales de desarrollo—.

---

[1] El umbral de la educación superior masiva se define como el punto en el cual el 15 % de la cohorte de edad ingresa en alguna forma de enseñanza superior (Trow, 1973). Este nivel se alcanzó en la República de Corea en 1982, aunque la expansión más marcada de la educación superior se produjo posteriormente.

A pesar de algunos problemas y episodios periódicos de desbalance, esta estrategia orientada hacia el futuro, en la cual las estrategias en materia de educación y competencias laborales se han coordinado estrechamente con la política industrial, ha permitido ampliar continuamente las opciones para la transformación productiva y la mejora de la estructura económica del país a lo largo de las últimas décadas. Esta sigue siendo una herramienta de fácil acceso para garantizar la oferta de las especializaciones requeridas por los sectores existentes. Además, la ampliación secuencial de la educación contribuyó a fomentar la igualdad al permitir la integración por etapas de todos los sectores de la sociedad en la estructura moderna de la organización política y facilitó el acceso a los frutos del crecimiento económico.

El sistema educativo creó las condiciones previas para fortalecer el papel de la empresa como lugar de aprendizaje, al hacer posible que el sistema de formación respondiese rápidamente a la demanda de las especializaciones necesarias para aumentar la productividad económica (Guarini Molini y Rabellotti, 2006). Al aumentar la demanda de trabajadores más cualificados, impulsada a la vez por el desarrollo económico y los cambios estructurales de la economía a medida que diversos sectores cobraban importancia, el número de trabajadores a los que se impartió formación en el trabajo aumentó de 100.000 a mediados de 1970 a casi dos millones a mediados de la década de 2000.

En segundo lugar, si bien el sistema de desarrollo de competencias laborales estuvo en su mayor parte gestionado por el Gobierno, esa función se vio complementada por la actividad del sector privado. El Gobierno tenía que garantizar que el sistema de educación y formación fuese adecuado para cumplir el objetivo de proporcionar una mano de obra cualificada para potenciar la economía (Ashton, Sung y Turbin, 2000). Con tal finalidad, ejerció un firme control sobre los sectores de la educación y la formación, asegurándose de que se destinaran recursos mediante el empleo de fondos públicos de ser necesario, a fin de capacitar suficiente personal técnico calificado para sustentar un nivel elevado de crecimiento económico. Esto se logró orientando a los jóvenes hacia escuelas de formación profesional mediante diversas medidas de política.

A pesar de este alto grado de control del Gobierno sobre el sistema de educación y formación profesional, el sector privado ha desempeñado una función destacada en el suministro efectivo de servicios. El Gobierno, actuando siempre con las limitaciones de un presupuesto orientado al desarrollo económico, se apoyó en gran medida en el sector privado para ampliar la base educativa del país.[2] Si

---

[2] Geiger (1988) describe la experiencia de la República de Corea como ejemplo de modelo de «gran participación del sector privado y participación restringida del sector público», en contraste con el modelo de

bien el sector público ha desempeñado un papel particularmente importante en relación con la educación básica y secundaria, la financiación privada ha sufragado gran parte del coste del suministro de educación más allá del nivel básico; en particular, una proporción considerable de la educación superior ha sido suministrada por el sector privado. El porcentaje del gasto en educación correspondiente al sector privado seguía siendo alto en el 2005, situado alrededor del 40 % del total. La proporción de estudiantes matriculados en instituciones del sector privado en esa época era casi del 100 % en los colegios de enseñanza superior[3], el 80 % en las universidades y el 50 % en las escuelas de enseñanza secundaria. Aún así, el sector privado recibe recursos proporcionados por el Gobierno —en la forma de exoneraciones fiscales, subvenciones (para desarrollo de capital, becas y el fondo de pensiones de los docentes) y préstamos— y sigue estando bajo su control.

Esta combinación de recursos del sector público y del sector privado produjo buenos resultados durante el período de industrialización (hasta 1995). Como ha señalado Jisoon Lee (2002), los esfuerzos del sector público y del sector privado han sido complementarios, y juntos han contribuido sin duda a la mejora de la productividad y, de esa forma, a un crecimiento económico más rápido.

7.3.2 Educación superior: del control al auge

El papel de la educación superior en la República de Corea ha estado estrechamente vinculado a las necesidades de la economía y bajo riguroso control gubernamental. En consecuencia, este sector se vio contenido durante la primera etapa de la industrialización y registró una rápida expansión a partir de comienzos de la década de 1980. El principal instrumento de la intervención gubernamental en la educación superior antes de 1981 fue un sistema de «cuota de matrícula», mediante el cual el Gobierno decretaba cuántos estudiantes podían matricularse en cada colegio cada año. Estos cupos de matrícula se ampliaron de manera selectiva en función de las necesidades de mano de obra determinadas por la política industrial, que se concentraron particularmente en el campo de las ciencias naturales y la ingeniería.

A partir de los primeros años de la década de 1980, el Gobierno comenzó a poner más énfasis en la investigación y el desarrollo y a promover industrias

---

«sectores público y privado paralelos» de los Estados Unidos y de «gran sector público y sectores privados periféricos» de la Unión Europea.

[3] En la República de Corea, el nivel de colegio de enseñanza superior (*junior college*) corresponde a un curso de dos años equivalente a los colegios locales de enseñanza superior (*community college*) de los Estados Unidos.

basadas en el conocimiento. Además de la demanda cada vez mayor de altos niveles de especialización de la economía, la creciente y considerable proporción de graduados de escuelas secundarias deseosos de acceder a la educación superior, también creó una demanda para la ampliación de la educación superior. Sin una considerable expansión de la oferta, muchas de esas personas calificadas que aspiraban a acceder al nivel terciario no hubieran podido hacerlo, lo cual habría causado decepción y frustración entre alumnos y padres por igual (J. W. Lee, 2001).

Dos modificaciones de la política dieron un impulso adicional a la educación superior: la sustitución del sistema de cupos simple de matrícula por un sistema de «cuotas de graduados» en 1981[4] y la liberalización de las leyes que reglamentaban el establecimiento y el tamaño de las universidades en el marco de la reforma de la educación de 1995. Como resultado de estas modificaciones de la política, la educación superior llegó a ser menos jalada por la demanda y más empujada por la oferta. A raíz de esto se produjo un auge del suministro privado de educación superior y una comercialización de la misma (Kim y Lee, 2006).

Tras abandonarse el sistema de cupos en función del número de graduados en 1987, a finales del siglo pasado la proporción de graduados en ingeniería y ciencias en Corea superaba a la de casi cualquier otro país del mundo, y el nivel sigue siendo elevado, aunque ha disminuido en cierta medida desde comienzos de la década del 2000. Estas dos modificaciones de la política constituyeron un distanciamiento del sistema de estricto control de la educación superior en función de la demanda que había prevalecido hasta entonces. Su finalidad era mejorar la calidad de la educación superior mediante la introducción de un mecanismo de mercado, con un elemento de competencia entre las universidades y entre los estudiantes. Obviamente, la subsiguiente expansión de la educación superior contribuyó al desarrollo desde la década de 1990 de la economía basada en el conocimiento y las industrias de alta tecnología, especialmente en el sector de la tecnología de la información (TI). Si bien esta expansión de la base de conocimientos orientada en función de la oferta tenía por objeto crear opciones para el desarrollo de determinadas industrias en las que se centraban las políticas industriales, el enfoque ha dado lugar a problemas en la nueva fase del desarrollo económico, en la cual las políticas gubernamentales ya no están dirigidas específicamente a ciertas industrias. Esos problemas se refieren en concreto al exceso, la baja calidad y el desajuste de la oferta con respecto a las demandas del mercado de trabajo, tal y como se examina a continuación.

---

[4] Con arreglo a este sistema, se podía matricular un número de estudiantes equivalente hasta 1,5 veces al número de graduados.

7.3.3 I+D: más allá de una fuerza laboral capacitada

A medida que la economía evoluciona hacia niveles más elevados de desarrollo, la creación de conocimientos y su transferencia a las industrias cobra mayor importancia. En muchos países, las universidades cumplen esta función de I+D. Sin embargo, en la República de Corea las universidades se centraron en la enseñanza y la formación de los estudiantes para generar una mano de obra cualificada, mientras que la labor de investigación y desarrollo estuvo a cargo de institutos de investigación patrocinados por el Gobierno (GRI, por sus siglas en inglés) con la misión de llevar a cabo investigaciones orientadas en función de los objetivos del Gobierno y de la industria. La función primordial de la universidad con respecto a la industria consistía en proporcionar personal capacitado y no en la transferencia de tecnología y conocimientos.

El modelo original de I+D de Corea se ha caracterizado por la innovación mediante un proceso de crecimiento convergente basado en la ingeniería inversa y la imitación duplicativa (OCDE, 2005). El desarrollo tecnológico se llevó a cabo mediante una combinación de tecnología extranjera importada con esfuerzos de I+D nacionales a cargo de los GRI y de las empresas. Durante las décadas de 1960 y 1970, cuando el objetivo estratégico era la creación de industria pesada e industria química, se descuidó la innovación y el papel de los GRI consistió en ayudar a las empresas a adquirir, importar e incorporar tecnologías extranjeras. Dichos institutos actuaron también como nexo entre el Gobierno y la industria, comunicando los planes tecnológicos del Gobierno a las empresas, facilitando información tecnológica de importancia crucial para responder a las necesidades de las empresas, poniendo en marcha programas piloto de I+D y transfiriendo tecnología al sector privado (Sohn y Kenney, 2007). Asimismo, se aplicó una política activa de contratación de científicos e ingenieros surcoreanos que trabajaban en los Estados Unidos.

En la década de 1980, la labor del I+D y de la innovación comenzaron a desplazarse de los GRI hacia las empresas privadas. En 1982, se creó el Programa Nacional de Investigación y Desarrollo con la finalidad de incorporar tecnología, ayudando a las empresas a adaptar tecnología extranjera mediante sus propios esfuerzos en el ámbito de I+D. El número de empresas con centros de I+D aumentó de 54 en 1980 a 2.226 en 1995. Por consiguiente, en la República de Corea, la «transferencia de tecnología» no se refiere al flujo y transmisión de conocimientos de las universidades a la industria, sino más bien a la importación de tecnologías de otros países, por ejemplo de los Estados Unidos y Japón (Sohn y Kenney, 2007).

El inconveniente de este modelo de «crecimiento convergente» fue la debilidad del papel de las universidades en cuanto a la investigación y el desarrollo.

Aunque las universidades surcoreanas cuentan con docentes altamente calificados para realizar investigaciones según los criterios mundiales en la materia, su misión se ha limitado durante mucho tiempo a enseñar, sin ningún aliciente para llevar a cabo una labor de I+D. Si bien el número de profesores en ciencias e ingeniería aumentó en su conjunto de 1.230 en 1980 a 6.268 en ciencias y 14.092 en ingeniería en el 2001, alrededor del 80 % del total del presupuesto gubernamental en I+D correspondiente a ese período se destinó a los GRI y solo un 20 % se asignó a las universidades.

En otras palabras, la República de Corea ha desarrollado instituciones con diferentes niveles de «competencias colectivas». Nübler (en este volumen) sostiene que las instituciones «inteligentes» reflejan las competencias colectivas o habilidades colectivas que sustentan el alto rendimiento de la dinámica y los procesos de transformación productiva. El análisis muestra que Corea ha desarrollado grandes competencias en el ámbito de la enseñanza a nivel universitario y ha facilitado la transferencia y adopción de tecnologías avanzadas, pero no ha logrado desarrollar grandes habilidades para seguir desarrollando las tecnologías —una deficiencia que se refleja en la excesiva concentración de gasto de I+D en un pequeño número de empresas y de vínculos muy débiles entre las empresas, las universidades y los GRI—.

A finales de la década de 1980 se introdujeron nuevas políticas para abordar este problema y en cambio poner énfasis en la investigación universitaria como mecanismo para impulsar el desarrollo económico. Las universidades recibieron fondos públicos para crear centros de investigación científica, centros de investigación en ingeniería y centros de investigación regionales. En 1997 se establecieron seis «parques tecnológicos» para proporcionar espacio a nuevas empresas (en un plazo de dos a tres años desde su creación). En 1998 se aprobó la Ley Especial de Iniciativa Empresarial con objeto de fomentar la iniciativa empresarial en los sectores de alta tecnología, facilitando la transferencia de tecnología de la universidad a la industria y definiendo de qué manera se gestionarían las solicitudes de patentes.

7.4 Nuevos desafíos que requieren nuevas respuestas

Hasta ahora, la economía de Corea ha estado procurando alcanzar a las economías avanzadas mediante la incorporación de tecnologías, productos y procesos extranjeros y su mejora progresiva. No obstante, en la actualidad, ya no basta con la imitación: la tarea urgente que tiene ante sí el país es convertirse en un innovador situado a la vanguardia de la tecnología. Para ello, necesitará disponer de un sistema adecuado para desarrollar las competencias laborales y las habilidades innovadoras de que dispone con el fin de alcanzar nuevos y más elevados niveles.

Además, la experiencia de la crisis de 1997 y sus consecuencias modificaron el carácter de la economía de Corea, y el sistema de desarrollo de competencias laborales no se ha ajustado adecuadamente a las nuevas circunstancias de una economía orientada al mercado, totalmente expuesta al mercado mundial y mucho más dependiente del comercio. Este nuevo entorno, junto con el aumento de la inversión en TI, así como del consumo de la misma, ha modificado la estructura de la demanda de competencias laborales y ha incrementado la flexibilidad del mercado laboral.

Por último, algunos de los aspectos del antiguo sistema de desarrollo de competencias laborales que fue en una época parte del éxito de Corea se han convertido ahora en parte del problema. Por ejemplo, la política de ampliación de la base educativa mediante la transferencia de la carga de la financiación del Gobierno a los estudiantes y sus familias, aprovechando para ello la demanda social de educación y recurriendo al sector privado, si bien ha logrado una expansión masiva de la educación, ha redundado últimamente en una menor calidad de la educación y un aumento de la desigualdad en el acceso a la misma.

7.4.1 Identificando los desafíos

7.4.1.1 Aumento cuantitativo pero disminución cualitativa

La República de Corea ha logrado ampliar con éxito su base de competencias laborales mediante la movilización del sector privado y un uso eficaz de los recursos públicos. Sin embargo, este camino para el desarrollo de las competencias laborales ha generado un problema debido a la creciente diferencia entre el número cada vez mayor de estudiantes que se matriculan en instituciones de educación privadas y los limitados recursos disponibles para mantener su calidad.

Hayhoe (1995) afirma que la experiencia de este país ilustra la dificultad de mantener niveles académicos adecuados en las instituciones privadas, la tendencia de las mismas a tener poco prestigio y las desigualdades inherentes a una situación en la que los estudiantes más desfavorecidos pagan un precio relativamente alto por una educación de menor calidad. El problema de la calidad es más grave en el sector de la educación superior, en el cual el crecimiento cuantitativo no se ha acompañado de una mejora cualitativa[5]. Recientemente han surgido

---

[5] Solo tres universidades de la República de Corea figuran en la encuesta de 2005 sobre las 200 mejores universidades publicada en *Times Higher Education* (Londres) *(THE* y *QS*, 2005) y, en ese mismo año, el

inquietudes con respecto a la escasez de mano de obra en las áreas de las ciencias y la ingeniería, no en términos de cantidad, sino de calidad. Los resultados obtenidos por los estudiantes en el examen de aptitud académica en estas materias están empeorando.

El deterioro de la calidad de la enseñanza refleja las prioridades de la inversión en educación. Aunque el gasto total en educación de Corea es elevado, como se ha señalado anteriormente, en 2008 el gasto por estudiante en el nivel terciario estaba muy por debajo del promedio de la OCDE (OCDE, 2011). El gasto público en educación superior fue inferior a mil dólares estadounidenses (al tipo de cambio PPA) por estudiante, en comparación con el promedio de la OCDE de alrededor de 8.000 dólares. Las cargas para los usuarios, que ascienden al 84 % del coste total de la educación superior, son las más elevadas de la OCDE, mientras que el nivel de subsidios públicos, como, por ejemplo, becas, subvenciones, préstamos a estudiantes, transferencias y otros pagos, es el más bajo. Esto refleja el escaso volumen de fondos públicos destinados a la educación superior en general.

Más grave aún es la baja calidad de los colegios de enseñanza superior, financiados y administrados casi en su totalidad por entidades del sector privado, que están encargados de la formación profesional y técnica, función que cumplían previamente las escuelas de formación profesional. Los resultados en el mercado de trabajo de los graduados de colegios de enseñanza superior son ahora casi los mismos que los correspondientes a los egresados de la enseñanza secundaria.

Esta intensa competencia para conseguir plazas en universidades prestigiosas ha tenido un impacto negativo en la calidad de la educación secundaria: muchos estudiantes tienen que enfrentarse al «infierno de los exámenes» a expensas de la creatividad y la variedad en su educación secundaria. Un número cada vez mayor de padres está enviando a sus hijos a estudiar en el extranjero a fin de evitar la extrema competencia para matricularse en colegios de enseñanza superior nacionales.

7.4.1.2 Falta de ajuste entre la oferta y la demanda de competencias laborales

La República de Corea no ha tenido problemas graves o persistentes de escasez o de exceso de mano de obra en las últimas cuatro décadas. No obstante, es cada vez más

---

World Competitiveness Yearbook del IMD clasificaba a la República de Corea en el lugar número 52 en una lista de 60 países en cuanto a la adecuación de su educación universitaria a las necesidades de una economía competitiva (IMD, 2005).

evidente que el número creciente de graduados de colegios de enseñanza superior ha sobrepasado el aumento de la demanda de mano de obra correspondiente. La ampliación del suministro de educación orientado en función de la oferta, junto con el debilitamiento de las políticas basadas en la demanda y vinculadas a las políticas industriales, ha dado lugar a un deterioro cada vez mayor de las perspectivas para los jóvenes en el mercado laboral.

En el pasado, el rápido crecimiento económico acompañó la rápida expansión de la educación, de modo que el país pudo evitar el fenómeno del desempleo persistente de los graduados, que ya había afectado a otras economías en desarrollo como, por ejemplo, las de Filipinas y la India (Hayhoe, 1995). Sin embargo, el crecimiento más lento registrado en los años siguientes a la crisis de 1997 puso de manifiesto los problemas resultantes de la expansión de la educación superior impulsada por la oferta: malos resultados en el mercado laboral para los graduados y un descalce de las cualificaciones que redundó en una escasez de trabajadores con bajo y alto nivel de cualificación y un exceso de trabajadores con nivel medio de cualificación. Este desajuste, que se considera ahora como el factor más importante del desempleo juvenil refleja el fracaso de la educación superior para adaptarse adecuadamente a los cambios en la demanda de especializaciones y llevar a cabo una labor eficaz de desarrollo de competencias laborales (Yoon y Lee, 2007). Los programas de estudio de las instituciones de enseñanza superior son demasiado académicos y no hay vínculos entre esas instituciones y el mundo empresarial. Las repercusiones de esta situación, que ha dado lugar a aumentos de los costes de la formación en el marco de la empresa, han ocasionado de forma inevitable una pérdida de competitividad de las empresas.

Estos problemas no pueden resolverse volviendo a las políticas de educación y formación dirigidas por el Gobierno con arreglo a las cuales las estrategias de desarrollo industrial articulaban la educación con las políticas industriales. El Gobierno ha abandonado esas estrategias industriales, y en todo caso ese enfoque tiene menos posibilidades de éxito en las circunstancias actuales debido a la falta de información acerca de los rápidos cambios en la demanda de especializaciones. Por ejemplo, a comienzos de la década del 2000, el Gobierno decidió promover la oferta de cualificaciones en el campo de la tecnología de la información y lo que logró fue crear un exceso de oferta de trabajadores con un nivel medio de especialización. De todas formas, habrá que buscar la solución a este problema, reforzando la cooperación y el establecimiento de redes entre la industria y las instituciones educativas y potenciando la capacidad del sector público para reunir información pertinente y transmitirla tanto a los estudiantes como a las instituciones de enseñanza y de formación.

7.4.1.3 Desequilibrio entre la educación formal y el aprendizaje a lo largo de la vida

Dado que la principal función con respecto al desarrollo de competencias laborales recae en la educación formal y general, la inversión de Corea en capital humano tras el ingreso en el mercado laboral es muy reducida. El gasto del Gobierno central en aprendizaje a lo largo de la vida representa solo el 0,1 % del PIB, mientras que el gasto público en educación formal (excluidos todos los fondos procedentes de fuentes privadas) alcanzó el 4,7 % del PIB en el 2008. La participación en el aprendizaje a lo largo de la vida es igualmente baja, alrededor del 20 % de la población.

El actual sistema de desarrollo de competencias laborales del país se caracteriza por una educación de tipo académico impartida en escuelas para los más jóvenes y una formación limitada en la empresa para las personas empleadas. A pesar de que el volumen de la formación en la empresa ha aumentado desde 1996, la tendencia de las empresas a invertir en la formación está disminuyendo. El gasto en formación disminuyó del 2,1 % del total de los costes laborales en 1996 al 1,5 % en 2003 —muy por debajo del promedio de la Unión Europea (UE) del 2,3 % en 1999—. En cuanto a las pequeñas y medianas empresas (pymes), el porcentaje no sobrepasa el 0,5 %. En la actualidad, las empresas de la República de Corea prefieren contratar trabajadores calificados en lugar de formar ellos mismos su personal, y los trabajadores por su parte dudan en invertir en formación en un mercado laboral cada vez más flexible.

Si se quiere que los trabajadores tengan mayor adaptabilidad para poder hacer frente en mejores condiciones a los riesgos crecientes que plantea la globalización, la innovación tecnológica y el envejecimiento de la población, es necesario dotarlos con competencias laborales amplias y transferibles durante toda su vida laboral. La presión sobre el sector público para que proporcione formación fuera del contexto de la empresa es cada vez mayor.

7.4.1.4 Desigualdad

La oferta de oportunidades educativas para todos los ciudadanos por igual, independientemente de su sexo, edad u origen regional, ha contribuido a reducir la pobreza y la desigualdad social y a aumentar la movilidad (J. Lee, 2002). Sin embargo, se plantea ahora cada vez más la necesidad de examinar si la educación y la formación siguen teniendo esos efectos positivos.

En primer lugar, la falta de adecuación del sistema de enseñanza secundaria, el deterioro de la calidad de las escuelas y la competencia excesiva por las plazas en las universidades prestigiosas han llevado a un número cada vez mayor de estudiantes y padres a recurrir a la enseñanza privada, cuyo coste está aumentando rápidamente. Este es, al parecer, el factor clave en relación con la educación que está dando lugar a una desigualdad social creciente (ídem).

En segundo lugar, se está abriendo una «brecha de formación» entre los trabajadores en plantilla de las grandes empresas (trabajadores regulares) y los trabajadores de las pymes, los trabajadores irregulares y las trabajadoras, ya que todos ellos se encuentran en una situación de relativa desventaja. En 2005, solo el 9,9 de los trabajadores de pequeñas y medianas empresas participaron en el Programa de Desarrollo de Vocacional y de Habilidades, frente al 87,0 % de los trabajadores de las grandes empresas. En 2003, el 14,8 % de los trabajadores regulares habían recibido algún tipo de formación durante los doce meses anteriores, mientras que el porcentaje correspondiente de trabajadores irregulares fue solo el 2,3 % (cálculos del autor basados en datos del Instituto de Estudios Laborales de Corea (KLI), 2003).

Para restablecer el crecimiento con equidad y encaminar al país nuevamente por la vía alta para el desarrollo, será necesario elaborar nuevos programas de políticas, a fin de garantizar una mayor inversión en la educación secundaria pública, un programa más eficaz de préstamos a estudiantes y más oportunidades de formación para los grupos de trabajadores relativamente desfavorecidos.

7.4.2 Cambio y reforma: la respuesta del Gobierno

Los esfuerzos del Gobierno para abordar los problemas relacionados con el viejo sistema de desarrollo de competencias laborales y responder de forma creativa a la transición de la economía basada en el conocimiento se iniciaron en 1995 con la labor de la Comisión Presidencial sobre la Reforma de la Educación y la incorporación de una asignación para la formación profesional en el sistema de seguro de empleo. Aunque las reformas promovidas por dicha Comisión se basaron en conceptos de la educación y la formación orientados en función de la demanda y basados en el mercado, esas reformas no bastaron para resolver los problemas existentes. Las políticas gubernamentales de educación y formación recientes, si bien se inspiran en ideas de la reforma anterior que hacen hincapié en la competencia y la respuesta a la demanda, ponen mayor énfasis en el establecimiento de redes y la concertación social entre las partes interesadas. Dicho de otro modo, es necesario integrar las nuevas capacidades colectivas en instituciones y procedimientos «inteligentes». Esto incluirá la capacidad para coordinar y adecuar las estructuras de conocimiento de la fuerza laboral a fin de crear las opciones necesarias para el desarrollo de las industrias y las tecnologías que se quiere promover (Nübler, de próxima publicación). También será importante asegurarse de que las instituciones cuenten con medios suficientes para ofrecer las cualificaciones necesarias para mantener una productividad elevada en las industrias existentes.

7.4.2.1 El desarrollo de los recursos humanos a escala nacional como estrategia fundamental

En 2001, el gobierno de la República de Corea añadió el desarrollo de los recursos humanos al cometido del Ministerio de Educación, denominado en adelante Ministerio de Educación y Desarrollo de los Recursos Humanos (MOE-HRD), y promovió su director al cargo de viceprimer ministro con la responsabilidad de supervisar y coordinar todas las iniciativas de política, importantes para el desarrollo de los recursos humanos. Esto constituyó un paso importante, no solo desde un punto de vista simbólico, al considerarse el desarrollo de los recursos humanos como estrategia fundamental para el desarrollo nacional, sino también desde el punto de vista práctico, al crearse un organismo para centralizar las políticas de desarrollo de los recursos humanos que habían estado repartidas previamente entre varios ministerios, lo cual permitió el examen y coordinación de esas políticas a nivel nacional con una perspectiva a largo plazo.

La puesta en práctica de políticas de desarrollo de los recursos humanos a escala nacional requirió la creación de un marco y un sistema de apoyo, incluyendo una visión a medio y largo plazo del desarrollo de los recursos humanos, estrategias de aplicación y organismos para la aplicación de dichas políticas en cada ministerio. Con tal finalidad, el Gobierno estableció en el 2001 la Comisión Ministerial sobre Desarrollo de los Recursos Humanos, integrada por catorce ministerios, y promulgó la Ley Básica sobre Desarrollo de los Recursos Humanos en el 2002. Además se diseñaron una serie de instrumentos para ayudar al Ministerio de Educación y Desarrollo de los Recursos Humanos y a la Comisión a coordinar las políticas en la materia; esto incluyó un plan de evaluación de políticas, indicadores de políticas de desarrollo de los recursos humanos, proyecciones de la mano de obra, análisis de la inversión y un sistema de asignaciones presupuestarias.

La coordinación de las políticas establecida por el Ministerio de Educación y Desarrollo de los Recursos Humanos y dicha Comisión dio lugar a la elaboración de varios documentos, incluidos el Plan Global para Activar la Cooperación entre la Industria y las Instituciones Académicas, el Plan Global para el Fomento de los Recursos Humanos en Áreas de Sectores Nacionales Estratégicos (2003), los Planes Básicos para el Desarrollo de los Recursos Humanos (2001, 2006) y las Perspectivas a Medio y Largo Plazo de la Demanda y la Oferta de Recursos Humanos Nacionales (2002).

7.4.2.2 Desarrollo de los recursos humanos básicos en los sectores nacionales estratégicos

Las políticas industriales tradicionales, caracterizadas por un enfoque secuencial y centradas en sectores específicos, han perdido gran parte de su importancia inicial. No obstante, sigue habiendo posibilidades para aplicar políticas industriales dirigidas a fomentar sectores de importancia estratégica mediante subvenciones en las áreas de I+D y desarrollo de los recursos humanos y para desarrollar una mano de obra dotada de la combinación adecuada de conocimientos, a fin de sustentar el crecimiento económico y la creación de empleo.

Se espera que el denominado «Proyecto 6T» que incluye TI y biotecnología, que se convirtió en el Proyecto sobre las Industrias de Nueva Generación como Motor del Crecimiento en el 2003, desempeñe un papel clave en el desarrollo de Corea mediante la creación de sectores de alto valor añadido en una economía con una creciente necesidad de conocimientos especializados e información. Lo que distingue el nuevo proyecto industrial respecto de las antiguas políticas industriales es el énfasis puesto en los recursos humanos como fuente de competitividad en el mercado mundial de la economía internacional basada en el conocimiento del siglo XXI. El Gobierno reconoce que los recursos humanos de alta calidad son esenciales para una economía que intenta dar un salto para situarse entre las naciones líderes y crear y mantener un nuevo impulso para el crecimiento nacional continuo. En la actualidad se están poniendo en práctica los Planes Globales para el Desarrollo de los Recursos Humanos en las Industrias de Ingeniería de Nueva Generación que propician el Crecimiento y las Seis Áreas Nacionales Estratégicas.

Si bien es difícil «elegir ganadores» y de esa forma identificar las cualificaciones requeridas para la nueva generación de industrias, el Gobierno procura determinar las cualidades que se exigirán a quienes trabajen en los sectores de vanguardia. Por ejemplo, el Ministerio de Educación y Desarrollo de los Recursos Humanos, junto con el Ministerio de Comercio, Industria y Energía y el Ministerio de Información y Comunicación, formuló el Programa de Fomento de la Mano de Obra con Alto Valor Añadido, el cual apoya a las universidades que ofrecen programas de formación práctica para responder a las necesidades de la industria en relación con la fabricación de la nueva generación de semiconductores, las telecomunicaciones y los dispositivos de visualización. El Gobierno ha estipulado que las universidades deberían preparar trabajadores dotados con competencias laborales que respondan específicamente a las necesidades de las industrias nacionales estratégicas y que los graduados universitarios deberían ser capaces de incorporarse directamente al empleo, sin necesidad de recibir formación en el marco de la empresa.

Los factores clave para el éxito de esas políticas son la coordinación entre los organismos gubernamentales y la colaboración entre la industria y las instituciones académicas. Estos son los objetivos fundamentales que motivaron la creación del Ministerio de Educación y Desarrollo de los Recursos Humanos y de la Comisión de Desarrollo de los Recursos Humanos.

7.4.2.3 Reforma de la educación superior

En una economía basada en el conocimiento, el desarrollo continuo requiere una educación superior de alta calidad. En consecuencia, el Gobierno procura elevar las universidades del país a un nivel en el que puedan competir con las mejores universidades del mundo y actuar como un nuevo motor para el crecimiento económico sostenible. En el 2003, tras examinar la experiencia de la reforma de la educación llevada a cabo durante los ocho años anteriores, el nuevo Gobierno del Partido Democrático introdujo su Plan para Fortalecer la Competitividad de las Instituciones Surcoreanas de Educación Superior. Este plan se centró en tres objetivos: reforzar la autonomía de las universidades, fomentar la competencia para fortalecer las habilidades en materia educativa y de investigación y prestar apoyo intensivo a determinadas universidades. Se trata en realidad de reestructurar la oferta excesiva de las instituciones de educación superior y mejorar su calidad mediante un sistema selectivo de subsidios basados en la evaluación del rendimiento. El concepto de «autonomía» implica, en efecto, una reestructuración voluntaria a la luz de la rápida reducción prevista de la población estudiantil en el futuro próximo, incentivada por la oferta de subsidios gubernamentales para las universidades y colegios de enseñanza superior que establezcan alianzas y fusiones con otras instituciones. Al mismo tiempo, con miras a alentar la reducción del tamaño de las clases así como las fusiones de departamentos universitarios, el Gobierno establecerá metas anuales para la mejora de la calidad de la enseñanza, incluida la disminución del número de estudiantes por docente.

El aspecto más ambicioso de la reforma de la educación superior es el objetivo de aumentar la competitividad general mediante la competencia, la especialización (diversificación) y la inversión pública. Con tal finalidad, se suprimirá gradualmente el sistema actual de apoyo uniforme a todas las universidades. En cambio, el Gobierno seleccionará programas e instituciones que se destaquen entre otros, de índole y función similares, para concentrar en ellos el apoyo y la inversión de manera selectiva. De conformidad con estas orientaciones de política, el gobierno promovió proyectos como el denominado *Brain Korea 21* (BK21), que tenía por finalidad ayudar a las universidades a convertirse en instituciones de investigación de categoría mundial y establecer un sistema de escuelas profesionales de nivel superior para formar personal altamente capacitado en función de las necesidades de la economía y la sociedad del país. Sobre la base de un cuidadoso análisis y evaluación de los resultados del BK21, llevado a cabo entre 1999 y 2005, el Gobierno formuló el segundo proyecto BK21 (2006-12), centrado en el desarrollo de las ciencias y la tecnología en los sectores que el Ministerio de Educación y Desarrollo de los Recursos Humanos considera de importancia estratégica a nivel nacional como nuevos motores del crecimiento.

7.4.2.4 Colaboración entre la industria y la academia y especialización de las instituciones de enseñanza superior

El proceso de desarrollo de la República de Corea es particularmente interesante porque su economía creció a gran velocidad, pese a una limitada interacción directa entre la industria y las universidades y al escaso establecimiento de clústeres en las zonas cercanas a las universidades (Sohn y Kenney, 2007). No obstante, a medida que la economía basada en el conocimiento se desarrolla, esta interacción resulta cada vez más importante para sustentar el desarrollo y mejorar el desempeño en el mercado laboral de los graduados de colegios de enseñanza superior y universidades.

Con objeto de promover la colaboración entre la industria y las universidades, se promulgó la Ley sobre la Promoción de la Educación Industrial y la Promoción de la Colaboración entre la Industria y las Universidades en 2003, con arreglo a la cual se permite el establecimiento de empresas en el campus universitario, con miras a la creación de centros de investigación conjunta en el campus, el establecimiento de departamentos basados en contratos con empresas, y la financiación de programas de educación superior y desarrollo de materiales en colaboración con la industria.

La promoción de la colaboración entre la industria y las universidades fomenta la especialización de las instituciones de enseñanza superior. Un proyecto destacado en este ámbito fue el de la iniciativa Nuevas Universidades para el Desarrollo Regional (NURI, por sus siglas en inglés), que se inició en el 2003 y prosiguió con la denominación LINC (*Leaders in Industry-University Cooperation*), a cargo del nuevo Gobierno que entró en funciones en 2008. El objetivo de este proyecto es prestar un intenso apoyo a las universidades centrándose en la capacitación del personal con formación especializada necesario para el desarrollo económico regional. El proyecto estaba destinado a facilitar el intercambio y la colaboración entre las universidades, las industrias, los institutos de investigación y el gobierno local.

7.4.2.5 Remediar el déficit de formación: concertación social para la formación

En un país en transición hacia una economía basada en el conocimiento y que procura permanecer en la vía alta para el desarrollo, la formación y el aprendizaje a lo largo de la vida son cada vez más importantes. El análisis empírico (teniendo en cuenta otras variables) ha mostrado que los efectos de la formación en la República de Corea han sido muy positivos a todos los niveles tanto por lo que respecta a las empresas como a los trabajadores (B. H. Lee, 2004). Sin embargo, a pesar de estos efectos favorables, la formación ha desempeñado una función relativamente menor en la ampliación de la base de competencias laborales para el desarrollo económico, en comparación con la importancia atribuida a la educación general y formal. La tasa de participación de los adultos en el aprendizaje a lo largo de la vida, situada en el 21 %, es una de las más bajas entre los países de la OCDE (el promedio es superior al 35 %) y la inversión de las empresas en la formación se ha estancado desde la crisis de 1997.

La concertación social podría ser la solución para remediar ese déficit de formación, que es el resultado a la vez de las fallas del mercado y de la falta de adecuación de la política gubernamental. Ahora bien, la República de Corea tiene poca experiencia a ese respecto, sobre todo en el área del desarrollo de competencias laborales. Por otra parte, el entorno de las relaciones laborales tiende a la confrontación, con un proceso de negociación colectiva centrado excesivamente en cuestiones como los salarios y las condiciones de trabajo. Recientemente, debido a la creciente presión de los interlocutores sociales y la sociedad civil, el Gobierno ha tomado medidas para establecer un marco institucional y orgánico para la concertación social en el ámbito de la formación. Por ejemplo, uno de los principales objetivos de la enmienda a la Ley de Promoción de la Formación Profesional en el 2004, que se convirtió así en la Ley sobre Desarrollo de la Competencia Profesional de los trabajadores, era promover la concertación social en el país como política a largo plazo. Se han establecido también algunos pactos sociales entre representantes de los trabajadores y de los empleadores que incluyen disposiciones sobre la formación, como la Comisión Tripartita en los años 2001 y 2005 y el Pacto Social para la Creación de Empleo en el 2003. Sin embargo, estas leyes y acuerdos se han traducido solo de forma limitada en competencias colectivas y han dado lugar a escasa colaboración basada en una auténtica y activa concertación social en el campo de la formación. No obstante, contribuyeron a crear un clima propicio para la concertación social con vistas a la formación a nivel sectorial o regional, y dieron lugar al surgimiento de iniciativas como el programa del consorcio para la formación y el consejo sectorial de desarrollo de los recursos humanos. A medida que se van acumulando experiencias similares en esos niveles, la concertación social puede convertirse en una herramienta eficaz para proporcionar incentivos a todas las partes interesadas, incluidos los trabajadores y la dirección de las empresas, para invertir en la formación.

7.4.2.6 Mejora de la igualdad mediante la educación y la formación

La integración social es tan importante como la competitividad económica en la estrategia de «crecimiento con equidad» para el desarrollo. Sin embargo, a medida que la República de Corea se orienta hacia una economía basada en el conocimiento y el aspecto central de la educación se desplaza hacia la calidad, la diversidad y la creatividad, los efectos positivos de la educación sobre la igualdad que eran tan evidentes en las primeras décadas del desarrollo parecen estar disminuyendo. Para lograr el objetivo del crecimiento con equidad, no basta con ampliar la oferta de educación y de formación. Es esencial para ello que los Gobiernos garanticen que los grupos vulnerables de la sociedad tengan acceso a una educación de calidad y a oportunidades de formación.

Habida cuenta de la pesada carga que soportan las familias que costean una enseñanza privada, la tarea más importante que tiene ante sí el Gobierno para reducir la desigualdad educativa es mejorar la calidad de la enseñanza secundaria pública y restaurar así la confianza del público en la misma. Esta es una cuestión muy amplia que va más allá del alcance de este capítulo.

El país tiene que resolver tres cuestiones en materia de política educativa que no ha abordado en mucho tiempo: la prohibición en la jeraquización de las escuelas secundarias, la prohibición a que las universidades apliquen sus propios exámenes de ingreso, y prohibir la aceptación de pagos por parte de estudiantes o sus familias para conseguir plazas. En el sistema revisado de admisión a la universidad que se puso en marcha en el 2008, se hace mayor hincapié en los expedientes escolares en lugar de los resultados de los exámenes. Ahora bien, las políticas de ingreso a la universidad son una cuestión política candente y difícil de abordar para el Gobierno, debido a lo cual se mantienen en vigor aunque puedan estar en contradicción con la tendencia de aumentar la autonomía y la diversidad de las instituciones de educación superior.

Otro medio posible para reducir la desigualdad en el acceso a la educación podría consistir en extender el sistema de préstamos a estudiantes. En el 2012 se introdujo una garantía gubernamental en dicho sistema con el fin de garantizar el acceso a la educación universitaria para un número mayor de estudiantes, con préstamos a largo plazo y bajo interés para cubrir los gastos de subsistencia, así como los derechos de matrícula.

Mientras tanto, en el ámbito de la formación, se están elaborando muchos programas específicos para apoyar a los grupos desfavorecidos como los trabajadores de las pymes, los trabajadores con empleo irregular, los trabajadores independientes que realizan actividades a pequeña escala, las trabajadoras y los trabajadores de mayor edad. El actual Gobierno ha destacado la inclusión social como una de las principales metas de sus políticas de formación profesional.

7.5 Conclusiones en materia de política

Durante las últimas cuatro décadas de rápido desarrollo económico, la República de Corea ha modernizado no solo su estructura económica e industrial, sino también su sistema de desarrollo de competencias laborales. Si bien ese sistema ha experimentado algunas situaciones de desajuste y desequilibrio y quedan aún muchos problemas por resolver, en general ha contribuido de manera considerable y sustancial al objetivo de crecimiento con equidad del país. Las políticas de educación y formación consiguieron desarrollar las competencias laborales requeridas para conseguir un crecimiento convergente y también ajustar la demanda y la oferta de las cualificaciones necesarias para la modernización industrial, aunque con un proceso de ensayo y error en las primeras etapas del desarrollo antes de mediados de la década de 1990.

Sin embargo, desde entonces la República de Corea ha experimentado los grandes cambios que han afectado a toda la economía mundial, en concreto, la globalización, el rápido avance de la TI y la creciente flexibilidad de los mercados laborales. Estos cambios dificultaron el funcionamiento eficaz y eficiente del antiguo sistema de desarrollo de competencias laborales.

En respuesta a esos desafíos, el Gobierno emprendió una serie de experimentos en la esfera de las políticas para transformar el antiguo sistema en uno nuevo más apropiado. Por consiguiente, es posible extrapolar las conclusiones en materia de políticas según el ejemplo de la República de Corea a otros países en desarrollo que intentan alcanzar un crecimiento convergente con respecto a los países desarrollados en lo que atañe a la modernización de sus estructuras económicas e industriales y la mejora del bienestar social. A ese respecto, se pueden plantear cinco puntos concretos.

En primer lugar, el suministro de educación y formación debería determinarse en función del nivel de desarrollo del país. En Corea, la coordinación y escalonamiento de la ampliación de la educación y los esfuerzos por mejorar su calidad permitió una asignación eficaz de los recursos entre los diversos niveles educativos a largo plazo. Es fundamental también que las necesidades de la economía y la industria se reflejen en las cualificaciones impartidas mediante la educación y la formación. Asimismo, los países deberían desarrollar instituciones capaces de coordinar eficazmente el desarrollo industrial con las políticas en materia de educación, formación e I+D. La República de Corea se basó en el control gubernamental de la educación y la formación en las primeras etapas del desarrollo y más recientemente ha hecho hincapié en la participación del sector privado y la concertación social entre las partes interesadas

En segundo lugar, incluso en un entorno de globalización en el que las fuerzas del mercado dominan en todo el mundo, el Gobierno sigue desempeñando un papel importante en el desarrollo de competencias laborales. En la República de Corea, la transición repentina a un sistema orientado en función del mercado en el marco de las reformas de la educación de 1995 dio lugar a un exceso de oferta, un desajuste entre la oferta y la demanda y déficits de competencias laborales. Estos resultados muestran que sigue habiendo una deficiencia del mercado en materia de educación y formación y también que el papel del Gobierno es necesario, aunque de forma diferente. Si bien es cierto que resulta más difícil y menos eficaz controlar directamente todo el proceso de desarrollo de competencias laborales, el gobierno puede no obstante inducir a las partes interesadas en la educación y la formación a actuar en consonancia con los objetivos sociales y nacionales mediante la creación de sistemas eficaces de incentivos, como se observó en la reforma de la educación superior en Corea.

En tercer lugar, la participación de las partes interesadas y los interlocutores sociales en el desarrollo de competencias laborales es cada vez más importante. Un sistema de desarrollo de competencias laborales regulado exclusivamente por el Estado no permitiría satisfacer las necesidades concretas de las empresas, habida cuenta sobre todo de la expansión y diversificación de la economía y de su evolución hacia sectores más altamente desarrollados y basados en el conocimiento. Uno de los aspectos débiles del sistema de desarrollo de competencias laborales de la República de Corea fue el escaso nivel de participación de las diversas partes interesadas y de concertación entre las mismas. El país procura ahora poner en marcha, junto con las instituciones «competentes», un modelo «inteligente» de desarrollo de competencias laborales (Nübler, en este volumen) en el cual la participación activa de empleadores y trabajadores en la educación y la formación esté respaldada por el apoyo institucional del Gobierno. Experiencias como, por ejemplo, el programa del consorcio para la formación y algunas experiencias regionales de colaboración en el campo del desarrollo de los recursos humanos muestran que es posible establecer un sistema de desarrollo de competencias laborales basado en la colaboración, incluso en un entorno de relaciones laborales que no se caracteriza por la cooperación. Estos ejemplos muestran también la importancia de la concertación a nivel medio (sectorial o regional), que puede lograr resultados positivos independientemente de la falta de cooperación en el entorno de las relaciones laborales a nivel central y en los lugares de trabajo.

En cuarto lugar, la República de Corea alcanzó un nivel masivo de educación general sin introducir la especialización en la educación secundaria profesional. En el período de rápido crecimiento, la especialización en una etapa posterior era viable y la combinación de educación general y formación en el marco de la empresa resultaba eficaz. No obstante, este sistema dio lugar a muchos problemas en etapas posteriores del desarrollo, cuando Corea dejó de aplicar una estrategia basada en la planificación y focalización en industrias específicas y adoptó en cambio una estrategia de promoción de tecnologías de mayor alcance. Ese cambio de orientación redundó en un exceso de oferta de educación superior y una falta de adecuación entre los resultados de la educación y las demandas del mercado laboral. Esto ilustra la importancia crucial de encontrar un equilibrio y una secuencia adecuados entre los esfuerzos en materia de educación general y de formación profesional.

En quinto lugar, el caso de la República de Corea demuestra que la ampliación cuantitativa de la base de competencias laborales no garantiza el crecimiento con equidad en la transición de un país hacia una economía basada en el conocimiento. Los esfuerzos gubernamentales deberían centrarse en políticas que fomenten la equidad en ámbitos como la calidad de la educación y los ingresos del mercado laboral.

Referencias

Ashton, D. N.; Green, F. J.; James, D.; Sung, J. 1999. *Education and training for development in East Asia: The political economy of skill formation in East Asian newly industrialized economies* (London, Routledge).

—; Sung, J.; Turbin, J. 2000. «Towards a framework for the comparative analysis of national systems of skill formation», en *International Journal of Training and Development*, vol. 4, issue 1, pp. 8-25.

Campos, J. E.; Root, H. L. 1996. *The key to the Asian miracle: Making shared growth credible* (Washington, DC, Brookings Institution).

Cheon, B. Y. *et al.* 2013. *Growing inequality and its impacts in Korea*, GINI Country Report, Korea (Amsterdam, Growing Inequalities' Impact). Disponible en: *http://gini-research.org/system/uploads/439/original/Korea.pdf?1370077269* [consultado el 14 de octubre del 2013].

Geiger, Roger L. 1988. «Public and private sectors in higher education: A comparison of international patterns», en *Higher Education*, vol. 17, pp. 699-711.

Green, F. et al. 1999a. «Post-school education and training policy in developmental states: The cases of Taiwan and South Korea», en *Journal of Education Policy*, vol. 14, núm. 3, pp. 301-315.

Guarini, G.; Molini, G.; Rabellotti, R. 2006. «Is Korea catching up? An analysis of the labour productivity growth in South Korea», en *Oxford Development Studies*, vol. 34, núm. 3, pp. 323-339.

Hayhoe, R. 1995. «An Asian multiversity? Comparative reflections on the transition to mass higher education in East Asia», en *Comparative Education Review*, vol. 39, núm. 3, pp. 299-321.

IMD. 2005. *World Competitiveness Yearbook* (Lausanne, IMD World Competitiveness Center).

Jomo, K. S. 2006. *Growth with equity in East Asia*, Working Paper núm. 33 (New York, United Nations Department of Economic and Social Affairs).

Kim, S.; Lee, J-H. 2006. «Changing facets of Korean higher education: Market equilibrium and the role of the state», en *Higher Education*, vol. 52, pp. 557-587.

KLI (Korea Labour Institute). 2003. *Korean Labour and Income Panel Survey* (Seoul).

Lee, B. H. 2004. «Is levy-grant scheme for employer-provided training effective? The experience of Korean employment insurance scheme» en *Seoul Journal of Economics*, vol. 17, núm. 2, pp. 235-253.

Lee, J. 2002. *Education policy in the Republic of Korea: Building block or stumbling block?* (Washington, DC, World Bank).

Lee, J. W. 2001. «Education for technology readiness: Prospects for developing countries», en *Journal of Human Development*, vol. 2, núm. 1, pp. 115-151.

López, R.; Thomas, V.; Wang, Y. 1998. *Addressing the education puzzle: The distribution of education and economic reforms*, Policy Research Working Paper Series núm. 2031 (Washington, DC, World Bank).

Nübler, I. 2013. *Education structures and industrial development: Lessons for education policies in African countries*, paper presented at the UNU-WIDER Conference on Learning to Compete: Industrial Development and Policy in Africa, Helsinki, Finland, 24-25 June.

—. Próxima publicación. *Capabilities, productive transformation and development: A new perspective on industrial policies* (Geneva, ILO).

OECD (Organisation for Economic Co-operation and Development). 1994. *OECD economic surveys: Korea 1994* (Paris).

—. 2004. *Economic Survey of Korea 2004. Becoming a high-income OECD country: key economic challenges* (Paris).

—. 2005. *Economic Survey of Korea 2005. Sustaining high growth through innovation: reforming the R&D and education systems* (Paris).

—. 2011. *Education at a glance* (Paris).

Sohn, D. W.; Kenney, M. 2007. «Universities, clusters, and innovation systems: The case of Seoul, Korea», en *World Development*, vol. 35, núm. 6, pp. 991-1004.

THE (Times Higher Education); QS (Quacquarelli Symonds). 2005. *Times Higher Education–QS World University Rankings* (London).

Trow, M. 1973. *Problems in the transition from elite to mass higher education* (Berkeley, Carnegie Commission on Higher Education).

World Bank. 1993. *The East Asian miracle: Economic growth and public policy*, World Bank Policy Research Report (New York, Oxford University Press).

Yoon, J. H.; Lee, B. H. 2007. *The transformation of the government-led vocational training system in Korea*, draft paper presented to Interuniversity Research Centre on Globalization and Work, Canada and Institute for Work, Skills and Training (IAQ), Germany.

El desarrollo de las capacidades en la industria de servicios de *software* de la India: la formación de las competencias laborales y el aprendizaje de las empresas nacionales en las cadenas de valor*

8

Manimegalai Vijayabaskar y M. Suresh Babu

8.1 Introducción

Existe una creencia generalizada de que la difusión de las tecnologías de la información y la comunicación (TIC), y en particular de sus segmentos, como el *software*, que dependen mayoritariamente de las inversiones en capital humano, ofrecen a los países de renta baja (PRB) una oportunidad para dar el salto (OIT, 2001). De hecho, algunos países de renta baja han resultado ser actores exitosos en el mercado mundial de las TIC. La India es, sin duda, uno de ellos. El crecimiento y la presencia de la India en la producción y el comercio mundial en los sectores relacionados con las TIC ha sido notable. El *Information Economy Report 2012* señala que, entre los países no miembros de la Organización para la Cooperación y Desarrollo Económico (OCDE), la India ha surgido como un actor muy importante en el sector (UNCTAD, 2012). El sector del *software* en la India ha demostrado la capacidad no solo de mantener sino de mejorar hasta cierto punto segmentos de más valor añadido de la cadena de valor.

Hay que comprender y explicar el fenómeno de la modernización dentro de las cadenas de valor mundiales de alta tecnología, llevado a cabo por empresas de economías en desarrollo. Este capítulo intenta comprender cómo varios mecanismos institucionales han permitido la acumulación de las capacidades para mejorar a nivel nacional, a nivel de la cadena y a nivel de la empresa. El análisis está enmarcado en relación con el concepto de capacidades y de crecimiento convergente

---

* Este documento se realizó como contribución al proyecto de investigación de la OIT sobre las capacidades, la transformación productiva y el desarrollo, coordinado por Irmgard Nübler.

presentado por Nübler en este volumen. Este marco explica la dinámica del crecimiento convergente como un proceso interrelacionado de aprendizaje colectivo y de transformación productiva, y analiza la función de las políticas, las instituciones, las redes y las normas para dirigir ambos procesos.

Las capacidades se reflejan en la capacidad de innovar, de aumentar de forma proactiva el conjunto de las opciones para lograr la diversificación y la modernización tecnológica y para mejorar las competencias de las empresas y la economía para explotar estas opciones. Por ejemplo, las capacidades tecnológicas permiten a las empresas generar y gestionar el cambio técnico (Bell y Pavitt, 1993). Por lo tanto, las capacidades tecnológicas implican las habilidades que tengan las empresas para aprender a «mejorar» de manera continua.

El escalamiento o ascenso económico en las cadenas de valor se refiere al proceso por el cual las empresas y los trabajadores avanzan desde segmentos de bajo valor añadido hasta otros de mayor valor añadido dentro de una cadena de valor (Gereffi y Kaplinsky, 2001). El escalamiento puede tomar muchas formas, desde la mejora de los procesos para producir el mismo producto a un coste inferior (escalamiento del proceso) a la mejora de la calidad de los productos existentes o el cambio a productos de más valor añadido (escalamiento del producto); la integración hacia atrás o hacia adelante de los procesos (escalamiento funcional) hasta una capacidad de utilizar el aprendizaje en la cadena de valor para entrar en otras cadenas de valor mundiales (escalamiento lateral).

Se ha criticado el enfoque convencional de la cadena de valor debido a su incapacidad para explicar la función del Estado a la hora de influir en el modo de participación de clústeres/empresas en la cadena de valor (Parthasarathy, 2004). Si bien nos permite comprender la dinámica de una empresa/región una vez que se ha incorporado en un nodo específico de la cadena de valor, no nos ofrece mucha comprensión sobre el proceso de la incorporación. Esta es la limitación que Kaplinsky (2000) y Kaplinsky y Morris (2001) intentan superar al incorporar el concepto de «gobernanza» de organismos externos a la cadena de valor. Kaplinsky (2000) señala que la capacidad de escalar depende fundamentalmente de la «gobernanza», es decir, la coordinación fuera del mercado de las actividades económicas. Las formas de coordinación fuera del mercado pueden realizarlas las empresas o las redes de empresas, así como las instituciones públicas, como los marcos de política gubernamental y las instituciones reguladoras y de apoyo (Gereffi y Kaplinsky, 2001; Gibbon, 2000).

Basándose en la literatura sobre la gobernanza de la sociedad civil, Klaplinsy (2000) distingue tres formas de gobernanza que se pueden ejercer dentro de un sector o de una cadena de valor. La «gobernanza legislativa» hace referencia a la formulación de estándares o normas para la acción, ya sea de las empresas líderes en la cadena de valor o de las instituciones estatales. Los mecanismos de la «gobernanza judicial» vigilan las conductas y aseguran que las normas o estándares se cumplan. Por último, las empresas necesitan recursos como créditos, infraestructuras y nuevas tecnologías o información del mercado para cumplir las normas y los estándares impuestos por las instituciones de la gobernanza legislativa. Por consiguiente, la gobernanza también puede desempeñar una función «ejecutiva». Juntas, todas estas formas de gobernanza condicionan el modo de escalamiento. Junto con los actores que están dentro de la cadena de valor, como son los proveedores o las empresas clientes o la mano de obra, los agentes externos a la cadena de valor pueden ejercer gobernanza —por ejemplo, instituciones públicas y/o público-privadas que rigen los mercados laborales, la formación de las competencias laborales, el acceso a los créditos y el desarrollo sectorial—. Estas intervenciones de gobernanza de actores externos son de especial importancia ya que permiten la inserción del sector en las cadenas de valor mundiales (Humphrey, 2004; Kaplinsky, 2000). El marco que hemos mencionado nos permite comprender cómo pueden interactuar los mecanismos de gobernanza regional y nacional con las formas de gobernanza que llevan a cabo los actores dentro de una cadena de valor para facilitar el aprendizaje de las empresas y la mano de obra con el fin de mejorar.

En la sección siguiente (8.2) se ofrece una sinopsis sobre el crecimiento del sector de servicios de *software* en la India, haciendo hincapié en el proceso gradual de su escalamiento. En la sección 8.3 se identifican los requisitos de habilidades para el cambio, forjados por escalamiento. A continuación, se vincula el proceso de escalamiento con las capacidades requeridas para el cambio. En las secciones siguientes, se mapea el conjunto de medidas e instituciones públicas de gobernanza, que permitieron la creación de una estructura de conocimiento específica en la mano de obra, que a su vez proporcionó la oportunidad de que el sector avanzara en la cadena de valor mundial de los servicios de *software*. A continuación, se describen las respuestas estatales, sectoriales y empresariales (o competencias colectivas) para acceder a las oportunidades del mercado emergente y mejorar los requisitos y los mecanismos de gobernanza que facilitaron el proceso. Ponemos énfasis en lo siguiente: (1) en la función de la política pública en materia de educación y formación de competencias laborales que generó una estructura de conocimiento o una combinación de conocimientos en la mano de obra facilitadora; (2) en el papel de las redes en desarrollar las capacidades individuales y empresariales; y (3) en el papel de las normas para desarrollar las capacidades sectoriales y empresariales. Cuando los procedimientos del Gobierno, las redes y los estándares son «instituciones inteligentes», son portadores de competencias que conducen al aprendizaje y la evolución de las capacidades dentro de las empresas y la mano de obra dentro del sector y en el proceso de escalamiento, para crear procedimientos de alto desempeño a nivel de la empresa. Este capítulo se basa sobre todo en publicaciones de otros autores, complementadas con entrevistas a informantes clave de empresas de tecnología de la información (TI) para entender[1] las rutinas y los procesos a nivel de las empresas para la formación, la codificación del conocimiento y la coordinación.

8.2 La industria de *software* de la India: trayectorias de crecimiento y ascenso en las cadenas de valor mundiales

Según la Asociación Nacional de Compañías de Software y Servicios (NASSCOM, por sus siglas en inglés), la participación de la India en el abastecimiento mundial de TI ha aumentado del 51 % en el 2009 hasta alrededor de un 58 % de los cerca de 55.000 millones de dólares estadounidenses del mercado global para los servicios de TI en el 2011. NASSCOM calcula que el sector de la TI de la India representaba aproximadamente el 7,5 % del PIB del país en el año 2012, superior al 1,2 % en el año 1998. El principal argumento de esta sección es que el impresionante crecimiento registrado en los últimos años no se debe solamente a los costes inferiores, sino que es también el resultado de un desarrollo gradual de las capacidades tecnológicas y el ascenso del sector en la cadena de valor para los servicios de la TI externalizados.

La cadena de valor mundial de *software* se puede dividir en términos generales en dos categorías, la de los servicios y la de los productos. Los «servicios» hacen referencia al desarrollo de *software* para un cliente específico, mientras que los productos son genéricos y su finalidad es la venta a múltiples clientes. Para estar seguros de ello, mientras que a nivel mundial los productos de *software* representan el grueso de los ingresos en el sector del *software*, es en el segmento de los servicios donde el sector de *software* de la India ha surgido como un actor líder en el mercado mundial. Además, la India ha diversificado y modernizado el conjunto de servicios que ofrece dentro del segmento de servicios de *software*. También ha surgido como un destino importante de externalización de los servicios de soporte de la tecnología de la información (ITeS, por sus siglas en inglés).

Un cambio importante que se ha llevado a cabo en la prestación de servicios de *software* ha sido el «*body-shopping*», es decir, de la prestación de servicios en las instalaciones del cliente, a un modelo de entrega extraterritorial que necesita que la mayor parte del desarrollo del *software* lo realice la empresa proveedora y que

---

[1] *www.nasscom.in/indian-itbpo-industry* (consultado el 12 de marzo de 2013).

se trasmita a la empresa cliente. Según Mani (2013), las exportaciones a terceros países han alcanzado el 82 % del total de las exportaciones de *software*. La proporción creciente de desarrollo en terceros países, en relación con los servicios *in situ* dentro del propio país, es uno de los indicadores de la mejora de las capacidades nacionales. Este flujo de entrega extraterritorial también implica una capacidad para coordinar proyectos, una competencia que no es necesaria en la prestación de servicios *in situ*. La complejidad de los proyectos extraterritoriales subcontratados a empresas de *software* de la India ha crecido, con muchas empresas líderes que ofrecen suministrar todo el rango de etapas de desarrollo de *software* (Bajpai y Shastri, 1998).

Hay también varios otros indicadores de escalamiento. Del total de las exportaciones de TI, la proporción de servicios de ingeniería y de *hardware* se incrementó del 7,1 % en el 2007 hasta el 11,4 % en el 2011[2]. Dentro del segmento de los servicios de *software*, aunque la vertical de la Banca, los Servicios Financieros y los Seguros (BFSI, por sus siglas en inglés) continúa representando la proporción más grande (IDC NASSCOM, 2012), las verticales de las telecomunicaciones y la manufactura habían llegado a representar el 37 % de las exportaciones de servicios de TI de la India en el año 2008. Tanto la proporción creciente de la vertical de servicios de ingeniería como de la vertical de telecomunicaciones y manufactura indican la capacidad para prestar servicios relativamente más sofisticados a lo largo del tiempo. Las exportaciones de investigación y desarrollo de ingeniería (I&D I) superaron los diez mil millones de dólares estadounidenses en el 2012, registrando un 14 % de la tasa de crecimiento sobre el año anterior. Los verticales tradicionales como el automovilístico y la industria de semiconductores han registrado una tasa mayor de crecimiento debido al aumento de I&D I extraterritorial, aunque los verticales emergentes como la energía y los suministros públicos también han crecido recientemente (NASSCOM, 2012). También ha habido un cambio pequeño pero importante hacia las exportaciones de productos de *software*. El total de las exportaciones de productos de *software* aumentó de mil millones de dólares estadounidenses en el 2008 hasta 1,5 mil millones en 2012, lo que incentivó el establecimiento de una asociación independiente para empresas de productos de *software*. La producción para el mercado nacional también ha experimentado una mejoría, tal y como se muestra en el cuadro 8.1.

Ilavarasan (2011) destaca otro aspecto del escalamiento de la industria del *software* de la India —el establecimiento de centros de I+D relacionados con el

---

[2] NASSCOM: *La TI y la Industria BPM (Business Process Management*): Resumen del año 2013 y perspecitva del año 2014*. Mumbai, 12 de febrero de 2013. *www.nasscom.in/.../FY13%20Performance%20 Review%20and%20FY14* (consultado el 16 de ocubre de 2013).

* (N. T.): Gestión del Proceso de Negocios.

software—. Señala que de los 160 centros de I+D que han surgido en el país, dos tercios de ellos se dedican al desarrollo de productos de *software*, el 15 % a servicios de ingeniería y el 20 % está relacionado con sistemas integrados de *software*. Asimismo, afirma que las empresas también se están diversificando en consultorías de alta calidad, en desarrollo de *software* integrado y en servicios de ingeniería e I+D. Mani (2013) también expone ejemplos de innovación de productos, procesos y modelos de negocio. A su vez, utiliza la tendencia en el número de patentes garantizadas por las empresas de *software* para indicar los esfuerzos de escalamiento de las empresas de TI de la India.

El mejoramiento de los productos ha venido acompañado del mejoramiento de los procesos utilizados. Cada vez más empresas de *software* en la India adoptan certificados internacionales como ISO 9901 para la gestión de la calidad y la ISO 27000 para la seguridad de la información. Para citar un documento de NASSCOM aquí, «los centros basados en la India representan el mayor número de certificados de calidad alcanzados por un solo país. En los últimos tres años, ha habido un aumento del 18 % en el número de compañías que han adquirido certificados de calidad, un aumento del 30 % en certificado de desempeño y un 20 % en certificados de seguridad»[3]. Así, nos encontramos con que a lo largo del tiempo el sector de *software* de la India no solo ha aumentado su participación en el mercado mundial, sino que también ha conseguido mejorar los procesos y la calidad de los servicios.

Cuadro 8.1 Ventas nacionales y exportaciones de servicios de *software*, productos de *software* y servicios de ingeniería en la India

Año	Ventas nacionales de software (en mil millones USD)	Proporción (%)		Exportaciones de software (en mil millones USD)	Proporción (%)	
		Servicios de software	Productos de software e I+D+I		Servicios de software	Productos de software e I+D+I
2005	4,2	83,3	16,7	13,1	76,3	23,7
2006	5,8	77,1	22,9	17,3	76,9	23,1
2007	7,1	77,6	22,4	22,0	77,5	22,5
2008	10,1	77,9	22,1	30,5	72,8	27,2
2009	10,9	75,4	24,6	35,4	72,9	27,1
2010	12,0	75,4	24,6	37,3	73,2	26,8
2011	14,5	75,9	24,1	44,8	74,6	25,4

Fuente: UNCTAD (2012).

---

[3] *http://www.nasscom.in/quality* (consultado el 20 de septiembre de 2013).

La disponibilidad de una combinación correcta de conocimiento técnico, general y lingüístico en la mano de obra, el insumo clave para la industria del *software,* creó la oportunidad para que el sector indio de la TI escalara (Nübler, en este volumen). La mano de obra se considera un activo competitivo importante, que contribuye al crecimiento acelerado, y es fundamental para desarrollar las capacidades tecnológicas de la industria en la India. Ha habido oferta sostenida de profesionales formados y de relativamente bajo costo que han proporcionado un espacio de opciones para desarrollar varios ámbitos dentro de la TI y los ITeS. Dado el papel crucial de una mano de obra cualificada de bajo costo en el crecimiento y el dinamismo tecnológico de este sector, nuestra discusión sobre el desarrollo de las capacidades tecnológicas prestará especial atención en primer lugar a esta dimensión. En la sección siguiente se mapean los requisitos de capacidades junto con los diferentes segmentos de la cadena de valor del *software.* Resaltamos los cambiantes requisitos de capacidades de los individuos y organizaciones a medida que la industria se va transformando desde el suministro de servicios de programación de gama baja, aprovechando el trabajo de programación de bajo costo, hasta llegar al suministro que diversifica y a la vez moderniza el conjunto y la calidad de los servicios proporcionados. Este será un preludio para nuestro análisis posterior sobre el proceso de formación de las capacidades.

8.3 Requisitos de habilidades, conocimiento e información en el sector del *software* y las capacidades de organización

Una característica importante del sector de servicios de *software* es la co-existencia de rápidos cambios tecnológicos y las herramientas del *software,* junto con la continua naturaleza intensiva en trabajo del desarrollo de *software.* Por lo tanto, el conocimiento a nivel de los individuos y la mano de obra es un motor clave de competitividad en el sector de la TI de la India. A pesar de la importancia de las habilidades y el capital humano de cada trabajador en el proceso de producción, la rápida modernización dentro de las cadenas de valor fue posible gracias a una estructura específica de conocimiento y la combinación de una serie de conocimientos en la mano de obra y de las competencias colectivas que tradujeron la estructura del conocimiento en capacidades productivas que impulsaron el sector del *software.* En esta sección se analizan las necesidades del sector del *software* en función de los requisitos de cualificaciones, conocimiento e información y de las competencias de las organizaciones tales como la coordinación, el control de calidad, la identificación de problemas y de su solución, la facilitación de la formación y el aprendizaje en el puesto de trabajo. La sección siguiente muestra cómo, a lo largo de las décadas, la India ha desarrollado esas capacidades que han permitido al país aprovechar la creciente demanda global para la producción de *software*.

El *software* consiste en un conjunto de instrucciones que permiten al *hardware* del ordenador llevar a cabo las funciones requeridas. Teniendo en cuenta las variaciones en el tipo de los lenguajes en el que se escriben las instrucciones y los tipos de usos para los que se escriben, así como el carácter del mercado, el *software* constituye una categoría muy heterogénea. Como resultado, el conjunto de conocimientos y las habilidades necesarias en estos segmentos de la industria son diversos. Además, los distintos lenguajes y paquetes han de desplegarse en una serie de dominios del cliente (servicios al por menor, de salud, automovilísticos, de telecomunicaciones, etc.). Tal y como se ha señalado, las empresas de *software* de la India se han especializado en programas de *software* hechos a la medida, con pocas empresas que trabajan en el desarrollo de productos genéricos. A pesar de la diversidad en los tipos de *software*, su desarrollo a través de estos segmentos puede dividirse a grandes rasgos en la secuencia siguiente de tareas o actividades (Heeks, 1996):

1. Idea/Problema identificado
2. Justificación/Viabilidad
3. Análisis y especificación de los requisitos de *software*
4. Creación de prototipos
5. Diseño del *software*
6. Codificación/Escritura del *software*
7. Pruebas
8. Entrega e instalación del *software*
9. Mantenimiento

La lectura de estas tareas revela que hay una demarcación bastante clara entre la concepción y el diseño y la puesta en marcha. Las etapas 1 a 3 no solo involucran la comprensión de los requisitos del proceso y su traducción en códigos fuente[4], sino que también se necesita una información y conocimiento considerables sobre el mercado para desarrollar la idea del producto. Las etapas siguientes necesitan principalmente una capacidad de programar en lenguajes específicos de *software*. Aunque hay una reducción gradual de los requisitos de habilidades, a medida que avanzamos

---

[4] Un código fuente consiste en varios pasos de instrucciones en formato legible que ha de proporcionarse a la máquina. Se deriva de un diagrama de flujo de los procesos requeridos para la salida/producto final. Para que el ordenador lo pueda leer, estas instrucciones deben de traducirse al lenguaje de la máquina.

hacia abajo en el diagrama del proceso, las últimas tareas, principalmente la codificación, las pruebas y el mantenimiento, necesitan una gran cantidad de trabajo. La India entró en la cadena mundial de *software* a través de estos segmentos que requieren habilidades relativamente bajas de desarrollo de *software*. Las empresas cliente llevan a cabo de la primera a la quinta etapa en sus sedes y subcontratan los últimos cuatro segmentos de desarrollo de *software*. Estos segmentos exigían gran cantidad de mano de obra poco cualificada para codificar un lenguaje específico y seguir las instrucciones de codificación. Por lo tanto, una condición inicial importante fue la capacidad de acceder a una gran reserva de mano de obra que podía seguir estas instrucciones en inglés para la escritura de *software* y después escribir el código de *software*.

Sin embargo, como señaló Brooks (1975), este modelo, basado en una distinción clara entre la concepción de gama alta y la ejecución de gama baja, no logra capturar bien el proceso de desarrollo del *software* tal como ocurre dentro de las empresas. Según él, el proceso es mucho más complicado e iterativo, con ciclos frecuentes de respuestas de la codificación y las pruebas, hasta el diseño y otra vez a la codificación. Así pues, aunque es importante que los programadores tengan un buen conocimiento de codificación, también es importante comprender los requisitos y las especificidades de los dominios para los que se va a desarrollar el *software*. Esta exigencia de una comprensión sobre sobre los requisitos del sistema y del dominio, aumenta especialmente cuando aumenta la complejidad del desarrollo del *software*. Otro requisito importante es la habilidad de comunicación para la interacción con las empresas cliente. Con el traslado de los servicios a terceros países y la entrada de proyectos de llave en mano que implican elementos de diseño, el conocimiento del dominio se vuelve más importante. Si bien no se requiere que todos los programadores dominen el conocimiento del dominio, se hizo imprescindible que al menos algunas secciones de la mano de obra supieran cómo usar las funciones del sistema. Además, la creciente complejidad de los proyectos de *software* llevados a cabo necesitaba una acumulación de competencias a nivel de la empresa para desarrollar los sistemas de procesos que aseguraran que los distintos módulos se pudieran desarrollar por equipos independientes y pudieran ser integrados posteriormente.

Por último, el movimiento hacia el desarrollo del *software* integrado requiere el acceso al dominio de gama alta y a las habilidades técnicas que rara vez son necesarias en las primeras fases del desarrollo de la industria. El desarrollo del *software* integrado necesita ingenieros que tengan una licenciatura o un máster en electrónica o ciencias informáticas, pero que también tengan experiencia en la integración de *hardware* y una capacidad de comprensión y desarrollo de algoritmos complejos. Por tanto, la industria continúa necesitando un gran número de programadores con conocimiento de programación en lenguajes específicos, incluso aunque vayan exigiendo de forma gradual habilidades de coordinación y técnicas especificas del dominio de gama alta. Teniendo en cuenta la variedad de requisitos de habilidades en los proyectos, las empresas prefieren contratar personal que tenga capacidad de aprender habilidades. El énfasis en la «capacidad para el aprendizaje» en la contratación y la importancia del conocimiento tácito para algunas habilidades requeridas implica que las empresas tengan que invertir en formación *in situ* y dentro del puesto de trabajo. Además de las competencias y cualificaciones individuales, las empresas también deben de basarse en el aprendizaje de los empleados para generar un cuerpo de conocimiento que pueda ser transferido entre empleados y a través de proyectos específicos. Por consiguiente, podemos delinear los siguientes requisitos de capacidades del sector que busca transformarse a sí mismo a lo largo del tiempo desde una base de proveedores de servicios de *software* de bajos salarios a ser un proveedor de un rango de servicios que incluye tanto la gama alta como la baja:

1. Habilidades básicas de programación
2. Habilidades de comunicación
3. Programación de gama alta y conocimiento del dominio de gama baja para proyectos de llave en mano.
4. Conocimiento del dominio de gama alta para *software* integrado y desarrollo de *software* específico del dominio.
5. Capacidades de coordinación entre empresas para proyectos de llave en mano.
6. Capacidades del proceso a nivel de empresa para atrapar y consolidar el aprendizaje específico del proyecto y así construir capacidades sectoriales dinámicas.

Para entender el proceso del desarrollo de capacidades, es importante entender cómo las políticas gubernamentales facilitaron la entrada de las empresas de *software* indias en la cadena de valor mundial de servicios de *software*. De hecho, las instituciones de gobernanza legislativa y ejecutiva han sido cruciales para la generación de estas capacidades en la India.

El imperativo de la sustitución de las importaciones hasta principios de la década de 1990 fue principalmente el que modeló el proceso. Si bien se ha argumentado que el crecimiento de la industria de la TI en el país se debe a la «negligencia benigna» del Estado, estudios más serios señalan la contribución de las estrategias de gobernanza ejecutiva del Gobierno nacional en la acumulación de conocimiento e infraestructuras que permitieron al sector entrar en los mercados mundiales (Balakrishnan, 2006). La larga historia de la intervención pública en la educación superior, las medidas calibradas de protección para asegurar que las empresas tuvieran acceso a las importaciones de alta tecnología, a pesar de ser forzadas a desarrollar capacidades nacionales, y el fomento de la *Electronic Corporation of India Limited* (ECIL) como líder nacional de la fabricación de ordenadores representan claros esfuerzos de gobernanza para crear e incentivar el desarrollo de capacidades que pueden considerarse como «inteligentes». Se reconoció al *software* como un sector potencial para las exportaciones y la creación de empleo ya en 1972, con el lanzamiento del *Software Export Scheme* (Sistema de Exportación de *Software*) y la prestación de concesiones para las exportaciones a través del establecimiento de zonas francas (Saraswati, 2012). En efecto, estas políticas mejoraron la combinación y diversidad del conocimiento integrado en la mano de obra, creando oportunidades para el escalamiento. Por otra parte, además de permitir el acceso a las tecnologías, mejoraban otros factores de producción e infraestructuras.

A mediados de la década de 1980 el énfasis en la política se trasladó a aumentar la competencia nacional y a desarrollar competitividad en el mercado mundial. Una intervención importante fue el establecimiento de los parques tecnológicos de *software,* a principios de la década de 1990, que contaban con excelentes facilidades de transferencia de datos y de comunicación. Esta medida de gobernanza ejecutiva ha sido muy importante para capacitar a las empresas a posicionarse como proveedores de servicios a terceros países. (Parthasarathy, 2000). Así, la acumulación de ciertas capacidades bajo las primeras etapas del régimen de crecimiento facilitó la formación de nuevas capacidades que eran más adecuadas para la nueva fase. Esto es particularmente evidente en la creación de una mano de obra cualificada de bajo costo, tal y como se analiza en la sección siguiente.

8.4 La evolución de la estructura del conocimiento: la política pública y la respuesta público-privada

La importancia del capital humano para el desarrollo de la industria del *software* de India es ampliamente reconocida en la literatura económica (Arora y Bagde, 2010; Athreye, 2005). Sin embargo, el éxito no estuvo impulsado exclusivamente por las competencias laborales de los individuos, sino por el desarrollo de una combinación especial de conocimientos por parte de la mano de obra. La evolución de esta estructura de conocimiento es fundamental para comprender el éxito del sector del *software* de la India. El escalamiento en el sector dependió la dotación de mano de obra y su organización y movilización para desarrollar capacidades a nivel de empresa y de industria. Dada la creciente intensidad en conocimiento y en diseño de la producción, a las empresas que buscan posicionarse en nuevas actividades y dominios de *software* y mejorar tecnologías les resulta indispensable acceder a la combinación adecuada de habilidades y conocimientos en la mano de obra. Al mismo tiempo, también es importante que aprendan/adapten sus habilidades de acuerdo a los cambios de requisitos del mercado. Por tanto, la formación de competencias laborales está condicionada de forma simultánea por mecanismos de gobernanza dentro y fuera de la cadena de valor, tales como la formación dentro de las empresas y la gobernanza de las rutinas de aprendizaje llevadas a cabo por asociaciones de productores, así como la gobernanza pública que permita la formación de instituciones que impartan educación técnica y garanticen los estándares de calidad. En esta sección se destaca la forma en la que han trabajado los mecanismos de gobernanza para crear una estructura de conocimiento en la mano de obra que mejora las oportunidades para la diversificación y genera una oferta estable de capital humano que cumple los requisitos de competencias laborales en respuesta a los cambios previstos en el sector.

El criterio de la «capacidad de aprendizaje», mencionado anteriormente, se ha traducido en una demanda por aquellos que se considera que tienen buena habilidad analítica y capacidad para captar nuevas habilidades rápidamente. Las empresas tienden a ser de la opinión de que tales habilidades se pueden encontrar más fácilmente en los graduados en ingeniería que en otras disciplinas. Se cree que los ingenieros tienen una mayor capacidad para entender la lógica de los procesos. Además, los empresarios creen que los estudiantes más meritorios son aquellos que entran en las escuelas de ingeniería, en lugar de en ciencias físicas o sociales, debido a su elevada reputación y a la posición social de las profesiones relacionadas con la ingeniería[5].

En las fases iniciales, antes de que las empresas pudieran desarrollar su reputación a través de la entrega del producto, tenían que confiar en la calidad de la mano de obra para mostrar sus habilidades a los posibles clientes. Las empresas afirmaban que solo contrataban a graduados en ingeniería y solo de las mejores universidades. Otra razón para preferir a graduados en ingeniería es la abundante oferta disponible. En la subsección siguiente, se describe la función de la gobernanza ejecutiva y legislativa del Estado en la aparición de esta abundante de ingenieros.

8.4.1 Educación técnica: gobernanza legislativa y ejecutiva dirigida por el Estado en la India

Hasta mediados de la década de 1980, los imperativos de la industrialización por sustitución de importaciones (ISI) garantizaban las inversiones en educación superior, sobre todo en educación técnica. Con el respaldo de la financiación pública, el sistema

---

[5] Información obtenida a través del trabajo de campo llevado a cabo por Rothboeck, Vijayabaskarand y Gayathri (2001).

de educación técnica podía abordar las necesidades crecientes de una economía que se estaba industrializando. La ingeniería era considerada como una opción universitaria muy importante, debido a la demanda en los sectores de bienes de capital y mercancías pesadas así como en los servicios públicos como el transporte y la electricidad. Este apoyo proporcionó el conjunto inicial de incentivos para especializarse en ingeniería. Aunque había una serie de escuelas de ingeniería, incluso durante el período colonial, se tomaron diversas medidas para crear nuevas instituciones en la década de 1940. En el año 1945 se constituyó el *All India Council for Technical Education* (AICTE) para regular la educación técnica del país, ordenar y supervisar las normas para el reconocimiento y la afiliación. Aunque el sector público fue el proveedor de la educación técnica terciaria hasta mediados de la década de 1980, desde entonces se ha producido un cambio gradual hacia la apertura de esta corriente al sector privado con el sector público asumiendo el papel de regulador (Basant y Mukhopadyhay, 2009). Se consideró que la educación privada era, por un lado, la solución ideal para afrontar el problema de las restricciones fiscales y, por otro lado, para satisfacer la necesidad de ampliar la educación terciaria. Las inversiones en educación se consideraron productivas socialmente y, así, se ofrecieron concesiones fiscales que allanaron el camino para conseguir el aumento de las inversiones del capital privado. Como la educación era un asunto de política de los gobiernos estatales regionales, el proceso fue desigual, sobre todo en los estados del sur, que fueron los primeros en realizar los cambios.

Banerjee y Muley (2008) señalan que aunque la admisión de aprobados para las plazas de las escuelas de ingeniería aumentó de 2.500 en el año 1947 a 653.000 en el 2007, creciendo a una tasa global anual del 9,7 %, esta se aceleró especialmente en la última década. Entre los años 1997 y 2007, la admisión de estudiantes de ingeniería aumentó de 115.000 a 653.000, lo que supone una tasa de crecimiento anual del 19 %. El número de escuelas que ofrecían el grado de ingeniería superaba las 1.500 en el 2006, de las que 1.121 instituciones se habían fundado en los últimos diez años. Tal y como se muestra en el cuadro 8.2, esta expansión ha permitido una oferta cada vez más constante de mano de obra técnica en India, en especial en las disciplinas relacionadas con la TI.

Respecto al total de los graduados en ingeniería, las escuelas Premium de Tier I, los Institutos Indios de Tecnología (IIT, por sus siglas en inglés), y las escuelas de Tier II, los Institutos Nacionales de Tecnología, representan solo del 1 % al 2 % del total, respectivamente (Banerjee y Muley, 2008)[6]. Sin embargo, este segmento constituyó una parte importante de los primeros emigrantes a los Estados

---

[6] Los Tiers indican la reputación y calidad de la educación de ingeniería que se imparte en la India. Según Banerjee y Muley, las instituciones Tier 1 representan las mejores escuelas y universidades de esta categoría, seguidas por otros dos tiers.

Unidos y jugó un importante papel a la hora de demostrar la calidad de la mano de obra técnica de la India. Fue, de hecho, la reserva de ingenieros provenientes de estos *tiers* creada por el sector público lo que estableció el conjunto inicial de redes a través de los cuales se podía hacer *body-shopping* o contratar desarrollo de *software* por parte de terceros paises. La mayoría de los admitidos en el Tier III provenían del sector privado, que representaba el 76 % de la admisión en el 2006 (ídem).

Cuadro 8.2 Oferta de mano de obra de TI de la India: *software* y servicios de TI, 2007-08

Graduados en ingeniería	536.000
Licenciados (cuatro años)	290.000
Diplomados y MCA (tres años)	246.000
Profesionales de TI*	303.000
Graduados en Ingeniería de TI (licenciatura)	180.000
Ingeniería TI (diplomatura)	123.000

* Los profesionales de TI incluyen a aquellos en informática, electrónica y telecomunicaciones.

Fuente: Adaptado del informe de 2010 de NASSCOM, *http://www.outsource2experts. com/PDFS/NASCCOM_2010_Global_Outsourcing_Report.pdf* consultado el 16 de octubre de 2013).

Este aumento de la oferta coincidió con una fase de caída en la absorción de empleo en el sector manufacturero que comenzó a principios de la década de 1980 (Raveendran y Kannan, 2009). Así como había un mayor número de oportunidades disponibles para los estudiantes que querían estudiar ingeniería, hubo una disminución en la demanda en el sector manufacturero tradicional, lo que condujo a un «exceso de oferta». Como los graduados en ingeniería tenían pocas otras opciones de empleo, un gran número de ellos se unió a empresas de desarrollo de *software*. Otro factor importante que atrajo a la mano de obra al sector fue una remuneración bastante atractiva y las estructuras de incentivos que ofrecía el sector. Esto fue, a su vez, habilitado por la política que eliminó los límites máximos de los niveles salariales que existían en el país[7].

---

[7] «Hasta principios de la década de 1990, los salarios de los altos ejecutivos en las empresas los determinaba la oficina del Gobierno central del *Controller of Capital Issues**, (...) Con la liberalización en 1991 estas restricciones se fueron suavizando y eliminando en su mayor parte». (S. L. Rao: «Un hábito de avaricia: Cuanto mejores son los salarios, más grande es la codicia». *The Telegraph*, 12 de noviembre de 2012).
* (N. T.): Controlador de Asuntos de Capital.

Aparte del aumento de plazas en oferta, la entrada del capital privado también fomentó la competencia entre las escuelas para conseguir reputación, ya que las tasas que podían cobrar dependían de su capacidad para atraer a buenos empleadores. Otro resultado de esta tendencia fue el aumento de las capacidades en las especialidades de ingeniería que parecían demandarse más, como la electrónica y la informática. Se iniciaron nuevos cursos como el Master's in Computer Applications (MCA), orientado a formar a estudiantes en aplicaciones de *software*. Estas escuelas nuevas ofrecen principalmente cursos de licenciatura en ingeniería o tecnología y están afiliadas a universidades públicas para asegurar un grado de control de la calidad. Otro aspecto del desarrollo del capital humano ha sido la difusión del conocimiento del inglés tanto hablado como escrito.

8.4.2 Difusión del inglés: enriquecimiento de la estructura del conocimiento para la comunicación transnacional

El legado colonial de la India ha fomentado que las instituciones posibiliten la difusión de las habilidades de comunicación en inglés. Si bien la intención británica de gobernar a través de los «nativos» dio lugar a una clase de burócratas nativos formados para comunicarse en inglés, el acceso al conocimiento del idioma del inglés también condujo a una movilidad social entre las clases medias de casta superior, porque el acceso a puestos de trabajo de primera calidad estaba vinculado con el dominio del inglés. Aunque la mayor parte de los colegios públicos impartían la enseñanza en varios idiomas regionales, una serie de colegios que disfrutaban de una buena parte de subvenciones públicas impartían la educación en inglés. Teniendo en cuenta la primacía de la comunicación en inglés, incluso en el Gobierno poscolonial, la capacidad lingüística en inglés sigue teniendo un «premio». Esto fomentó un régimen de incentivos que favoreció al inglés como medio de instrucción. A pesar de que el inglés se impartía como segundo idioma, incluso en los colegios públicos, fue el medio invariable para impartir la educación terciaria. Aunque la buena instrucción en inglés tiene un precio, la inversión en ello continuó siendo una vía importante para la movilización social. La demanda de instrucción en inglés también dio lugar al surgimiento de centros de formación privados en ciudades pequeñas y medianas. La difusión del conocimiento del inglés entre la mano de obra en el campo de la ingeniería facilitó de forma clara el desarrollo del sector de la TI de la India para operar a nivel mundial.

En resumen, la variedad de instituciones, creadas a diferentes niveles y en diferentes épocas, contribuyó a ampliar la estructura del conocimiento en la mano de obra y proporcionaron a las empresas indias del sector de la TI una gran oferta de mano de obra cualificada. La primera fase de industrialización de la India (ISI) y la política en la educación superior generaron la demanda y la oferta de conocimiento técnico, y al mismo tiempo el legado del colonialismo introdujo los incentivos para aprender el inglés que hoy siguen vigentes. Estas evoluciones tuvieron lugar en el ámbito nacional. Estas instituciones ampliaron la base del conocimiento, lo cual creó las oportunidades para las empresas de TI indias para entrar y ascender en las cadenas de valor mundiales de la TI.

8.5 Procedimientos para desarrollar el conocimiento y las cualificaciones requeridas en los mercados laborales

Además de las medidas de gobernanza que crearon una estructura del conocimiento en la mano de obra, las empresas y las iniciativas público-privadas también desarrollaron instituciones de gobernanza específicas para afrontar la demanda dinámica de mano de obra cualificada en el sector de la TI de la India. En otras palabras, el país no creó solamente capacidades para la evolución de la industria del *software*, sino que desarrolló instituciones «inteligentes» o competencias colectivas para responder a las necesidades de especialización que surgían del mercado y del cambio tecnológico dentro del sector del *software*.

8.5.1 *Los procedimientos a nivel de empresa para la formación de competencias laborales*

A pesar de las grandes inversiones en la formación de capital humano, los requisitos de la cadena de valor continúan creando nuevas brechas en la oferta y la demanda de competencias laborales, obligando a las empresas a invertir de forma continua en la formación a nivel de empresa. Incluso en las fases iniciales, debido a la importancia de la «capacidad del aprendizaje», las empresas tienden a realizar grandes inversiones en la formación interna en el nivel de entrada. En un informe reciente se sostiene que aproximadamente el 2 % de los ingresos de la industria se invierten en formación, el 40 % del cual se destina a la formación de nuevos empleados (*India Brand Equity Foundation*, 2013). Programas formales de formación existen en todas las grandes empresas. La empresa Infosys Tecnologies es famosa por contar con el mayor campus de formación del mundo. Esta formación prepara a los nuevos empleados con conocimientos de programación y solución de problemas, además de exponerlos a los procedimientos organizacionales y de rutinas. De hecho, algunas empresas han ganado fama por sus capacidades de formación, los empleados que provienen de estas empresas tienden a tener mejores oportunidades en el mercado. Las empresas también confían en instituciones externas de formación para una serie de competencias laborales específicas.

Otro incentivo importante para que las empresas invirtieran en formación reside en lo ajustado que es el mercado laboral a causa de la brecha entre la oferta y la demanda (Athreye, 2005a y 2005b). Este mercado ajustado condujo a: (1) el aumento de los salarios, que afectó de forma negativa a la competitividad de costos en el segmento de los servicios de gama baja; (2) el aumento de las tasas de deserción, que obligó a aumentar todavía más los salarios; y (3) la pérdida de las inversiones en formación dentro de las empresas como resultado de la deserción. Todos estos factores supusieron importantes retos así como incentivos para que las empresas indias ascendieran en la cadena de valor (ídem). Teniendo en cuenta la dependencia en la gran cantidad de graduados en ingeniería, el trabajo de programación básica obviamente no estaba utilizando todas sus competencias laborales. Migrar hacia servicios de *software* más complejos para segmentos más amplios de los procesos empresariales requiere conocimientos del dominio que poseen los graduados en ingeniería. Con el tiempo, conforme las empresas se movilizaban hacia el desarrollo de *software* más complejo, animaban a los empleados a especializarse en dominios específicos. A pesar de que en los primeros años se consideraba esa especialización como un obstáculo para la promoción profesional de los individuos, dado el trabajo de baja gama que se llevaba a cabo en varios dominios, la presencia en la actualidad de una masa crítica de trabajo de desarrollo en dominios específicos crea los incentivos adecuados para que los empleados opten por la especialización.

8.5.2 *Abordando las brechas en las competencias laborales: las recientes iniciativas públicas y público-privadas*

A pesar del gran *stock* aparente de capital humano, desde finales de la década de 1990 ha habido temores constantes de escasez de mano de obra en el sector del *software*. Esta «escasez» se debió principalmente a la práctica de las empresas establecidas que contrataban solo a empleados de una serie específica de escuelas de ingeniería de alta calidad y que, además, imponían una serie de criterios de méritos que excluían a muchas especialidades de ingeniería. A pesar del auge del número de escuelas de ingeniería, los empresarios continúan percibiendo una falta de «calidad» en estas instituciones, lo cual han corroborado recientemente algunos estudios (Basant y Mukhopadhyay, 2009). Esta situación ha impulsado una serie de iniciativas privadas para desarrollar competencias laborales de *software* concretas. Estas instituciones no están asociadas con ninguna universidad. No obstante, ofrecen certificados y diplomas de cursos, que han ganado importancia a lo largo del tiempo gracias al reconocimiento en el mercado laboral para los programadores de *software*. Algunos de ellas también forman a estudiantes para que realicen las pruebas de certificación internacional en desarrollo de *software* u otras certificaciones de aptitudes que van surgiendo. La reputación de estas certificaciones solo se establece a través de la credibilidad en el mercado laboral. Este sector ha ido creciendo junto con la industria del *software* y se calcula que los ingresos fueron de unas 23,5 mil millones de rupias en el 2012[8].

De hecho, algunas de estas escuelas imparten formación bastante sofisticada. Un ejemplo es el *National Institute of Information Technology* (NIIT), una de las instituciones más grandes del mundo. El NIIT ofrece un programa de graduación de tres años y medio (GNIIT) que incluye un año de prácticas en una empresa de desarrollo de *software*. El NIIT también trabaja con colegios públicos y privados para proporcionar el apoyo educativo para facilitar las habilidades de desarrollo de *software* y en la actualidad ha aumentado sus servicios de formación a muchos otros países. Otro actor importante es APTECH, que tiene interesantes acuerdos de colocación. Hexaware Software, que al principio formaba parte de APTECH y después se separó como entidad independiente, contacta directamente con el departamento de colocación de APTECH y contrata a estudiantes que han completado varios cursos certificados. APTECH ofrece una serie de cursos a corto y largo plazo a través de una serie de especializaciones de *software* de gama baja y alta, tanto para estudiantes como para profesionales que trabajan. Aunque el NIIT y APTECH son los actores principales en este ámbito, hay muchos otros que proporcionan una formación similar para abordar las brechas que surgen en torno a las cualificaciones en el sector.

El Gobierno central y los estatales también están llevando a cabo medidas para hacer frente a este problema creciente. En primer lugar, varios Institutos de Tecnología de la Información (IIT) han establecido una sede pública-privada en distintas partes del país. Un cierto número de empresas líderes de *software* también se han implicado para intentar mejorar el plan de estudios, la calidad de la enseñanza y la infraestructura física para satisfacer el cambio de las necesidades del sector. Además, NASSCOM trabaja con la Comisión de Becas de la Universidad (el órgano estatal superior que regula el funcionamiento de las universidades) y el AICTE para revisar que los programas de estudios técnicos cumplan con la

---

[8] Según los cálculos de Dataquest, 17 de septiembre de 2012.

demanda emergente. El Instituto de Ingeniería de Software, otra empresa públi-co-privada, imparte formación en ingeniería sofisticada de *software*. Oracle, por su parte, ofrece una formación en habilidades de gestión de productos en colabora-ción con el *Indian Institute of Management* (IIM) en Bangalore, además de apoyar la investigación y la formación en la Universidad Anna y el TIII Hyderabad, mien-tras que Motorola imparte formación y apoyo tecnológico en trece escuelas de ingeniería en Bangalore y sus alrededores.

El aumento de la educación técnica ha ampliado la base del mercado laboral permitiendo la entrada de más personas. Sin embargo, también ha creado de forma simultánea un segmento de mano de obra técnica cuya capacidad de comu-nicación y de dominio del inglés no son adecuados, ya que normalmente han reci-bido la educación primaria y secundaria en otro idioma que no es el inglés. Para remediar esto, se han establecido muchas escuelas de «perfeccionamiento», que trabajan en asociación con el Ministerio de Desarrollo de Recursos Humanos (MHRD, por sus siglas en inglés) para complementar las habilidades técnicas con otras «básicas». Se crearon una serie de instituciones dentro de las empresas con asociaciones privadas y público-privadas para llenar los vacíos percibidos en las competencias laborales de la mano de obra de la TI. Además, las empresas crearon procedimientos para mejorar el capital humano y el conocimiento procedimental tácito de su mano de obra a través de procesos de formación. El aumento de la deserción también impulsó a las empresas a invertir de forma considerable en documentación y normalización de los procesos y procedimientos para minimizar sus pérdidas. Estas instituciones cooperativas y a nivel de empresas pueden consi-derarse como portadoras de competencias colectivas que facilitan el aprendizaje y los procesos de alta calidad a nivel de empresas. En la sección siguiente se analiza la aparición de estas normas y su función a la hora de desarrollar las capacidades a nivel de empresa.

8.6 La modernización del proceso a través de las normas: gobernanza legislativa para calidad, procedimientos y rutinas de las empresas

Cuando se intensificó la competencia entre empresas y estas comenzaron a innovar con nuevos modelos de prestación de servicios globales y extraterrito-riales, tuvieron que pasar de tener que indicar solamente las competencias de cada empleado a tener que indicar las capacidades organizacionales (Athreye, 2005b). Esto incentivó la adquisición de los certificados de calidad y seguridad que ya

hemos mencionado en este capítulo. Asegurar la calidad a través del establecimiento de normas de calidad reconocidas ha sido crucial para la modernización de
la industria de *software* de la India, el aprendizaje a nivel de empresa y el desarrollo
de procedimientos colectivos de alto desempeño (véase también Nübler, en este
volumen). La certificación internacionalmente reconocida de habilidades aumenta
la empleabilidad y también reduce de forma considerable los costes de transacción del reclutamiento. A su vez, proporcionan incentivos a los empleados para
adquirir estos conocimientos según las normas internacionales, ya que esto hace
que sus competencias laborales sean altamente transferibles entre las empresas.
Estas normas también se extienden a los procesos organizacionales. Las normas
sirven como indicador a los clientes de la calidad de los procesos internos. La adhesión a estas normas ayuda a reducir los errores en la programación y a elaborar la
documentación de forma correcta, así como a mejorar las prácticas de los recursos
humanos. Además, los certificados aseguran que las habilidades de desarrollo de
software están integradas en los equipos en lugar de en los programadores individuales. Esto supone un mecanismo de defensa de especial importancia para las
empresas que luchan contra el problema de la alta deserción y las consiguientes
pérdidas de competencias laborales integradas en el personal. La naturaleza de las
normas también se ha modificado de acuerdo con los cambios de los requisitos del
proceso de modernización. A pesar de que la especialización inicial del sector de
los servicios de *software* de la India estaba dividida en segmentos que necesitaban
en su mayor parte conocimientos de programación codificada, su entrada en el
desarrollo de *software* más complejo y personalizado necesitaba una serie de habilidades de codificación, tácitas y de semicodificación específicas de la empresa.
Obviamente, el establecimiento de normas para estas habilidades tácitas no es sencillo. Destacamos los modos a través de los cuales se desarrollaron estas normas a
lo largo del tiempo.

En los primeros años de las exportaciones, la exposición a los procesos de
negocios de calidad, las tecnologías de vanguardia y los protocolos de comunicación necesarios para negociar con los clientes eran deficientes. Las primeras
incursiones en el *body-shopping* compensaron parte de esta carencia. Los programadores, al estar presentes en las propias empresas e interactuar con los clientes,
estaban expuestos al aprendizaje en el trabajo que mantuvo al sector en una buena
posición cuando las empresas pasaron al desarrollo del *software* en terceros países.
Tal y como se ha mencionado, en vista de la falta de reputación y credibilidad en
los primeros años, las empresas recurrieron a la calidad de la mano de obra como
indicador de su buena competencia. Declaraban que contrataban no solo a graduados en ingeniería, sino también solo a personal de otras instituciones que ya
habían ganado cierta reputación en los Estados Unidos, a través de estudiantes que

habían emigrado para estudiar y trabajar en empresas con sede allí. La posterior contratación de base más amplia hizo que las empresas tuvieran que alejarse de valerse de la reputación de las escuelas de ingeniería y que pasaran a depender de una serie de normas reconocidas a nivel mundial, no solo para que sirvieran como indicadores a sus clientes, sino también, y más importante, para asegurar la calidad de su propia mano de obra. Además de las respuestas a nivel de las empresas ante tales retos, también existe una serie de iniciativas público-privadas que abordan esta dimensión de la formación de capacidades.

8.6.1 Procedimientos a nivel de empresas para actualizar las competencias laborales a través de la certificación

En la mayoría de las empresas de TI, los empleados nuevos son sometidos a una formación dentro de la empresa y deben de pasar algunas pruebas al final del programa de formación. Sin embargo, se cierne constantemente la amenaza de la obsolescencia de sus competencias laborales específicas. Muchas habilidades de programación de *software* son propensas a hacerse obsoletas con la aparición de nuevos modos informáticos y de desarrollo. Las empresas proporcionan una serie de incentivos a los empleados para que actualicen sus habilidades técnicas y de gestión de proyectos a través de la adquisición de certificaciones individuales. Por ejemplo, cada vez que se lanza una nueva versión de un *software*, la empresa normalmente concede un período de seis meses en los que los profesionales debende mejorar sus cualificaciones para volver a obtener una certificación en ese *software* (Arora y otros, 2000). La movilidad de cada empleado también está cada vez más vinculada a la obtención de ciertas certificaciones, ya sea en la gestión técnica o en el campo gerencial. Hay módulos de aprendizaje en línea disponibles para que los empleados puedan prepararse para esas pruebas de certificación. Asimismo, se proporcionan incentivos para obtener certificaciones durante los períodos conocidos como «benching»[9] cuando los empleados no están desplegando ningún proyecto específico. Teniendo en cuenta la gran demanda de trabajo, en cualquier momento puede haber alguna sección de mano de obra que se encuentre «en el banquillo» a la que se le pueda asignar proyectos a medida que surgen nuevas necesidades. Durante esos períodos, los empleados deben de obtener certificaciones adicionales que les pueden beneficiar a ellos y a la empresa a largo plazo.

---

[9] (N. T.): El término «*benching*» sería sinónimo de estar en el banquillo; en este caso, los empleados, tal y como se explica, no están trabajando en ningún proyecto específico, sino que se encuentran a la espera de que se les asigne algún proyecto.

8.6.2 Estándares para la documentación: codificación del conocimiento tácito

Tal y como se ha analizado previamente, el proceso de desarrollo de *software* todavía no está sujeto totalmente a procedimientos de desarrollo codificados. Como resultado, las rutinas del aprendizaje práctico en el trabajo son cruciales para obtener las habilidades. Sin embargo, como el aprendizaje está integrado en el programador, la deserción priva a las empresas de estas competencias vitales. Por tanto, la documentación de los procesos de desarrollo de *software* es crucial para la codificación de este conocimiento tácito y las empresas más destacadas han concebido procedimientos extensivos de documentación y diseminación de los mismos en toda su mano de obra. Los procesos de documentación y codificación han sido ayudados por la migración de las empresas hacia la adquisición de certificaciones de procesos y de calidad.

Como la TI es una industria que se basa en el proceso, indicar la calidad de los procesos de desarrollo de *software* se ha convertido en un instrumento de *marketing* importante (Arora y otros, 2001). Como hemos mencionado, la India es el lugar con el mayor número de empresas que han obtenido certificados de calidad como la ISO-9001/9000-3 (normas establecidas por la Organización internacional de Normalización) y los cinco niveles del Modelo de Madurez de Capacidades del Instituto de Ingeniería de Software (SEI-CMM, por sus siglas en inglés). Actualmente, más del 50 % de las empresas con nivel 5 en CMM del mundo tienen su base en la India. Además, el país está muy cerca de ser el anfitrión del mayor número de empresas con ISO del mundo. Estas certificaciones, además de permitir a las empresas atraer a nuevos clientes, también facilitan la codificación del conocimiento tácito que se obtiene en el proceso de desarrollo, que ha demostrado ser muy útil para que las empresas se diversifiquen en nuevos segmentos de servicios como la I+D y la y los servicios habilitados por TI.

El establecimiento de estándares también ha sido una iniciativa de gobernanza importante por parte de las instituciones públicas y privadas en el ámbito del entrenamiento de calidad. Hay un reconocimiento cada vez mayor sobre la falta de calidad en la educación técnica del país. El *National Employability Report*[10] del 2012 muestra que el 83 % de los graduados en ingeniería del país no pueden ser empleados[11]. Un estudio realizado por NASSCOM en el 2011

---

[10] (N. T.): Informe de Empleabilidad Nacional.

[11] *http://engineering.learnhub.com/lesson/21444-83-percent-of-indian-engineering-graduates-unfit-for-employment-survey-findings* «consultado el 12 de marzo de 2013».

señaló que el 75 % de los graduados en TI no están listos para los puestos de trabajo del sector de TI indio[12]. Esta falta de calidad en los graduados en ingeniería ha obligado a los gobiernos centrales y estatales, junto a las partes interesadas, a fomentar instituciones de establecimiento de estándares. Una de estas iniciativas es la extensión nacional de certificaciones de competencias laborales a través del NAC (NASSCOM *Assessment of Competentence*[13]), que crea normativas nacionales para las competencias laborales. Otras incluyen acreditación de institutos de formación privados, desde cursos de nivel básico hasta nivel de postgrado en el campo de la TI. El *National Centre for Software Technology* (NCST)[14] también lleva a cabo pruebas de especialización en *software* a varios niveles. Mientras que en el año 2010 cerca del 90 % de los ingresos de formación no formal privada provenían de iniciativas dirigidas a individuos fuera del contexto de la empresa, esta formación se ha ido complementando con el rápido crecimiento en los últimos años de iniciativas de formación empresarial, con muchas multinacionales que cuentan con sus propios centros autorizados para proporcionar sus propios cursos certificados. Estas instituciones entrenan a empleados potenciales para que consigan las certificaciones como la *Microsoft Certified Systems Engineers* (MCSE), *Microsoft Certified Systems Developer* (MCSD), *Certified Novell profesional* (CNP)[15] o certificaciones de comercio electrónico. Según Brainbech Inc, aunque la India se encuentra por detrás de los Estados Unidos en cuanto al número de profesionales de *software* certificados (145.517 frente a 194.211), el número es treinta veces mayor que el de Alemania (el país de la Unión Europea con el mayor número de profesionales certificados) y cien veces mayor que el de China en el 2005 (citado en Kaul, 2006).

Esta abundancia de certificados reconocidos a nivel mundial ha sido un medio fundamental para la modernización del mercado laboral. Tambien ha permitido a los empleados con menos niveles de competencias laborales adquirir una serie de competencias nuevas y así aumentar su base de conocimientos en el sector. Por tanto, los estándares desempeñan una función vital a la hora de mejorar las habilidades, ya que estimulan el aprendizaje, codifican el conocimiento adquirido de forma colectiva y crean competencias a nivel de la empresa o del sector. Asimismo, protegen a las empresas contra la pérdida del conocimiento a través de la movilidad de las personas, al hacer hincapié en el carácter colectivo de esas competencias.

---

[12] Ídem.

[13] (N. T.): Evaluación de las competencias de NASSCOM.

[14] (N. T.): Centro Nacional de Tecnología de Software.

[15] (N. T.): Certificado de Microsoft de Ingeniero de Sistemas, Certificado de Microsoft de Desarrollador de Sistemas, Profesional Novell Certificado.

8.7 La función de las redes institucionales para mejorar las capacidades

Además de la gobernanza en el ámbito de la empresa y las medidas de políticas públicas como las instituciones de formación formal, Humphrey y Schmitz (2002) señalan la importancia de las redes de aprendizaje tanto a través de los clústeres de empresas en una región como de las empresas que se encuentran dentro de la cadena de valor. El aprendizaje por medio de varias fuentes de aprendizaje informal ha sido muy importante para acumular las competencias que contribuyen a la evolución del sector de *software* de la India. En él, el papel de las redes empresariales, las asociaciones de productores y la circulación de trabajadores surgen como las fuentes clave del aprendizaje para las empresas. Las redes de la diáspora, las redes empresariales y comerciales, la difusión de las prácticas de las corporaciones multinacionales a través de la circulación de la mano de obra, las redes de prestación de servicios a los clientes y las redes de la industria y del Gobierno, desempeñan todas una función vital, sobre todo en la transferencia de conocimiento tácito. Asimismo, este aprendizaje se extiende al conocimiento sobre los mercados, al acceso al financiamiento y construye reputación. Hay que entender las funciones de los distintos tipos de redes para explicar el crecimiento y la consolidación de las capacidades necesarias en la producción de *software*. En la sección siguiente nos ocupamos de los espacios de aprendizajes facilitados por las varias redes en la cadena de valor de servicios de *software*. Analizamos las funciones que desempeñan estas redes en la construcción de varias capacidades.

8.7.1 Las redes de la diáspora: de la fuga de cerebros al rescate de cerebros

Cada vez hay mayor reconocimiento sobre el papel que desempeñan las comunidades de la diáspora en la construcción de capacidades en sus propios países (Saxenian, 2006). El ejemplo de Taiwán (China) sirve como modelo para algunas de las iniciativas llevadas a cabo en otros países de renta baja, como la India. En el Silicon Valley de California, un número de profesionales indúes trabajan en las puestos más altos de las empresas de tecnología y un número considerable de empresarios son de origen indio (Pandey y otros, 2004). Como muchos se graduaron de institutos TI, establecieron rápidamente redes para el intercambio de información y movilizaron finanzas para proyectos empresariales (Mani, 2013; Pandey y otros, 2004).

Estas redes fueron cruciales no solo para la puesta a disposición del capital humano sino también para la venta de servicios a terceros países. De hecho, el impulso inicial para la externalización y la acreditación de las empresas de servicios de la India se reforzó gracias a la presencia de estos expatriados. Incluso la entrada de la empresa Texas Instruments en Bangalore, que fue la pionera en desarrollar el modelo extraterritorial, fue posible gracias a la presencia de un expatriado indio como uno de los vicepresidentes de Texas Instruments (Patibandla y Petersen, 2002). Existen otros casos similares de tecnócratas indios en empresas estadounidenses y otras multinacionales creadores de vínculos con empresarios y reservas de mano de obra indias. La red Indus Entrepreneur Network, una red de tecnócratas indios con base en Silicon Valley, ha desempeñado un papel muy importante en el desarrollo de las habilidades empresariales en centros como Bangalore. Además, las misiones llevadas a cabo por los gobiernos regionales buscaron atraer inversiones entre la diáspora india: los representantes de los gobiernos regionales contactaron con la comunidad de la diáspora de sus estados con solicitudes de inversión en sus estados de origen. Existen también ejemplos de tales redes ayudando a las instituciones de formación del país para llevar a cabo programas de formación y familiarización especial para los estudiantes actuales.

El Gobierno indio también reconoció la importancia de las redes de la diáspora para aprovechar las habilidades de los tecnócratas expatriados. En el año 2000, formó un comité de alto nivel en la diáspora para facilitar la interacción entre los expatriados y su país de origen. Una iniciativa es un programa de intercambio llamado «*The transfer of know-how through expatriate nationals*»[16], que anima a los expatriados nacionales a desarrollar consultorías de corto plazo en su país de origen. A través de estos diversos programa e incentivos el Gobierno quiere atraer las competencias gerenciales y tecnocráticas necesarias conforme la industria va avanzando hacia procesos más complejos.

8.7.2 *El aprendizaje a través de las multinacionales*

Lateef (1997), Parthasarathy (2000) y otros mencionan como un factor muy importante que contribuyó al arranque de las exportaciones de *software* de la India el establecimiento de empresas filiales de las multinacionales para el desarrollo del *software* en la India para aprovechar la mano de obra cualificada de bajo costo. Aunque las empresas nacionales llevan a cabo exportaciones importantes, la industria del *software* en India es el hogar de un gran número de empresas multinacionales, tal y como se desprende de la presencia creciente de empresas extranjeras

---

[16] (N. T.): «La transferencia de conocimientos técnicos a través de los expatriados nacionales».

que pertenecen a NASSCOM[17]. Otros estudios señalan las redes de aprendizaje facilitadas y habilitadas por las multinacionales. (Athreye, 2003). La presencia de las multinacionales es de dos tipos. Un conjunto de multinacionales son líderes mundiales que establecen un servicio de gestión de operaciones en India, mientras que otro grupo está compuesto por indios expatriados que establecen operaciones en India.

A partir de la entrada en los mercados mundiales, la presencia de las multinacionales generó incentivos para el aprendizaje y la formación de habilidades de cinco formas distintas. En primer lugar, la tensión en los mercados laborales y la aglomeración del desarrollo de *software* impulsó un alto grado de circulación de mano de obra entre las multinacionales y las empresas nacionales. Esto facilitó las redes de aprendizaje, ya que los empleados que estaban expuestos a las rutinas organizacionales de las empresas multinacionales podían trasladar ese conocimiento tácito a las empresas nacionales. A pesar de que la circulación de la mano de obra entre las empresas agota las competencias laborales de las empresas, también les proporcionaba oportunidades de adquirir, a través del mercado, otras competencias que no tenían. Esto resulta muy útil cuando las empresas buscan competencias laborales de gama alta que no están disponibles a través de los procesos de entrenamiento formal.

En segundo lugar, en términos de las rutinas organizacionales, las multinacionales fueron las primeras en aplicar procedimientos de certificación para procesos internos y también desarrollaron herramientas propias para el desarrollo del *software*. El desarrollo de las herramientas propias fue muy útil para mejorar la productividad del desarrollo del *software*. Implica el uso de bloques de código escritos por la empresa para servicios previos en el nuevo desarrollo de *software*, por tanto se reduce el tiempo y la mano de obra necesarios.

En tercer lugar, las empresas nacionales también podían desarrollar mejores modelos de negocios a medida que aprendían de las multinacionales. Athreye (2003) señala que incluso el movimiento de las empresas indias que prestaban servicios *in situ* hacia el establecimiento de centros de desarrollo extraterritoriales fue gracias al aprendizaje de los modelos de negocio de las multinacionales. Texas Instruments fue la pionera en el proceso de desarrollo de software en la India y en la transmisión de los códigos a la casa matriz en los Estados Unidos a través del satélite. Además, las multinacionales de telecomunicaciones, *software* y *hardware* también subcontrataban el trabajo de desarrollo de *software* a empresas nacionales, lo que ayudaba a los empleados a adquirir competencias laborales de ámbito

---

[17] *http://www.slidshare.net/patrimaonline/bpo-voice-why-nasscom-is-important-for-indian-out-sourcing-industry* «consultado el 16 de octubre de 2013».

específico que impulsaban el avance hacia el desarrollo de un *software* más complejo y a la diversificación en los servicios de I+D.

En cuarto lugar, el aprendizaje también fue posible gracias a la formación de empresas mixtas entre empresas indias y extranjeras. Un ejemplo clásico es el de Nortel Networks, que estableció una sociedad mixta con una compañía india. El socio indio luego estableció una empresa independiente que resultó ser competidora de Nortel en el mismo espacio producto. Según Athreye (2003), este modelo fue adoptado por otras multinacionales como CISCO y TI. En quinto lugar, las multinacionales también forjaron vínculos con instituciones académicas para la investigación y la formación, tal y como se indicó anteriormente. La financiación de la investigación y la enseñanza en las áreas de frontera en algunas de estas instituciones son algunas de las actividades fundamentales que se llevaron a cabo.

8.7.3 Redes de emprendedores: la función de NASSCOM

Además de instituciones como el Indus Entrepreneur Network, la formación de la asociación comercial, NASSCOM, ha sido un motor clave en la evolución del sector de los servicios de *software*. NASSCOM se fundó en 1988 con 38 miembros (que representaban el 65 % del total de las exportaciones) y ahora está compuesta por más de 1.100 miembros (Kshetri y Dholakia, 2009). Aparte de tener filiales en muchos países, cuenta con personal especializado en la Embajada de la India en Washington, DC para cabildear con la industria y el Gobierno de los Estados Unidos. Este cabildeo se ha convertido en una actividad importante en el contexto de la reacción en los Estados Unidos en contra de la subcontratación externa, por el miedo a la pérdida de puestos de trabajo.

NASSCOM desempeña una serie de actividades que abarcan desde la aplicación de los estándares hasta ayudar a explorar nuevas oportunidades de negocio, proporcionar información de mercados, trabajar junto al Gobierno para identificar brechas importantes en las habilidades y buscar apoyo para abordarlas. Por ejemplo, hace que se cumplan ciertos estándares de seguridad para sus miembros en relación con las redes y la transmisión de datos y busca elevar los estándares de protección de datos a niveles europeos y estadounidenses. También ha invertido de forma considerable en el desarrollo de las marcas. Otra función importante ha sido el cabildeo y el trabajo ejercidos con los gobiernos nacionales y regionales en varios asuntos que afectan a la industria. Colaboró con varios gobiernos estatales para formular políticas de TI y también con el Ministerio de Tecnología de la Información para abordar delitos relacionados con Internet, la piratería de *software* y el robo de datos. Además, varios de sus miembros trabajan en comités del Gobierno. Este poder les permite cabildear de forma exitosa para conseguir infraestructuras y otros subsidios del Gobierno, como la exención de impuestos. Su presión con el Gobierno ha servido para ampliar el alcance del mercado nacional, ya que los gobiernos estatales han destinado una parte de sus presupuestos a construir infraestructuras de TI como *e-governance*.

Las distintas instituciones formales e informales que sustentan estas redes y la transferencia de conocimiento dentro de ellas representan ejemplos claros de la forma en la que las instituciones «inteligentes» pueden facilitar e incentivar el aprendizaje y la acumulación de capacidades dentro de las redes sociales durante el proceso de modernización.

8.8 Conclusiones y repercusiones para una modernización sostenida

En el análisis que acabamos de exponer hemos destacado la forma en la que los múltiples mecanismos de gobernanza y de redes público-privadas facilitaron la entrada y la modernización del sector de *software* de la India en la cadena de valor mundial del *software*. Basándose en las ideas de la literatura económica sobre la gobernanza de las cadenas de valor, este capítulo analizó la acumulación de competencias como un resultado de las interacciones entre los mecanismos de gobernanza de las empresas, la cadena y el sector. Asimismo, es muy importante la forma en la que las instituciones intermedias, como la asociación industrial y la diáspora india, facilitaron estas interacciones. Hemos intentado distinguir las medidas de política que facilitaron la entrada del sector del *software* indio en la cadena de valor mundial de servicios de *software*, de las respuestas de política para mantenerse y mejorar dentro de la cadena de valor mundial. Las iniciativas en la primera fase, que estaban arraigadas en el imperativo de la sustitución de las importaciones, fomentaron el desarrollo de infraestructuras sociales y físicas que permitieron a las empresas nacionales aprovechar los recursos humanos de bajo coste para ganarse un asidero en la cadena de valor mundial. La gobernanza pública posterior, incorporada en un cambio de política hacia la apertura comercial, estaba integrada en un entorno regulatorio que asignaba al Estado una función facilitadora y estaba configurada por mayores interacciones con las asociaciones industriales y la asignación al capital privado de un papel mayor en la construcción de infraestructuras educativas. Hemos tratado de identificar las sinergias existentes entre los mecanismos de gobernanza pública y el desarrollo de habilidades en el ámbito de las empresas mediante la creación de incentivos y la prestación de infraestructuras de apoyo principalmente para la acumulación de capital humano. Esta interacción entre las demandas sectoriales y la respuesta de gobernanza fue vital para la entrada y el posterior crecimiento y modernización en la cadena de valor mundial de servicios de *software*. Dicho de otro modo, la acumulación de competencias colectivas en el ámbito de las empresas ha sido un proceso co-evolutivo, con las políticas públicas respondiendo a las demandas sectoriales, que a su vez se han configurado con base en las barreras percibidas para la modernización o el crecimiento en las distintas etapas de la evolución del sector.

Incluso en medio de este dinamismo sectorial, sigue habiendo brechas en la acumulación de capacidades. Ilavarasan y Parthasarathi (2012) identificaron una brecha muy importante relacionada con la falta de encadenamiento entre las pequeñas empresas y las grandes empresas nacionales o multinacionales en el sector que pueden promover el desarrollo de las habilidades entre las empresas pequeñas. Hacen referencia a la insuficiencia de instituciones intermediarias, como los fondos de capital de riesgo y la incapacidad para aprovechar las redes de conocimientos, a pesar de la continua formación de pequeñas empresas nuevas. De hecho, los ejemplos de este capítulo ponen de relieve la necesidad de tales instituciones intermediarias para mejorar las competencias laborales y las habilidades para negociar y ascender en la cadena de valor. Tal y como se desprende de estos análisis, las asociaciones industriales pueden ser ideales para desempeñar esta función, como ha demostrado NASSCOM.

Otra limitación fue la falta de recursos de enseñanza de calidad y el desajuste entre la oferta y la demanda de calificaciones. Los altos salarios ofrecidos a los empleados también pueden tener implicaciones para la sostenibilidad del sector, ya que reducen los recursos para la enseñanza, dando como resultado una calidad deficiente de educación superior, tal y como señala Tilak (2013). Incluso en las disciplinas de ingeniería se ha producido una distorsión, con más oferta y demanda de estudiantes de electrónica, informática y TI y pocos interesados en otras disciplinas como la mecánica y la ingeniería civil. Esto sucede en un momento en el que los pronósticos indican que la demanda futura se centrará en ingenieros con conocimientos básicos en otras disciplinas y con las competencias laborales relacionadas con el desarrollo de *software*. Como consecuencia, el Gobierno ha decidido no crear mas instituciones que ofrezcan solamente grados en TI como los IIT. El ejemplo de la India destaca claramente la necesidad de las vinculaciones entre el sistema educativo y la industria. Las «instituciones inteligentes» que permanezcan conscientes de las cambiantes necesidades de la industria y que ajustan su programa educativo en consecuencia han sido cruciales para el éxito del sector de la TI en la India. El uso eficaz de la capacidad de suministro del Estado y la invitación al sector privado para que reduzca la brecha de la demanda, en función de los requisitos de mano de obra cualificada, son fundamentales a la hora de crear un ecosistema favorable en el que las empresas puedan avanzar. En este contexto también es importante reconocer el papel de varias redes formales e informales para facilitar el aprendizaje dentro y fuera de las empresas. Las iniciativas de política pertinentes deben seleccionar estas redes y fortalecerlas.

El siguiente asunto importante tiene que ver con la supervisión de los estándares. La elevada falta de empleabilidad de los graduados en ingeniería y la falta de preparación para el trabajo de un gran número de graduados en TI ponen de manifiesto la falta de una atención adecuada a la gobernanza acertada de la formación de competencias laborales. A pesar del aumento de las instituciones para abordar esta brecha, la escasez de competencias laborales sigue colocando barreras para la modernización de las empresas nacionales, sobre todo de las pequeñas empresas. La caza furtiva de capital humano llevada a cabo por las multinacionales aumenta estas barreras (Sarawati, 2012). También nos encontramos con que, a pesar del avance limitado en el mercado de productos de *software*, todavía persisten las barreras creadas por la marca, la publicidad y el acceso al mercado de los actores mundiales que impiden mejorar en esta dirección. Este problema se agrava por el hecho de que las empresas indias siguen invirtiendo relativamente poco en I+D.

Se ha determinado que NASSCOM, que ejerce una influencia considerable en la formulación de políticas, posee una visión deficiente en materia de aprovechar el potencial del sector para mejorar los vínculos dinámicos con la economía nacional. Aunque muchas empresas de exportación se han diversificado en el mercado nacional, el trabajo con las industrias para generar nuevos *softwares* que puedan mejorar las habilidades en los segmentos de usuarios se ha visto limitado. Esta desconexión y la falta de integración debido a vínculos nacionales deficientes tienden a limitar las posibilidades de derrames positivos que la modernización en las cadenas de valor mundiales podrían generar en la economía nacional. Si bien varios mecanismos de gobernanza que hemos destacado facilitaron la modernización sectorial, la medida en la que estas mejoras pueden generar derrames positivos en el resto de la economía será fundamental para la mejora social. El ejemplo de la India resalta la necesidad de poner énfasis de forma simultánea en la modernización dentro de la cadena de valor y en una serie de medidas que aseguren la integración social de estos procesos.

Referencias

Arora, A.; Bagde, S. K. 2010. *Human capital and the Indian software industry*, Working Paper núm. 16167 (Cambridge, MA, National Bureau of Economic Research).

—; *et al.* 2000. *The globalization of software*, Final Report to the Sloan Foundation (Pittsburgh, PA, Carnegie Mellon University). Disponible en: *http://www.heinz. cmu.edu/project/india/pubs/Sloan_Report_final.pdf* [consultado el 21 de octubre del 2013].

—; *et al.* 2001. «The Indian software services industry», en Research Policy, vol. 30, pp. 1267-1287.

Athreye, S. S. 2003. *Multinational firms and the evolution of the Indian software industry*, núm. 51, East West Center Working Paper, Economic Series (Honolulu, East West Center).

—. 2005a. «Human capital, labour scarcity and development of the software servicessector», en A. Saith and M. Vijayabaskar (eds): *ICTs and Indian economicdevelopment: Economy, work, regulation* (New Delhi, Sage Publications).

—. 2005b. «The Indian software industry and its evolving service capability», en *Industrial and Corporate Change*, vol. 14, núm. 3, pp. 393-418.

Bajpai, N.; Shastri, V. 1998. *Software industry in India: A case study*, Development Discussion Paper núm. 667 (Cambridge, MA, Harvard Institute of International Development).

Balakrishnan, P. 2006. «Benign neglect or strategic intent?», en Economic and Political Weekly, vol. XLI, núm. 36, pp. 3865-3872.

Banerjee, R.; Muley, V. P. 2008. *Engineering education in India* (Mumbai, Department of Energy Science and Engineering, Indian Institute of Technology).

Basant, R.; Mukhopadhyay, P. 2009. *An arrested virtuous circle? Higher education and high-tech industries in India*, Working Paper núm. 2009-05-01 (Ahmedabad, Indian Institute of Management).

Bell, M.; Pavitt, K. 1993. *Accumulating technological capability in developing countries*, Proceedings of the World Bank Annual Conference on Development Economics, Washington, DC.

Brooks, F. P. 1975. *The mythical man-month: Essays in software engineering* (Reading, MA, Addison-Wesley).

Gereffi, G.; Kaplinsky, R. (eds). 2001. *The value of value chains: Spreading the gains of globalisation*, IDS Bulletin 32/3 (Sussex, Institute of Development Studies).

Gibbon, P. 2000. *Global commodity chains and economic upgrading in less developed countries*, Working Paper núm. 2 (Copenhagen, Centre for Development Research).

Heeks, R. 1996. *India's software industry: State policy, liberalization and industrial development* (New Delhi, Sage Publications).

Humphrey, J. 2004. *Upgrading in global value chains*, Working Paper núm. 28 (Geneva, Policy Integration Department, World Commission on the Social Dimension of Globalization, ILO).

—; Schmitz, H. 2002. «How does insertion in global value chains affect upgrading in industrial clusters?», en *Regional Studies*, vol. 36, núm. 9, pp. 1017-1027.

Ilavarasan, P. V. 2011. «"Center for global" or "local for global"? R&D centers of ICT multinationals in India», en R. J. Howlett (ed.): *Innovation through knowledge transfer 2010: Smart innovation systems and technologies* (Berlin and Heidelberg, Springer Verlag).

—; Parthasarathy, B. 2012. «Limited growth opportunities amidst opportunities for growth: An empirical study of the inter-firm linkages of small software firms in India», en *Journal of Innovation and Entrepreneurship*, vol. 1, núm. 4, pp. 1-12.

ILO. 2001. *World Employment Report 2001: Life at work in the information economy* (Geneva).

India Brand Equity Foundation. 2013. *IT and ITeS* (Gurgaon). Disponible en: *http://www.ibef.org/download/IT-ITeS-March-220313.pdf* [consultado el 21 de octubre del 2013].

Kaplinsky, R. 2000. «Spreading the gains from globalisation: What can be learned from value chain analysis?», en *Journal of Development Studies*, vol. 37, núm. 2, pp. 117-146.

—; Morris, M. 2001. *A handbook for value chain research*, prepared for the International Development Research Centre. Disponible en: *http://www.prism.uct.ac.za/papers/vchnov01.pdf* [consultado el 21 de octubre del 2013].

Kaul, S. 2006. *Higher education in India: Seizing the opportunity*, Working Paper núm. 179 (New Delhi, Indian Council for Research on International Economic Relations).

Kshetri, N.; Dholakia, N. 2009. «Professional and trade associations in a nascent and formative sector of a developing economy: A case study of the NASSCOM effect on the Indian offshoring industry», en *Journal of International Management*, vol. 15, núm. 2, pp. 225-239.

Lateef, A. 1997. *Linking up with the global economy: A case study of the Bangalore software industry*, ILO Working Paper núm. 96 (Geneva, ILO).

Mani, S. 2013. *Changing leadership in computer and information services, emergence of India as the current world leader in computer and information services*, Working Paper núm. 453 (Thiruvananthapuram, Centre for Development Studies).

NASSCOM (National Association of Software and Services Companies). 2012. *The IT-BPO sector in India: Strategic Review February 2012* (Bangalore).

Nübler, I. Próxima publicación. *Capabilities, productive transformation and development: A new perspective on industrial policies* (Geneva, ILO).

Pandey, A. *et al.* 2004. *India's transformation to knowledge-based economy - Evolving role of the Indian diaspora* (Gurgaon, Evalueserve). Disponible en: *http://info.worldbank.org/etools/docs/library/152386/abhishek.pdf* [consultado el 21 de octubre del 2013].

Parthasarathy, B. 2000. *Globalization and agglomeration in newly industrializing countries: The state and the information technology industry in Bangalore, India* (Berkeley, CA, University of California), tesis inédita.

—. 2004. «India's Silicon Valley or Silicon Valley's India? Socially embedding the computer software industry in Bangalore», en *International Journal of Urban and Regional Research*, vol. 28, núm. 3, pp. 664-685.

Patibandla, M.; Petersen, B. 2002. «Role of transnational corporations in the evolution of a hi-tech industry: The case of India's software industry», en *World Development*, vol. 30, núm. 9, pp. 1561-1577.

Raveendran, G.; Kannan, K. P. 2009. «Growth sans employment: A quarter century of jobless growth in India's organised manufacturing», en *Economic and Political Weekly*, vol. 44, núm. 10, pp. 80-91.

Rothboeck, S.; Vijayabaskar, M.; Gayathri, V. 2001. *Labour in the new economy: The case of the Indian software labour market* (New Delhi, ILO).

Saraswati, J. 2012. *Dot.compradors: Power and policy in the development of the Indian software industry* (London, Pluto Press).

Saxenian, A. L. 2006. *The new argonauts: Regional advantage in a global economy* (Cambridge, MA, Harvard University Press).

Tilak, J. B. G. 2013. «Higher education in the BRIC member-countries: Comparative patterns and policies», en *Economic and Political Weekly*, vol. XLVIII, núm. 14, pp. 41-47.

UNCTAD (United Nations Conference on Trade and Development). 2012. *Information Economy Report 2012: The software industry and developing countries* (New York and Geneva).

Sofisticación de las exportaciones, el crecimiento y la trampa de renta media

9

Piergiuseppe Fortunato y Carlos Razo

9.1 Introducción

La transformación estructural está en el centro del desarrollo económico. Los países en desarrollo exitosos cambian progresivamente su estructura de producción, sustituyendo las actividades de bajo valor añadido y los productos simples por actividades de mayor valor añadido y productos sofisticados. Un país de renta baja normalmente depende demasiado de los recursos extractivos, la exportación de monocultivos y la agricultura de subsistencia. El despegue económico comienza con el cambio de los recursos existentes a actividades de procesamiento y a la producción de bienes manufacturados básicos. Durante la «etapa de industrialización» la mecanización se extiende al sector primario, sosteniendo así la caída del empleo agropecuario. Al mismo tiempo, las grandes complementariedades con el sector de los servicios asegura un aumento estable en el empleo y la producción de servicios comercializables, el transporte y las finanzas.

En las primeras etapas de la diversificación, la trayectoria del crecimiento empieza de forma invariable dentro de la frontera de la producción mundial, en la que los países en desarrollo se encargan de la manufactura de los bienes ya producidos en otros lugares. Dentro de la frontera, los países buscan ponerse a la altura de aquellos que ya están en la frontera a través de la rápida acumulación de capital y la adaptación tecnológica de las actividades en las aplicaciones industriales. Estos bienes son también los que impulsan la diversificación de la exportación.

Sin embargo, para sostener el proceso de desarrollo las innovaciones dentro de la frontera no son suficientes. Los estudios recientes destacan la importancia de las capacidades y la necesidad de que un país aumente de forma progresiva sus capacidades para desarrollar y difundir los nuevos productos (y procesos) y así pueda conseguir un crecimiento convergente (véase el capítulo de Nübler en este volumen). Así pues, depende de la habilidad que tengan la sociedad y las empresas para acumular competencias laborales y conocimiento, para combinar el conocimiento productivo de sus individuos y desarrollar las competencias colectivas lo que determina su capacidad para diversificarse y aumentar el valor añadido interno y así producir bienes que sean cada vez más sofisticados y competitivos en los mercados internacionales, desafiando a los competidores avanzados de la frontera tecnológica.

El cambio estructural y el desarrollo de las habilidades son, sin embargo, unos esfuerzos desafiantes. La transformación de la estructura económica de la economía requiere la adquisición y refinamiento de conocimiento productivo. Esto puede dar lugar al dilema del huevo o la gallina cuando el aprendizaje se lleva a cabo principalmente en las industrias. Un país no puede producir bienes de los que no tenga conocimientos y no puede acumular conocimiento de los productos que no produce. Hausmann y otros (2011) reconocen esto y señalan que los países se mueven de los bienes que producen hacia otros que son similares en terminos del conocimiento necesario para producirlos. Se supone que el desarrollo industrial es un proceso gradual y dependiente de una trayectoria y que los países no pueden dar un gran salto hacia productos que sean muy distantes.

Hausmann y otros (2011) examinan las diferencias entre los países en relación con la complejidad de los productos que exportan; asumen que la estructura de exportación de un país refleja sus capacidades para cambiar y diversificarse hacia productos identificados como relacionados con los bienes que ya producen. Se supone que los países que tienen una estructura productiva o de exportación más compleja y variada han desarrollado más capacidades. La complejidad económica de un país se mide en función del número, la variedad y la peculiaridad de los bienes que exporta.

Hausmann y otros encuentran que la complejidad económica no está correlacionada de una forma perfecta con el nivel de ingresos de cada país, sino que la divergencia entre el nivel previsto y el real de la complejidad económica de un país es un buen indicador del crecimiento económico futuro. Esto quiere decir que los países con una estructura productiva más compleja de la prevista por su nivel de ingresos presentan un crecimiento más acelerado en los años posteriores.

Nübler (en este volumen) desarrolla un concepto explícito de capacidades, afirmando que estas no solo se crean por medio del aprendizaje en las industrias, sino también por el conocimiento que se adquiere en la educación formal y en las redes sociales como la familia y las comunidades, y que, además, esa transformación de estos sistemas de conocimiento en la mano de obra puede abrir las opciones para dar un salto hacia productos distantes en el espacio producto. Así pues, un proceso sostenido de transformación productiva y un crecimiento convergente desde rentas bajas a medias y finalmente a avanzadas necesita un aprendizaje deliberado y continuo en diferentes lugares —en la sociedad, centros de enseñanza, empresas— con el fin de aumentar las opciones para incrementar de forma gradual la sofisticación de las exportaciones y dar el salto a regímenes tecnológicos avanzados.

A lo largo de la historia, ha habido pocos países de renta media que hayan sido capaces de ingresar en el grupo de las economías de renta alta. Esto sugiere que, en los niveles de renta media, resulta más difícil mantener la transformación estructural y el crecimiento económico. Por un lado, estos países han alcanzado un nivel de desarrollo lo suficientemente elevado como para evitar que compitan en el mismo terreno con países de renta baja. Por otro lado, todavía no poseen una estructura de conocimiento adecuada en la mano de obra y la combinación de factores institucionales y de producción que les puedan permitir entrar y competir con productos con alto grado de conocimiento. Como resultado, muchos de estos países que alcanzan un estatus de renta media no son capaces de continuar el proceso de convergencia de ingresos con economías ricas, así que permanecen atrapados en lo que se conoce como la trampa de la renta media.

Por ejemplo, aunque una mayoría de países de América Latina había conseguido un nivel relativamente alto de desarrollo a finales del siglo XIX, se vieron frenados por su fracaso en diversificar y modernizar los sectores manufactureros.

Más recientemente, entre el grupo de economías exitosas del Asia Oriental, la evolución del crecimiento ha variado de forma considerable; el crecimiento más restringido se ha asociado al aumento de las actividades manufactureras dentro de las cadenas de valor mundiales como la realización de montajes o procesamientos sencillos de productos de la industria ligera para las exportaciones (por ejemplo, prendas de vestir, calzado y alimentos) o el suministro de partes y componentes electrónicos. En comparación con los países de progreso acelerado como China, Taiwán (China) y la República de Corea, los de progreso medio como Malasia y Tailandia y los de progreso bajo como Indonesia y Filipinas, han tenido dificultades para establecer a productores nacionales que puedan diversificarse y modernizarse hacia segmentos tecnológicos más sofisticados de la cadena de valor (Ohno, 2009; Studwell, 2013).

Jankowska, Nagengast y Perea (2012) han analizado la exitosa transformación estructural que se experimentó en los países asiáticos recientemente industrializados de primer nivel (NIC, por sus siglas en inglés). Su estudio se basa en la metodología del espacio producto (Hidalgo y otros, 2007), que mapea la proximidad relativa o similitud de los productos comercializables, y en el caso de los NIC asiáticos se muestra que la transformación estructural fue un proceso gradual. La nueva producción se desarrolló de forma secuencial en industrias (por ejemplo, el hierro, el acero y la electrónica) que hacen uso de habilidades y capacidades transferibles con relativa facilidad a partir de las industrias existentes. Este aumento estratégico en los sectores de alta «conectividad»[1] permitió llevar a cabo una transición aún más sistemática hacia actividades de mayor valor añadido, en especial hacia aquellas que requerían una tecnología y unas técnicas de producción similares. En contraste, los países de América Latina suelen caracterizarse por la especialización económica en industrias que están relativamente alejadas de productos de mayor valor añadido, dando como resultado una conectividad menor con sus perfiles de exportación.

En este capítulo se examina de forma empírica esta vinculación entre, por un lado, la dinámica y la composición de la estructura de exportación (que se mide en particular por el nivel de sofisticación de los productos exportados) y, por el otro lado, el crecimiento económico. No observamos directamente el cambio estructural. En cierto sentido, examinamos el impacto que tiene el tipo de exportaciones sobre el crecimiento, sin tener en cuenta el canal de transmisión. Para descartar los rasgos clave que caracterizan los productos que mejoran el crecimiento, empleamos la medida de sofisticación del producto desarrollada por Hausmann, Hwang y Rodrik (2007). Esta mide la sofisticación de los bienes comercializables basándose en los niveles de ingresos de los países que exportan esos bienes. A continuación normalizamos esta medida en una escala del cero al cien. Según este índice, cuanto más elevado es el promedio de ingresos de los exportadores, más sofisticado es el producto; es decir, un nivel elevado (bajo) de sofisticación indica que el producto solo lo exportan países ricos (pobres)[2].

La aportación más importante de este documento reside en el estudio de las variaciones dinámicas en la estructura de exportación y la posibilidad de quedar atrapado en niveles intermedios de ingresos. Asumimos un proceso de Markov y agrupamos a los países con base en la sofisticación de sus exportaciones. A continuación, calculamos cómo cambian las probabilidades de transición entre los grupos a lo largo del tiempo. Nuestros resultados arrojan una sombra sobre las perspectivas de evolución de muchos países en desarrollo, que están expuestos al riesgo de no poder desplazar su producción hacia productos altamente sofisticados. En la misma línea que los resultados de Hausmann y otros (2011), nuestro

---

[1] Un sector de conectividad alta es aquel que puede dar un salto a otras exportaciones potenciales.

[2] Este índice es muy similar al índice de sofisticación que propusieron Lall, Weiss y Zhang (2006). Existen pequeñas diferencias en el proceso de cálculo de cada índice. Sin embargo, los dos pueden mostrar el hecho de que un nivel mayor de sofisticación está correlacionado con mayores niveles de renta per cápita.

análisis muestra que, incluso a largo plazo, es poco probable que los países hagan un salto hacia productos que estén alejados del conocimiento integrado en los bienes que ya producen. Saber cuáles son los bienes de exportación que fomentan niveles de ingresos más elevados no es suficiente. La carencia de conocimiento y habilidades productivas impide a los países producir los bienes que fomentan el crecimiento. Estos hallazgos sustentan el marco del crecimiento convergente propuesto por Nübler en este volumen. Nübler sostiene que las habilidades colectivas no se crean de forma automática, sino que necesitan políticas deliberadas para enriquecer la estructura del conocimiento de la mano de obra y así elaborar rutinas empresariales e instituciones «inteligentes» en el país, además de crear los incentivos adecuados para invertir en un nuevo conjunto de actividades que son cruciales para ascender por las escaleras de la sofisticación y promover el crecimiento.

Felipe, Kumar y Abdon (2010) realizan una contribución bastante relacionada, proporcionando apoyo empírico a la afirmación de que los países que no pueden mejorar y diversificar sus exportaciones pueden quedar atrapados en la trampa de renta media. Clasifican a los países de acuerdo a la sofisticación y conectividad de sus exportaciones. Muestran que 120 de los 154 países se encuentran en una trampa del «producto de mala calidad», ya que exportan en su mayor parte productos simples y desconectados. Llegan a la conclusión de que para escapar de esta trampa hacen falta intervenciones de politica destinadas a abordar las fallas del mercado que dominan en muchos países en desarrollo.

El resto de este capítulo está organizado de la manera siguiente. En la sección 9.2 se aportan los datos sobre la sofisticación de las exportaciones y se analiza la metodología. En la sección 9.3 se resumen los resultados de las regresiones de crecimiento. En la sección 9.4 se presentan los resultados dinámicos sobre la sofisticación y se destaca el riesgo de caer en la trampa de renta media. En la sección 9.5 se exponen las conclusiones finales.

9.2 Índice de la sofisticación de las exportaciones: metodología y estadísticas descriptivas

9.2.1. Metodología

Para medir la calidad de las exportaciones y sus variaciones a lo largo del tiempo y determinar si esto es crucial para el proceso de desarrollo, nos enfocamos en una característica clave del paquete de exportación del país: la sofisticación. Hacemos uso de una medida de sofisticación de la exportación creada por Hausmann, Hwang y Rodrik (2007). Es una medida basada en el resultado de la sofisticación del paquete de exportación de un país —esencialmente el PIB per cápita asociado a la canasta de exportaciones—. Esta métrica tiene dos ventajas claras sobre las que se utilizaron en estudios anteriores. La primera, es que se define a un nivel muy desagregado (en el caso de Hausmann, Hwang y Rodrik, HS de seis dígitos), lo que permite realizar una evaluación muy afinada. La segunda es que se basa en los resultados, mientras que las medidas anteriores se basaban en suposiciones a priori sobre la sofisticación (por ejemplo, todos los productos agrícolas son menos sofisticados y todos los productos manufacturados son más sofisticados).

El índice de sofisticación de la exportación intenta captar la productividad implícita de los bienes exportados. La intuición sobre esto es que cuando los países exportan un producto, revelan sus niveles de productividad, al igual que el concepto de la ventaja comparativa revelada. Por ejemplo, en ausencia de intervenciones comerciales, los productos que exportan los países ricos tendrán una serie de características que permitirán a los productores con altos salarios competir en los mercados mundiales. Una de estas características es el contenido tecnológico avanzado, pero no es la única. Existen otros factores que pueden desempeñar también una función importante a la hora de determinar la canasta de exportaciones de un país, como la disponibilidad de recursos naturales, el marketing o la marca, la calidad de las infraestructuras, los costos de transporte o el grado de fragmentación del proceso de producción[3].

En este contexto Hausmann, Hwang y Rodrik (2007) desarrollaron una metodología para construir un índice cuantitativo que jerarquiza los bienes comercializables en función de su productividad implícita y que en un sentido amplio capta los diferentes factores que determinan la canasta de exportaciones de un país[4]. La suposición general es que cuanto mayor es el ingreso promedio del exportador, más sofisticada es la exportación. Seguimos a Hausmann, Hwang y Rodrik (2007) y elaboramos un índice de sofisticación de la exportación por país cada dos años durante el período 1996-2008.

El índice está elaborado en tres etapas. La primera etapa consiste en la medición del PIB per cápita (es decir, el nivel de productividad implícito) asociado con cada producto exportado. Esta medida de sofisticación a nivel de producto se designa como $PRODY_k$ y se calcula como el ingreso nacional bruto (INB) per capita ponderado por la ventaja comparativa revelada (VCR) de cada país que exporta el producto k:

---

[3] La fragmentación de la producción se ha intensificado en los últimos años. Cuando el proceso de producción es divisible, algunas partes se pueden reasignar a países de salarios bajos, lo que refleja las posibilidades de separar segmentos de la cadena de valor.

[4] Lass, Weiss y Zhang (2006) desarrollaron una métrica similar.

$$PRODY_k = \sum_j \frac{\dfrac{X_{kj}}{X_j}}{\sum_j \dfrac{X_{kj}}{X_j}} Y_j$$

Donde X_{kj} representa el valor de las exportaciones del producto k por el país j; X_j el valor total de las exportaciones del país j, e Y_j su INB per cápita. De este modo, si un producto representa una gran proporción de las canastas de exportaciones de los países pobres, pero un porcentaje pequeño de las canastas de exportaciones de los países ricos, tendrá un *PRODY* inferior, ya que se trata de una exportación de «país pobre». Por el contrario, si un producto representa una gran proporción de los paquetes de exportaciones de los países ricos, pero no una cantidad importante entre las exportaciones de los países pobres, tendrá un *PRODY* más elevado, ya que es una exportación de «país rico».

En la etapa II utilizamos esta variable a nivel de producto para medir el nivel total de ingresos asociados a la canasta de exportaciones de un país, es decir, el nivel de sofisticación de la exportación del país j durante el año t ($EXPY_{jt}$). Esto se realiza evaluando el promedio del *PRODY* de todos los bienes que exporta un país, cada *PRODY* ponderado por su proporción del total de las exportaciones. Formalmente:

$$EXPY_{jt} = \sum_k \frac{X_{kjt}}{X_{jt}} PRODY_k$$

Naturalmente, como *PRODY* se mide utilizando el INB per cápita de un exportador típico, los países ricos tienen un *EXPY* elevado y los países pobres tienen un *EXPY* bajo. Esto ocurre por la forma en que se calcula: los países ricos exportan bienes de «países ricos» y los países pobres exportan bienes de «países pobres». Sin embargo, existe una variación importante en esta relación. Hay muchos países que tienen niveles equivalentes de INB per cápita, pero algunos de ellos se las han ingeniado de alguna forma para exportar una serie de productos relativamente más sofisticados que otros.

Por último, en la etapa III, calculamos el índice de sofisticación de la exportación, SI_{jt}, normalizando el nivel de sofisticación de la exportación, $EXPY_{jt}$, en una escala del cero al cien para cada año. El país con el *EXPY* más elevado se establece con cien y el país con el EXPY más bajo con cero. La fórmula que aplicamos para esta normalización es:

$$SI_{jt} = \frac{EXPY_{jt} - EXPY_t(Min)}{EXPY_t(Max) - EXPY_t(Min)} * 100$$

SI_{jt} es el nivel de productividad normalizado, en una escala del cero al cien, asociada con la canasta de exportaciones del país j.

Las medidas de sofisticación de este tipo presentan una correlación positiva con la intensidad tecnológica. Sin embargo, esta correlación no es tan estrecha como había anticipado la teoría estándar del comercio. Lall, Weiss y Zhang (2006) muestran que existen casos donde los productos de alta tecnología tienen bajos niveles de sofisticación y sugieren, por ejemplo, que algunos procesos de producción se pueden fragmentar y, por tanto, partes del proceso se reasignan a países con salarios más bajos[5]. Del mismo modo, existen productos de baja tecnología con altos niveles de sofisticación según se han medido en el índice; lo que sugiere que los productos tienen unos requisitos específicos de recursos naturales o de logística, u otras necesidades, que están fuera del alcance de los países pobres, o que esos productos están sujetos a intervenciones de política.

9.2.2 Estadísticas descriptivas

Calculamos el índice de sofisticación (IS) de 158 países cada dos años durante el período 1996-2008, es decir, 1996, 1998... 2008[6]. Los países que hemos incluido son aquellos de los que había datos sobre las exportaciones por producto, el INB per cápita y las tasas de crecimiento per cápita durante el período que hemos examinado. El cálculo del IS se basa en dos fuentes de datos: (1) la base de datos de estadísticas de la UNCTAD, para datos comerciales por país para 259 productos, utilizando la Clasificación Uniforme para Comercio Internacional (SITC, por sus siglas en inglés) Rev. 3 del nivel 3, y (2) los Indicadores de Desarrollo Mundial, para los datos sobre el INB y las tasas de crecimiento per cápita.

En el cuadro 9.1 se presentan algunas estadísticas descriptivas para nuestro índice de sofisticación, IS.

En el cuadro 9.2 se presentan los países con el promedio más bajo y más alto de SI de la muestra para el período analizado.

Con el fin de exponer la variación del nivel de sofisticación de algunos países a lo largo del tiempo, en el gráfico 9.1 se representa la evolución del IS de los países

---

[5] Por ejemplo, Srholec (2007) muestra que la especialización de algunos países en desarrollo en exportaciones de alta tecnología pueden atribuirse al efecto de las estadísticas comerciales de la fragmentación de la producción internacional en la electrónica.

[6] En el anexo a este capítulo se puede encontrar una lista de los 158 países y territorios de nuestro análisis y su IS correspondiente por año.

seleccionados[7]. Los países seleccionados, incluyen los mayores exportadores de los países desarrollados: los Estados Unidos y Alemania; economías emergentes: Brasil, China, República de Corea, México y Sudáfrica; y dos países de África con un rendimiento relativamente bueno dentro de su región: la República Unida de Tanzania y Uganda.

Cuadro 9.1 Estadísticas descriptivas para el IS, 1996-2008

Año	Número de países	Media	Desviación estándar
1996	158	43,06	25,39
1998	158	45,79	23,55
2000	158	48,21	24,99
2002	158	46,88	25,48
2004	158	44,33	23,59
2006	158	45,93	22,98
2008	158	44,65	23,88

Cuadro 9.2 Los cinco mayores y los cinco menores países de promedio del IS, 1996-2008

País	Mayor promedio IS	País	Menor Promedio IS
Irlanda	95,69	Burundi	7,42
Suiza	95,66	Ruanda	4,70
Japón	94,82	Etiopía	4,60
Finlandia	91,84	Mali	4,18
Singapur	90,53	Malawi	2,70

En esta muestra, Alemania, Estados Unidos y la República de Corea presentan el IS más alto, mientras que la República Unida de Tanzania y Uganda presentan el más bajo. China aumentó su IS de manera considerable durante el período analizado, en contraste con el deterioro del IS de la Federación de Rusia. El de México ha disminuido en los últimos años, pero sigue siendo superior al de Brasil, mientras que Sudáfrica muestra una tendencia alcista desde 2004.

---

[7] Ha de tenerse en cuenta que como el IS se ha normalizado en una escala del cero al cien, en este gráfico realmente se muestran los cambios en la sofisticación de las exportaciones para cada país en nuestra muestra relativa con otros. Sin embargo, el trazado de la serie del tiempo del índice no normalizado no cambiaría de forma cualitativa el gráfico. Por tanto, para ser coherentes, para este ejercicio meramente descriptivo, empleamos el mismo índice normalizado que se utiliza posteriormente para las regresiones y las simulaciones.

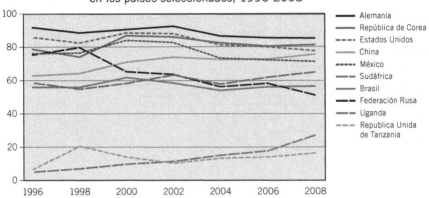

Gráfico 9.1. Evolución del índice de sofisticación
en los países seleccionados, 1996-2008

9.3 Predicción de la regresión del crecimiento

Pasamos ahora al análisis de la relación entre la sofisticación de la exportación y el crecimiento. El objetivo de esta sección es evaluar la importancia relativa de la sofisticación como fuente de crecimiento en oposición a las causas comunes, como la diversificación de la exportación o la intensidad tecnológica integrada.

Exponemos una serie de datos por país sobre la sofisticación descrita en la sección anterior con observaciones sobre otros determinantes comunes de crecimiento. Como medida de concentración de la exportación, empleamos el Índice Herfindahl-Hirschman (IHH), basándonos en datos de la base de datos estadísticos de la UNCTAD. Utilizamos estos datos también para calcular los bienes intensivos de alta tecnología como una proporción del total de las exportaciones. Todas las demás variables independientes proceden de los Indicadores de Desarrollo Mundial 2009.

Desarrollamos una serie de regresiones sólidas de mínimos cuadrados ordinarios (MCO) con la tasa de crecimiento como variable dependiente. Todas las regresiones incluyen valores iniciales como variables explicativas (es decir, los valores en 1998) de nuestra medida de sofisticación (IS), el IHH y la proporción del total de las exportaciones atribuibles a bienes intensivos de alta tecnología (*Alta Tec.*)[8]. Asimismo, controlamos el valor inicial del PIB per cápita (*PIB inicial*), los ingresos netos (nuevas flujos de inversión menos la desinversión) de los inversores extranjeros divididos entre el PIB (*IED*), la formación de capital bruto

---

[8] Nuestra clasificación de producto por intensidad tecnológica está basada en Lall (2000).

(como proporción del PIB), la suma de las exportaciones y las importaciones de bienes y servicios medidos como proporción del PIB (*Comercio*) y, como medida de capital humano, la tasa neta de escolarización en la enseñanza primaria.

En el cuadro 9.3 se resumen los resultados de nuestro análisis. En todas las especificaciones, el índice de sofisticación siempre es positivo e importante. Por el contrario, la proporción de los bienes intensivos de alta tecnología en las exportaciones y el índice IHH no parecen afectar al desempeño económico una vez que el PIB *Inicial* está incluido en la regresión.

Cuadro 9.3 Regresiones de crecimiento entre países, 1998-2008

Variables	(1) Crecimiento	(2) Crecimiento	(3) Crecimiento	(4) Crecimiento	(5) Crecimiento
EXPY	0,0147*** (0,004)	0,0153*** (0,004)	0,01** (0,003)	0,01** (0,004)	0,01* (0,004)
IHH	0,00002 (0,00003)	−0,00001 (0,00003)	−0,00002 (0,00002)	−0,00002 (0,00002)	−0,00002 (0,00003)
Tec/ exportaciones	0,004 (0,006)	−0,0065 (0,006)	−0,002 (0,005)	−0,0015 (0,006)	−0,0015 (0,006)
PIB per cápita	−0,00003*** (0,000001)	−0,00003*** (0,000001)	−0,00003*** (0,000001)	−0,00003*** (0,000001)	−0,00003*** (0,000001)
IED/PIB		0,022*** (0,005)	0,014*** (0,004)	0,014*** (0,005)	0,0135** (0,005)
Formación de capital			0,03*** (0,005)	0,03*** (0,005)	0,03*** (0,005)
Comercio/ PIB				0,0003 (0,001)	0,0003 (0,001)
Escolarización					−0,0007 (0,001)
Constante	0,434** (0,154)	0,46*** (0,145)	−0,065 (0,15)	0,052 (0,16)	0,067 (0,16)
Observaciones	168	168	168	168	168
R-cuadrado	0,08	0,19	0,35	0,35	0,35

Estos resultados, que confirman y actualizan los de Hausmann, Hwang y Rodrik (2007), demuestran que el nivel relativo de sofisticación de las exportaciones del país tiene consecuencias importantes para el crecimiento posterior. Es decir, si un país tiene una canasta de exportaciones sofisticada en relación con su nivel de ingresos, el crecimiento posterior es mucho más acelerado. Entre las características de la estructura de exportación, la sofisticación parece ser el determinante principal del desarrollo económico. Entre los otros determinantes del crecimiento, el capital físico parece ser un mejor indicador de crecimiento que cualquiera de las causas comunes; de hecho, los parámetros de la IED y de la formación de capital interno son siempre positivos e importantes, en contraste con las variables que tratan de captar el impacto del capital humano y el comercio.

Estos resultados solo son sugestivos, ya que el horizonte cronológico es corto y pueden sufrir sesgos potenciales debido a variables omitidas. Sin embargo, se ajustan al trabajo de Hausmann, Hwang y Rodrik (2007), en donde se utilizan regresiones de panel en el período 1962-2000 y controles para los efectos fijados del país y el año.

9.4 El grado de sofisticación de la exportación como proceso Markov: metodología y resultados

La capacidad para mejorar la propia estructura de las exportaciones y el grado de sofisticación de los productos exportados son de vital importancia para el proceso general del desarrollo económico. En esta sección se propone un ejercicio de simulación sencilla con el fin de explorar la evolución potencial de las estructuras de exportación en todo el mundo y sus consecuencias.

Para estudiar la probabilidad de ascender por la escalera de la sofisticación de las exportaciones, suponemos que la sofisticación de la estructura de la exportación de cada país evoluciona a lo largo del tiempo como un proceso exógeno de Markov de primer orden, en el que la distribución de la probabilidad condicional de estados futuros del proceso depende solo del estado presente, no de la secuencia de acontecimientos que lo preceden[9].

De hecho, en cualquier punto del tiempo, t, el estado del proceso evolutivo de la estructura de exportación de un país se describe en su totalidad por las características del estado presente (por ejemplo, el capital social, las normas de comportamiento de cada empresa y las políticas sociales que se estén ejerciendo) y no por toda la historia. Por tanto, este estado puede utilizarse para predecir cambios a corto plazo y la nueva estructura que surgirá en el momento $t+1$.

Los procesos estocásticos de Markov se han utilizado ampliamente en la modelización económica. En su aporte seminal, Nelson y Winter (1982) se basaron en el proceso de Markov para describir la evolución tecnológica, afirmando que «la representación verbal de la evolución económica parece trasladarse de forma natural en la descripción de un proceso Markov, aunque en un espacio de estados

---

[9] Esto es la llamada propiedad Markov.

bastante complicado» (ídem, p. 19). Más recientemente, se han utilizado los procesos de Markov para modelar los cambios de la productividad a lo largo del tiempo (Fernandes e Isgut, 2005; Michael y Hao, 2009) y los cambios en los regímenes de crecimiento. Jerzmanoswki (2006) calcula un cambio del modelo de crecimiento de Markov con cuatro regímenes: el crecimiento milagroso, el crecimiento estable, el estancamiento y la crisis.

En este documento tenemos en cuenta cinco estados posibles, o grupos de sofisticación, basados en el valor del índice de sofisticación (IS) para cada país, y cada grupo abarca veinte puntos porcentuales de la escala IS. Los grupos están clasificados en orden descendente, donde el Grupo 1 está compuesto por países con el mayor nivel de sofisticación de las exportaciones. El criterio de clasificación del grupo se resume en el cuadro 9.4.

A continuación, clasificamos los 158 países y los territorios de nuestra muestra en sus correspondiente grupo de sofisticación de exportaciones por año. En el cuadro 9.5 se enumeran los países en cada grupo de sofisticación por año.

Para elaborar la matriz de probabilidad de transición, primero calculamos las probabilidades de cambio de grupo de sofisticación cada dos años durante el período analizado. Dicho de otro modo, elaboramos seis matrices de probabilidad de transición: 1996-98, 1998-2000, 2000-02, 2002-04, 2004-06 y 2006-08. A continuación, calculamos el promedio de probabilidades de transición de esas seis matrices y elaboramos una matriz promedio de transición, M, que se muestra en el cuadro 9.6.

Cuadro 9.4 Grupos de sofisticación de las exportaciones: criterios de clasificación

Grupo de sofisticación de exportaciones	Criterio
Grupo 1	$80 \leq IS \leq 100$
Grupo 2	$60 \leq IS < 80$
Grupo 3	$40 \leq IS < 60$
Grupo 4	$20 \leq IS < 40$
Grupo 5	$0 \leq IS < 20$

Cuadro 9.5 Número de países por grupo según sofisticación de exportaciones, 1996-2008

Grupo	1996	1998	2000	2002	2004	2006	2008
1	16	15	24	25	14	13	14
2	25	28	23	23	26	31	35
3	33	44	47	42	44	48	28
4	53	53	45	43	54	47	55
5	31	18	19	25	20	19	26
Total	158	158	158	158	158	158	158

Cuadro 9.6 Promedio de la matriz de probabilidad de transición

Valor inicial/futuro	1	2	3	4	5	Total
1	0,83	0,16	0,01	0,00	0,00	1
2	0,10	0,78	0,11	0,01	0,00	1
3	0,00	0,09	0,77	0,13	0,01	1
4	0,00	0,01	0,11	0,77	0,10	1
5	0,00	0,01	0,03	0,23	0,72	1

Este promedio de la matriz de transición puede utilizarse para realizar nuestro ejercicio de simulación y explorar la evolución futura de la sofisticación de las exportaciones a lo largo del tiempo y entre países. Partimos de M y calculamos las probabilidades de que un país que empieza en el Grupo i pase al Grupo j después de un número determinado de períodos, n. Por otra parte, basándonos en este resultado, calculamos la proporción de países de cada grupo después de n períodos[10].

En el gráfico 9.2 se muestra la proporción de países en cada grupo de sofisticación de las exportaciones comenzando en 1996. La proyección comienza en el año 12 (2008). Aquí se revelan dos tendencias a tener en cuenta. La primera es que durante los próximos treinta años, la proporción de países que se encuentran en los grupos de mayor sofisticación aumentará ligeramente. El primer grupo aumentará su proporción de países del 10 % al 12 %, mientras que el segundo grupo crecerá del 16 % al 20 %. La segunda tendencia es que, dentro del mismo período, las proporciones de los países dentro de los grupos de menor sofisticación, el cuatro y el cinco, disminuirá a un ritmo mayor que en los grupos uno y dos. La proporción de los países en el cuarto grupo disminuirá del 34 % al 29 %. Ambas tendencias son positivas, teniendo en cuenta que apuntan a la misma dirección: aumentan los niveles de sofisticación de las exportaciones.

No obstante, el gráfico también destaca un problema: la posibilidad de quedarse estancados en niveles de sofisticación intermedia y no ser capaces de ascender más. Después de los primeros treinta años, la proporción de países dentro de cada grupo solo cambia ligeramente y continúa prácticamente sin cambiar después del año 80, cuando las probabilidades tienden a alcanzar un estado de equilibrio.

---

[10] Las probabilidades que la cadena de Markov, partiendo del Grupo i, pase al Grupo j después de n pasos dependen del poder del promedio de la matriz de probabilidades de transición, $M^{(n)}$. Por tanto, si la distribución inicial de los países en cada grupo viene dada por el vector g, en el que la suma de los vectores es igual a 1, la distribución de los países después de los períodos n, $g^{(n)}$, vendrán dados por $g^{(n)} = g\,M^{(n)}$. Para más información sobre las cadenas de Markov y sus propiedades, véase, por ejemplo, Grinstead y Snell (1997, cap. 11).

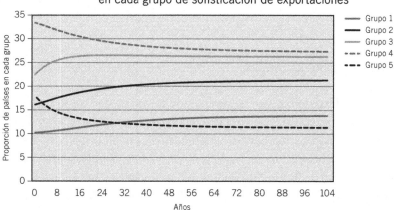

Gráfico 9.2. Evolución prevista de la proporción de países
en cada grupo de sofisticación de exportaciones

Tal y como se muestra en la sección 9.3 y en Hausmann, Hwang y Rodrik (2007), la sofisticación de las exportaciones predice el crecimiento económico. Por tanto, la incapacidad de ascender por la escalera de la sofisticación tiene consecuencias importantes para el crecimiento. En nuestro caso, como las probabilidades de transición alcanzan un estado de equilibrio, el 65 % de los países permanecerá en niveles medios o bajos de sofisticación de las exportaciones, lo que implica tasas de crecimiento inferiores.

A continuación, llevamos a cabo un ejercicio como el anterior pero separando a los países según su nivel de ingreso inicial. En otras palabras, calculamos dos matrices de probabilidad de transición cada dos años, una para el 20 % de los países más ricos y otra para el 80 % restante. Después de obtener el par de matrices para 1996-98, 1998-2000, 2000-02, 2002-04, 2004-06 y 2006-08, calculamos dos promedios de matrices de probabilidad, uno por cada grupo de países. Para resumir el resultado de este ejercicio, hallamos que dentro del estado de equilibrio los países más ricos permanecerán en los dos grupos más altos de sofisticación, con probabilidades de más del 80 %, mientras que los otros países permanecerán, con el 80 % de probabilidades, en los grupos de sofisticación medios y bajos.

Estos resultados demuestran que, según la dinámica observada en las dos últimas décadas, ascender por la escala de la sofisticación no es una tarea fácil. Para los países de renta media y baja existe un riesgo de estancarse en niveles medios o bajos de sofisticación de las exportaciones. Esto puede tener importantes consecuencias para el crecimiento. De hecho, a lo largo del desarrollo económico, las operaciones de ensamblaje con gran intensidad de mano de obra de menor valor añadido deben sustituirse de forma progresiva por actividades más sofisticadas tecnológicamente. Esto requiere introducir nuevos y mejorar los bienes y servicios y desarrollar o adoptar procesos de producción innovadores y mejorar las operaciones empresariales.

9.5 Conclusiones finales

Los países en desarrollo exitosos cambian de forma progresiva su estructura de producción, sustituyendo los bienes de menor valor añadido con actividades más sofisticadas y una gama más amplia de productos. A medida que los países llevan a cabo esta transformación, se pueden observar tres cambios importantes. En primer lugar, la diversificación de la producción aumenta en línea con los niveles de ingresos, pero posteriormente se ralentiza y luego incluso se invierte a medida que los países se especializan más cuando entran en la etapa postindustrial. En segundo lugar, aunque la inversión se vuelve menos importante en niveles altos de ingresos y aumenta la importancia de la innovación, para la mayoría de los países en desarrollo que trabajan dentro de la frontera de producción los vínculos entre un ritmo rápido de inversión y la adaptación tecnológica son cruciales para conseguir una diversificación exitosa. En tercer lugar, los sistemas educativos cambian su enfoque a medida que se realizan los cambios estructurales en la economía, partiendo del desarrollo de las competencias laborales de los trabajadores para adoptar y adaptar la tecnología y hacia preparar y permitir a los trabajadores para nuevos procesos y productos.

Estos cambios no suceden de forma automática y por tanto muchos países de renta media no consiguen aumentar la sofisticación de su producción y de sus estructuras de exportación. A su vez afecta negativamente al ritmo del crecimiento. Nuestro análisis confirma que ascender por la escalera de la sofisticación de las exportaciones es extremadamente difícil para los países en desarrollo. De hecho, conforme las probabilidades de transición se acercan a su estado de equilibrio, la mayoría de los países se estancan en niveles intermedios de sofisticación de las exportaciones. Hemos demostrado que, bajo la dinámica de la exportación observada durante el período 1996-2008, solo muy pocos países de renta media conseguirán eventualmente ascender hasta lo alto de la escalera de la sofisticación.

Están surgiendo algunos estudios que identifican a las capacidades productivas como las determinantes y las impulsoras de la dinámica de la transformación productiva y del aumento en la sofisticación de las exportaciones. Las capacidades no se distribuyen de manera exógena sino que se pueden acumular de manera proactiva a lo largo del tiempo. Las políticas industriales, en particular, pueden desempeñar una importante función instrumental, facilitando la evolución de la estructura del conocimiento que proporcione las opciones para desplazarse por trayectorias de sofisticación progresiva en el espacio de productos. Las políticas de educación y formación son fundamentales para aumentar las opciones y para dar un salto hacia nuevos productos y tecnologías que estén más distantes de la estructura de exportación existente (Nübler, 2013). El desarrollo del conjunto correcto de capacidades permite a los países de renta media ascender por la cadena de valor y entrar en mercados de rápido crecimiento para productos y servicios basados en la innovación y el conocimiento.

Referencias

Felipe, J.; Kumar, U.; Abdon, A. 2010. *How rich countries became rich and why poor countries remain poor: It's the economic structure... duh!*, Levy Economics Institute Working Paper núm. 644 (Annandale-on-Hudson, NY, Levy Institute).

Fernandes, A. M.; Isgut, A. 2005. *Learning-by-doing, learning-by-exporting, and productivity: Evidence from Colombia*, Working Paper núm. 3544 (Washington, DC, World Bank).

Grinstead, C. M.; Snell, J. L. 1997. *Introduction to probability* (Providence, RI, American Mathematical Society).

Hausmann, R. *et al.* 2011. *The atlas of economic complexity: Mapping paths to prosperity* (Cambridge, MA, Harvard University, Center for International Development, Harvard Kennedy School, and Macro Connections, Massachusetts Institute of Technology).

—; Hwang, J.; Rodrik, D. 2007. «What you export matters», en *Journal of Economic Growth*, vol. 12, núm. 1, pp. 1-25.

Hidalgo, C.; Klinger, B.; Barabási, A. L.; Hausmann, R. 2007. «The product space conditions the development of nations», en *Science*, vol. 317, núm. 5837, pp. 482-487.

Imbs, J.; Wacziarg, R. 2003. «Stages of diversification», en *The American Economic Review*, vol. 93, núm. 1, pp. 63-86.

Jankowska, A.; Nagengast, A. J.; Perea, J. R. 2012. *The product space and the middle income trap: Comparing Asian and Latin American experiences*, OECD Development Centre Working Paper núm. 311 (Paris, OECD Development Centre).

Jerzmanowski, M. 2006. «Empirics of hills, plateaus, mountains and plains: A Markovswitching approach to growth», en *Journal of Development Economics*, vol. 81, núm. 2, pp. 357-385.

Klinger, B.; Lederman, D. 2006. *Diversification, innovation, and imitation inside the global technological frontier* (Washington, DC, World Bank).

Lall, S. 2000. «The technological structure and performance of developing country manufactured exports, 1985-98», en *Oxford Development Studies*, vol. 28, núm. 3, pp. 337-369.

—; Weiss, J.; Zhang, J. 2006. «The "sophistication" of exports: A new trade measure», en *World Development*, vol. 34, núm. 2, pp. 222-237.

Michael, F.; Hao, Y. 2009. *Economic growth across Chinese provinces: In search of innovation-driven gains*, Working paper núm. 2009 (Helsinki, Bank of Finland, Institute for Economies in Transition).

Nelson, R. R.; Winter, S. G. 1982. *An evolutionary theory of economic change*, Belknap Press Series, vol. 93 (Cambridge, MA, Harvard University Press).

Nübler, I. 2013. *Education structures and industrial development: Lessons for education policies in African countries*, paper presented at the UNU-WIDER Conference on Learning to Compete: Industrial Development and Policy in Africa, Helsinki, Finland, 24-25 junio.

Ohno, K. 2009. «Avoiding the middle-income trap: Renovating industrial policy formulation in Vietnam», en ASEAN Economic Bulletin, vol. 26, núm. 1, pp. 25-43.

Srholec, M. 2007. «High-tech exports from developing countries: A symptom of technology spurts or statistical illusion?», en *Review of World Economics*, vol. 143, núm. 2, pp. 227-255.

Studwell, J. 2013. *How Asia works: Success and failure in the world's most dynamic region* (London, Profile Books).

Anexo

Índice de sofisticación de las exportaciones para 158 países y territorios, período 1996-2008

País/territorio	SI 1996	SI 1998	SI 2000	SI 2002	SI 2004	SI 2006	SI 2008
Albania	31,56	36,68	38,61	35,20	35,23	40,67	39,07
Alemania	91,79	88,46	90,44	92,33	86,43	85,26	84,96
Angola	58,89	55,12	56,23	55,28	53,33	56,35	34,31
Antigua y Barbuda	37,43	87,05	98,95	93,29	45,65	24,99	55,69
Arabia Saudí	64,11	64,85	60,42	61,72	58,94	58,67	39,63
Argelia	83,17	100,00	73,75	71,20	61,77	61,52	42,11
Argentina	52,10	57,68	58,04	52,99	48,24	51,47	53,33
Armenia	35,72	29,11	34,52	32,72	29,91	29,72	35,14
Australia	56,22	59,48	60,39	61,69	55,53	55,00	64,06
Austria	85,92	84,20	84,42	87,81	81,09	80,35	82,61
Azerbaiyán	39,61	51,29	54,83	55,21	50,31	52,97	35,09
Bahréin	57,83	58,00	54,42	55,89	51,73	57,73	76,47
Bangladesh	25,90	30,06	29,26	25,81	24,67	25,04	18,28
Bielorrusia	65,50	66,75	64,75	64,28	61,80	61,43	64,57
Bélgica	75,70	75,03	77,95	81,68	79,81	78,97	78,31
Belice	21,20	22,54	21,09	11,50	14,97	20,30	23,04
Benín	3,42	4,47	6,27	14,79	12,46	20,63	9,85
Estado Plurinacional de Bolivia	37,38	43,02	40,09	42,20	39,25	43,36	29,07
Bosnia y Herzegovina	49,25	45,32	50,67	60,09	54,39	57,24	61,32
Botsuana	35,90	43,57	23,09	23,52	27,15	24,69	28,13
Brasil	55,87	55,76	61,65	58,27	53,65	55,80	56,15
Bulgaria	52,81	55,62	54,78	52,99	51,01	50,26	55,16
Burkina Faso	3,12	8,55	14,01	8,72	0,89	25,99	18,11
Burundi	6,31	0,00	0,00	10,25	8,47	20,75	10,83
Bután	20,77	22,60	20,73	19,41	26,19	45,93	11,87
Camboya	24,45	31,34	29,17	24,18	25,32	24,40	11,41
Camerún	33,07	33,12	45,33	39,15	35,10	41,97	30,83
Canadá	80,21	80,89	82,42	80,72	71,11	70,80	64,82
Cabo Verde	37,02	49,67	53,22	31,21	25,85	44,40	48,51
República Centroafricana	8,02	13,20	16,61	9,78	5,77	7,62	12,17
Chad	1,02	4,68	7,83	6,81	49,63	39,25	25,09
Chile	31,70	35,66	39,31	34,68	31,51	27,44	30,69
China	62,82	64,14	70,88	73,79	72,35	72,50	75,36
Colombia	41,77	44,00	51,65	52,82	47,42	47,65	49,04
Comoras	16,96	25,08	5,67	3,10	4,31	7,63	0,48
Congo	56,98	49,45	54,16	53,56	47,06	50,81	34,68
República de Corea	78,76	74,00	86,78	85,92	82,31	80,27	81,12

País/territorio	SI 1996	SI 1998	SI 2000	SI 2002	SI 2004	SI 2006	SI 2008
Costa Rica	31,56	45,92	58,71	60,14	63,01	69,43	61,34
Costa de Marfil	14,78	20,81	24,05	14,26	22,48	28,49	24,41
Croacia	54,99	53,79	58,92	57,81	57,78	55,82	56,72
Chipre	57,20	61,55	65,72	69,44	68,86	67,22	67,40
República Checa	76,54	79,40	84,18	86,22	79,70	80,47	82,54
República Democrática del Congo	14,52	14,94	26,19	24,46	20,24	20,27	15,80
Dinamarca	78,16	76,41	79,74	80,71	76,60	74,22	74,74
Dominica	31,67	37,06	37,19	38,89	31,80	34,30	31,54
República Dominicana	34,79	38,65	40,90	41,49	38,36	40,85	48,39
Ecuador	33,39	33,11	45,18	39,90	40,44	43,97	32,81
Egipto	43,89	44,61	46,72	42,99	44,48	51,74	48,53
El Salvador	35,50	35,40	44,05	40,11	39,11	37,21	38,24
Eritrea	22,08	24,41	23,95	18,33	24,24	26,83	19,11
Eslovaquia	70,99	74,00	78,12	76,66	73,09	74,98	78,51
Eslovenia	79,54	79,28	83,71	82,82	80,06	79,10	82,15
Estados Unidos	85,90	82,41	88,40	87,88	81,04	79,79	77,47
Estonia	60,61	63,14	77,39	66,96	66,61	64,07	65,92
Etiopía	2,54	4,61	5,63	6,34	4,72	1,71	9,84
Filipinas	78,75	77,24	88,60	87,08	78,85	79,80	72,71
Finlandia	93,13	89,38	100,00	95,72	88,71	86,75	88,33
Fiyi	22,15	26,46	27,21	29,46	27,50	27,17	30,26
Francia	80,67	79,40	83,91	84,52	78,06	78,07	77,21
Gabón	51,88	51,37	52,97	48,96	44,07	48,14	31,74
Gambia	23,93	22,09	19,74	24,40	30,18	13,62	28,53
Georgia	35,27	39,53	42,03	40,93	34,64	37,67	37,34
Ghana	17,41	23,59	21,31	8,39	10,17	13,79	9,74
Grecia	46,82	50,75	54,30	54,13	55,13	55,48	58,66
Granada	21,90	42,59	50,02	29,15	26,13	39,51	37,48
Guatemala	30,25	32,51	34,53	36,11	39,09	34,07	32,58
Guinea	16,24	17,84	20,00	19,41	15,71	20,81	10,35
Guinea Ecuatorial	36,39	47,90	53,63	56,55	53,36	57,85	37,86
Guinea-Bissau	18,98	34,84	37,76	23,10	22,99	14,10	14,96
Guayana	15,43	17,01	16,05	15,94	16,43	14,98	13,10
Honduras	24,18	26,05	26,00	24,27	22,53	22,82	25,03
RAE Hong Kong (China)	76,19	75,11	81,53	81,01	76,89	78,03	79,29
Hungría	68,01	77,81	86,98	88,73	83,67	82,13	82,97
India	41,20	40,47	46,81	48,41	49,74	51,10	54,83
Irlanda	95,67	84,90	93,27	100,00	100,00	100,00	100,00
Islandia	37,65	44,31	43,77	45,44	41,88	43,12	56,65
Israel	61,66	61,55	70,38	62,35	62,70	58,99	68,04

País/territorio	SI 1996	SI 1998	SI 2000	SI 2002	SI 2004	SI 2006	SI 2008
Italia	79,29	77,79	80,81	79,01	75,97	76,06	76,65
Jamaica	21,50	24,59	24,92	21,94	20,76	23,93	27,67
Japón	100,00	93,42	98,77	98,07	90,15	89,47	88,69
Jordania	31,16	38,54	61,11	45,19	42,80	43,40	49,91
Kazajistán	50,61	48,94	55,49	51,63	47,95	50,50	38,26
Kenia	24,08	25,48	23,88	35,78	29,46	26,63	27,27
Kiribati	3,71	11,95	13,10	20,51	25,70	29,73	27,00
Kirguistán	32,27	31,08	22,08	25,72	28,67	34,52	43,72
República Democrática Popular de Laos	23,79	28,43	23,53	25,93	24,71	25,49	22,82
Lesoto	30,15	34,54	31,72	28,61	25,15	24,63	18,18
Letonia	53,87	51,89	54,27	54,57	55,91	60,82	64,62
Líbano	52,94	51,31	48,93	47,01	45,46	42,79	49,36
Lituania	57,55	59,57	58,50	55,69	55,99	58,89	61,97
Luxemburgo	89,69	91,42	95,37	94,22	87,07	85,06	85,83
ARY Macedonia	41,23	44,24	47,60	43,68	41,85	42,10	43,04
Madagascar	11,49	22,76	29,27	17,69	23,28	24,91	22,48
Malawi	3,51	4,41	6,63	1,73	4,31	0,00	0,00
Malasia	81,94	77,07	85,74	84,53	75,13	75,83	64,17
Maldivas	28,31	34,50	31,04	24,35	29,35	14,60	11,87
Mali	0,00	8,81	6,45	4,90	4,79	2,83	5,62
Marruecos	26,16	33,26	36,38	34,95	35,79	38,71	29,66
Mauricio	28,99	30,89	31,22	29,46	30,08	36,30	34,87
México	76,15	76,41	83,95	82,59	73,17	72,01	71,01
República de Moldavia	37,19	41,01	40,65	40,17	38,51	45,31	45,39
Mongolia	19,90	28,83	28,31	21,88	20,74	20,43	17,87
Mozambique	17,81	27,41	24,63	45,72	51,56	41,60	62,79
Namibia	25,51	29,79	26,67	26,21	28,88	26,86	26,53
Nepal	15,97	23,75	36,39	37,82	33,18	36,15	31,83
Nicaragua	33,30	20,07	19,35	33,34	23,79	16,08	24,89
Níger	25,78	26,29	17,45	13,62	7,03	12,15	2,18
Nigeria	60,46	59,58	60,02	57,74	53,89	55,84	33,31
Noruega	70,76	73,93	65,54	66,01	60,63	62,53	50,03
Nueva Zelanda	62,53	65,51	63,45	63,95	62,51	63,44	65,38
Países Bajos	80,77	81,01	77,70	80,10	75,93	74,35	73,54
Paquistán	31,32	34,47	37,57	36,17	34,94	31,66	31,86
Panamá	26,32	29,44	33,17	31,35	22,29	19,20	20,13
Papúa Nueva Guinea	14,11	22,71	24,18	17,85	20,46	20,10	9,18
Paraguay	19,14	22,52	26,22	25,32	23,22	29,47	33,42
Perú	30,13	32,69	33,43	28,22	24,68	22,97	23,50
Polonia	62,69	64,28	71,67	70,36	68,95	68,76	72,88
Portugal	63,46	67,02	72,07	71,16	67,34	68,45	68,89
Reino Unido	85,99	82,59	86,80	89,33	81,22	82,18	79,55

País/territorio	SI 1996	SI 1998	SI 2000	SI 2002	SI 2004	SI 2006	SI 2008
Rumanía	53,00	53,40	55,85	53,95	52,90	57,20	63,84
Ruanda	8,65	3,08	2,13	0,00	4,57	3,50	6,52
Federación de Rusia	75,35	79,69	65,15	63,43	55,95	57,96	50,76
Islas Salomón	8,63	18,55	19,08	11,93	6,71	4,31	2,17
Samoa	36,57	30,54	33,93	33,99	28,59	28,73	30,21
San Cristóbal y Nieves	42,08	61,36	63,36	63,74	59,54	72,41	81,45
San Vicente y las Granadinas	29,91	31,35	32,72	27,83	28,31	29,52	38,99
Santa Lucía	30,72	35,19	39,20	46,12	41,82	51,04	57,02
Senegal	30,95	41,95	33,17	38,47	34,53	39,25	45,23
Seychelles	48,52	48,87	49,83	40,21	38,04	37,19	45,41
Sierra Leona	13,64	18,13	5,49	46,04	0,00	44,48	31,43
Singapur	97,04	86,61	93,84	93,62	87,05	86,70	80,77
República Árabe Siria	50,12	44,22	50,66	48,25	45,44	45,58	37,03
Sri Lanka	31,03	28,62	29,79	28,16	27,85	27,59	24,73
Suazilandia	43,89	41,79	40,31	33,75	38,64	50,07	50,23
Sudáfrica	58,57	54,60	58,12	63,08	57,58	61,58	64,67
Sudán	12,77	18,48	40,99	38,96	40,09	43,10	33,44
Suecia	94,85	90,07	95,82	94,27	87,96	84,68	85,42
Suiza	96,90	89,48	98,54	95,27	97,68	96,95	95,68
Surinam	20,49	26,25	45,79	17,90	15,09	15,46	67,50
Tailandia	65,26	65,30	71,56	72,23	67,27	68,23	65,55
República Unida de Tanzania	6,50	20,41	13,81	10,02	12,93	13,61	16,03
Tayikistán	22,11	47,44	45,56	51,64	36,28	60,08	54,28
Togo	14,84	14,99	20,49	21,43	23,89	29,51	26,57
Tonga	16,32	20,03	31,29	12,73	15,42	13,97	16,40
Trinidad y Tobago	48,95	57,44	58,12	54,83	58,24	57,79	49,92
Túnez	40,05	41,76	43,66	42,46	41,36	46,87	45,27
Turquía	48,38	49,61	54,41	55,22	55,05	57,28	60,00
Turkmenistán	71,30	46,58	67,73	60,91	63,40	61,38	39,77
Ucrania	57,89	57,04	59,54	61,48	58,06	60,58	63,08
Uganda	4,95	6,83	9,52	11,07	14,75	17,36	26,60
Uruguay	48,61	52,79	54,84	50,16	48,19	46,73	47,63
Uzbekistán	12,53	27,54	28,72	24,37	25,31	31,39	38,50
República Bolivariana de Venezuela	56,59	60,66	58,08	57,92	52,21	56,09	35,74
Vietnam	36,37	37,53	43,73	41,07	41,58	45,03	37,09
Yemen	59,28	57,89	58,76	55,65	51,86	54,90	37,72
Yibuti	32,52	47,47	41,84	51,71	32,65	38,53	30,44
Zambia	26,89	27,77	33,54	27,79	30,21	24,18	26,14

Parte III

Política industrial en proceso: diseño y ejecución

La política industrial como herramienta eficaz para el desarrollo: las lecciones de Brasil[*]

10

João Carlos Ferraz, David Kupfer y Felipe Silveira Marques

10.1 La política industrial está de vuelta

La literatura sobre política industrial es, cuando menos, muy apasionada: los argumentos a favor y en contra se elaboran con base en las visiones de los proponentes sobre el papel del Estado y el mercado en el desarrollo económico. La evidencia empírica no es de gran ayuda, no es concluyente y da lugar a interpretaciones contradictorias —que las políticas industriales son funcionales o que son nocivas para el desarrollo—.

Sin embargo, en el contexto de la crisis financiera internacional, los responsables políticos, los académicos y personalidades influyentes se han vuelto más receptivos hacia políticas que hasta hace muy poco tiempo rechazaban. La política industrial está adquiriendo prioridad en la agenda de política pública, aunque venga enmascarada por la innovación, la economía verde, el desarrollo local, etc. No obstante, detrás de la mayoría de estas direcciones de política, hay dos elementos que están presentes siempre: el fomento de la competitividad de las empresas y/o la defensa de los puestos de trabajo en las economías nacionales.

En este renacimiento del interés por la política industrial, a pesar de las dimensiones múltiples del debate teórico o político, existe un amplio consenso que sustenta la mayoría de las justificaciones e iniciativas: la competitividad basada en la innovación es un factor determinante del desarrollo económico. Esto quiere decir que el desarrollo está relacionado con la transformación económica de un país y que a su vez la transformación económica surge del cambio tecnológico y

---

[*] Este artículo está dedicado a Alice Amsden. Nos dejó demasiado pronto.

del contenido del conocimiento de las actividades económicas, el cual es necesario para inducir y mantener el aumento de la productividad (Krugman, 1990; Lin y Monga, 2010; Mazzucato, 2013).

Pero, ¿cómo es posible poner en marcha tal máquina de crecimiento? ¿Son suficientes los empresarios shumpeterianos y las fuerzas del mercado? La historia ofrece pocos ejemplos de países que hayan conseguido superar el letargo económico sin un papel activo del Estado (Gerschenkron, 1962). Sin embargo, en su mayor parte, Chang sostiene lo siguiente:

> ...los países desarrollados no han conseguido llegar donde están actualmente a través de las políticas y las instituciones que recomiendan ahora a los países en desarrollo. La mayoría de ellos utilizaron de forma activa políticas industriales y comerciales «malas», como la protección de la industria naciente y las subvenciones a la exportación (Chang, 2003, p. 2).

De hecho, Amsden (2001, p. 185) afirma: «como estrategia para conseguir el crecimiento convergente, el libre comercio parece haber estado limitado a Suiza y Hong Kong». Evans (2010, p. 37) es incluso más sutil: «La historia y la teoría del desarrollo confirman la premisa "sin Estado desarrollista, no hay desarrollo"».

Basándonos en el caso de Brasil, en este capítulo se desarrolla un conjunto de argumentos triple: en primer lugar, se deben de poner en marcha las políticas industriales para inducir el desarrollo económico; en segundo lugar, la efectividad de la política depende de las capacidades del Estado para apoyar la evolución de las competencias de las empresas; en tercer lugar, un banco de desarrollo capaz de prestar de forma efectiva la financiación a largo plazo representa un activo estratégico de las políticas industriales.

En la sección siguiente se analizan algunos de los desafíos a los que debe hacer frente cualquier política industrial. En la sección 10.3 se trata el caso reciente de Brasil. La sección 10.4 se enfoca en la financiación a largo plazo y el papel desempeñado por el Banco de Desarrollo de Brasil (BNDES). En la última sección se exponen las conclusiones.

10.2 Los desafíos constantes de una política industrial

10.2.1 Los deseos frente a las posibilidades

En cualquier acción de política, es necesario tener unos objetivos factibles basados en un sentido de la realidad. Estos objetivos han de tener en cuenta simultáneamente los niveles de desarrollo de dos dimensiones relacionadas: las capacidades institucionales y las actividades económicas. El nivel de capacidad institucional —es decir, la capacidad de (la mayoría) de las instituciones públicas para ofrecer un conjunto de acciones en un momento determinado— define el alcance potencial de una política industrial efectiva. En paralelo, el nivel de desarrollo de las actividades económicas define la capacidad potencial del sistema económico para avanzar más aún.

La evolución de las capacidades institucionales y las actividades económicas debe integrarse en el diseño de la política y los objetivos políticos deben aspirar a un proceso de transformación factible. En gran medida, las capacidades de producción existentes en un momento dado en cualquier país y sector definen las posibilidades de evolución y transformación. La factibilidad de realizar un gran salto es posible dentro de las limitaciones impuestas por las competencias existentes y potenciales que han de explorarse. En otras palabras, en una política industrial eficaz, las fronteras de las posibilidades deben limitar los deseos.

En este contexto, Peres y Primi (2009) analizan la capacidad institucional en relación a tres tipos de políticas: la horizontal, la selectiva (sectorial) y la frontera competitiva internacional; cada una caracterizada por distintos conjuntos de instrumentos, orientaciones y acuerdos institucionales (véase el gráfico 10.1). Los países que cuentan solo con capacidades institucionales básicas son capaces de llevar a cabo solamente políticas horizontales simples, como la deducción de impuestos. A medida que aumentan las capacidades institucionales, pueden comprometerse con la promoción de políticas selectivas. Finalmente, cuando el conjunto de actividades económicas de un país se encuentra cerca de la frontera internacional, pueden hacer falta capacidades institucionales fuertes para traspasar la frontera internacional. Este calibraje estilizado de los niveles de las habilidades estatales con los tipos de políticas industriales solo puede tener sentido si las políticas son eficaces.

En resumen, el diseño de la política industrial debe tener una perspectiva evolutiva de los objetivos y las ambiciones. Una política industrial para la transformación económica debe poder discernir y actuar sobre los diferentes retos competitivos de varios sectores económicos, con el fin de progresar aún más, tal y como se define en la frontera competitiva internacional. Al mismo tiempo, el nivel de desarrollo de las capacidades institucionales define las limitaciones de las ambiciones de política. Estas limitaciones no deben tomarse como restricciones absolutas e infranqueables, ya que conducirían a políticas industriales limitadas y defensivas o a ninguna en absoluto. En su lugar, estas limitaciones deben considerarse como un punto de partida para el diseño y la puesta en marcha de las políticas, con la idea de incorporar, con el tiempo, objetivos más ambiciosos, a medida que los países asciendan hacia niveles más avanzados de capacidades. En una línea similar y centrándose en la transformación potencial, Hausmann y Rodrik (2003) afirman que, para fomentar el cambio estructural y el desarrollo económico a largo plazo, es necesario priorizar las inversiones en actividades de mayor densidad de conocimiento, pero ajustándose a los niveles existentes de capacidades. Esta propuesta se basa en el marco desarrollado por Hidalgo y Hausmann (2009), en el que muestran que «el nivel de complejidad de la economía de un país predice los tipos de productos que los países podrán desarrollar en el futuro».

Gráfico 10.1. Marco de la política industrial:
Objetivos y capacidad institucional

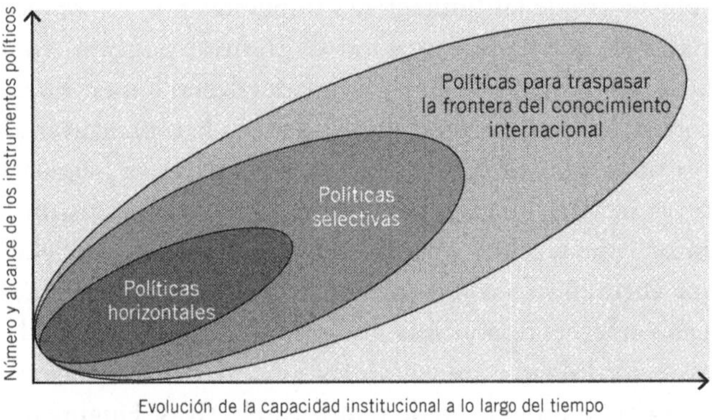

Fuente: Peres y Primi (2009).

En un plano distinto de análisis, ¿debe favorecerse un tipo de política u otro? Sostenemos que en un contexto de economías abiertas y un mundo en crisis, una necesidad estratégica es buscar políticas públicas que hagan un uso eficiente y eficaz de las herramientas disponibles —horizontales, selectivas y otras herramientas de política— para inducir la transformación económica. Se pueden idear varias herramientas para ayudar a identificar las actividades que pueden fomentarse. Rodrik y Velasco (2008) proponen el Marco de Diagnóstico de Crecimiento, un enfoque basado en la metodología de un árbol de decisiones que identifique las limitaciones más importantes para el crecimiento de un país determinado e indique cómo aislarlas y poner en ellas el foco de las acciones de politica. Lin y Monga (2010) ofrecen un modelo, básicamente de carácter macroeconómico que, tal y como señalan los autores, propone una guía para elaborar políticas paso a paso, basada en la experiencia productiva del país y sus capacidades potenciales en la producción de bienes y servicios.

10.2.2 La captura frente a la cooperación

La interacción y la cooperación entre las instituciones estatales y las organizaciones económicas son necesarias para presentar unos objetivos factibles en consonancia con la economía real. La idea de que la política industrial puede «practicarse» sin esa cooperación e interacción es como mínimo poco democrática.

Sin embargo, la coordinación es necesaria para evitar la captura. Una de las críticas más contundentes que se hace sobre las políticas industriales es el potencial del sector privado para «capturar» al Estado. La solución más fácil —sacando lecciones de los ejemplos del Asia Oriental— sería defender la existencia de una burocracia aislada en el Estado, desconectada de las presiones políticas. Sin embargo, la idea de «aislamiento» no se puede aplicar en las sociedades democráticas y abiertas del siglo XXI. En este sentido, Evans (1995), Stiglitz (1998) y Devlin y Moguillansy (2009) han hecho hincapié en que las asociaciones y las alianzas público-privadas —es decir, la consulta y la coordinación entre instituciones públicas y privadas, centrándose en objetivos concretos— son necesarias para evitar la captura y situar a las políticas en una trayectoria eficaz. Al mismo tiempo, sin embargo, sería muy ingenuo pensar que el sector empresarial y los trabajadores no intentarán defender y presionar a favor de sus intereses. ¿Cómo se puede gestionar este dilema tan importante?

Hay tres requisitos que pueden ayudar a mitigar el riesgo de captura, ayudar a mantener al Estado autónomo y mantener unas políticas industriales relativamente estables. (La autonomía del Estado aquí se define como la capacidad del Gobierno elegido democráticamente para perseguir los objetivos y las prioridades que se aprobaron a través de su elección). En primer lugar, en cada etapa del proceso político —desde el diagnóstico hasta el diseño, la puesta en práctica y la evaluación— el papel de los organismos públicos y privados debe ser explícito, con normas formales que separen las responsabilidades y funciones públicas y privadas. En segundo lugar, cada acción política debe indicar los beneficios previstos y las obligaciones de todas las partes interesadas, aclarando las implicaciones para todos los participantes y cuáles serán las contrapartidas proporcionadas por los beneficiarios de las políticas. En tercer lugar, se debe disponer de mecanismos de control y supervisión con el fin de mejorar la transparencia y la rendición de cuentas de las acciones de política.

10.2.3 ¿La política industrial puede ser eficaz?

En el debate académico y público acerca de la política industrial no se ha analizado mucho la dimensión central: los determinantes y los desafíos de la puesta en práctica de la política. Los estudios consistentemente subestiman cuánto el éxito de una política industrial depende de la aplicación y no del concepto de la política.

Según Coutinho y otros (2012), el arsenal de cualquier política industrial comprende seis instrumentos de política: la financiación, los impuestos, las medidas relacionadas con el comercio, la contratación pública, la asistencia técnica e informativa y la regulación. Las condiciones de financiación —los tipos de interés, la duración del préstamo, la disponibilidad de fondos de capital de riesgo y capital propio, etc.— determinan el coste del capital. La estructura de un sistema tributario define los incentivos para que las empresas desarrollen un negocio. Las medidas relacionadas con el comercio —los aranceles y las medidas no arancelarias— definen las condiciones para que haya más o menos competencia en el comercio mundial. La contratación pública puede inducir al desarrollo de las competencias locales. La asistencia técnica puede proporcionar información que permita a las empresas definir su plan de negocios en una dirección determinada. Las regulaciones sobre la competencia, la protección del consumidor, el medioambiente y la propiedad intelectual definen las reglas en un terreno de juego determinado. Cada instrumento de política por sí mismo, o dentro de un paquete, puede constituir una herramienta que fomente la competitividad o puede impulsar la captura, generando unas rentas no deseables para un grupo de agentes en detrimento de una circunscripción más amplia.

Por lo general, el debate sobre la política industrial se ha concentrado, de hecho, en los dilemas de este tipo: ¿qué instrumentos son relevantes y cómo puede ser más efectivo el Estado? Desde un punto de vista pragmático, parece innecesario restringir, *a priori,* el arsenal de una política industrial a un conjunto limitado de instrumentos, si todos o algunos de ellos pueden ser útiles para conseguir el objetivo de política. Pero, para definir cuáles son los relevantes, es necesario aportar una perspectiva analítica que se extraiga de los estudios sobre la competencia y la organización industrial.

Coutinho y Ferraz (1994) y Ferraz, Kupfer y Hagenauer (1996) han demostrado que el conjunto de instrumentos de política que hemos mencionado anteriormente puede ser más o menos relevante, dependiendo del origen de una actividad económica determinada y del nivel de desarrollo de las empresas en sectores específicos. Por ejemplo, las patentes son cruciales en la industria farmacéutica, pero menos importantes para la minería. Las regulaciones medioambientales son de gran importancia para la minería, pero menos para el desarrollo de *software.* El argumento aquí es que las características esenciales de competencia y el perfil de la organización industrial de una actividad económica definen, en gran medida, qué instrumentos de política son relevantes para impulsar el desarrollo de las empresas.

No obstante, aunque sea posible determinar teóricamente cuales son los instrumentos de política relevantes, si las políticas industriales han de dirigirse a la evolución de las estructuras productivas para conseguir una productividad y un contenido de conocimiento más elevados, es necesario un marco de política eficaz que diseñe los objetivos, a partir de los activos que posea un determinado conjunto de empresas, en un momento dado. En segundo lugar, debe existir una correspondencia estrecha entre los objetivos de política y las capacidades institucionales. El desarrollo surge, no solo a partir de la evolución de las capacidades de las empresas a la hora de innovar, sino también de la evolución de las capacidades de las instituciones de política. Desde este punto de vista, la eficacia de la política viene determinada, en parte, por el grado en que los objetivos de política estén, en un momento dado, al alcance de las capacidades existentes en la formulación de políticas (y en la puesta en práctica). Al mismo tiempo, las políticas deben incorporar los medios para hacer frente a las deficiencias existentes en las instituciones de política y avanzar hacia objetivos más ambiciosos.

Stiglitz (1998) propone una «fórmula de política» para los responsables de las políticas: (1) reconocer que «desarrollo» presupone metas factibles y alcanzables; (2) hacer explícitas las restricciones existentes relacionadas con los recursos disponibles y las capacidades para la formulación y la aplicación de la política; (3) diseñar políticas dentro de los límites de las restricciones iniciales, pero establecer objetivos de alta prioridad para superar de forma progresiva los cuellos de botella institucionales; (4) incluso si las limitaciones existentes deben ser aceptadas, las deficiencias institucionales no deben justificar la falta de iniciativas destinadas al desarrollo de las capacidades necesarias para conseguir objetivos de política más complejos.

10.3 Continuidad flexible: reseña sobre la experiencia reciente de Brasil

Desde el 2004 ha surgido un marco de desarrollo en Brasil que todavía se está consolidando. Tiene cuatro características principales: (1) el mantenimiento y la consolidación de un proceso democrático, con instituciones de apoyo que aseguren el cumplimiento de los contratos y la transparencia de los asuntos públicos; (2) la estabilidad macroeconómica, formada por tres componentes: los objetivos de la inflación, los tipos de cambio flexibles y la responsabilidad fiscal; (3) la inclusión económica y social, que conduce a la consolidación de un mercado nacional de consumo masivo; (4) los incentivos para invertir, sobre todo en áreas de infraestructuras y educación, que aumentarán de forma sistemática la competitividad y el bienestar. En Brasil, la política industrial es parte de este marco de desarrollo.

10.3.1 El período 2004-10

Desde el año 2004 se han llevado a cabo una serie de políticas industriales distintas (véase el cuadro 10.1):

- PITCE – *Política Industrial, Tecnológica e de Comércio Exterior* (2004-07), cuando se reformó y modernizó la base institucional.

- PDP – *Política de Desenvolvimento Produtivo* (2008-10), destinada a fomentar la inversión (que fue bastante funcional de cara a la crisis económica internacional).

- PMB – *Plano Brasil Maior* (2011-14), enfocada en la agregación de valor por medio de la innovación.

Teniendo en cuenta la configuración política de las dos Administraciones de Lula y que la del Gobierno de Dilma (2011-14) fue la misma, se plantea la siguiente cuestión: ¿por qué tantos cambios? Una respuesta rápida: estos tres conjuntos de políticas fueron la respuesta a los distintos desafíos económicos que caracterizaron los períodos en los que lanzaron.

La PITCE (2004-07) fue un intento inicial para volver a dar a la industria la prioridad dentro de la agenda de políticas después de muchos años de ausencia. Se diseñó para abordar las debilidades de Brasil de muchos años, centrándose en actividades (innovación) y sectores (bienes de capital, electrónica, farmacéutica, *software*) que debían fortalecerse. Su aportación principal fue el establecimiento de un nuevo marco institucional, incluida la legislación para fomentar la innovación, un foro tripartito de alto nivel para promover el consenso sobre las estrategias y prioridades industriales y la creación de agencias facilitadoras para impulsar el desarrollo industrial y las exportaciones.

La PDP (2008-10) se puso en práctica dentro de un contexto de crecimiento económico y una abundancia de divisas extranjeras, gracias a la mejora de los términos de intercambio. La política se enfocó en fomentar la inversión y mantener el ciclo de crecimiento. La política mantuvo el enfoque en los sectores impulsados a través de la PITCE, pero se podía beneficiar a un conjunto más amplio de sectores[1]. El foco principal de la PDP fue la inversión en todos esos sectores. El establecimiento institucional fue, por tanto, muy instrumental a la hora de movilizar la acción cuando se produjo la crisis internacional.

---

[1] Coutinho y otros (2012) y el Ministerio de Desarrollo (2008) explican el enfoque y la organización sectorial de la PDP.

Cuadro 10.1 Políticas industriales de Brasil, 2004-14

Política	PITCE (2004-07)	PDP (2008-10)	PBM (2011-14)
Condiciones económicas	– Crecimiento lento del PIB (promedio del 1,7 % en 2001-03). – Restricciones de cuentas exteriores.	– Crecimiento elevado del PIB (promedio de 5,1 % en 2006-08). – Mejoras en el comercio.	– Crecimiento moderado del PIB (a un promedio del 3,3 % en 2009-11). – Aumento de las importaciones industriales.
Enfoque, objetivos y marco institucional	– Sectores seleccionados. – Creación de un sistema de apoyo institucional.	– Gran número de sectores. – Enfoque en la inversión y en la gestión de la crisis internacional.	– Gran número de sectores. – Defensa del mercado interno y el fomento de la competitividad sistemática.

Fuente: Elaborado por el autor, basado en Kupfer, Ferraz y Marques (2013).

La fase del PBM (2011-14) se caracteriza por la continuación de la crisis internacional y la fuerte competencia de las importaciones. Se hizo hincapié en la agregación local del valor añadido, con acciones diseñadas a fomentar la posición competitiva de las empresas locales y mejorar las condiciones sistémicas para la competitividad.

Kupfer, Ferraz y Marques (2013) explican las principales características de estos experimentos de política. Para propósitos de este análisis, tres atributos son importantes. En primer lugar, la continuidad con flexibilidad: la innovación y la competitividad han sido las prioridades de las tres iteraciones de las políticas brasileñas. No obstante, el énfasis de la política y de la organización se han modificado para enfrentarse a los desafíos inesperados, sobre todo aquellos que proceden del frente internacional. En segundo lugar, han aumentado la preocupación y los esfuerzos por definir objetivos explícitos, movilizar los instrumentos de política pertinentes e interactuar con el sector empresarial y los trabajadores. En tercer lugar, se combinaron cada vez más las políticas industriales con otras políticas de desarrollo como la ciencia y la tecnología, la educación, el medioambiente y las infraestructuras. Comparten metas comunes y aplican instrumentos de política de manera concertada. Por ejemplo, este fue el caso con instrumentos financieros para fomentar las emisiones bajas de carbono; el diseño y la aplicación de programas de innovación para apoyar objetivos de política seleccionados como el etanol de segunda generación y el fomento de una industria de suministros local para que sirva a los proyectos de infraestructuras.

10.3.2 La política industrial actual: Plano Brasil Maior (2011-14)

El PBM tiene tres propósitos estratégicos que están divididos en tres dimensiones (competencias, cambio estructural y eficacia y expansión del mercado) que contribuyen al objetivo general del desarrollo sostenible (gráfico 10.2) (Ministerio de Desarrollo, 2011).

Gráfico 10.2. Plan estratégico del PBM

Desarrollo sostenible	Innovar e invertir para aumentar la competitividad, apoyar el crecimiento y mejorar la calidad de vida		
Aumentar los mercados	Diversificar las exportaciones y fomentar la internacionalización de las empresas brasileñas	Aumentar la oferta competitiva local de bienes y servicios para las industrias energéticas	Aumentar el acceso de la población a los bienes y servicios
Cambio estructural y eficacia	Aumentar el valor añadido local		
	Aumentar la participación de los sectores con alto grado de conocimiento en el PIB	Fortalecer las micro, pequeñas y medianas empresas	Inducir una producción limpia y eficaz
Construir y fortalecer la competencia fundamental	Aumentar la inversión fija	Aumentar I+D empresarial	Aumentar la competencia de la mano de obra

Fuente: Ministerio de Desarrollo (2011). Disponible en: *http://www.brasilmaior.mdic.gov.br/*

Estas tres dimensiones están vinculadas de forma conceptual. La primera dimensión, las *competencias*, abarca los propósitos relacionados con la construcción de las capacidades. El aumento de la inversión fija, la investigación y el desarrollo (I+D) empresarial y las competencias laborales de los trabajadores son componentes fundamentales de las competencias competitivas. El refuerzo de las competencias críticas conduce a la segunda dimensión, el *cambio estructural y la eficacia*, que incluye un aumento del valor añadido, el desarrollo de los sectores con alto grado de conocimiento, el fortalecimiento de las pequeñas y medianas empresas y el apoyo de la producción limpia. Por tanto, una mayor competitividad conduce a una concomitante *expansión del mercado* —una expansión nacional que aumenta el acceso a bienes de calidad para la población local y la diversificación de las exportaciones, así como la internacionalización de las empresas—. La PBM hace especial hincapié sobre las industrias relacionadas con la energía. Estas tres dimensiones, junto con sus propósitos estratégicos, conducen a la meta final del PBM: «Innovar e invertir para aumentar la competitividad, apoyar el crecimiento y mejorar la calidad de vida». El plan estratégico del PBM se utiliza para guiar el programa de trabajo de los organismos estatales y para organizar el debate entre las partes interesadas para desarrollar un consenso sobre las prioridades.

Gráfico 10.3. Configuración del PBM

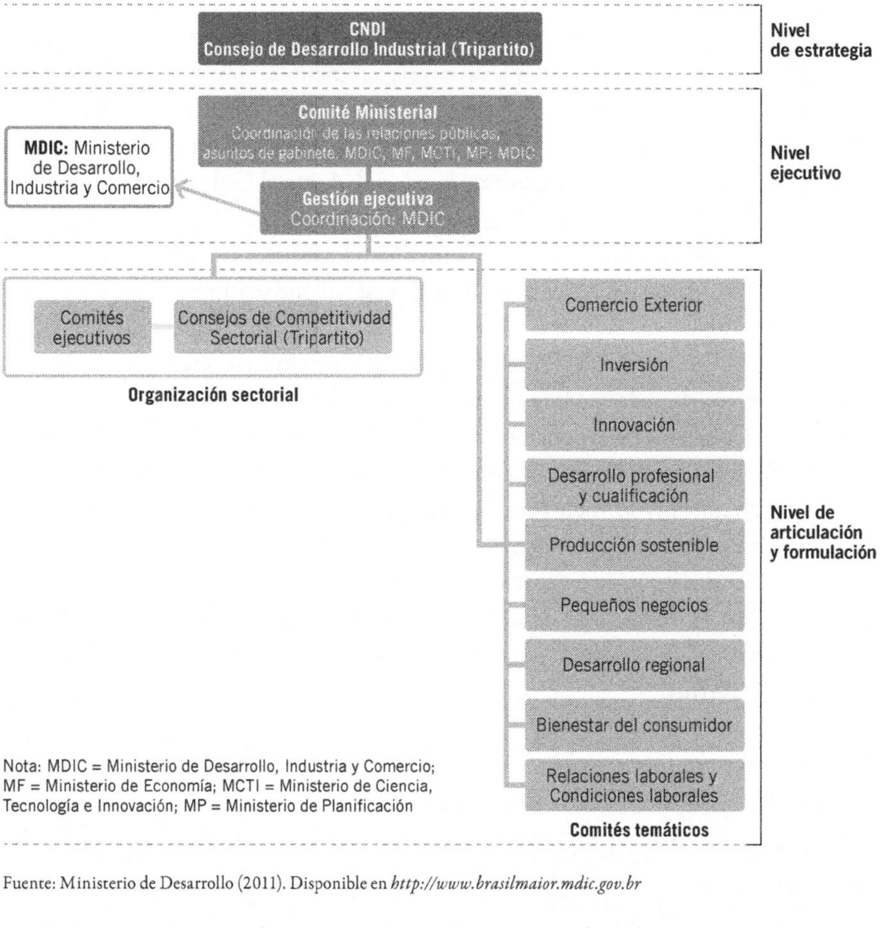

Nota: MDIC = Ministerio de Desarrollo, Industria y Comercio; MF = Ministerio de Economía; MCTI = Ministerio de Ciencia, Tecnología e Innovación; MP = Ministerio de Planificación

Fuente: Ministerio de Desarrollo (2011). Disponible en *http://www.brasilmaior.mdic.gov.br*

La interacción entre los organismos gubernamentales, el sector privado y otras partes interesadas es esencial para lograr la efectividad del PBM y se ve reflejado en su configuración (gráfico 10.3). Los representantes del Gabinete del presidente, del Ministerio de Economía, del Ministerio de Ciencia y Tecnología, del Ministerio de Planificación y obviamente del Ministerio de Desarrollo, Industria y Comercio forman el Comité Ejecutivo del PBM. Son los responsables de asegurar la ejecución de las directivas políticas definidas por el PBM y confirmadas por el Consejo Nacional para el Desarrollo Industrial (CNDI). La responsabilidad de la interacción con el sector empresarial y los trabajadores recae en el CNDI, el nivel más alto de asesoramiento del PBM y en los 19 Consejos de Competitividad Sectorial[2].

10.3.3 La cuantificación de la aplicación de las políticas

La *Política de Desenvolvimento Produtivo* (PDP), 2008-10, propuso 425 medidas de política bajo su marco. Se llevaron a cabo prácticamente todas. Solo se anunciaron 31 medidas cuando se introdujo la política. Las otras 389 se desarrollaron y se aplicaron después del lanzamiento, a finales del 2010. La eficacia de la PDP puede explicarse ampliamente en primer lugar por la prioridad que el Gobierno de Lula dio a la política industrial; en segundo lugar por el compromiso de los ministerios pertinentes, sobre todo los Ministerios de Comercio e Industria, Ciencia y Tecnología y Economía; y en tercer lugar, por el sistema de gestión que se implantó para asegurar la aplicación de las medidas propuestas. La Agencia Brasileña para el Desarrollo Industrial (ABDI) desarrolló un sistema de información en línea que informaba sobre el progreso de cada medida propuesta bajo la PDP.

La política actual, *Plano Brasil Maior* (PBM), se introdujo junto con 36 medidas de política, de las cuales 28 están en pleno funcionamiento. En abril del 2013 se anunciaron y se incluyeron otras 263 medidas en el plan de trabajo del PBM. El compromiso de las instituciones públicas para conseguir los objetivos de política ha facilitado su aplicación. Estos alineamientos pueden surgir cuando las agencias pertinentes son parte de la organización de políticas y coinciden en el diagnóstico de los desafíos emergentes y las posibles fórmulas para llevar a cabo acciones correctivas.

---

[2] El PBM cuenta con 19 Consejos de Competitividad Sectorial, divididos en cinco grupos de sistemas productivos: (1) los Sistemas Intensivos en Conocimiento: Ingeniería Mecánica, Electro-electrónica, Cadena de Suministro de Petróleo y Gas y de Construcción Naval; el Complejo de la Salud; las Industrias de Aeronáutica y Defensa; los Bienes de Capital y las Tecnologías de Información y Comunicación, TIC; (2) Sistemas intensivos en gran escala: Químico-petroquímico; Bio-etanol y Energías Renovables; Estética y Cosmética Personal; Minería; Metalurgia; y Pasta y Papel; (3) Sistemas intensivos en mano de obra: Calzado, Textiles y Prendas de Vestir; Mobiliario; y el Complejo de Construcción Civil; (4) Sistemas de Agronegocios; y (5) Comercio, Logística y Servicios: Comercio al por mayor; Logística Comercial; y Servicios.

10.4 El banco de desarrollo: un activo estratégico de las políticas industriales

La financiación a largo plazo tiene una importancia estratégica: puede impulsar más y mejores oportunidades de trabajo, infraestructuras y capacidades competitivas. Si los mercados son superficiales, incompletos o «fallan», un banco de desarrollo constituye un instrumento esencial para fomentar la sostenibilidad, la inversión y la acumulación de competencias. Si los mercados financieros son procíclicos, los bancos de desarrollo pueden actuar cuando hay una crisis crediticia. Si los inversores se muestran siempre ansiosos por obtener beneficios rápidos, los bancos de desarrollo, por el contrario, se muestran pacientes[3]. Estas son algunas de las justificaciones para los bancos de desarrollo y para proporcionarles los recursos e instrumentos necesarios para afrontar los desafíos del crecimiento.

El Banco de Desarrollo de Brasil (BNDES) es el proveedor principal de financiación a largo plazo del país y tiene dos tercios del crédito con vencimiento a más de cinco años. Es una compañía propiedad totalmente estatal de derecho privado, con financiación institucional[4] y 2.700 empleados[5]. EL BNDES es bastante eficaz y se encuentra entre los bancos de desarrollo más grandes del mundo en cuanto a su cartera de activos y préstamos (cuadro 10.2). Sin embargo, más que el tamaño absoluto, lo que define la relevancia que tiene un banco de desarrollo para una política industrial es la disponibilidad de los instrumentos con los que trabaja[6]. Es decir, tanto la escala como el ámbito importan. El BNDES cuenta con un amplio rango de instrumentos financieros que ofrecen: (1) apoyo financiero directo para proyectos de infraestructuras e industriales a gran escala (créditos y financiación del proyecto); (2) comercialización de maquinaria y equipos a través de bancos comerciales; (3) apoyo a las exportaciones de bienes y servicios intensivos en ingeniería; (4) créditos para la financiación y fondos de garantía para micro y pequeñas empresas; (5) fondos de capital y de riesgo e inversión directa en las empresas, manteniendo siempre una participación minoritaria.

---

[3] Ferraz y otros (2013) analizan el papel anticíclico del BNDES durante 2008-09.

[4] El FAT, el Fondo de Asistencia al Trabajador, es la financiación institucional del BNDES. El FAT es un fondo que introdujo el Gobierno en 1988, sustentado por las contribuciones tributarias sociales que provienen de los ingresos de operaciones de todas las empresas brasileñas. La transferencia del FAT al BNDES es independiente del presupuesto federal y se efectúa bajo términos específicos, dando lugar a un mecanismo de financiación similar al de capital propio.

[5] Se puede obtener más información sobre las historia del BNDES en BNDES (2013).

[6] Ferraz y otros (2013) analizan la función y los desafíos del BNDES para la financiación del desarrollo.

Cuadro 10.2 Estadísticas de los bancos nacionales de desarrollo en cuatro países, 2012 (en millones de dólares estadounidenses*).

	BNDES (Brasil)	KFW (Alemania)	CDB (China)	KDB (Rep. de Corea)
Activos totales	367.825	657.347	1.191.597	147.067
Cartera de préstamos	254.019	526.401	1.016.959	85.572
Ingresos netos	3.009	3.063	9.995	836
Rentabilidad económica (%)	0,90	0,47	0,92	0,50
Préstamos no rentables (%)	0,06	0,21	0,30	1,60
Fecha de fundación	1.952	1.948	1.994	1.954
Número de empleados	2.853	5.190	8.038	n,a,

* Al promedio del tipo de cambio en 2012.

Fuente: Hojas de balances del BNDES, Kreditanstalt für Wiederaufbau (KfW), Banco de Desarrollo de China (CDB) y Banco de Desarrollo de Corea (KDB).

Este gran alcance de productos permite al BNDES hacer frente a los distintos desafíos industriales de Brasil. Se concedieron a los sectores del PBM prioritarios un promedio de aproximadamente el 80 % de los desembolsos del BNDES entre 2006 y 2012. Los sectores intensivos en conocimiento y en ingeniería (las industrias de ingeniería mecánica, electricidad y electrónica y de la salud[7]) representaron alrededor del 30 % del desembolso total (gráfico 10.4).

Gráfico 10.4. Desembolsos del BNDES para los sistemas de producción del PBM (en mil millones de reales brasileños).

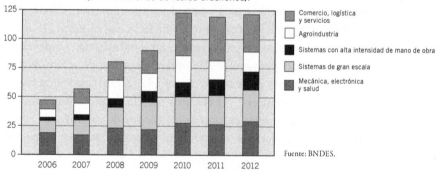

Fuente: BNDES.

La consecuencia de la crisis internacional sobre los desembolsos del BNDES destinados a los sectores productivos fue una pequeña reducción relacionada con las

---

[7] Las industrias de ingeniería mecánica, electricidad y electrónica y salud, por su componente intensivo de conocimiento e ingeniería, se han agrupado juntas en el Plano Brasil Maior. Corresponden a los sectores siguientes: Petróleo, gas y navegación (sector de suministro); sector de la salud (farmacéutica, medicina, equipo médico y hospitalario así como servicios de salud); automovilístico; sector de aeronáutica, defensa y aeroespacial; bienes de capital de ingeniería mecánica, electricidad y electrónica; y Tecnologías de la Información y Comunicación (TIC).

industrias intensivas a gran escala y la agroindustria, que dependen mucho de la demanda externa. Al mismo tiempo, con la expansión del mercado interno, gracias al aumento del poder adquisitivo de la población, la participación de Comercio, Logística y Servicios se ha incrementado de forma equilibrada a lo largo de los años.

Aparte de la asignación de financiación a los sectores prioritarios, el BNDES contribuye al fomento de las inversiones y la creación de puestos de trabajo en Brasil. Unos estudios recientes demuestran que las empresas financiadas por el BNDES aumentaron las inversiones en diez puntos porcentuales más que las empresas que no recibieron el apoyo con unos perfiles corporativos similares (Coutinho, 2013). Se descubrió un efecto similar en la creación de puestos de trabajo en las pequeñas empresas: en comparación con las empresas que no recibieron apoyo, las empresas financiadas por el BNDES aumentaron los empleos formales en diez puntos porcentuales más (Machado y Parreiras, 2013).

10.5 Conclusiones

Se pueden extraer algunas lecciones generales del caso de Brasil. En primer lugar, la política industrial es un componente esencial de una estrategia nacional para lograr un desarrollo sostenible, al igual que lo son las políticas sobre infraestructuras, educación, ciencia y tecnología. En segundo lugar, una vez que se le da prioridad política a la política industrial, es necesario que se tenga un total compromiso y una cooperación estrecha entre los ministerios y los organismos pertinentes, al igual que con el sector privado; siempre que las funciones, los compromisos, los beneficios y las contrapartidas se acuerden de forma explícita y se hagan públicos. En tercer lugar, la importancia de la puesta en práctica de la política no puede subestimarse: los organismos públicos deben tener objetivos y responsabilidades bien definidos y competencias técnicas eficaces, así como habilidades de negociación. En concreto, los responsables de la política deben prestar una atención especial a los desafíos de la coordinación y al intercambio de información. Por último, es de vital importancia la disponibilidad de los instrumentos para poner en práctica la política, sobre todo la presencia de un banco de desarrollo eficiente y eficaz que proporcione financiación a largo plazo para la transformación económica.

Referencias

Amsden, A. 2001. *The rise of the «rest». Challenges to the West from late-industrializing economies* (New York, Oxford University Press).

BNDES (Banco Nacional de Desenvolvimento Econômico e Social). 2013. *BNDES: A bank of history and of the future* (São Paulo, Museu da Pessoa).

Chang, H. 2003. *Kicking away the ladder: Development strategy in historical perspective* (London, Anthem Press).

Coutinho, L. 2013. *Investimento, financiamento e o BNDES*, paper presented to the Brazilian Senate, 27 agosto.

—; *et al.* 2012. «Industrial policy and economic transformation», en J. Santiso and J. Dayton-Johnson (eds): *The Oxford handbook of Latin American political economy* (Oxford, Oxford University Press).

—; Ferraz, J. C. 1994. *Estudo da competitividade da Indústria brasileira* (Campinas, Editora Papirus).

Devlin, R.; Moguillansky, G. 2009. «Public–private alliances for long-term nationaldevelopment strategies», en *CEPAL Review*, núm. 97, pp. 95-113.

Evans, P. 1995. *Embedded autonomy: States and industrial transformation* (Princeton, Princeton University Press).

—. 2010. «Constructing the 21st century developmental state: Potentialities and pitfalls», en Omano Edigheji (ed.): *Constructing a democratic developmental state in South Africa – Potentials and challenges* (Capetown, HSRC Press).

Ferraz, J. C.; Kupfer, D.; Haguenauer, L. 1996. *Made in Brazil: Desafios competitivos para a indústria brasileira* (Rio de Janeiro, Editora Campus).

—; *et al.* 2013. «Financing development: The case of BNDES», en J. Stiglitz and J. Y. Lin (eds): *The industrial policy revolution: The role of government beyond ideology* (London, Palgrave Macmillan).

Gerschenkron, A. 1962. *Economic backwardness in historical perspective, a book of essays* (Cambridge, MA, Belknap Press of Harvard University Press).

Hausmann, R.; Rodrik, D. 2003. «Economic development as self-discovery», en *Journal of Development Economics*, vol. 72, núm. 2, pp. 603-633.

—; Rodrik, D.; Velasco, A. 2008. «Growth diagnostics» en N. Serra and J. E. Stiglitz (eds): *The Washington Consensus reconsidered: Towards a new global governance* (New York, Oxford University Press).

Hidalgo, C.; Hausmann, R. 2009. «The building blocks of economic complexity», en *PNAS* (Proceedings of the National Academy of Sciences), vol. 106, núm. 26, pp. 10570-10575.

Krugman, P. R. 1990. *The age of diminished expectations* (Washington, DC, The Washington Post Company).

Kupfer, D.; Ferraz, J. C.; Marques, F. 2013. «The return of industrial policy» en J. Stiglitz and J. Y. Lin (eds): *The industrial policy revolution: The role of government beyond ideology* (London, Palgrave Macmillan).

Lin, J.Y.; Monga, C. 2010. *Growth identification and facilitation: The role of the state in the dynamics of structural change*, Policy Research Working Paper núm. 5313 (World Bank).

Machado, L.; Parreiras, M. 2013. «Public credit for Brazilian micro and small companies: The impact of the BNDES Card», en *Revista do BNDES*, núm. 39.

Mazzucato, M. 2013. *The entrepreneurial state: Debunking public vs private sector myths* (London, Anthem Press).

Ministry of Development, Industry and Foreign Trade, Brazil. 2008. *Productive development policy: Innovation and investment for sustainable growth* (Brasilia).

—. 2011. Plano Brasil Maior 2011/2014. *Innovate to compete. Compete to grow* (Brasilia). Disponible en: *http://www.brasilmaior.mdic.gov.br/wp-content/uploads/2011/10/apresentacao_pbm_eng_rev_outubro2011.pdf* [consultado el 17 de octubre del 2013].

Peres, W.; Primi, A. 2009. «Theory and practice of industrial policy. Evidence from the Latin American experience», en *Serie Desarrollo Productivo*, núm. 187 (Santiago, ECLAC).

Stiglitz, J. 1998. *Towards a new paradigm of development*, speech given as the 9th Prebisch Lecture at UNCTAD, Geneva, 19 de octubre.

El Estado y la política industrial en el desarrollo económico de China

11

Dic Lo y Mei Wu

11.1 Introducción

La explicación del desarrollo económico de China durante las últimas tres décadas, es decir, en la era de la reforma del mercado y el aumento de la integración en el mercado mundial, ha sido un tema de debate académico. Existe un conjunto importante de estudios que destacan el papel crucial del Estado en el proceso de desarrollo (por ejemplo, véase Felipe y otros, 2010; Gabriele, 2010; Heilmann, 2009; Kotz, 2005; Poon, 2009). En este conjunto se incluyen estudios que están en la corriente de las teorías de la política industrial que se han desarrollado relacionadas con la experiencia más amplia de la industrialización del Asia Oriental.

Conceptualmente, la política industrial normalmente se define como aquella que se enfoca en el cambio estructural de la economía —industrialización rápida sostenida, en el caso de China—. Sin embargo, el cambio estructural es realmente un proceso complejo con determinantes múltiples, sobre todo los regímenes de productividad y demanda en cuestión, así como el marco institucional subyacente. Por tanto, para evaluar el papel del Estado en el proceso de desarrollo se necesita llevar a cabo un análisis de coherencia de influencias estatales sobre estos determinantes múltiples. Para determinar la eficacia de la política industrial estatal se necesita además un análisis del ajuste adecuado —o desajuste— entre el diseño y la ejecución de la política, por una parte, y de la interacción de estos determinantes múltiples, por la otra.

En este capítulo tratamos de demostrar que el papel del Estado en el desarrollo económico de China ha sido complejo y multifacético. Representa mucho más que un caso del tipo de política industrial desarrollado en el Asia Oriental donde el Estado practica una intervención selectiva en las actividades empresariales con la idea de fomentar el desarrollo de industrias o proyectos específicos. Queremos demostrar que la influencia del Estado en el desarrollo económico de China ha facilitado tanto la creación de un entorno propicio como la intervención directa, la cual abarca la política industrial. Sostenemos que, en general, el Estado ha desempeñado un papel positivo en el desarrollo económico de China —al fomentar el cambio estructural y por tanto el crecimiento de la productividad y del empleo—. Sin embargo, podemos aprender algunas lecciones importantes de la política, extraídas de la complejidad de la experiencia, en la que se incluyen éxitos y fracasos.

El capítulo está estructurado en cinco secciones. Después de esta introducción, en la sección 11.2 se identifican cuatro principales hechos estilizados de la transformación económica de China que se postulan como fundamento para toda investigación razonable sobre el papel del Estado en el proceso de desarrollo. En la sección se analizan las implicaciones y las relaciones entre estos hechos estilizados, haciendo referencia a los estudios sobre política industrial y a teorías más amplias. En la sección 11.3 se analizan las acciones específicas efectuadas por el Estado con respecto al fomento de la industrialización, al crear e impulsar entornos propicios e intervención directa. También se analiza la eficacia de la política industrial en relación con los ejemplos de desarrollo de tres industrias en particular —automóviles, semiconductores y ferrocarriles de alta velocidad—. En la sección 11.4 se trata la cuestión relacionada con la evolución de la orientación de política del Estado, sobre todo en relación con la remuneración y la protección laboral. La sección 11.5 se resume.

11.2 Hechos estilizados de la transformación económica de China y sus consecuencias

La política industrial y las acciones económicas del Estado, en general, pueden tener efectos positivos, negativos o neutrales en el desarrollo económico, dependiendo de la naturaleza del proceso global de la transformación estructural. En el caso de China, cualquier análisis de la función del Estado y de la política industrial estatal en el proceso de desarrollo durante las tres últimas décadas debe tener en cuenta los siguientes cuatro importantes hechos estilizados (Lo y Li, 2011; Lo y Zhang, 2011).

Cambio estructural. El desarrollo económico de China ha experimentado una transición que parte de la industrialización intensiva en mano de obra en la primera mitad de la era de la reforma, en torno a 1978-92, hasta la industrialización por intensificación de capital en la segunda mitad. En el gráfico 1.1 se traza la evolución de la razón incremental capital-producto (ICOR, por sus siglas en inglés) de la economía china. Es evidente que la trayectoria de crecimiento económico estuvo caracterizada por la sustitución del trabajo por el capital en la producción durante la primera mitad de la era de la reforma, pero que pasó a depender de la intensificación del capital a partir de principios de la década de 1990 y posteriormente.

Gráfico 11.1. Proporción incremental capital-producto (promedio móvil quinquenal), 1982-2008

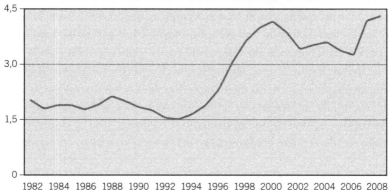

Nota: $ICOR = dK/kY$, donde $dK = I$ = total de inversión de activos fijos dY = PIB de ese año menos el PIB del año anterior.
Fuente: *Informe estadístico anual de China*, de varios años.

Gráfico 11.2. Proporción de empresas estatales en la producción, el empleo y el capital del total de la industria, 1978-2010

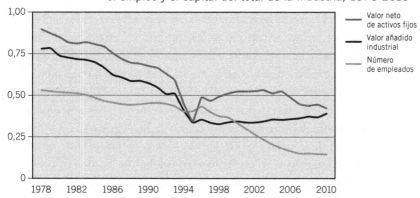

Nota: Una proporción importante de empresas no estatales cuentan con organismos estatales como últimos propietarios-controladores.
Fuente: *Informe estadístico anual de China*, de varios años.

343

La propiedad estatal y el control sobre las actividades económicas. La propiedad estatal predominó durante la primera mitad de la era de la reforma y siguió siendo una parte importante de la economía durante la segunda mitad. Para la industria por sí sola, la proporción del valor añadido representado por las empresas de propiedad estatal (EPE) experimentó una disminución secular del 78 % en el año 1978 hasta el 32 % en 1998. A partir de entonces, la proporción ha ido aumentando constantemente, alcanzando el 38 % en el 2010 (gráfico 11.2). Lo que ha quedado de industrias estatales, es en su mayoría EPEs de gran escala, intensivas en capital, tal como se indica por el hecho de que la proporción del capital de las EPE ha superado de forma considerable la proporción de la producción, mientras que la proporción del empleo ha sido mucho menor, es decir, las EPE se caracterizan por una relación mayor entre capital-trabajo que otras empresas. Las EPE han seguido controlando a los «altos mandos» de la industria china. Entretanto, quizás de igual importancia es el continuo control del Estado en la asignación de los recursos de financiación de la economía. A partir del 2010, los bancos estatales representaban aún, ya sea directa o indirectamente, más del 70 % del total de activos del sector bancario (Lo y Jiang, 2011) y el sector bancario ha seguido siendo la parte predominante del sistema financiero como un todo.

La capacidad estatal. En general, la descentralización del poder estatal ha caracterizado la transformación económica de China. Los gobiernos locales, a diferentes niveles, han sido poderosos actores en la toma de decisiones económicas. Por tanto, la interacción entre el Gobierno central y los gobiernos locales —a veces sinérgica y otras contraproducente— ha tenido una fuerte influencia sobre la dirección y el ritmo del desarrollo económico. Estas influencias se deben considerar en un contexto más amplio de continua liberalización del mercado. Las empresas estatales cada vez tuvieron más ánimo de lucro durante la era de la reforma. Este cambio tuvo lugar en medio de la continua expansión de las empresas no estatales, así como del aumento de la competencia en el entorno del mercado a causa de la liberalización interna y externa. El carácter de estos atributos de la liberalización del mercado es difícil de medir de una forma clara y sencilla. Un indicador posible es el trabajo de los bancos comerciales estatales (y privatizados parcialmente), que son representativos del funcionamiento del sistema económico mixto. En el gráfico 11.3 se muestra el crecimiento anual de la inversión en activos fijos y los préstamos pendientes totales de los bancos estatales y del sector bancario global. Se pueden discernir dos características importantes del funcionamiento de los bancos y de los bancos estatales en particular. En primer lugar, mostraron una inclinación hacia fluctuaciones severas entre la expansión y la contracción —un fenómeno amplificado de la inestabilidad financiera mynskiana que caracteriza el sistema de mercado teórico—. En segundo lugar, apoyaron sólidamente la inversión productiva a largo plazo. Este es el sistema con el que el Estado tiene que trabajar para fomentar la industrialización[1].

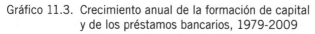

Gráfico 11.3. Crecimiento anual de la formación de capital y de los préstamos bancarios, 1979-2009

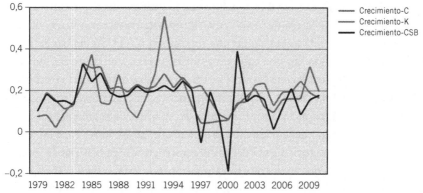

Nota: Crecimiento K = Crecimiento de la formación de capital fijo bruto,
Crecimiento C = Crecimiento de los prestamos pendientes a final del año del total del sector bancario,
Crecimiento CSB = Crecimiento de los préstamos pendientes a final del año de los bancos estatales.
Fuente: *Informe estadístico anual de China*, de varios años.

Evolución de los regímenes de demanda. Es bien sabido que el desarrollo económico de China durante la primera mitad de la era de la reforma estuvo impulsado principalmente por el consumo, pero que fue impulsándose cada vez más por la inversión (y, en menor medida por la exportación) desde principios de la década de 1990 (Lo y Zhang, 2011). La proporción del gasto total representado por el consumo final disminuyó en más de diez puntos porcentuales desde el primer período hasta el segundo. No obstante, en ambos períodos el sistema económico reformado pudo proporcionar las condiciones necesarias de la demanda para la industrialización —para fomentar la inversión productiva y para sustentar los rendimientos crecientes de las industrias establecidas—. Cabe señalar que China comenzó su era de la reforma con una de las proporciones más altas entre la industria y el PIB del mundo a finales de la década de 1970 y fue testigo de un proceso de rápida industrialización sostenida durante las tres décadas posteriores.

¿Cuáles son las implicaciones de estos hechos estilizados para evaluar el papel del Estado y de la política industrial estatal en el desarrollo económico de China? En primer lugar, el hecho estilizado que concierne al cambio estructural es de gran importancia para la literatura sobre la política industrial del tipo desarrollado en el

---

[1] Para más detalles sobre las características de las acciones financieras y estatales chinas para frenar las fluctuaciones excesivas y promover la inversión productiva, véase Lo y Jiang (2011).

Asia Oriental, que ha estado dominada por el debate sobre el fomento de la ventaja comparativa (CAF-Comparative Advantage Following-, por sus siglas en inglés) frente a las estrategias que desafiaban la ventaja comparativa (CAD-Comparative Advantage Defying-, por sus siglas en inglés) (véase el intercambio en Lin y Chang, 2009). Parece razonable concluir que la industrialización china durante la primera mitad de la era de la reforma siguió una trayectoria CAF, mientras que durante la segunda mitad siguió una trayectoria CAD. Sin embargo, aunque esta opinión sea válida, llevar a cabo un análisis de las características CAF-CAD del cambio estructural puede resultar insuficiente para determinar el papel de la política industrial. En teoría, se podría argumentar que una trayectoria CAF de cambio estructural se ajusta a los principios del mercado (aunque plantea la cuestión de si el mercado puede realmente producir tales resultados). Aun así, esto no significa que la trayectoria CAD del cambio estructural sea fruto de la intervención estatal o, más concretamente, de la política industrial estatal. En un mundo de rendimientos crecientes y del crecimiento de la productividad impulsado por la demanda, los regímenes de demanda son importantes a la hora de configurar la trayectoria del cambio estructural. Por tanto, en la experiencia de China, la pregunta sigue siendo cuál ha sido el papel de la acción estatal en la configuración de la evolución de los regímenes de demanda, descritos en el cuarto hecho estilizado.

Mientras tanto, la literatura sobre política industrial también aborda las condiciones para el funcionamiento de políticas de desarrollo alternativas. Concretamente, existe un debate más amplio sobre el Estado desarrollista frente al capitalismo de amigos. Se deben tener en cuenta los hechos estilizados dos y tres, en relación con la posición del Estado en el sistema económico, dentro de un marco coherente de análisis. Considerando que la existencia de un sector estatal importante proporciona un medio poderoso para la intervención estatal en la configuración de las direcciones del desarrollo económico, los organismos económicos en cuestión —las empresas, los bancos estatales, los gobiernos locales de diferentes niveles— podrían no trabajar necesariamente en las mismas líneas del Estado desarrollista. Es evidente que en el contexto de un sistema mixto asociado con los hechos estilizados dos y tres, de vez en cuando, estos organismos han variado entre sus características de orientación hacia los beneficios a corto plazo, las preocupación desarrollista a largo plazo y la búsqueda de renta económica y el capitalismo de amigos. Para determinar la función del Estado y de la política industrial estatal en el proceso de transformación, hay que analizar las condiciones que permiten que un conjunto de características dominen a las demás.

El análisis anterior se puede relacionar con la literatura sobre las doctrinas de política contrapuestas y las posturas teóricas relacionadas con la industrialización tardía. Una forma apropiada de examinar estos asuntos tan disputados es comenzar con la postura «ortodoxa», conocida como el Consenso de Washington. Su doctrina política canónica en este área en particular, la «neutralidad del régimen comercial» como una estrategia para la industrialización, depende del supuesto de que la transferencia tecnológica y el desarrollo económico se producen como resultado automático del mercado (Lo, 2012). Esta doctrina concuerda con la teoría neoclásica estándar del crecimiento. Sin embargo, incluso dentro de la economía neoclásica, la corriente principal de las teorías del cambio tecnológico endógeno sugiere que la tecnología es principalmente el producto de la inversión y que la inversión empresarial normalmente presupone algún grado de derechos exclusivos sobre la utilización del producto (Romer, 1994). Por lo tanto, el desarrollo tecnológico necesariamente requiere la existencia de un entorno de política institucional que no está limitado al mercado. Justin Yifu Lin, economista jefe del Banco Mundial (2008-2012), ha defendido más recientemente una postura un tanto distinta a la de las instituciones de Washington, compartida por economistas como Dani Rodrik y Joseph Stiglitz. La propuesta central es que el cambio estructural en línea con el principio de la ventaja comparativa (es decir el CAF) puede no llegar a materializarse siempre, a causa de las fallas del mercado a la hora de generar el desarrollo tecnológico necesario. De este modo, se deduce que existe la necesidad de algunos tipos de intervención gubernamental amistosa con el mercado para fomentar la industrialización (Lin, 2010).

Otra postura aún más alejada de la visión ortodoxa es la encarnada en las teorías de la política industrial asociadas con el trabajo de economistas como Alice Amsden, Ha-Joon Chang, Ajit Singh y Robert Wade. La proposición central es que, dada la importancia de la dinámica de los rendimientos crecientes y de las economías de escala y de ámbito en el desarrollo económico, la industrialización es mucho más que simplemente el logro del principio de la ventaja comparativa. Así pues, existe la necesidad de una intervención gubernamental orientadora del mercado para fomentar la industrialización, es decir, para distorsionar deliberadamente el mercado con el fin de promover el desarrollo tecnológico (Chang, 2009). Los medios necesarios pueden variar, pero la cuestión general es que el Gobierno debe crear «rentas económicas» (durante un período de tiempo definido) a favor de las empresas que muestren un buen desempeño en el desarrollo tecnológico y económico.

Por último, la postura de las teorías que se basan en el «sistema nacional de innovación», claramente enmarcada por William Lazonick (2004 y 2009), sitúa al desarrollo tecnológico en el centro de la industrialización. La proposición central es que, en la era de la revolución de la información, la condición previa para el desarrollo tardío es la acumulación, no solo de la capacidad de producción como tal, sino también de la capacidad de innovación para absorber, asimilar y mejorar la tecnología importada. Esto requiere una serie de instituciones de apoyo empresarial orientadas al largo plazo, además de la promoción por parte del Gobierno.

En todas las posturas que hemos mencionado, existe un cambio progresivo de la teoría pura hacia el realismo. El Consenso de Washington y las posturas modificadas de las instituciones de Washington asumen de forma implícita un mercado puro dentro del cual tiene lugar el cambio estructural que mejora la productividad. Las teorías de política industrial y de «sistemas nacionales de innovación», en contraste, son más conscientes de la naturaleza compleja y cambiante del mercado mundial en la realidad. En los últimos años, sobre todo, ha surgido una visión influyente que argumenta que el proceso de globalización, incluidas las relaciones económicas entre el Norte y el Sur, han sido configuradas por la financiarización (Wade, 2006 y 2008). El aumento del predominio de las actividades financieras especulativas implica una tendencia hacia el corto-placismo, es decir, el capital cada vez más tiene que minimizar la inversión fija y y demandar flexibilidad en el sector productivo (en especial en el empleo de la mano de obra). Por tanto, desde el punto de vista de las economías en desarrollo, depender solamente del funcionamiento del mercado podría hacer que resultara difícil para las industrias salir de la etapa del ensamblaje para ascender por la escala de valor añadido. En el contexto de la financiarización y la urgente demanda asociada por flexibilidad, es más importante aún que las economías en desarrollo encuentren la forma adecuada de aumentar la productividad lo suficientemente rápido para evitar quedar atrapadas en la «carrera hacia el fondo» en el mercado mundial.

11.3 La fuerza y la limitación de la política industrial en acción

En el contexto que acabamos de describir, el papel del Estado en la transformación económica de China se puede deducir de su acción/inacción en dos aspectos diferentes. El primero tiene que ver con su función a la hora de crear las condiciones adecuadas (es decir, un entorno propicio) para la industrialización. El segundo está relacionado con su intervención directa en el proceso de industrialización[2].

En la primera mitad de la era de la reforma, la norma fue acción del Estado en el primer aspecto, e inacción en el segundo aspecto. Gracias a la acumulación de capital durante la época previa a la era de la reforma, es decir, la acumulación de un sector enorme de bienes de capital desde la década de 1950 hasta la de 1970, el desarrollo económico pudo seguir una trayectoria de industrialización basada en una gran intensidad de mano de obra, impulsada por el consumo. Esta trayectoria concuerda en gran medida con el principio de la ventaja comparativa. Surgió principalmente

---

[2] El análisis de los tres párrafos siguientes se basa en Lo y Zhang (2011), que proporcionan más detalles.

a través de la expansión explosiva orientada al mercado de las empresas rurales de propiedad colectiva (de los municipios y pueblos). La acción del Estado se centró en impulsar la reforma del mercado, designando a las EPE para que asumieran la carga de los costes del ajuste asociados con la reforma. Las EPE y los bancos estatales fueron los responsables de mantener el patrón existente de la distribución igualitaria de ingresos. Proporcionaron seguridad laboral y servicios sociales para prácticamente toda la población urbana, fomentando de ese modo la «revolución del consumo», que fue fundamental para el impulso de la industrialización de ese período.

En la segunda mitad de la era de la reforma, la intervención estatal se hizo evidente en dos aspectos, después de un doloroso proceso neoliberal de restructuración de las finanzas públicas, de las EPE y de los bancos estatales a mediados de la década de 1990. Las finanzas públicas tomaron el liderazgo en la inversión masiva en infraestructura y en la modernización industrial. Esto dio lugar a la trayectoria de intensificación de capital, y de industrialización impulsada por la inversión, dirigida principalmente por las EPE en las industrias suministradoras de materiales y por las multinacionales (CMN) en las industrias de alta tecnología. El resto de las EPE eran en su mayoría grandes empresas con una orientación hacia los beneficios; estas características encajaban bien con la trayectoria imperante de la industrialización. Si bien durante algún tiempo los bancos comerciales estatales se mostraron reacios a conceder préstamos a actividades productivas, tuvieron que volver a la industria debido a las severas restricciones estatales en el ámbito de las actividades especulativas y la fuga de capitales.

La fortaleza o la limitación, el éxito o el fracaso de la política industrial estatal de China se puede evaluar en este contexto. En la primera mitad de la era de la reforma, la política general de fomentar las exportaciones manufactureras (para sustituir los productos básicos primarios) fue sin duda un éxito, mientras que la política específica o selectiva del tipo japonesa-coreana de fomentar el desarrollo en algunos sectores o proyectos concretos fue un fracaso en China. A principios de la segunda mitad de la era de la reforma, parece que tanto las políticas estatales generales como las selectivas lograron fomentar la industrialización. Los incentivos basados en el mercado junto con el rápido crecimiento de la productividad fueron suficientes para promocionar las exportaciones de manufacturas. Asimismo, la política industrial estatal enfocada en el desarrollo de industrias específicas parece que logró alcanzar sus objetivos. Durante toda la era de la reforma, el éxito o el fracaso (y la fortaleza y la limitación) de la política industrial estatal estuvieron determinados por las dos condiciones siguientes que se dieron a la vez: la suficiencia (o insuficiencia) del entorno propicio y la naturaleza de los agentes económicos que llevaron a cabo las actividades efectivamente seleccionadas (por ejemplo, las empresas de propiedad estatal, las empresas privadas y las multinacionales). Los ejemplos de desarrollo de las siguientes tres industrias, que analizaremos más detalladamente —automóviles, semiconductores y ferrocarriles de alta velocidad— confirman esta conclusión.

No obstante, antes de abordar los tres ejemplos, es útil resumir rápidamente la evolución de las posturas oficiales sobre la política industrial durante la era de la reforma. El primer documento gubernamental en emplear explícitamente el término «política industrial» fue el séptimo Plan Quinquenal (1986-90). En 1989, el Consejo de Estado publicó el documento *Decisions on the Important Issues of Current Industrial Policies*[3], donde se establecía que se haría uso de las políticas industriales para mejorar la industrialización y los macro controles. Esta idea se hizo realidad con el siguiente y octavo Plan Quinquenal (1991-95). El Consejo de Estado, en el documento titulado *Outline of National Industrial Policy in the 1990s*[4] publicado en 1994, sostenía que se utilizarían políticas industriales para promover el desarrollo de las «industrias pilares» de la economía. Sin embargo, el período de mediados de la década de 1990 fue un período de neoliberalismo, en el que los esfuerzos del Gobierno se centraron en la liberalización del mercado interno y externo (privatizaciones masivas de EPE, comercialización de los bancos estatales, restructuración de las finanzas públicas, liberalización del comercio exterior y la cuenta corriente, etc.). Fue realmente a principios del período del décimo Plan Quinquenal, 2001-05, cuando se pusieron en práctica las políticas industriales con el espíritu de la intervención selectiva en una escala sistemática. El 16° Congreso Nacional del Partido Comunista del 2002 propuso la idea de llevar a cabo «una nueva trayectoria de industrialización» con énfasis en el desarrollo de las capacidades en ciencia y tecnología, una tecnología respetuosa con el medioambiente y el ahorro de recursos, así como la ingeniería de la información e industrias relacionadas. La culminación de estos énfasis fue el discurso del Presidente Hu Jintao en 2006, titulado «*Medium to Long-Term Plan for the Development of Science and Technology*[5]». Estableció la meta de transformar a China en una «sociedad innovadora» para el año 2020.

Como precursores de la práctica de la política industrial estatal en China, los ejemplos de desarrollo de las industrias del automóvil y los semiconductores son reveladores. La industria automovilística tuvo su política industrial ya en 1987, que posteriormente se refinó en una versión completa en 1994. El principal objetivo de la política fue la estrategia de «protección del mercado a cambio de transferencia tecnológica». La protección de las importaciones y de la amenaza de la entrada en

---

[3] (N. T.): *Decisiones sobre Asuntos Importantes de las Políticas Industriales Actuales.*
[4] (N. T.): *Esquema de la Política Industrial Nacional en la década de 1990.*
[5] (N. T): *Plan a medio y largo plazo de desarrollo de la Ciencia y la Tecnología*

el mercado se concedió a seis fabricantes de coches, los cuales eran todos empresas de participación conjunta chino-extranjeras: las «Tres Grandes», formadas por Shanghai Volskswagen, First Auto Work Voslkswagen y Second Auto Work Citroën, y las «Tres Pequeñas», formadas por Beijing Chrysler Jeep, Guangzhou Peugeot y Tianjin Daihatsu. Mientras tanto, la industria de los semiconductores también tuvo su política industrial, que operó por primera vez en 1986 y que se revisó para introducir una versión completa en 1992. El principal objetivo de la política era la estrategia de una «inversión concentrada en empresas clave para lograr el desarrollo tecnológico». Las empresas clave en cuestión eran todas EPE (y sus filiales, asociadas con multinacionales en diversas formas, incluidas las empresas de participación conjunta): Wuxi Huajing, Shouxing Huayue, Beijing Shougang NEC, Shanghai Beiling y Shanghai Philips. Una vez más, un importante ingrediente de la política fue la protección de la competencia de las importaciones.

Gráfico 11.4. Producción de vehículos y de circuitos integrados, 1978-2010

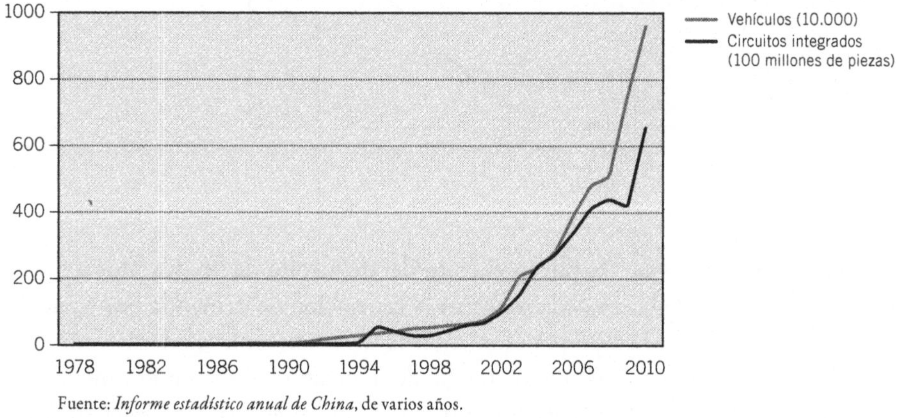

Fuente: *Informe estadístico anual de China*, de varios años.

En relación con el desarrollo real, se puede observar un patrón tanto para la industria del automóvil impulsada por las multinacionales como para la industria de los semiconductores impulsada por las EPE. En la primera mitad de la era de la reforma, ninguna consiguió desarrollarse. En la segunda mitad, las dos industrias, al igual que otras industrias de alta tecnología, finalmente consiguieron despegar, con un aumento explosivo de sus producciones y un rápido progreso tecnológico (véase el gráfico 11.4). La falta de inversión fue la causa inmediata de los fracasos de desarrollo en el período anterior, en un contexto de grandes inversiones y un progreso tecnológico acelerado de estas dos industrias en el mundo en general. En el caso de la industria del automóvil, la estrategia de la «protección del mercado a cambio de transferencia tecnológica» no funcionó: las multinacionales no poseían incentivos suficientes para invertir en la modernización tecnológica. En el caso de la industria de los semiconductores, las EPE designadas no recibieron los fondos de inversión previstos y prometidos en la política industrial. La insuficiencia de la demanda (nacional) reforzó la falta de incentivos para invertir, tanto para las multinacionales como para los agentes nacionales (EPE, bancos estatales, gobiernos locales e incluso el mismo Gobierno central).

Gráfico 11.5. Longitud de autopistas y líneas ferroviarias electrificadas, 1980-2010

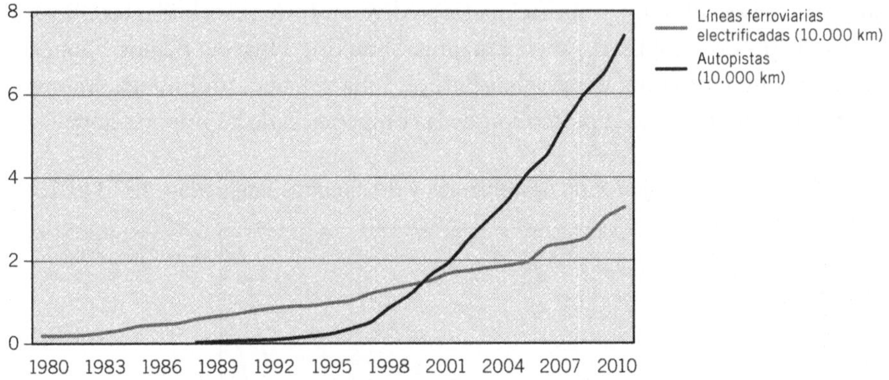

Fuente: *Informe estadístico anual de China*, de varios años.

Hay tres factores que explican el éxito del desarrollo de las dos industrias en la segunda mitad de la era de la reforma: la generación de demanda por parte del Estado, la acción del Estado para fomentar la inversión en la modernización tecnológica y la promoción de competencia del mercado basada en la innovación. La inversión estatal en infraestructuras logró que se generase una demanda: la construcción de una red de carreteras (gráfico 11.5), que impulsó la demanda de vehículos, y de infraestructuras para las telecomunicaciones (gráfico 11.6), que impulsó la demanda de semiconductores. La enorme inversión gubernamental en infraestructuras se puso en marcha inicialmente como respuesta para hacer frente a la crisis económica de Asia Oriental, pero acabó convirtiéndose en una estrategia a largo plazo. Supuso un cambio total de la doctrina de política de la década de 1990 —sobre todo del período de neoliberalismo de 1993-87— cuyo objetivo primordial era equilibrar el presupuesto estatal a través de medidas de austeridad (Lo y Zhang, 2011).

Puesto en un contexto más amplio, el éxito del desarrollo de las dos industrias a partir de la década de 1990 puede explicarse tanto a través de las respuestas del mercado a las condiciones favorables de la demanda, impulsadas por la inversión, como del activismo gubernamental de invertir en las industrias y/o crear las condiciones necesarias para su desarrollo. El activismo del Estado no se limitó al Gobierno central. Se dieron casos muy importantes de éxito a nivel provincial, la política industrial del sector automovilístico del gobierno provincial de Guangdong es un ejemplo de ello. La lección de política que aprendió el gobierno provincial del fracaso de Guangzhou Peugeot en la década de 1990, fue que la inversión gubernamental y la competencia del mercado son ambas necesarias para el desarrollo de la industria. Por tanto, ha reestructurado la industria tomando el liderazgo en la formación de varias empresas de participación conjunta con las multinacionales, incluidas Honda y Toyota. Mientras tanto, en el ámbito nacional más amplio, la actuación gubernamental para impulsar el progreso tecnológico se ha manifestado recientemente en la forma de aumentos masivos de la inversión en investigación y desarrollo (I+D). Esta ha sido una política general, no limitada a sectores industriales concretos (cuadro 11.1).

Gráfico 11.6. Usuarios de Internet (por cada cien personas) en China en relación con economías de renta baja y media, 1995-2010

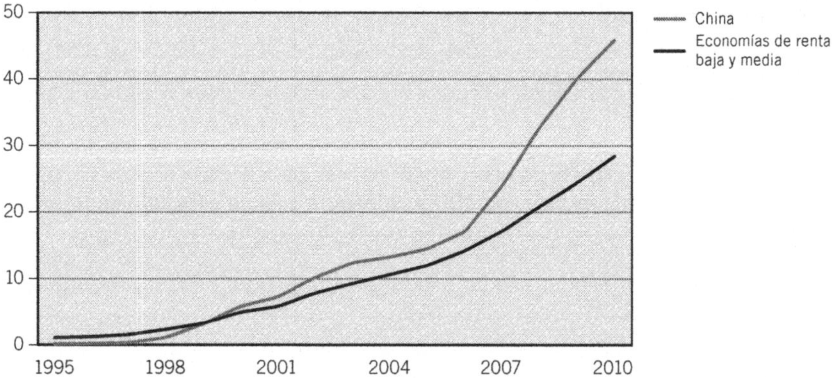

Fuente: *Indicadores de Desarrollo Mundial del Banco de Datos Mundial,* consultados el 26 de enero de 2012.

El origen de los portadores inmediatos de la industrialización también cambió, en medio de la formación de un entorno de competencia del mercado basado principalmente en la innovación. Tanto para la industria de los semiconductores como para la de los automóviles, el predominio de las empresas de participación conjunta y el aumento de la competencia entre estas industrias caracterizan el modelo que surgió. Hasta finales de la década de 1990, las EPE dominaban la industria de los semiconductores, pero desde entonces han sido las empresas de participación conjunta quienes la han dominado. Estas siempre han dominado la industria del automóvil, pero el número de actores se ha incrementado al involucrar prácticamente a todas las empresas multinacionales mundiales de fabricación de coches

—por encima de la protección de las «Tres Grandes, Tres Pequeñas»— antes del cambio de siglo. Asimismo, surgieron algunos fabricantes de coches totalmente autóctonos (principalmente: Geely, Quirui y Jianghuai) que consiguieron entrar con éxito en la categoría de los diez primeros fabricantes de coches en China. El predominio de la producción local a cargo de las empresas de participación conjunta en las dos industrias, en lugar de por empresas de propiedad total de las multinacionales o de las importaciones, refleja la intención de la política industrial estatal y la acción de los agentes económicos nacionales —sobre todo los gobiernos locales—, que son los principales responsables nacionales de la toma de decisiones en relación con la formación de empresas de participación conjunta.

Cuadro 11.1 Inversión en investigación y desarrollo (I+D)

	Inversión en I+D en relación al PIB				Inversión en relación a los países de renta baja y media			
	1997	2000	2004	2007	1997	2000	2004	2007
Países de renta alta	2,29	2,43	2,31	2,37	4,09	3,68	2,85	2,42
Países de renta baja y media	0,56	0,66	0,81	0,98	1,00	1,00	1,00	1,00
China	0,64	0,90	1,23	1,44	1,14	1,36	1,52	1,47

Fuente: *Indicadores de Desarrollo Mundial del Banco de Datos Mundial,* obtenidos el 26 de enero de 2012.

Gráfico 11.7. Exportaciones e importaciones de automóviles y de circuitos integrados (en 100 millones de dólares estadounidenses)

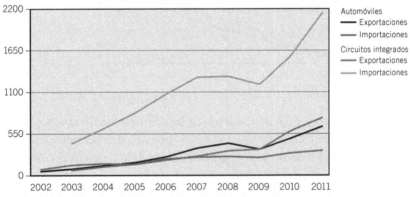

Fuente: Ministerio de Industria y Tecnología de la Información, página web oficial.

Además del aumento de la producción, el hecho de que los productores locales pudieran mantener el mismo ritmo que las multinacionales en el mercado mundial, a la hora de sacar los últimos modelos de automóviles, indica la capacidad de producción —y de innovación— que se ha conseguido desarrollar en China. Otro indicador importante es la rápida expansión de las exportaciones de las dos industrias en los últimos años, aunque desde una base modesta (gráfico 11.7). Sin embargo, aunque las exportaciones y las importaciones se han mantenido equilibradas, en el comercio de automóviles, han aumentado muy rápidamente grandes déficits comerciales en el caso de los circuitos integrados. Por tanto, sería posible concluir en que existe una limitación grave con este modelo de desarrollo industrial, es decir, con las empresas de participación conjunta como vehículos principales para el desarrollo de las industrias de alta tecnología. En concreto, esta limitación es la mayor dificultad para adquirir y desarrollar tecnología de vanguardia, como ocurre en el caso de los semiconductores, en contraste con la tecnología madura, como en el caso de la fabricación de automóviles. Así pues, un panorama más amplio muestra déficits constantes y crecientes en el comercio tecnológico en China, que son espectaculares en comparación con el promedio de los países en desarrollo (cuadro 11.2).

Cuadro 11.2 Pagos por regalías y licencias, recibos y pagos de China en comparación con países de renta baja y media, 1997-2010 (balanza de pagos, en millones de dólares estadounidenses actuales)

	1997	2001	2005	2010
Países de renta baja y media				
Recibos	980	852	1.862	3.689
Pagos	5.419	8.851	18.140	37.319
Balanza	−4.440	−7.998	−16.279	−33.630
China				
Recibos	55	110	157	830
Pagos	543	1.938	5.321	13.040
Balanza	−488	−1.828	−5.164	−12.209

Fuente: Indicadores *de Desarrollo Mundial del Banco de Datos Mundial*, obtenidos el 26 de enero del 2012.

Dicho de otra manera, podría surgir una limitación grave con el nexo de la política industrial estatal y la industrialización, sobre todo allí donde los gobiernos locales son los principales responsables de la política, debido a la predominancia de las multinacionales como vehículos principales para el desarrollo. Las CMN podrían ser fundamentales para la industrialización en la etapa o en las áreas de desarrollo tecnológico convergente. Sin embargo, cuando se trata del desarrollo de la tecnología de vanguardia, pueden surgir restricciones graves debido a un posible desajuste entre las estrategias de las sedes de las multinacionales y los objetivos del

Gobierno de China. El hecho de que no ha habido prácticamente ninguna exportación de coches por parte de las filiales de las CMN (lo que contrasta bastante con los fabricantes de coches autóctonos de China) podría no ser precisamente un síntoma de este desajuste, pero tampoco sustenta la idea de que la industria se ha vuelto competitiva a nivel internacional.

En los últimos años ha surgido un nuevo modelo en relación con todo esto, en el que los vehículos principales del desarrollo de la tecnología de vanguardia son las EPE. El desarrollo de la tecnología del ferrocarril de alta velocidad es un caso representativo. (El plan gubernamental de desarrollar la fabricación de aviones civiles está relacionado con este nuevo modelo). China comenzó a importar tecnología de vanguardia internacional en el tren de alta velocidad en el año 2004, con el objetivo de construir trenes de hasta 200 km/hora durante la primera etapa y de 250 km/hora en el año 2009 (Renner y Gardner, 2010). Los objetivos fueron más que logrados. Las empresas nacionales no solo asimilaron completamente la tecnología importada, sino que también consiguieron mejorarla. En torno al año 2010 había bastantes trenes en pleno funcionamiento con una velocidad que alcanzaba desde los 250 km/hora hasta los 350 km/hora. En el año 2011, un tren fabricado por completo en el país consiguió incluso pasar la prueba de velocidad de 500 km/hora.

En un corto período de tiempo, entre los años 2008 y 2011, China construyó la red de trenes de alta velocidad más grande del mundo, gracias a la gran inversión gubernamental en respuesta al empeoramiento del entorno económico mundial después de la crisis financiera de los países avanzados. Ahora ha empezado a competir en el mercado internacional con las multinacionales lideres de todo el mundo. Este desarrollo se ha caracterizado por lo siguiente: (1) una política industrial estatal que se ha basado en anticipar la gran demanda, es decir, los trenes de alta velocidad como sustitutos más efectivos y respetuosos con el medioambiente que los vuelos aéreos nacionales; (2) una financiación amplia de las finanzas controladas por el Estado; (3) las EPE de oligopolio a gran escala como portadoras inmediatas, es decir, las dos empresas designadas, China Northern Railways (CNR) y China Southern Railways (CSR); y (4) objetivos bien definidos para la transferencia tecnológica y las operaciones empresariales con las empresas multinacionales.

En lo que respecta al desarrollo tecnológico, el nuevo modelo emergente está teniendo un gran éxito en cuanto a la promoción del desarrollo de los ferrocarriles de alta velocidad. Esta experiencia aporta lecciones importantes para el desarrollo de las industrias de tecnología de vanguardia. Sin embargo, existen algunos peligros potenciales asociados con el nuevo modelo, tal y como se han planteado en el debate del capitalismo de amigos. Ya ha habido síntomas de exceso de burocracia y de corrupción. Para un mayor desarrollo del modelo sigue siendo un desafío la pregunta de si y cuándo los agentes pertinentes —EPE, bancos estatales y organismos gubernamentales— se comportarán de una forma empresarial en lugar de caer en la improductiva búsqueda de rentas o en la ineficaz práctica monopólica.

11.4 Orientación estatal: reforma del mercado, crecimiento económico y trabajo

El análisis anterior sobre el papel del Estado en el desarrollo económico de China debe considerarse en relación con la evolución de la orientación de las políticas del Estado, en particular respecto al trabajo y al desarrollo social en general. Inmediatamente después de que surgiera la crisis económica y financiera de Asia Oriental, en los años 1998-2002, la dirigencia estatal de China adoptó una serie de políticas económicas que, en efecto, revocaron la anterior búsqueda unidireccional de la reforma del mercado (Lo y Zhang, 2011, algunas partes del análisis de esta sección se extraen de Lo, 2007). Aunque diseñadas como políticas anti-crisis de corto plazo, las políticas se han convertido en una parte fundamental de la nueva línea de la política conocida como «la construcción de una sociedad armoniosa». La dirigencia estatal estableció esta línea de política durante los primeros años del nuevo siglo. Representa la búsqueda de un modelo de desarrollo económico y social que evite el empeoramiento de la polarización social bajo la reforma del mercado.

En el centro de esta nueva línea de política se ha puesto énfasis sobre un crecimiento económico que mejore las remuneraciones laborales en lugar de un crecimiento basado en la «mano de obra barata». Estas medidas de política han incluido el aumento de la protección de los derechos laborales, el cumplimiento con contratos de trabajo adecuados, la aplicación de una legislación de salario mínimo y la promoción de la creación de sindicatos. Hay que tener en cuenta que, antes de que empezara el siglo, la dirigencia estatal china había adoptado básicamente un enfoque de *laissez-faire* respecto al empleo, sobre todo fuera del sector estatal. En concreto, esto se hizo patente con la disminución de la influencia del único sindicato oficial existente, la Federación China de Sindicatos. Los miembros del sindicato en proporción con el total de empleados en los sectores secundario y terciario disminuyó del 49 % en 1981 hasta el 29 % en el año 2000 (gráfico 11.8). La situación cambió a partir de entonces, con un aumento de miembros del sindicato que pasó del 36 % en el 2005 al 50 % en el 2010. El repunte de la sindicalización debe mucho a la aplicación del Gobierno central de una estipulación en la que las empresas de todo tipo de propiedad han de permitir que se establezcan sindicatos y que los trabajadores puedan unirse a ellos. Durante un largo período de tiempo, los gobiernos locales, los empleadores privados y sobre todo las empresas financiadas a base de capital extranjero se resistieron ferozmente a este requisito. Sin embargo, desde el punto de vista de la dirigencia estatal, este requisito es fundamental para la promoción de la negociación colectiva sobre la remuneración laboral. La negociación colectiva, a su vez, es indispensable para invertir la tendencia decreciente de la participación del trabajo en los ingresos nacionales.

Gráfico 11.8. Proporción de trabajadores sindicalizados (en porcentajes)

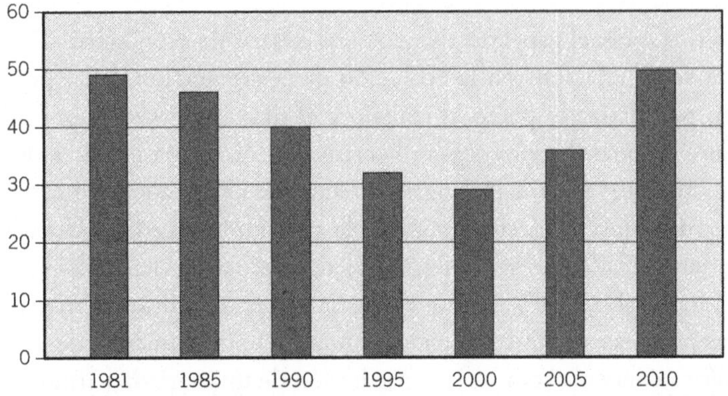

Nota: Las cifras indican el número de miembros de la Federación China de Sindicatos dividida entre el número total de empleados en los sectores secundario y terciario.

Fuentes: Oficina Nacional de Estadísticas, Informe Estadístico Anual de China, varios números; Federación China de Sindicatos, Anuario Estadístico de Sindicatos de China, varios números, y *http://www.china.com.cn/2011/2011-03/03/content_22041017.htm*, consultado el 16 de junio de 2012.

En la medida en que la sindicalización es un indicador de la mejora de los derechos laborales en el empleo, su evolución es efectivamente consistente con la de la tasa salarial. Es un fenómeno espectacular (y preocupante a nivel social) que, hasta finales de la década de 1990, las remuneraciones laborales hayan experimentado un crecimiento tan lento, a diferencia del rápido crecimiento sostenido de la economía. De hecho, existen varios informes acerca de que, aparte del sector formal relacionado principalmente con el Estado, la tasa salarial estuvo prácticamente congelada durante veinte años, desde el comienzo de la reforma. Esto se manifiesta sobre todo en las fábricas orientadas a la exportación con gran intensidad de mano de obra en las provincias costeras, debido a la oferta casi ilimitada de mano de obra desprotegida y no sindicalizada que provenía de las zonas rurales de las provincias del interior. Incluso en el sector formal, la evolución de la tasa salarial se desvió de forma grave de la del PIB per cápita. Tal y como se muestra en el gráfico 11.9, antes de comenzar el nuevo siglo, la tasa de crecimiento de la tasa salarial real se quedó por detrás de forma persistente de la del PIB real per cápita. De hecho, en el período del neoliberalismo, con la reducción del personal de las empresas y el desempleo masivo de mediados de la década de 1990, los dos indicadores se movieron en direcciones opuestas: el crecimiento de la tasa salarial real desaceleró mientras que el crecimiento del PIB per cápita aceleró. A partir del siglo XXI sucedió lo contrario. El crecimiento de la tasa salarial real supera ahora de forma considerable la del PIB per cápita y ambas están ascendiendo.

Gráfico 11.9. Tasa de crecimiento anual del PIB real per cápita y tasa salarial real urbana (promedio móvil de cinco años, %)

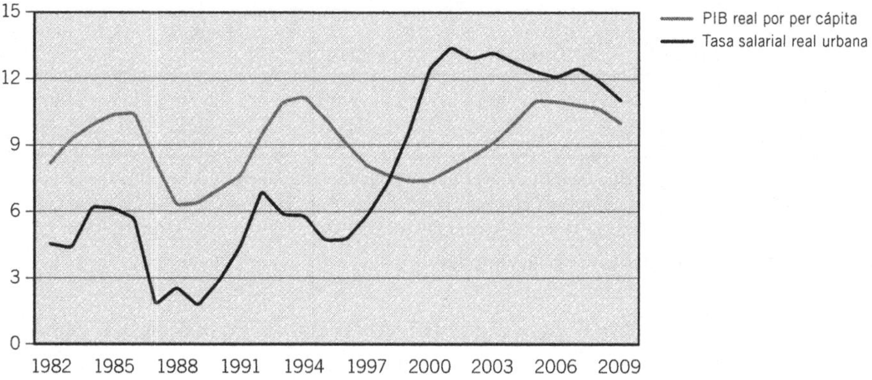

Fuente: Oficina Nacional de Estadística, *Informe Estadístico Anual de China* y *Resumen Estadístico de China*, de varios años.

Las políticas del sector laboral que acabamos de describir —junto con otras políticas de desarrollo social más amplias que se han incorporado a la línea política de «construcción de una sociedad armoniosa», tales como la expansión de la seguridad social y los intentos de reconstruir un sistema de salud financiado por el Gobierno— no son solo una ilusión. Más bien, estas políticas tienen una base material sólida: parecen ser coherentes con la trayectoria predominante de industrialización basada en la intensificación del capital. En otras palabras, la transición de la industrialización basada en la alta intensidad de mano de obra a la industrialización basada en la intensificación del capital es coherente con la prioridad de la nueva línea de política, que sitúa la mejora de la remuneración laboral a la par del crecimiento de la productividad y del empleo. Tal y como se muestra en el cuadro 11.3, en el período de 1978 a 1992, junto con el rápido crecimiento de la producción y la productividad, el crecimiento del empleo superó al de la población activa. En el período de 1992 a 2010, el crecimiento de la producción y de la productividad se aceleraron, mientras que el crecimiento del empleo se quedó ligeramente por detrás del crecimiento de la mano de obra. La permanencia en la trayectoria actual de crecimiento económico con expansión del empleo, y por tanto de las políticas estatales pertinentes, depende de si los aumentos en la productividad de la industria se pueden canalizar de forma eficaz en un desarrollo de capacidad de absorción de trabajadores en el sector de servicios. Sin embargo, lo que cabe destacar en este punto es que el rápido crecimiento de la productividad asociado con esta trayectoria de desarrollo forma la base material para la consecución de los objetivos de política.

Cuadro 11.3 Promedio de las tasas de crecimiento anual (%) del PIB real, el empleo y la mano de obra

	(a) PIB real	(b) Empleo	(c) Mano de obra	(a) – (b)	(b) – (c)
1978-1992	9,39	3,63	3,60	5,76	0,03
1992-2010	10,33	0,78	0,89	9,55	−0,11

Nota: Una revisión de la cobertura estadística en el año 1990 implica que los datos del empleo y la mano de obra antes y después de ese año no son estrictamente comparables. Para el período de 1978-89, las tasas de crecimiento del PIB real, el empleo y la mano de obra son del 9,50 %, 2,96 % y 2,90 % respectivamente.
Fuente: *Informe Estadístico Anual de China*, varios años.

En la medida en que la orientación política de la «construcción de una sociedad armoniosa» refleja la relación entre la sociedad y el Estado en China en esta etapa particular, la evaluación de la función económica del Estado puede ir más allá del análisis previo. Se puede argumentar que la eficacia de una política industrial específica y del papel del Estado en el desarrollo económico se pueden determinar solo en conexión con los objetivos globales del desarrollo social y económico. La trayectoria de la industrialización con gran intensidad de mano de obra y la trayectoria de intensificación del capital podrían tener atributos de eficiencia comparativa. Y la política industrial para el fomento del desarrollo de los trenes de alta velocidad o de la construcción de aviones civiles a gran escala de las EPE, por ejemplo, podrían considerarse ineficaces desde la perspectiva de la primera trayectoria, pero no de la segunda. La aparición de una trayectoria que prevalece es tanto un proceso de evolución como una elección acerca de la interacción entre el Estado y la sociedad.

11.5 Conclusiones

A lo largo de la era de la reforma el Estado jugó un papel positivo muy importante en el desarrollo económico de China, al configurar las condiciones generales para la industrialización así como la intervención directa a través de la política industrial. Se han dado casos tanto de éxito como de fracaso. Mirando en retrospectiva, podemos deducir que los éxitos se han conseguido cuando ha habido un ajuste adecuado entre la política estatal, las condiciones del mercado, el régimen de demanda y las acciones de las entidades empresariales. Por el contrario, los fracasos se han debido a los desajustes.

El desarrollo económico de China ha llevado a cabo una transición fundamental de la industrialización con alta intensidad de mano de obra, durante la primera mitad de la era de la reforma, a la industrialización basada en la intensificación del capital, durante la segunda mitad. Esta transición ha acelerado el crecimiento de la productividad, lo cual forma una base material sólida para lograr los objetivos de desarrollo social concomitantes del Estado. A su vez, estos objetivos sociales más amplios, con su énfasis en la mejora de la protección y la remuneración laboral, son coherentes con la trayectoria de industrialización basada en la intensificación del capital. En este sentido, el patrón predominante de desarrollo económico y social tiene una coherencia interna. Parece que está teniendo lugar una adecuada combinación.

Referencias

Chang, H. J. 2009. *Industrial policy: Can we go beyond an unproductive confrontation?*, paper presented at the Annual World Bank Conference on Development Economics (ABCDE), Seoul, Republic of Korea.

Felipe, J. *et al.* 2010. *Why has China succeeded – and why it will continue to do so*, Working Paper núm. 611 (Annandale-on-Hudson, NY, The Levy Economics Institute).

Gabriele, A. 2010. «The role of the state in China's industrial development: A reassessment», en Comparative Economic Studies, vol. 52, pp. 325-350.

Heilmann, S. 2009. «Maximum tinkering under uncertainty: Unorthodox lessons from China», en Modern China, vol. 35, núm. 4, pp. 450-462.

Kotz, D. M. 2005. *The role of the state in economic transformation: Comparing the transition experiences of Russia and China*, Department of Economics Working Paper Series (Amherst, MA, University of Massachusetts).

Lazonick, W. 2004. «Indigenous innovation and economic development: Lessons from China's Leap into the Information Age», in Industry and Innovation, vol. 11, núm. 4, pp. 273-294.

—. 2009. *Sustainable prosperity in the new economy?* (Kalamazoo, MI, W.E. Upjohn Institute for Employment Research).

Lin, J. Y. 2010. *New structural economics: A framework for rethinking development*, World Bank Policy Research Working Paper series, núm. 5197 (Washington, DC, World Bank).

—; Chang, H. J. 2009. «Should industrial policy in developing countries conform to comparative advantage or defy it? A debate between Justin Lin and Ha-Joon Chang», en *Development Policy Review*, vol. 27, núm. 5, pp. 483-502.

Lo, D. 2007. «China's quest for alternative to neo-liberalism: Market reform, economic growth, and labor», en *Kyoto Economic Review*, vol. 76, núm. 2, pp. 193-210.

—. 2012. *Alternatives to neoliberal globalization: Studies in the political economy of institutions and late development* (Basingstoke and London, Palgrave Macmillan).

—; Jiang, Y. 2011. «Financial governance and economic development: Making sense of the Chinese experience», en *PSL Quarterly Review*, vol. 64, núm. 258, pp. 267-286.

—; Li, G. 2011. «China's economic growth, 1978-2007: Structural-institutional changes and efficiency attributes», en Journal of Post-Keynesian Economics, vol. 34, núm. 1, pp. 59-84.

—; Zhang, Y. 2011. «Making sense of China's economic transformation», en *Review of Radical Political Economics*, vol. 43, núm. 1, pp. 33-55.

Poon, D. 2009. *China's evolving industrial policy strategies and instruments: Lessons for development*, Working Paper series (Pretoria, Trade and Industrial Policy Strategies).

Renner, M.; Gardner, G. 2010. *Global competitiveness in rail and transit industry* (Washington, DC, Worldwatch Institute).

Romer, P. 1994. «The origins of endogenous growth», en *Journal of Economic Perspectives*, vol. 8, núm. 1, pp. 3-22.

Wade, R.H. 2006. «Choking the South», en *New Left Review*, vol. 38, pp. 115-127.

—. 2008. «Financial regime change?», en *New Left Review*, vol. 53, pp. 5-21.

La política industrial en un clima hostil: el caso de Sudáfrica

12

Nimrod Zalk

12.1 Introducción

En este capítulo se analiza el progreso de Sudáfrica en el desarrollo y la aplicación de la política industrial después de la era del apartheid. Esta historia se divide en tres grandes fases: desde el final de la Segunda Guerra Mundial hasta la democracia en 1994, el período de 1994 a 2007 y el período posterior a 2007, con un foco especial en este último. La política económica, sobre todo entre los años 1994 y 2007, estuvo dominada de forma abrumadora por las reformas económicas ortodoxas tipo *laissez faire*. Estas reformas tenían como objetivo conseguir un salto significativo en la inversión fija y, por tanto, catalizar niveles más altos de crecimiento y empleo en toda la economía, incluido el sector manufacturero. Sin embargo, no han generado beneficios importantes o sostenibles en inversión, crecimiento o empleo.

A partir del 2007, comenzó a surgir un cambio en materia de política industrial. Desde entonces ha habido un avance considerable en el desarrollo y la aplicación de la política industrial en términos tanto de instrumentos transversales como de estrategias sectoriales. A pesar de esto, la movilización de los instrumentos de apoyo necesarios se ha efectuado muy lentamente y ha estado sujeta a severas restricciones. Mientras tanto, la economía ha sufrido tres importantes golpes externos e internos: la sobrevaloración y la volatilidad constantes de la divisa, la crisis financiera mundial y la Gran Recesión y un choque interno en el suministro y los precios de la electricidad.

Este capítulo está compuesto por seis secciones. En la sección siguiente se aborda la literatura sobre el papel del sector manufacturero y la política industrial. En la tercera parte se analizan las políticas gubernamentales posteriores y anteriores al apartheid más fundamentales que influyeron en la industrialización. En la cuarta sección se destaca el cambio en la política industrial de Sudáfrica en el 2007 de las reformas de base neoclásica a las de base estructural, con un énfasis especial sobre las restricciones estructurales persistentes relacionadas con la política monetaria, la formación de capital, la financiación industrial, la provisión de infraestructuras y el suministro de insumos intermedios clave. En la quinta sección se analiza más a fondo la aplicación de este nuevo enfoque a la luz de las tres crisis económicas y la identificación de las restricciones institucionales principales. En la última sección se concluye que, para que la política industrial tenga éxito en Sudáfrica, se necesita una mayor coherencia y coordinación entre los objetivos de la industrialización y las políticas macroeconómicas, y otras políticas que afectan a toda la economía.

12.2 La importancia de la manufactura y la necesidad de una política industrial

Recientemente ha resurgido el interés por la industrialización y la política industrial, incluso hasta cierto punto en instituciones tales como el Banco Mundial, para el cual la política industrial ha sido un anatema durante mucho tiempo (Wade, 2012). Este interés ha resurgido en el contexto de los resultados decepcionantes de las reformas de la política ortodoxa en diversos países en desarrollo desde finales de la década de 1980 y la insostenibilidad manifiesta del modelo económico impulsado por las finanzas para los países desarrollados ante la crisis financiera mundial y la Gran Recesión asociada a ella. Las prescripciones de la política económica ortodoxa se basan fundamentalmente en la premisa de que los mercados libres, en general, y los mercados financieros, en particular, asignan de forma racional los recursos a sus usos más productivos y mejores para el desarrollo. Esta premisa perdura, a pesar de algunos desarrollos en la economía neoclásica misma que cuestionan tales conclusiones basadas, en gran medida, en las imperfecciones del mercado. Tal y como demostraron Kindleberger y Aliber (2005), la historia muestra que los mercados desregulados (o ligeramente regulados) son propensos a sufrir una enorme e irracional inflación de los precios de los activos (manía), a la cual, de forma inevitable, le sucede el colapso (pánico) y repercute en la economía real (caída). Así pues, incluso dentro de los dos modelos angloamericanos ejemplares impulsados por la financiación, se ha reiniciado un enérgico debate sobre cómo estimular la manufactura a través de medidas de política industrial.

Para las economías emergentes, el desarrollo económico es básicamente un proceso para converger hacia el nivel de vida per cápita de los países desarrollados.

Las propuestas de política ortodoxa se basan en la teoría que predice que esta convergencia será automática a través de la igualación de los precios de los factores de producción en todos los países, porque el comercio aumenta el rendimiento del factor abundante (que se supone que en los países en desarrollo es la mano de obra) y disminuye el rendimiento del factor escaso (el capital). La función de la política comercial se reduce a la liberalización máxima del comercio que reflejará y desbloqueará la producción y las exportaciones de productos y servicios en los que los países tienen una ventaja comparativa subyacente. Esta conclusión teórica requiere una serie de supuestos que rara vez se cumplen en la producción y el comercio en el mundo real. Estos supuestos son los siguientes: no existen diferencias cualitativas entre las actividades económicas (ningún sector es más productivo o establece efectos de enlace más fuertes que otro), los rendimientos a escala son constantes o decrecientes, se da una información perfecta sobre las posibilidades tecnológicas y, muy importante, la adopción de tecnología no tiene costo y es instantánea. Estas teorías se consolidaron en lo que se conoce como el Consenso de Washington. Aunque sus defensores originales cuestionaron si era deseable la apertura total de la cuenta de capital, la influencia de la hipótesis del mercado eficiente —que sostiene que los mercados financieros desregulados asignarán el capital a aquellos usos que sean más eficientes y productivos (Palma, 2009)— dio como resultado, en la práctica, que el asesoramiento político, basado en el Consenso, incluyera la apertura de las cuentas de capital.

En oposición al Consenso de Washington, una extensa literatura hace hincapié en que hay «algo especial» en el papel de la manufactura en el desarrollo económico asociado a la idea kaldoriana del papel irremplazable de la manufactura a la hora de generar rendimientos crecientes dinámicos (Thirlwall, 1983). Esta literatura identifica tres canales a través de los cuales la manufactura transforma la estructura de una economía: (1) rendimientos crecientes a nivel de empresa —es decir, producir de forma proporcionada más productos en relación a los insumos; (2) rendimientos dinámicos crecientes en el sector o en el clúster—, mejoras en la productividad debido a las economías de proximidad de los proveedores y las empresas competidoras y las instituciones relacionadas y (3) los vínculos y los multiplicadores en toda la economía ya que la manufactura utiliza insumos de los sectores primarios, de la propia manufactura y de los servicios, además de que genera enlaces hacia adelante para el resto de la economía.

En contraste con la teoría ortodoxa, esta literatura económica enfatiza que el crecimiento y la competitividad de un país en desarrollo están impulsados fundamentalmente por la acumulación de aprendizaje para adoptar y adaptar las tecnologías existentes y desarrollar capacidades a nivel empresarial y de clústeres vinculados entre ellos (Amsden, 1992; Lall, 2004). Desarrollar estas capacidades toma tiempo, pero pueden ser destruidas muy rápidamente y es posible que no puedan trasladarse a otro sector que esté más cerca de la ventaja comparativa del país en un mundo, en el que es probable que se vulneren uno o más de los supuestos sobre los que descansa la teoría de la ventaja comparativa.

Amsden (2003) describe el modo en el que los países en desarrollo construyen sobre las capacidades de producción industrial naciente asignando las rentas económicas condicionalmente a través de una serie de «mecanismos de control recíproco» (MCR) que dependen del desempeño. De una forma u otra, estas rentas necesitan unos instrumentos de financiación para financiar períodos de aprendizaje y alcanzar la competitividad global en las industrias específicas (Khan, 2000). La combinación de los instrumentos de disciplina y de financiación necesita movilizarse de forma activa, puede tomar varias formas y debe inducir los esfuerzos hacia la competitividad internacional.

12.3 Industrialización en la era del apartheid

La industrialización de Sudáfrica se ha caracterizado por haber estado dominada por un «complejo de minerales y energía» (MEC, por sus siglas en inglés) en dos sentidos, como conjunto de sectores básicos y como sistema predominante a través del cual tuvo lugar la acumulación de capital (Fine y Rustomjee, 1996). Estos sectores MEC comprenden varias actividades mineras y el posterior procesamiento en productos básicos semimanufacturados tan estrechamente vinculados que este último —a pesar de la clasificación estadística formal— se entiende mejor como vinculado a la minería que a la manufactura.

El descubrimiento de minerales preciosos —en particular oro— a finales del siglo XIX inició un desarrollo de la minería y un proceso de la industrialización vinculada a la minería (Chabane, Goldstein y Roberts, 2006). Las empresas de propiedad estatal (EPE) y el banco de desarrollo de propiedad estatal, la Corporación de Desarrollo Industrial (IDC, por sus siglas en inglés), desempeñaron un papel fundamental en la industrialización posterior a la Segunda Guerra Mundial (Clark, 1994), acompañados de otros instrumentos, específicamente la aplicación, aunque no estratégica, de aranceles de importación. La industrialización en la era del apartheid avanzó, en gran medida, basándose en un procesamiento «ascendente» de los minerales y otros productos básicos basados en los recursos minerales, sin demasiado impulso o sin una coherencia política que desarrollara los sectores manufactureros «descendentes» de valor añadido e intensivos en mano de obra, que no consiguieron ser competitivos a nivel internacional. Usando el carbón barato como materia prima, la electricidad de bajo precio fue utilizada como instrumento de política para crear y expandir el conjunto de industrias intensivas en capital y en electricidad que procesaban minerales y otros recursos primarios en productos básicos semimanufacturados. Varias industrias, incluidas la de la electricidad, el ferrocarril, la portuaria, las telecomunicaciones, la del acero, los petroquímicos y el aluminio fueron establecidas por el Estado del apartheid, normalmente a través de la introducción de las EPE.

A finales de la era del apartheid se privatizaron las dos EPE que suministraban el conjunto de insumos más importantes para la manufactura, la minería y la agricultura —Sasol (petroquímicos) en 1979 e Iscor (acero) en 1989—. Se establecieron mecanismos de regulación limitados para disuadir el abuso de la posición dominante de los monopolios de recursos naturales (ahora) de propiedad privada y mucho menos para aprovechar estratégicamente su potencial para contribuir a la diversificación de la manufactura. La falta de una regulación efectiva permitió la extracción de rentas monopolísticas de empresas hacia abajo en la cadena, sobre todo con la práctica de la fijación de precios de paridad de importación (PPI), mediante la cual los precios nacionales no dependen de la competencia nacional sino que están marcados por el precio que costaría importarlos (Roberts y Zalk, 2004)[1].

A pesar de la falta de una estrategia coherente fuera de los sectores manufactureros MEC, a finales de la era del apartheid se establecieron una serie de importantes —aunque no totalmente competitivas— capacidades en un conjunto de sectores hacia abajo en la cadena productiva, incluidos el de la fabricación de productos metálicos, bienes de equipo, automoción y procesamiento de productos agrícolas.

12.4 La política alineada con el Consenso de Washington (1994-2007)

Las políticas de Sudáfrica después del apartheid —que se dieron a conocer principalmente a través de la Estrategia de Crecimiento, Empleo y Redistribución (GEAR)

---

[1] Esta práctica dio como resultado rentas especialmente altas en la economía sudafricana debido a la confluencia de factores: proporciones elevadas entre el peso y el valor de los productos intermedios, una relativa falta de industrialización de las subregiones y las largas distancias y los elevados costes del transporte de fuentes alternativas de suministro de importaciones.

de 1996 (Departamento de Hacienda, 1996)— integraban reformas basadas en el Consenso de Washington que teorizaban que la liberalización de los mercados clave conduciría a una asignación más eficiente del capital y así aumentarían los niveles de inversión privada y las tasas de crecimiento y empleo.

La GEAR supuso que la estabilidad de los precios nacionales generaría el grado de certeza necesario para emprender la inversión privada a gran escala. La política monetaria se ajustó y se quedó anclada en la adopción formal de objetivos de inflación en el año 2000, con una meta que rondaba del 3 al 6 %. Esta política estuvo acompañada de la liberalización constante y considerable de la cuenta de capital; se levantaron las restricciones y elevaron los límites para la inversión empresarial en el exterior y la remisión de ganancias, además de para las carteras de inversión individual. Un gran número de empresas nacionales recibió la aprobación para trasladar sus principales cotizaciones al exterior —sobre todo a la Bolsa de Londres— bajo la premisa de que serían capaces de recaudar fondos de forma más barata en los mercados internacionales de capital y así aumentarían sus niveles de inversión en Sudáfrica[2].

Se argumentó que un déficit fiscal más bajo daría como resultado unos tipos de interés menores y así se «atraería» la inversión privada. La restricción fiscal, reforzada por la importante mejora de la recaudación de ingresos fiscales, resultó de hecho en una proporción menor de la deuda en relación con el PIB que la que se heredó del Estado del apartheid. Se aumentaron los gastos en salud, educación, vivienda y formas limitadas de subvenciones de asistencia social (en su mayor parte apoyo a la infancia y pensiones para la tercera edad), pero hasta el 2002 no ocurrió lo mismo con las infraestructuras físicas.

El compromiso de privatizar varias EPE solo se llevó a cabo de forma parcial. Sin embargo, se esperaba que las EPE de una serie de sectores pudieran autofinanciarse y por lo general se comercializasen y así se preparasen para la privatización mediante importantes reducciones de los costes de personal, nuevas inversiones e incluso el mantenimiento de la infraestructura ya existente.

Esta expectativa abarcaba gran parte de las actividades de los servicios públicos como Eskom (electricidad), Transnet (transporte de mercancías) y bancos de desarrollo como el IDC en relación con los sectores ajenos a la manufactura MEC. Sin embargo, se continuó proporcionando condiciones a favor de los sectores manufactureros MEC en cuanto al precio de la electricidad, las mercancías y el coste del capital.

---

[2] Las empresas que movilizaron sus cotizaciones principales al exterior fueron Billinton (minería/procesamiento de minerales), South African Breweries (cervezera), Anglo American Corporation (minería), Old Mutual Life Assurance (servicios financieros) y Dimension Data (tecnología de la información).

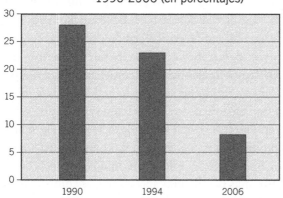

Gráfico 12.1. Promedio de aranceles industriales en Sudáfrica, 1990-2006 (en porcentajes)

Fuente: *Trade International Administration Commission.*

La liberalización del comercio —en términos del Consenso de Washington— debería reflejar la ventaja comparativa naciente y la reasignación de la inversión a actividades más productivas. A partir de 1993 se aceleró el proceso de liberalización comercial iniciado a finales del régimen del apartheid, ya que Sudáfrica se unió a la Organización Mundial del Comercio (OMC) durante la Ronda de Uruguay. Sudáfrica aplicó una reducción de aranceles más rápida incluso del requerimiento de su compromiso con la OMC, en toda una serie de sectores industriales y agrícolas, pero con la excepción de dos industrias «sensibles»: la automovilística y la textil y confección. El arancel industrial promedio disminuyó precipitadamente entre 1990 y el 2006 (gráfico 12.1). Sudáfrica también entró en dos acuerdos comerciales principales, con la Unión Europea (1999) y con la Comunidad de Desarrollo del África Meridional (1994).

Edwards y Lawrence (2006) sostienen que la liberalización del comercio fue la principal causa del crecimiento —aunque por admisión propia, limitado— en las exportaciones de manufacturas de Sudáfrica desde principios de la década de 1990, impulsada en gran medida por el crecimiento de las exportaciones de manufacturas de «tecnología media». Así pues, recomiendan una mayor liberalización del comercio como mecanismo principal de política para aumentar las exportaciones de manufacturas en general. Estas conclusiones son erróneas por dos razones principales.

En primer lugar, este análisis no aborda los detalles de los principales sectores que componen la categoría de tecnología media y el papel fundamental que desempeñó la política industrial —tanto en el pasado como en el presente— en su dinamismo exportador relativo. Los principales sectores en avanzar fueron el del acero y otros metales semielaborados, el de los productos químicos, el de la

369

automoción y el de los equipos de capital para minería. Como se ha mencionado anteriormente, los metales semielaborados y los productos químicos fueron los sectores líderes de la política industrial del apartheid que tuvieron sus orígenes en empresas de propiedad estatal, donde fueron receptores de un gran apoyo por parte del IDC, y consiguieron desarrollar capacidades que les permitieron ser internacionalmente competitivos a finales del período del apartheid. La política de la automoción después del apartheid implicó grandes reducciones arancelarias, pero en el contexto de un esquema de complementación de la exportación y la importación, en la que los ensambladores del sector de la automoción tenían que aumentar su volumen de producción y la obtención de componentes nacionales año tras año, con el fin de ganar el mismo valor en términos de cartas de crédito (tal y como analizaremos con más detalle más adelante). Los equipos de capital de la minería habían desarrollado capacidades competitivas durante un largo período de tiempo, gracias a los requisitos específicos y exigentes del sector minero de Sudáfrica. A la mayoría de los otros sectores no les fue tan bien con la liberalización del comercio, y las pérdidas de empleo en estos sectores fueron mucho mayores que las ganancias en otros sectores. El estudio de Shafaeddin (2005) confirma totalmente esta experiencia ya que en él se descubre que en los países de América Latina y África la liberalización del comercio, en general, no ha estado asociada con la diversificación de las exportaciones de manufacturas, excepto en las industrias que ya estaban muy cerca de la frontera competitiva mundial, donde la liberalización puede ser útil para proporcionar el impulso final para la competitividad internacional.

En segundo lugar, teniendo en cuenta que el comercio ya se liberalizó en más de dos tercios y que en este contexto el crecimiento de las exportaciones totales de manufacturas estuvo muy por debajo de las tasas de crecimiento de los países en desarrollo homólogos de renta media, resulta aritméticamente inverosímil que la eliminación del último tercio de los aranceles tuviera un efecto dinámico importante, aunque el argumento de Edwards y Lawrence se acepte sin más.

La GEAR propuso una serie de «ofertas» basadas en las subvenciones, dirigidas sobre todo a ayudar a que las pequeñas y medianas empresas (pymes) de manufacturas se adaptaran al fuerte aumento de la competencia internacional. En la práctica, el apoyo presupuestario para estas medidas fue generalmente de escala limitada y se dispersó ampliamente en toda una serie de sectores y de múltiples objetivos de política.

En contraste, y a pesar del énfasis de las declaraciones de política desarrolladas en las EPE, un apoyo considerable dentro y fuera del presupuesto continuó aumentando para sectores MEC intensivos en electricidad y en capital de tres maneras importantes. Primero, una serie de empresas de procesamiento de recursos recibió desgravaciones fiscales muy generosas y financiación del IDC para expansiones en el período posterior al apartheid. Segundo, este apoyo no estuvo sujeto a fuertes condicionamientos recíprocos, específicamente, a una vinculación significativa con las políticas de precios de estos monopolios naturales en el mercado nacional. Tercero, estas compañías también continuaron recibiendo electricidad barata durante la mayor parte del período posterior al apartheid.

En ninguna industria los esquemas han sido tan generosos como para el principal productor de acero de carbono, Iscor, que se fundó como EPE en el Estado del apartheid y se privatizó en 1989. Ha realizado varias expansiones desde principios de la década de 1990 gracias a los descuentos tributarios y a la financiación del IDC. En el 2001, escindió sus operaciones mineras de fabricación de acero y de mineral de hierro, pero con la garantía eficaz de disponer del mineral de hierro a bajo costo para gran parte de sus necesidades, mediante un acuerdo de suministro del «costo más 3 %» de la entidad minera[3]. Estos acuerdos allanaron el camino para la posterior introducción de la titularidad extranjera y la participación mayoritaria definitiva por parte de AcelorMittal. A pesar de estos acuerdos favorables, se llevó a cabo un compromiso para introducir un modelo «de precios de desarrollo», al mismo tiempo que se asumía la mayoría de la participación, pero nunca se materializó.

El ámbito más importante en el que la política económica posterior al apartheid se apartó de forma ostensible de la ortodoxia del Consenso de Washington, fue la promoción de una clase capitalista negra a través de las políticas del Black Economic Empowerment (BEE). El BEE ha pasado por varias iteraciones desde mediados de la década de 1990, incluyendo transacciones principalmente en sectores en los que el Estado tiene alguna forma directa de influencia, como la concesión de licencias o siendo el principal comprador. La política minera, en particular, se ha centrado en forma abrumadora en facilitar el traspaso de una parte importante de la propiedad del sector minero a la población negra mediante la introducción de un nuevo régimen de licencias en el año 2002. Sin embargo, hay otros objetivos de desarrollo —sobre todo el impulso de los derechos mineros para conseguir un mayor desarrollo de los sectores de valor añadido hacia abajo de la cadena y más intensivos en mano de obra— a los que casi no se ha prestado atención.

Asimismo, ha habido grandes deficiencias en las instituciones posteriores al apartheid en relación con el desarrollo de competencias laborales. El sistema

---

[3] Este acuerdo de suministro pretendía ser «perenne», es decir, que durara para siempre, pero lleva sujeto a un conflicto legal complejo desde 2010.

artesano anterior se sustituyó por un gravamen a las competencias laborales, vinculado a las autoridades del sector de la educación y la formación (SETA, por sus siglas en inglés). Esto dio como resultado decisiones impuestas verticalmente en la asignación de la financiación y la propagación de una formación «suave», relativamente fácil de llevar a la práctica, así como un cierto abandono de la inversión en las instalaciones dedicadas a la formación, los equipos y los programas de estudios en relación a las competencias requeridas para la manufactura.

12.5 Las política industrial a partir del 2007. El Marco Nacional de Política Industrial (NIPF) y el Plan de Acción de la Política Industrial (IPAP)

A pesar de haber habido claras *intervenciones* de política industrial desde 1994, no se desarrolló una *política* industrial hasta el año 2007. El Consejo de Ministros aprobó el Marco Nacional de Política Industrial (NIPF, por sus siglas en inglés) (DTI[4], 2007a) en enero del 2007 y su primer programa de aplicación, el Plan de Acción de la Política Industrial (IPAP, por sus siglas en inglés) (DTI, 2007b) en agosto de 2007.

En contraste con el Consenso de Washington, el NIPF rechaza el enfoque de politica «única para todos» al reconocer lo siguiente:

> Los países que han adoptado sin sentido crítico el Consenso de Washington han demostrado un crecimiento y unos resultados de desarrollo desalentadores, [mientras que] aquellos países recientemente industrializados (NIC) que no han seguido ciegamente esta vía han demostrado mayores niveles de desarrollo económico.

Específicamente, el NIPF pone de manifiesto que «Sudáfrica no puede depender tanto de su consumo o de sus productos básicos como base para su crecimiento y desarrollo» y establece cuatro objetivos estratégicos de industrialización (DTI, 2007a, p. 6-7).

- Facilitar la diversificación más allá de [la] dependencia actual en los productos básicos tradicionales y los servicios no comercializables. Esto requiere la promoción del aumento del valor añadido per cápita, caracterizado especialmente por el traslado hacia bienes y servicios no tradicionales comercializables que puedan competir en los mercados de exportación, así como contra las importaciones.

---

[4] (N. T.): DTI = Department of Trade and Industry (Departamento de Comercio e Industria).

* La intensificación a largo plazo del proceso de industrialización en Sudáfrica y la movilización hacia una economía del conocimiento.

* El fomento de una trayectoria de industrialización de más absorción de trabajadores que haga especial hincapié en los bienes y servicios comercializables que absorban trabajadores y en las vinculaciones económicas que catalicen la creación de empleo.

* La promoción de una trayectoria de industrialización de más amplia base caracterizada por niveles mayores de participación de las personas históricamente más desaventajadas y regiones marginadas en la corriente de la economía industrial.

El NIPF y sus versiones sucesivas de IPAP (DTI, 2007b, 2010a, 2011 y 2012) están arraigados en un análisis estructural de la economía, en general, y abordan las limitaciones principales para conseguir la industrialización, en particular. En el contexto del problema del empleo en Sudáfrica, son de vital importancia el crecimiento y la diversificación de los sectores comercializables —y de la manufactura en particular— ya que, en primer lugar, los sectores de bienes y servicios comercializables requieren menos competencias laborales que el sector privado de bienes y servicios comercializables y por tanto probablemente absorban más mano de obra en el contexto de un sistema de competencias y educación deficientes; y, en segundo lugar, porque la manufactura tiene los multiplicadores de crecimiento más elevados y muchos sectores manufactureros cuentan con multiplicadores de empleo elevados.

Gráfico 12.2. Tipos de interés real a corto plazo en Sudáfrica frente al promedio y la mediana de otras economías en transición o en desarrollo, 2000-11 (en porcentajes)

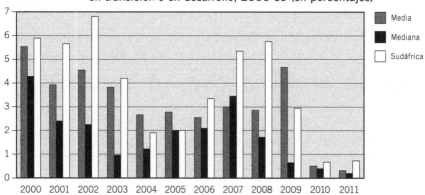

Nota: Los países son Brasil, Chile, China, República Checa, Hungría, Hong Kong (China), India, Indonesia, República de Corea, Malasia, México, Polonia, Federación de Rusia, Sudáfrica, Taiwán (China), Tailandia y Turquía.
Fuente: Banco de Reserva de Sudáfrica (SARB).

El análisis estructural siguiente toma dos de los precios más importantes de la economía como punto de partida: el tipo de interés y el tipo de cambio. Tal y como se ha mencionado con anterioridad, Sudáfrica está sometida a un régimen de política monetaria muy ajustado. Sus tipos de interés reales a corto plazo han estado sistemáticamente por encima de la mediana de otros países en transición y en desarrollo de renta media (gráfico 12.2), a pesar del crecimiento mediocre y la crisis del desempleo estructural. Resulta especialmente llamativo que los tipos hayan permanecido elevados, incluso cuando se empezó a sentir el impacto de la crisis financiera mundial a finales del 2008. Se mantuvieron bastante por encima de la mediana en el 2010 y el 2011, aunque la brecha se estrechó de forma considerable a medida que la mayoría de los países, incluido Sudáfrica, recortaron sus tipos en respuesta a la crisis.

Sudáfrica ha experimentado una sobrevaloración y volatilidad del tipo de cambio constantes a lo largo del período posterior al apartheid, sobre todo a partir del 2004 (gráfico 12.3). Este patrón está vinculado a tres factores: las entradas del mercado de bonos causadas por tipos elevados de interés real; los flujos hacia la Bolsa de Valores de Johannesburgo, sobre todo tras la subida de los precios de los productos básicos a partir del 2004; y a la especulación bursátil extraterritorial del rand (Hassan y Smith, 2011). De este modo, el país experimentó una versión de la «enfermedad holandesa» a pesar de que la minería —todavía el componente más importante de la canasta de exportaciones— no sufrió ningún auge de valor añadido real o en las exportaciones.

Gráfico 12.3. Balance de la cuenta corriente y de capital ('000 Rm) y tipo de cambio real efectivo (TCRE) (1990 = 199), 1990Q1 – 2011Q4

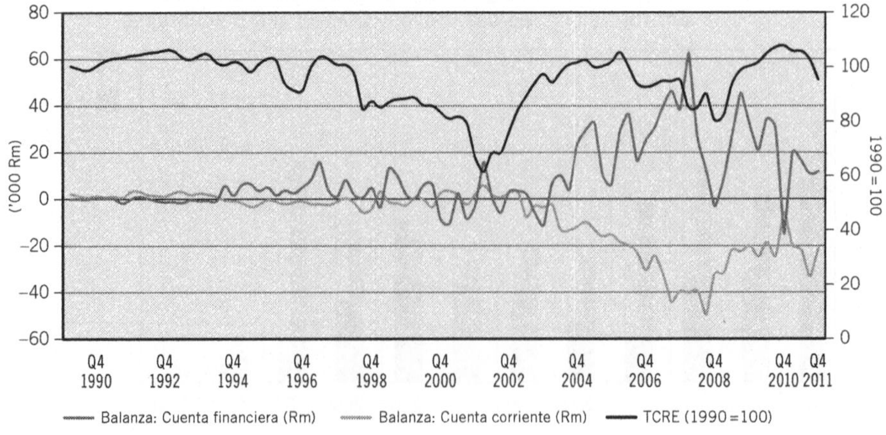

Fuente: Banco de Reserva de Sudáfrica (SARB).

Rodrik (2008, p. 36) observó incluso antes de la crisis:

[E]l caso de Sudáfrica destaca ... la tensión existente entre el comportamiento de la política monetaria y la salud del sector de productos comercializables. Si bien Sudáfrica no ha llegado al extremo salvadoreño de la dolarización, su marco de metas de inflación tiende a ofrecer una divisa sobrevaluada —especialmente durante el *boom* de los productos básicos—. Esto aumenta la prima de las políticas industriales adecuadas. Efectivamente, cuanto menos margen de maniobra hay frente al tipo de cambio, mayor es la necesidad de una política industrial de compensación[5].

Esto, a su vez, plantea la cuestión de la tasa de inversión y su composición y el papel y la escala de la política industrial, sus instrumentos de financiación y los instrumentos de política asociados. Las reformas ortodoxas se basaban en el razonamiento de que la liberalización del comercio y los mercados de capital, en particular, darían lugar a una reasignación más eficiente del capital, sobre todo aumentando la tasa de inversión fija privada mediante el aumento del acceso al capital y la reducción de su coste. De hecho, desde 1994 ha habido una transformación masiva en la asignación del capital. Sin embargo, Ashman, Fine y Newman (2011) sostienen que, en lugar de que la liberalización del mercado de capital ayudara a movilizar el capital para la inversión fija privada en Sudáfrica, ha habido una éxodo masivo de capitales de Sudáfrica a largo plazo en forma de fuga de capitales tanto legal como ilegalmente (con las fronteras entre los dos desplazándose ya que de algún modo lo que antes era ilegal se convirtió en legal). La tasa de fuga de capitales aumentó de forma constante durante el período posterior al apartheid, promediando 12% del PIB entre 2001 y 2007 y con un pico de 20% en el 2007. La gran mayoría de la fuga de capitales está asociada con los precios de la transferencia de los grandes conglomerados, sobre todo de la facturación comercial falsa en relación con las exportaciones de minerales y de metales. Junto con esta exportación de capital invertible a largo plazo, se ha producido un correspondiente aumento de las inversiones extranjeras de cartera de corto plazo de alta volatilidad en los mercados de bonos y la Bolsa de Valores de Johannesburgo.

Desde 1994, la ampliación de los créditos privados ha aumentado muy rápido, impulsada por las inversiones extranjeras de cartera a corto plazo. Sin embargo, solo una pequeña proporción de toda la ampliación del crédito privado ha ido a la inversión fija —aproximadamente del 5 al 6 % en el 2010—. El crédito ha tomado principalmente la forma de crédito al consumidor e hipotecas para la vivienda.

---

[5] A pesar de que Rodrik pasó a apoyar una serie de reformas de política para Sudáfrica que incluía además la liberalización comercial y de la cuenta de capital.

Ello ha dado como resultado un gran incremento de los niveles de deuda en los hogares y ha contribuido materialmente al déficit comercial.

La pequeña porción de la ampliación del crédito privado que ha ido a la inversión fija se ha concentrado de forma sectorial en los sectores impulsados por el consumo, con la mayor parte dirigida a los sectores de las Finanzas, los Seguros y los Bienes Raíces (FIRE, por sus siglas en inglés). A pesar del crecimiento masivo en la participación relativa en la inversión y el PIB del sector de las Finanzas y los Seguros en particular, las tasas de inversión privada total no mejoraron durante la mayor parte del período posterior al apartheid. Solo a partir del 2002, cuando la inversión del sector público empezó a ascender, mejoró la inversión privada fuera de los sectores impulsados por el consumo. Lo más grave es que no hubo prácticamente ninguna mejora en la tasa de ahorro, que osciló entre el 14 y el 15 % del PIB durante todo el período. A pesar de las poco entusiastas tasas de inversión y de ahorro, el tamaño del sector financiero se duplicó entre 1994 y el 2010, del 6 % al 13 % del PIB. La rentabilidad relativa de la manufactura en relación con los FIRE ha ido disminuyendo de forma constante desde 1994 (gráfico 12.4). Así, además de una versión de la «enfermedad holandesa», a causa de la sobrevaloración de la divisa, también ha habido una forma de «enfermedad holandesa interna», ya que los precios relativos y la rentabilidad se han trasladado en contra de la manufactura.

Por lo tanto, existen fallas del mercado importantes con respecto al aumento privado de la financiación para las inversiones a medio y largo plazo necesarias para la industrialización. Aparte del costo del capital, que es relativamente alto en comparación con los países en desarrollo y desarrollados competidores, también existe un problema de tenencia, un desajuste entre las fuentes y los usos de los fondos que restringe la inversión fija a largo plazo.

Gráfico 12.4. Rentabilidad per cápita de la manufactura en relación con los sectores de las finanzas y los seguros, 1990-2009

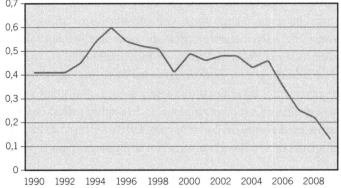

Fuente: Banco de Reserva de Sudáfrica (SARB).

Los bancos comerciales se muestran reacios a la hora de corresponder las fuentes de financiación a corto plazo (principalmente depósitos y entrada de capitales a corto plazo) con las necesidades de financiación industrial y de infraestructuras a medio y largo plazo. El capital de trabajo también surge como una restricción importante, en especial para las pequeñas y medianas empresas, y esta restricción aumenta con la longitud y complejidad del proceso de producción, es decir, para las empresas de bienes de equipo que necesitan financiar una larga cadena de suministros y el proceso de producción. Las empresas nacionales que compiten contra rivales extranjeros no pueden asegurar los niveles de financiación comercial en términos altamente concesionales que reciben sus competidores de los bancos de exportación e importación y de las agencias de crédito a la exportación —invariablemente respaldados por el estado con independencia de si son países en desarrollo o países desarrollados—.

Gráfico 12.5. Incremento de precios anual promedio de la electricidad de Eskom y cambio en el índice de precios al consumidor (IPC), 1996–2011 (por ciento)

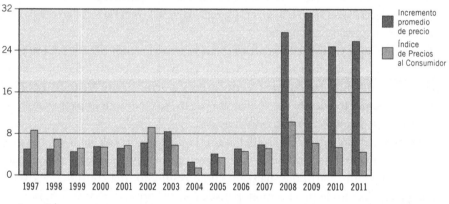

Fuente: Eskom.

Desde el 2002 el atraso de las infraestructuras en Sudáfrica ha empezado a abordarse con el aumento de grandes planes de inversión pública en los sectores de electricidad y ferrocarril. El exceso de suministro de electricidad de finales del período del apartheid dio paso a una gran escasez y, finalmente, a principios del 2008, a una crisis del suministro de electricidad. Desde entonces, se ha puesto en marcha un amplio programa de desarrollo del carbón para complementar, mediante el aumento de inversiones, la generación de energías renovables. No obstante, el programa de desarrollo está financiado principalmente por un estrecho modelo financiero de «quien usa paga» que requiere que los precios de la electricidad asciendan rápidamente para satisfacer los costos de décadas de atraso en la inversión. Durante los cuatro años que transcurrieron desde el 2008 hasta el 2011, los precios de la electricidad aumentaron entre el 25 y el 30 % anual (gráfico 12.5), con un nuevo incremento de más del 15 % anticipado durante el período del 2012 al 2016. Los distribuidores municipales de electricidad se han aprovechado, en algunos casos, de los aumentos subyacentes, añadiendo márgenes de una magnitud similar a esos aumentos. En cinco años, Sudáfrica ha pasado de tener la electricidad de menor costo del mundo a lograr la paridad con algunos países desarrollados como los Estados Unidos y Canadá. Según la trayectoria actual del precio, los precios de la electricidad ascenderán y se situarán entre los más caros del mundo. Como resultado, en la actualidad, algunas industrias son vulnerables y ya han experimentado o están sujetas al cierre de empresas, incluidas las fundiciones de zinc y cromo, otras fundiciones y miniacerías. La electricidad a base de carbón y sus externalidades negativas que se asocian a las emisiones de carbono y a la contaminación, han sido, sin duda, históricamente muy baratas o gratis, respectivamente. Sin embargo, la transición estructural desde una economía con intensiva en energía y altas emisiones a una de baja emisión de carbono no puede conseguirse realmente solo a través de la terapia de choque del aumento de los precios de la electricidad si no hay una estrategia nacional integral y coherente para el cambio estructural fundamental.

Los gastos portuarios en Sudáfrica están ya entre los más elevados del mundo antes de llevar a cabo los gastos de inversión en infraestructuras más importantes (Demont, 2007). Si las mejoras ferroviarias y portuarias se financian bajo el mismo principio restrictivo de «quien usa paga», se tendrá un impacto similar al del programa de renovación de la electricidad.

La privatización y (en el caso del acero) la posterior aprobación de una propiedad extranjera mayoritaria, sin un régimen normativo que regule los precios de los monopolios naturales, ha dado como resultado una continua, y a veces empeorada fijación de precios monopolística en sectores clave de insumos como los productos químicos y el acero. El poder del mercado derivado de la posición de monopolio natural se combina con la distancia de Sudáfrica de otros mercados y el bajo nivel de industrialización en la región, que hace que estos márgenes sean mucho más elevados que en otras partes del mundo (gráfico 12.6).

La crisis financiera mundial y la posterior, y aún presente, Gran Recesión han tenido un profundo efecto en las exportaciones de manufacturas y plantearán una serie de desafíos de cara al futuro. La recesión, el crecimiento lento y las intensas incertidumbres económicas en los Estados Unidos y en la Unión Europea (UE), los dos mercados de exportación más grandes de Sudáfrica, en especial para los productos diversificados y de valor añadido, han tenido como consecuencia una demanda menor de exportaciones. China y la India se han convertido en fuentes cada vez más importantes de demanda para las exportaciones de materias primas tradicionales y de productos básicos semielaborados de Sudáfrica, ya que su fase de industrialización intensiva en recursos absorbe las importaciones de estos materiales. La perspectiva de crecimiento lento y sostenido para los Estados Unidos y la Unión Europea plantea un problema más importante a la hora de reorientar el comercio, sobre todo en exportaciones no tradicionales diversificadas y de valor añadido, a países en desarrollo de mayor crecimiento.

Gráfico 12.6 Precios del acero: bobinas laminadas en caliente, en dólares estadounidenses por tonelada, 2004-12

	2004	2005	2006	2007	2008	2009	2010	2011	2012 (ene-jun)
EE. UU.	668	599	659	620	942	552	699	852	778
Canadá	671	580	628	595	919	545	689	845	774
China	410	408	394	455	593	449	530	618	571
Japón	536	553	449	491	768	592	715	834	740
República de Corea	410	534	497	532	663	542	689	784	725
Taiwán (China)	472	531	447	532	824	514	657	704	688
UE (promedio)	559	563	588	688	960	546	705	792	703
Alemania	548	584	583	696	960	549	710	803	700
Promedio mundial	534	546	559	600	870	540	684	792	720
Federación de Rusia	517	449	497	564	864	461	605	679	618
ArcelorMittal Sudáfrica (AMSA)	615	632	599	616	840	618	744	842	795

Fuentes: MEPS, Metall Bullentin, CRU, ArcelorMittal Sudáfrica (AMSA).

12.6 La aplicación del NIPF y el IPAP: progreso y restricciones

A partir del año 2007 se ha progresado de forma considerable en formular la política industrial, identificar y movilizar los instrumentos de apoyo y la puesta en marcha de la política industrial mediante el NIPF y el IPAP. Sin embargo, esto ha sucedido en el contexto de las tres crisis económicas que ya hemos mencionado, además de una serie de restricciones institucionales, de las cuales vamos a esbozar la más importante a continuación. El NIPF y el IPAP hacen énfasis en que es vital la coordinación de las políticas y los instrumentos que influyen en la industrialización:

«Para que la economía industrial camine en todos sus cilindros y para que la política industrial sea exitosa, se requieren coordinación y alineamiento a través de una variedad de políticas e instituciones de apoyo.» (DTI, 2007a, p. 9)

En particular, el IPAP señala la necesidad de «una respuesta integrada y completa para llevar a escala la política industrial». Identifica las siguientes áreas principales de intervención y de integración de políticas (DTI, 2011, p. 29):

- Un mejor alineamiento entre las políticas macroeconómicas e industriales.

- Una financiación industrial canalizada hacia los sectores de la economía real.

- El aprovechamiento de la contratación pública y privada para aumentar la producción nacional y el empleo en una serie de sectores.

- Políticas comerciales de desarrollo que desplieguen medidas comerciales, como la fijación de aranceles y la aplicación de normas de forma selectiva y estratégica.

- Políticas de competencia y regulación que disminuyan los costos para las inversiones productivas y para los hogares de la clase pobre y trabajadora.

- Políticas de competencias laborales e innovación que se ajusten a las prioridades sectoriales.

- Implementación de todas las políticas mencionadas en general y en relación con unas estrategias sectoriales más ambiciosas, basándose en el trabajo ya hecho.

12.6.1 ¿Un alineamiento entre la política macroeconómica y la industrial?

Tal y como se ha indicado en el análisis anterior, ha habido un progreso limitado en lograr un alineamiento entre las políticas macroeconómicas y las industriales. El Banco de Reserva de Sudáfrica (SARB) parece haberse trasladado hacia un régimen de «metas de inflación flexibles» desde el 2009 (Marcus, 2012), lo que significa que se tendrían en cuenta las cuestiones del crecimiento y el empleo a la hora de establecer los tipos de interés, además del objetivo principal de moderar la inflación. Asimismo, emprendió una política de acumulación de reservas adicional entre finales del 2009 y mediados del 2011, pero parece haber abandonado discretamente esa intervención, al citar los costos financieros del ejercicio (SARB, 2012). La liberalización en curso de las salidas de capital hace que el éxodo de capital a largo plazo sea más fácil, consiguiendo que la economía sea más vulnerable a las entradas de capital volátiles de corto plazo.

12.6.2 Financiación industrial

Las iteraciones sucesivas del IPAP han identificado la necesidad de una serie de instrumentos de financiación industrial para abordar algunas fallas del mercado. El IDC ha comenzado a responder a este desafío redefiniendo las prioridades de su hoja de balance financiada comercialmente y haciendo un cambio importante de actuar como banco de inversión privada, a dar mayor énfasis a su cometido como banco de desarrollo. Para este fin, ha identificado fondos prestables de aproximadamente 103.000 millones de rands (12,75 mil millones de dólares estadounidenses) durante cinco años para dirigirlos a sectores prioritarios, según las condiciones económicas. En el 2010 se puso en marcha un estímulo fiscal para grandes inversiones industriales. No obstante, la financiación dentro del presupuesto se ha quedado por detrás de las prioridades del IPAP (cuadro 12.1). Fue solo a mediados del 2011 cuando se acordó una financiación adicional ante la creciente preocupación sobre el futuro del sector manufacturero, dada la gravedad de la crisis mundial que parecía interminable. Esto culminó en la creación del Programa de Mejora de la Competitividad de la Manufactura (MCEP, por sus siglas en inglés) con una asignación adicional del presupuesto de 5,7 mil millones de rands (0,71 mil millones de dólares) durante tres años.

El Comité de Cartera sobre Comercio e Industria ha cuestionado en repetidas ocasiones si la asignación fiscal hacia el IPAP ha resultado suficiente. Por ejemplo, «[e]l Comité, si bien reconoce el aumento considerable del presupuesto dirigido a incentivos relacionados con los sectores del IPAP, también es de la opinión de que el IPAP es una herramienta eficaz para impulsar la industrialización y, por tanto, solucionar el problema de la pobreza y del desempleo requerirá un mayor aumento en su asignación presupuestaria» (Comité de Cartera sobre Comercio e Industria, 2012).

12.6.3 Aprovechamiento de la contratación pública

El NIPF y cada iteración del IPAP han identificado el programa de renovación de infraestructuras de Sudáfrica como una gran oportunidad de resucitar y hacer

Cuadro 12.1 Apoyo de inversión del IPAP dentro del presupuesto real y nominal (expresado en millones de rands)

	2006/07	2007/08	2008/09	2009/10	2010/11	2011/12	2012/13 estimación
Programa de Desarrollo de Pequeñas y Medianas Manufacturas (SMMDP por sus siglas en inglés)	11	6	5	3	2	0	0
Programa de Desarrollo de Pequeñas y Medianas Empresas (SMEDP por sus siglas en inglés)	0	0	0	1.349	577	0	0
Incentivos para el Desarrollo de la Manufactura	0	0	0	0	0	1.839	3.227
Programa de Desarrollo Sectorial	0	0	0	0	0	3	3
Programa de Mejora de la Competitividad de la Manufactura (MCEP por sus siglas en inglés)	0	0	0	0	0	0	1.224
Incentivos al Desarrollo del Sector de Servicios	0	0	0	0	0	333	439
Programas para Sectores Prioritarios (CSP por sus siglas en inglés)	47	0	0	0	0	0	0
IDC: Programas para Sectores Prioritarios (CSP)	0	0	0	49	51	57	56
Servicios de procesos de negocios (BPS por sus siglas en inglés)	70	110	110	130	63	0	0
Incentivos para la producción cinematográfica y televisiva	72	96	154	197	246	0	0
CSIR: Aeroespacial	6	10	10	10	10	17	21
Red Nacional de Tecnología de Fundición	0	0	0	0	7	7	21
Iniciativa Nacional de Equipamiento	0	0	0	0	32	36	49
ONUDI: Programa de Desarrollo para Proveedores del sector de Automoción	0	0	0	5	7	7	0
Total de rands actuales	**206**	**222**	**279**	**742**	**995**	**2.300**	**5.041**
Índice Deflactor del PIB (2005 = 100)	*107*	*115*	*125*	*134*	*145*	*156*	*161*
Total de rands (2005)	**193**	**193**	**222**	**1.297**	**685**	**1.471**	**3.122**

Nota: Se han excluido los incentivos basados en aranceles como el Programa de Desarrollo a las Industrias Automovilística (MIDP, por sus siglas en inglés) así como el Programa de Competitividad de Textiles y Prendas de Vestir (CTCP por sus siglas en inglés), que se han financiado mediante ingresos arancelarios adicionales gracias al fin del *Duty Credit Certificate Scheme* (que permitía a los exportadores de textiles y prendas de vestir obtener un crédito de importación correspondiente).

Fuente: Tesorería Nacional – Cálculos de los gastos nacionales, votaciones del presupuesto del DTI, FMI (deflactor del PIB).

crecer a sectores importantes de manufactura mediante el aprovechamiento de la contratación pública. Esto se identificó en el 2009 como una medida de vital importancia en la respuesta multipartita para afrontar la crisis mundial (Consejo Nacional de Desarrollo Económico y Trabajo, 2009). Sin embargo, no fue sino hasta mediados del 2012 que se consiguió dar un efecto práctico a esta herramienta de política en forma de enmienda y de puesta en marcha de las normativas en virtud de la Ley Marco de Contratación Pública Preferencial (PPPFA, por sus siglas en inglés). La normativa modificada permite la designación de ciertas industrias para la contratación nacional mediante programas de contratación pública. Inicialmente, los sectores designados son los de material rodante, autobuses, algunos insumos para el carbón y la generación de electricidad renovable, además de algunos productos intensivos en mano de obra.

12.6.4 Política comercial y de competencia

Con el marco NIPF y el programa IPAP la fijación de aranceles ha pasado de ser unidireccional a establecerse conforme a las prioridades sectoriales estratégicas. El principio general que informa la fijación de aranceles es una trayectoria descendente para los aranceles en las industrias que producen insumos intermedios para manufacturas hacia abajo de la cadena productiva, sobre todo de sectores que gozan de un considerable poder de mercado interno y una apertura hacia mantener o aumentar los aranceles que afectan a sectores que pueden demostrar un potencial de valor añadido y más intensidad de mano de obra, y que hacen «aguas» entre los aranceles consolidados y los aplicados. Aquellos sectores a los que les han recortado los aranceles o se los han eliminado en los últimos años han sido siempre las industrias más grandes, más concentradas y políticamente influyentes. Esto plantea una cuestión importante sobre la credibilidad de las afirmaciones profundamente ideológicas de que la política industrial siempre estará «capturada» por los intereses creados y la «búsqueda de la renta económica» (por ejemplo, DED, 2009; Instituto Sudafricano de Asuntos Internacionales, 2008). Existe un riesgo de que este espacio de política sea seriamente reducido si la Ronda de Doha concluye de acuerdo con la metodología de la fórmula suiza para la reducción de aranceles, que propone recortes arancelarios más profundos y con mayores grados de flexibilidad (o recortes ligeros con menos flexibilidad)[6].

---

[6] Como Sudáfrica se comprometió en la Ronda de Uruguay a unas tasas arancelarias consolidadas mucho mayores que sus países homólogos en desarrollo y recortó los aranceles mucho más de lo que se requería en función de las tasas consolidadas, esto le afectará negativamente de una forma desproporcional a menos que pueda negociar un reconocimiento específico de estos recortes previos.

En virtud del IPAP, las normas también desempeñan una función más estratégica, ya que el programa reconoce su papel creciente cuando los aranceles se encuentran bajo la presión de procesos de negociación comercial multilaterales, regionales y bilaterales. Los organismos de normalización de Sudáfrica contribuyen a la creación de nuevas industrias a través de normas de habilitación, tales como las nuevas normas de habilitación en los espacios ecológico y de energía renovable. Igualmente tienen una función fundamental en detener productos de calidad inferior que socavan el comercio justo y la seguridad del consumidor. Se ha forjado una mayor coordinación entre los organismos reguladores y de aplicación para abordar las cuestiones de fraude, importaciones ilegales y bienes que no cumplan la normativa obligatoria.

La política de competencia también ha estado influída más estratégicamente por el doble objetivo de hacer frente a la conducta anti-competitiva en las industrias que suministran insumos a los sectores de producción —manufactura, agricultura y minería— y de proteger el poder adquisitivo de los hogares de la clase pobre y la trabajadora. Además de las reducciones arancelarias en las industrias hacia arriba de la cadena de valor que hemos mencionado antes, las autoridades de competencia han llevado a cabo una serie de investigaciones en los subsectores del acero, los productos químicos, la construcción, el cemento y la agricultura. Se han hallado numerosos comportamientos de cártel o de abuso de posición dominante que han derivado en cuantiosas multas. Sin embargo, la capacidad de estos hallazgos de competencia para fluir a través de cambios en la política de precios queda aún por ver, dado el carácter *ex post* de los remedios y la resistencia a ellos.

12.6.5 El desempeño de la manufactura y las estrategias en el sector

Al igual que ha ocurrido con el crecimiento del PIB y el desempeño de las exportaciones totales, el desempeño del sector manufacturero ha sido débil. El crecimiento del valor añadido de las manufacturas (VAM) ha sido más lento que en las economías en transición o en desarrollo homólogas de renta media (gráfico 12.7). Al contrario que algunas explicaciones predominantes sobre las deficiencias económicas de Sudáfrica, y dejando de lado los importantes problemas metodológicos respecto a las nociones de la «rigidez» y la «flexibilidad» del mercado laboral, es importante anotar que —incluso en sus propios términos— no existe una relación clara en el plano nacional entre altos niveles de crecimiento del sector manufacturero y del PIB, por un lado, y los niveles de «rigidez del mercado laboral», por el otro (gráfico 12.8). De hecho, Sudáfrica es similar o se categoriza como «más flexible» que otros países del BRICS, principalmente Brasil, la Federación Rusa, India y China.

El crecimiento del promedio del VAM real en términos de la divisa nacional ha sido muy modesto, al 2,7 % de tasa de crecimiento compuesto anual promedio (TCAC) entre 1994 y 2011. Ha habido pérdidas de empleo netas en el empleo formal del sector manufacturero con una TCAC del -1,3 % en el mismo período. De los nueve sectores que superaron el promedio de la TCAC del MVA, cinco son sectores MEC intensivos en energía y capital. El resto comprenden los sectores de mobiliario, maquinaria y equipamiento, vehículos de motor, componentes y accesorios (automoción) y alimentos, maquinaria y aparatos eléctricos (cuadro 12.2).

Gráfico 12.7. Promedio anual de las tasas de crecimiento de la manufactura, en países seleccionados, 1990-2011

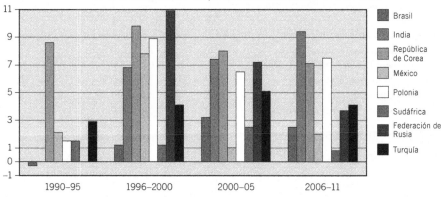

Fuente: ONUDI.

Gráfico 12.8. Rigidez del índice de empleo del Banco Mundial, 2010

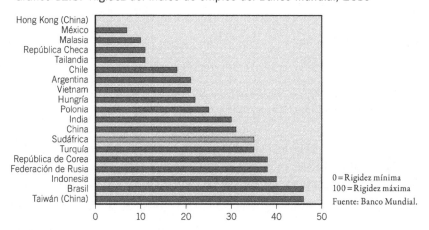

0 = Rigidez mínima
100 = Rigidez máxima
Fuente: Banco Mundial.

385

Cuadro 12.2 Tasa de crecimiento compuesto anual promedio (TCAC) del valor
añadido manufacturero (VAM) y el empleo, por sectores, 1994-2011 y
la cuota en 2011

	TCAC VAM 1944-2011 (%)	Cuota 2011 (%)	TCAC del empleo 1944-2011 (%)	Cuota 2011 (%)
Manufactura	**2,7**		**−1,3**	
Cuero y productos de cuero **	16,4	0,4	−2,2	0,5
Mobiliario	5,7	1,1	−2,2	2,9
Otros productos químicos y fibras sintéticas*	5,6	6,9	−0,2	4,2
Productos químicos básicos*	4,7	5,8	−2,3	1,6
Maquinaria y equipamiento	4,6	6,6	1,4	9,8
Vehículos a motor, partes y accesorios	4,5	8,0	0,2	7,5
Hierro y acero básicos*	4,1	5,4	−1,5	4,3
Coque y productos petrolíferos refinados*	4,0	7,5	1,1	2,3
Alimentos	3,8	12,5	−1,7	14,9
Maquinaria y aparatos eléctricos	3,7	2,9	−2,0	3,2
Metales no ferrosos básicos*	2,7	2,8	0,2	1,9
Equipamiento profesional y científico	2,1	0,6	0,8	0,8
Papel y productos de papel	1,9	3,3	0,9	2,8
Productos plásticos	1,5	2,5	−0,7	3,3
Productos metálicos menos maquinaria	1,3	5,1	−0,8	9,1
Productos de caucho	1,2	0,9	−3,4	1,1
Televisión, radio y equipos de comunicación	1,2	0,9	−3,6	0,6
Prendas de vestir	1,1	2,0	−3,6	4,6
Otras manufacturas	1,1	6,8	−1,0	3,9
Madera y productos de madera	0,9	2,2	−1,0	3,2
Vidrio y productos de vidrio	0,9	0,6	−2,4	0,9
Minerales no metálicos	0,7	3,1	−3,6	4,1
Medios impresos, publicitarios y grabados	0,7	3,0	0,7	4,5
Textiles	0,2	1,3	−3,4	3,0
Tabaco	0,2	0,7	−0,4	0,2
Otros equipos de transporte	0,1	0,9	0,2	1,4
Bebidas	−0,3	5,6	−1,5	2,9
Calzado	−1,2	0,4	−7,4	0,7

* Sectores manufactureros MEC ** Excluido el sector del cuero debido a fiabilidad de los datos.
Fuente: Quantec RSA Standardised Industry Database.

Tal y como se ha señalado, hubo tres grupos de sectores que recibieron un apoyo de política industrial eficaz entre 1994 y 2007, a pesar de la ausencia de una política industrial formal: la automoción, las prendas de vestir y los textiles y una serie de sectores hacia arriba de la cadena de valor, como el acero, los petroquímicos y el aluminio.

En 1995 se inició el Programa de Desarrollo de las Industrias Automovilísticas (MIDP). En virtud del MIDP, los exportadores de componentes y de vehículos automotores obtuvieron créditos de reintegro de importaciones que pudieron utilizar para compensar los derechos de importación de los componentes y vehículos que no se fabricaban en Sudáfrica. El mecanismo disciplinario del MIDP consistía en una reducción abrupta de los aranceles de importación para los componentes y los vehículos. Por ejemplo, los aranceles de los vehículos se redujeron del 80 % en 1999 al 30 % en el 2007. Esto condujo a que los fabricantes de equipos originales de automóviles (OEM) racionalizaran las plataformas y aumentaran las economías de escala. La fabricación de vehículos se elevó de las 388.442 unidades en el año 1995 a 534.490 unidades en el 2007, con las exportaciones multiplicándose por diez en el mismo período. Sin embargo, persisten desafíos. Tanto las importaciones de vehículos como de componentes siguen siendo sustanciales. La fabricación nacional de componentes se ha concentrado en áreas bastante intensivas en recursos, como los convertidores catalíticos y las fundas de cuero para los asientos[7]. El foco de la siguiente fase de la política de automoción —ya que el MIDP ha dado paso al Programa de Desarrollo de la Producción de Automóviles (APDP) desde el 2013 hasta el 2020— es abordar tales cuestiones como los mayores aumentos de las economías de escala en ámbito del ensamblaje y el crecimiento y la diversificación del valor añadido y el empleo en los componentes de automoción.

Desde 1995 hasta el 2009, el sector textil y de prendas de vestir estuvo respaldado por un programa similar al MIDP, mediante el cual los exportadores obtuvieron descuentos en las importaciones basados en los niveles de exportación. Sin embargo, este programa —el Plan de Certificados de Deducción de Derechos (DCCS, por sus siglas en inglés)— tuvo unos resultados totalmente diferentes. Apoyó a un grupo de exportadores y, a su vez, ayudó a impulsar el auge de las importaciones ocasionado por una combinación de la entrada de China en la OMC y el vencimiento del acuerdo multifibras en el 2005. El DCCS se interrumpió en el año 2009 y se sustituyó por un programa de apoyo sobre el presupuesto: el Programa de Competitividad para los Textiles y las Prendas de Vestir (CTCP, por sus siglas en inglés). El CTCP permite a los fabricantes obtener incentivos de producción basados en el valor añadido, en forma de créditos que solo se pueden redimir mediante las inversiones en actividades específicas de competitividad y modernización. Aunque su puesta en marcha coincidió con la peor crisis económica desde la Gran Depresión y la continua sobrevaloración y volatilidad

---

[7] Los convertidores catalíticos son los principales usuarios de los costosos metales del grupo de platino (MGP), mientras que el recubrimiento de cuero de los asientos evidentemente utiliza el cuero como insumo principal.

de la moneda, el CTCP consiguió estabilizar los niveles de empleo en el sector a finales del 2011.

Como ya hemos señalado, los sectores hacia arriba de la cadena de valor como el del carbón, el acero inoxidable, el aluminio y los productos petroquímicos se beneficiaron de una serie de medidas de apoyo entre 1994 y el 2007, pero se desvincularon de disciplinas efectivas de explotación de su posición dominante en el mercado. El acero y los polímeros son los insumos de material más importantes en la manufactura en la parte baja de la cadena de valor. Por ejemplo, el acero representa entre el 23 y el 43 % de los costes de insumos directos e indirectos de los sectores de fabricación de metales, de maquinaria y equipamiento. Por lo tanto, las prácticas monopolísticas de fijación de precios impiden, principalmente, que estos sectores puedan competir en mercados de exportación y hacer frente a las importaciones. El Departamento de Comercio e Industria (DTI) llevó a cabo una investigación en la que calculó que, si los precios del acero descendían un 10 %, provocaría que las empresas en el resto de la cadena de valor aumentaran la producción en torno al 44 % y el empleo en torno al 22 % y que una disminución del 20 % induciría a aumentos del 68 % y del 45 % respectivamente.

El marco NIPF y todas las versiones del programa IPAP han identificado la práctica monopolística de fijación de precios en los insumos intermedios como la principal limitación para conseguir el crecimiento y la diversificación en el resto de la cadena de valor de la manufactura, y han destacado la importancia de la competencia y las políticas sobre minerales para abordar estos desafíos. Las autoridades de la competencia han respondido a los imperativos del IPAP desde el año 2007 y han concentrado sus esfuerzos en abordar las pruebas *ex post* de la conducta contraria a la competencia, pero carecen del poder suficiente para regular, de forma directa, los precios o cambiar la estructura del mercado[8]. Fine (1997) anticipó estas dificultades y recomendó la regulación de la industria del acero de Sudáfrica.

Sin embargo, la política de los minerales, en particular, no se ha implementado de una forma significativa con el fin de asegurar que la dotación de minerales de Sudáfrica llegue a fomentar el desarrollo de la cadena de valor de la manufactura en forma de empleos y valor añadido. Por ejemplo —a pesar del compromiso retórico con la agregación de valor en la cadenas productivas—, la legislación vigente de concesión de licencias de minerales no incluye el procesamiento como objetivo (Congreso Nacional Africano, 2012). En su lugar, la concesión de licencias de

---

[8] Como las industrias de monopolio natural son intensivas en capital y cuentan con una escala eficaz mínima, las opciones para hacer frente a la conducta a través del cambio estructural son limitadas; por ejemplo, una sola planta integrada no puede disolverse fácilmente.

minerales se ha centrado principalmente en aprovechar la participación de BEE en el sector minero. Se han perdido una serie de otras oportunidades para introducir condicionalidades que aseguraran que las rentas de los recursos naturales fluyeran hacia la agregación de valor en el desarrollo industrial, incluidas la venta de componentes de minería y la vinculada a la concesión de incentivos fiscales para el sector siderúrgico desde el año 1994, durante la separación de Iscor en su parte minera y siderúrgica. En otros sectores de monopolio natural como los polímeros y el aluminio ha surgido un patrón similar.

El clúster compuesto por la Fabricación de Metales, Bienes de Capital, y Equipo para el Transporte (MFCTE, por sus siglas en inglés) son sectores básicos que dependen del acero como materia prima principal. A lo largo de la historia, el desempeño del clúster MFCTE ha estado muy vinculado a la inversión pública, en especial con las EPE (gráfico 12.9). De ese modo, el VAM de los sectores MFCTE en general alcanzó su punto máximo al mismo tiempo que la inversión pública, a principios de la década de 1980, y nunca más han estado en niveles tan próximos. Las capacidades y especializaciones en estos sectores se han ido disipando a lo largo de los últimos treinta años, debido a una confluencia de factores, además de a las prácticas monopolísticas de fijación de los precios de los insumos. Estos factores incluyen: una baja demanda nacional de inversión y el progreso lento de la movilización de la normativa de contratación pública, la sobrevaloración y volatilidad del tipo de cambio, la liberalización comercial y los instrumentos inadecuados de financiación, en especial para varios tipos de requerimientos de capital de trabajo. Sin embargo, el sector de bienes de capital del grupo MFCTE demostró un desempeño relativamente fuerte, en gran parte gracias a su segmento de bienes de capital de minería, vinculados a la inversión minera histórica de Sudáfrica y a una importante fuente de exportaciones de manufacturas diversificadas.

Por lo tanto, el IPAP se centra en un paquete de medidas coherente que incluye el aprovechamiento de los gastos de la inversión pública, la financiación para la modernización de la oferta y el desarrollo de las competencias laborales, hacer frente a la práctica monopolística de fijación de los precios y el apoyo a la evolución de áreas de capacidades dinámicas, como el desarrollo de productos en los bienes de capital de la minería.

El sector agroindustrial también representa una parte importante de la manufactura. El segmento de la alimentación —pero no el de las bebidas— ha crecido de forma considerable, por encima del promedio del sector manufacturero. Tradicionalmente, ha dependido del mercado nacional y del de la UE como mercado principal de sus exportaciones. La crisis mundial y, sobre todo, la previsión de un largo estancamiento en la UE, ponen en riesgo este modelo. Existen importantes oportunidades para poder expandir el sector en distintas direcciones: en primer lugar, mediante la agilización de las medidas reglamentarias necesarias para crear un sector nacional de biocombustibles que podría generar decenas de miles de puestos de trabajo en toda la cadena de valor desde la agricultura, a través de la refinación y la distribución; en segundo lugar, sustituir las importaciones de productos de gran entrada en las importaciones, como el caso de la soja; en tercer lugar, fijar como objetivo los países en desarrollo de alto crecimiento que son importadores netos de alimentos, para diversificar el comercio en este sector; por último, dar más apoyo al desarrollo de productos en relación con los consumidores más ricos en el mercado nacional e internacional.

Gráfico 12.9. Inversión de las empresas públicas y valor añadido en la fabricación de productos metálicos, bienes de capital y equipamiento para el transporte (en millones de rands sudafricanos, en precios reales del año 2000), 1970-2007

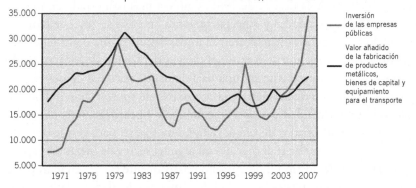

Fuente: SARB y Quantec SA Standardised Industry Database.

Las industrias verdes y la eficiencia energética industrial están consideradas como nuevas iniciativas de gran importancia. El compromiso de Sudáfrica para generar 17,8 GW de energía renovable para el año 2030 ofrece una oportunidad para aprovechar esta ola tecnológica y participar como parte de las cadenas de producción, en lugar de como importador y proveedor de servicios de las tecnologías importadas, tal y como ocurrió con la oleada tecnológica de las TIC. La adquisición y la mejora de la oferta son los instrumentos críticos para facilitar la participación como proveedor de componentes para proyectos de energía eólica, solar fotovoltaica y solar concentrada. La fabricación y los servicios de calentadores solares de agua es otra oportunidad ya que la revisión de los estándares de eficiencia energética de los edificios requieren edificios nuevos para instalar esta y otras tecnologías similares. También existen oportunidades en áreas tales como la eficiencia energética industrial y la gestión de residuos.

12.6.6 Coherencia de las políticas e institucional

El análisis anterior pone de manifiesto el gran trabajo que se ha llevado a cabo para identificar las restricciones transversales y sectoriales específicas en relación con las industrias principales o grupos de sectores y para desarrollar y aplicar estrategias sectoriales detalladas. A pesar de todo esto, varios informes de progreso sobre la aplicación del IPAP plantean repetidamente dos restricciones institucionales principales: la primera es la necesidad de un mayor alineamiento de las políticas macroeconómicas con los imperativos de la industrialización y la segunda, la necesidad de mayor apoyo por parte de otros departamentos gubernamentales (DTI, 2011).

12.7 Conclusiones

En este capítulo se ha analizado el progreso de Sudáfrica durante la era posterior al apartheid con el desarrollo y la puesta en marcha de la política industrial. Las reformas económicas ortodoxas tipo *laissez faire* dominaron el período comprendido entre los años 1994 y 2007, pero no consiguieron que hubiera una inversión importante y sostenible, un crecimiento económico o un incremento del empleo. El cambio de política comenzó en el año 2007. Desde entonces, se ha producido un progreso importante en el desarrollo y la aplicación de la política industrial tanto a través de instrumentos transversales como de estrategias sectoriales.

No obstante, se ha avanzado muy lentamente en la movilización de los instrumentos de apoyo necesarios y el alineamiento de las políticas, aún cuando la economía estuvo sujeta a tres crisis importantes: la sobrevaloración y volatilidad constantes de la divisa, la crisis financiera mundial y la recesión resultante y una crisis nacional del suministro y precio de la electricidad.

La lección más importante que podemos extraer es que el éxito de la industrialización no consiste simplemente en utilizar instrumentos «microeconómicos» como los incentivos arancelarios y fiscales, aunque estén bien diseñados. También se necesita una mayor integración de un conjunto de políticas en toda la economía. Estas incluyen la provisión de bienes públicos, como una infraestructura moderna a un precio razonable e instituciones de formación de competencias laborales que se ajusten a las necesidades de la industria. Muy importante es la necesidad de asegurar que los precios relativos y la rentabilidad favorezcan la inversión en sectores productivos de valor añadido de la economía, en lugar de en actividades especulativas y de consumo impulsado por deuda, de corto plazo. Todo ello requiere de unas medidas más consistentes para mantener un tipo de cambio estable y competitivo y para gestionar la entrada y salida de capital a corto plazo y la composición del financiamiento a nivel nacional.

Referencias

African National Congress. 2012. *Maximising the developmental impact of the people's mineral assets: State intervention in the minerals sector (SIMS)*, Policy Discussion Document (Johannesburg). Disponible en: *http://anc.org.za/docs/discus/2012/sims. pdf.* [consultado el 19 de octubre del 2013].

Amsden, A. H. 1992. *Asia's next giant: South Korea and late industrialization* (Oxford, Oxford University Press).

—. 2003. *The rise of «the rest»: Challenges to the west from late-industrializing economies* (Oxford, Oxford University Press).

Ashman, S.; Fine, B.; Newman, S. 2011. «Amnesty International? The nature, scale and impact of capital flight from South Africa», en *Journal of Southern African Studies*, vol. 37, pp. 7-25.

CDE (Centre for Development and Enterprise). 2009. *Trade policy, protectionism, andvthe global economic crisis*, CDE Conversations 3, 23 junio (Johannesburg). Disponible en: *http://www.cde.org.za/publications/jobs-growth/83-jobs-and-growth/132-trade-policy-protectionism-and-the-global-economic-crisis* [consultado el 19 de octubre del 2013].

Chabane, N.; Goldstein, A.; Roberts, S. 2006. «The changing face and strategies of big business in South Africa: More than a decade of political democracy», en *Industrial and Corporate Change*, vol. 15, pp. 549-577.

Clark, N. L. 1994. *Manufacturing apartheid: State corporations in South Africa* (New Haven, CT, Yale University Press).

Demont, D. 2007. *International port benchmarking study. Automotive Industry Development Centre (AIDC) for Technical Action Group Logistics* (Johannesburg).

Department of Finance. 1996. *Growth, employment and redistribution: A macroeconomic strategy* (Pretoria).

DTI (Department of Trade and Industry). 2007a. *National industrial policy framework* (Pretoria).

—. 2007b. *Industrial Policy Action Plan* (Pretoria).

—. 2010a. *Industrial Policy Action Plan 2010/11 - 2012/13* (Pretoria).

—. 2010b. *DTI response to iron ore, steel and steel products value chain matters*, Presentation to Portfolio Committee on Trade and Industry, 25 agosto. Disponbible en: *http://www.thedti.gov.za/parliament/082510_DTI_Value_Chain. pdf* [consultado el 19 de octubre del 2013].

—. 2011. *Industrial Policy Action Plan 2011/12 - 2013/14* (Pretoria).

—. 2012. *Industrial Policy Action Plan 2012/13 - 2014/15* (Pretoria).

Edwards, L.; Lawrence, R. Z. 2006. *South African trade policy matters: Trade performance and trade policy*, NBER Working Paper núm. 12760 (Cambridge, MA, National Bureau of Economic Research).

Fine, B. 1997. *Vertical relations in the South African steel industry*, NIEP Occasional Paper Series núm. 13 (London, University of London). Disponible: *http://eprints. soas.ac.uk/9585/* [consultado el 19 de octubre del 2013].

—; Rustomjee, B. F. Z. 1996. *The political economy of South Africa: From minerals-energy complex to industrialisation* (London, Hurst Publishers).

Hassan, S.; Smith, S. 2011. *The rand as a carry trade target: Risk, returns and policy implications*, Working Paper núm. 235 (Cape Town, Economic Research Southern Africa).

Khan, M. H. 2000. «Rents, efficiency and growth», en M. H. Khan and K. S. Jomo (eds): *Rents, rent-seeking and economic development: Theory and evidence in Asia* (Cambridge, MA, Cambridge University Press).

Kindleberger, C. P.; Aliber, R. 2005. *Manias, panics, and crashes: A history of financial crises*, 5th edition (New York, John Wiley and Sons).

Lall, S. 2004. *Reinventing industrial strategy: The role of government policy in building industrial competitiveness*, G-24 Discussion Paper Series (Geneva, United Nations Conference on Trade and Development).

Marcus, G. 2012. *The changing mandates of central banks: The challenges for domestic policy*, address at the Gordon Institute of Business Science, Johannesburg, 30 mayo. Disponible en: *http://www.bis.org/review/r120615b.pdf* [consultado el 19 de octubre del 2013].

National Economic Development and Labour Council. 2009. *Framework for South Africa's response to the international economic crisis* (Johannesburg). Disponible en: *http://www.info.gov.za/view/DownloadFileAction?id=96381* [consultado el 19 de octubre del 2013].

Palma, J. G. 2009. «The revenge of the market on the rentiers: Why neo-liberal reports of the end of history turned out to be premature», en *Cambridge Journal of Economics*, vol. 33, pp. 829-869.

Portfolio Committee on Trade and Industry. 2012. *Report of the Portfolio Committee on Trade and Industry on Budget Vote 36: Trade and industry* (Cape Town, Parlimentary Monitoring Group).

Roberts, S.; Zalk, N. 2004. *Addressing market power in a small, isolated, resourcebased economy: The case of steel in South Africa*, paper presented at the CrC 3rd International Conference, Cape Town, 7-9 sept.

Rodrik, D. 2008. *Normalizing industrial policy, paper prepared for the Commission on Growth and Development* (Cambridge, MA, Harvard University).

SARB (South African Reserve Bank). 2012. *Annual Report 2011/12* (Pretoria).

Shafaeddin, S. M. 2005. *Trade liberalization and economic reform in developing countries: Structural change or de-industrialization?*, Discussion Paper núm. 179 (Geneva, United Nations Conference on Trade and Development).

South African Institute of International Affairs. 2008. *South Africa's current account deficit: Are proposed cures worse than the disease?*, Trade Policy Report núm. 25 (Johannesburg). Disponible en: *http://www.saiia.org.za/images/stories/ pubs/dttp/dttp_rep_25_draper_freytag.pdf* [consultado el 19 de octubre del 2013].

Thirlwall, A. P. 1983. «A plain man's guide to Kaldor's growth laws», en *Journal of Post Keynesian Economics*, vol. 5, pp. 345-358.

Wade, R. H. 2012. «Return of industrial policy?», en *International Review of Applied Economics*, vol. 26, pp. 223-239.

Iniciando la transformación industrial en el África Subsahariana

13

Tilman Altenburg y Elvis Melia

13.1 Introducción

El África Subsahariana está experimentando un período muy prometedor de crecimiento económico sostenido. Desde finales de la década de 1990, la economía ha crecido considerablemente a más velocidad que la población y, como consecuencia, la renta per cápita. La región se ha ido integrando en el comercio mundial y la inversión extranjera directa se triplicó entre el 2002 y el 2012. En términos generales, el futuro económico del África Subsahariana parece mucho más brillante que en las décadas de 1980 y 1990, cuando la región estaba asociada al atraso y fracaso de las políticas económicas, incluidas las políticas que condujeron a la desindustrialización. Numerosos informes económicos internacionales recientes presentan al África Subsahariana como una región de crecimiento y de oportunidades para la inversión (McKinsey Global Institute, 2010 y 2012; Robertson y otros, 2012). Ahora, *The Economist* alaba periódicamente a África como «el continente de crecimiento más acelerado del mundo», «más a la vanguardia» y el «continente prometedor».

No obstante, existen dudas sobre si el auge actual se traducirá en un desarrollo socio-económico inclusivo y sostenible. Hay dos características del auge que son alarmantes.

En primer lugar, el crecimiento no ha tenido los efectos deseados sobre el empleo, los ingresos y el desarrollo humano, no se ha traducido en puestos de trabajo suficientes y la mayoría de la expansión del empleo ha tenido lugar en la economía informal y, por lo general, a niveles muy bajos de productividad. Las tasas bajas de absorción de trabajadores afectan sobre todo a los jóvenes recién llegados al mercado laboral. Si bien la proporción de pobreza medida por ingresos (por debajo del umbral de 1,25 dólares estadounidenses al día) en toda la población del África Subsahariana se redujo del 59,5 % en 1993 hasta el 49,2 % en el 2008, la cifra absoluta de pobres medidos por ingresos aumentó de 330 a 399 millones debido al crecimiento de la población[1]. Según datos del Banco Mundial, el crecimiento económico ha tenido un efecto menor en la reducción de la pobreza que en el resto del mundo, una diferencia que se puede atribuir a la dependencia en los recursos y a la gran desigualdad (el coeficiente Gini es aproximadamente del 0,45 de promedio) (Banco Mundial, 2013).

En segundo lugar, hay pocos indicios de cambio estructural orientado hacia economías impulsadas por la productividad. El crecimiento ha sido estimulado principalmente por la explotación y exportación de recursos naturales. Entre el año 2000 y el 2011, los recursos petroleros y minerales representaban más de dos tercios de las exportaciones y la agricultura un 10 % adicional (ídem). Los ingresos provenientes de las exportaciones de productos básicos estimularon el consumo nacional, creando efectos indirectos en actividades mayoristas y minoristas, así como en los mercados de bienes raíces, pero se ha avanzado poco en cuanto a los servicios orientados a la manufactura y la producción. La manufactura está disminuyendo como porcentaje del PIB y de las exportaciones. La región obtiene básicamente sus ingresos de las exportaciones de los productos básicos y los gasta en las manufacturas, con un déficit comercial en aumento. Esta dependencia en los productos básicos también ha hecho a las economías de la región más volátiles.

Muchos observadores señalan la necesidad de diversificar las economías de la región hacia actividades de mayor productividad en la manufactura, la agricultura moderna y los servicios (Dinh y otros, 2012; OIT, 2011; Page, 2013; CEPA y UA, 2011; ONUDI y UNCTAD, 2011). Los desafíos que plantea el desarrollo tardío —en relación con las brechas de productividad, los mercados pequeños, los bajos niveles de sofisticación económica y de diversificación y la falta de capital— son tales que es difícil imaginar cómo se podrán afrontar sin un Estado desarrollista que los coordine.

En este contexto, en este capítulo se explora el papel de la política industrial en el África Subsahariana en cuatro partes. En la sección 13.2 analizamos brevemente el desempeño económico reciente de la región, destacando las oportunidades resultantes del auge actual impulsado por los productos básicos, así como la desconexión entre el crecimiento y la transformación productiva. Mostramos por qué es necesario un cambio estructural para que el crecimiento sea sostenible

---

[1] *http://povertydata.worldbank.org/poverty/region/SSA*

e inclusivo y sostenemos que este cambio no es probable que se de sin una política industrial selectiva y proactiva. A continuación, en la sección 13.3 especificamos los desafíos a los que cualquier política industrial de la región tendría que hacer frente. Prestamos atención a la heterogeneidad de la región, exponiendo algunas diferencias dentro de ella y haciendo hincapié en la necesidad de políticas industriales específicas para cada país. Sin embargo, también mostramos que los países de la región comparten una serie de características estructurales que los diferencian de las economías más ricas y tecnológicamente más avanzadas. Debido a estas características, las políticas industriales válidas para la región han de ser básicamente distintas de las que se aplican normalmente en economías industriales más maduras. En la sección 13.4 abordamos la cuestión de las fallas del Gobierno. A pesar de que hoy en día se reconoce ampliamente que las fallas del mercado, en principio, justifican políticas proactivas para fomentar el cambio estructural, las cuestiones sobre el modo y la forma en que los Gobiernos han de intervenir en la asignación de factores son objeto de intenso debate. Los Gobiernos también tienden a fallar y en realidad sus intervenciones pueden asignar recursos escasos de un modo que a veces es peor que el de los mercados imperfectos que intentan corregir. Esta crítica a la política industrial es en especial acertada en el caso del África Subsahariana. En general, la región obtiene muy bajas calificaciones en los indicadores de efectividad del Gobierno y su historial de políticas industriales previas es muy pobre (Bates, 1981; Lall, 2004). En la última sección exponemos las conclusiones prácticas de política. Describimos qué oportunidades económicas vale la pena explorar de forma especial en la región y qué pueden hacer los actores nacionales para desarrollar una estrategia realista y común para la transformación industrial.

13.2 Alto crecimiento, lento cambio estructural: la necesidad de una política industrial en el África Subsahariana

Después de un estancamiento entre los años 1975 y 1995, el África Subsahariana ha experimentado recientemente un crecimiento continuo. Desde que comenzó el nuevo siglo, las economías africanas han promediado tasas de crecimiento del PIB del 5,6 % anual (Banco Africano del Desarrollo (AfDB), 2012)[2]. Los países ricos en

---

[2] Todos los datos aportados en este capítulo provienen de fuentes «autorizadas». Sin embargo, debemos advertir que *Poor Numbers* de Jerven (2013) demuestra la magnitud de los defectos inherentes a

petróleo como Angola y Guinea Ecuatorial han tomado la delantera, pero otras economías que hasta ahora habían sido regiones con escasez de recursos, como el África Oriental, también han crecido a un ritmo sin precedentes, por lo que el crecimiento de África ha supuesto un fenómeno a nivel continental.

El cambio de tendencia a finales de la década de 1990 puede explicarse parcialmente por factores políticos y la mejora de la gobernanza económica. Después de un surgimiento inicial de conflictos armados al finalizar la Guerra Fría, el número de conflictos descendió al comienzo del nuevo siglo ya que se agotó la financiación externa y las guerras de milicia fueron enfrentadas con mejores esfuerzos internacionales por mantener la paz. (Goldstein, 2011). A su vez, las políticas económicas mejoraron por toda la región. A partir de la década de 1990, la mayoría de los países del África Subsahariana gestionaron sus políticas monetarias, fiscales y comerciales de forma más exitosa y evitaron las inestabilidades macroeconómicas del pasado (Fosu, 2013).

Sin embargo, la razón principal del auge económico de la región ha sido, sin duda, el aumento de la demanda internacional de recursos, que condujo a una tendencia al alza sostenida de los precios. En el año 2002, los precios de los minerales aumentaron y, en el 2006, los precios de los productos básicos agropecuarios también se incrementaron de forma aguda (Morris, Kaplinsky y Kaplan, 2012). Esto benefició al África Subsahariana, que está especialmente bien dotada de recursos de petróleo y minerales y es la mayor reserva mundial de tierra agrícola sin explotar. Los ingresos provenientes de las exportaciones se elevaron de los cien mil millones de dólares estadounidenses en el año 2000 a los 420.000 millones en el 2011 (Banco Mundial, 2013) y la inversión extranjera directa (IED) se triplicó de los quince mil millones de dólares en el año 2002 a los 46.000 millones en el 2012[3].

La mayoría de, aunque no todas, las entradas de IED iban dirigidas a las industrias extractivas. Las inversiones también se incrementaron en los bienes raíces, los trabajos de construcción y la mejora del transporte, la electricidad, las telecomunicaciones y las infraestructuras hidráulicas (ídem). Asimismo, los ingresos provenientes de las exportaciones y las entradas de capital impulsaron el crecimiento de las rentas y del consumo interno. El gasto de los consumidores representa más del 60 % del PIB de África (ídem, p. 5) que a su vez atrae la inversión internacional en el sector minorista, sobre todo en países con un aumento de las clases medias urbanas, como Nigeria, Kenia y Ghana.

---

las estadísticas contemporáneas del ASS, que hace que sea difícil extraer conclusiones significativas sobre las trayectorias de crecimiento de la región.

[3] *http://www.economist.com/debate/overview/249.*

Así pues, la expansión económica de África se basa en las industrias extractivas y el aumento del gasto público y privado, asociado a los ingresos provenientes de las industrias extractivas, para los bienes raíces, de construcción y de consumo. Aparte de esto, ha habido muy poco cambio estructural. La proporción de la agricultura en el PIB todavía es más elevada que en cualquier otra región, aunque los servicios representan ahora la mayor contribución. Ambos están caracterizados por una productividad muy baja. Por tanto, el cambio estructural principal de las últimas décadas ha sido el traslado de la mano de obra de la agricultura de baja productividad a sectores no comercializables de baja productividad. Las industrias de la minería, el petróleo y el gas son altamente productivas y representan el 75,9 % de las exportaciones regionales (Banco Mundial, 2013) pero emplean menos del 1 % de la mano de obra de la región (McKinsey Global Institute, 2012). El valor añadido de la manufactura como porcentaje del PIB cayó del 15 % en 1990 al 10 % en el 2008 (ONUDI y UNCTAD, 2011). La participación del África Subsahariana en la producción y las exportaciones manufactureras mundiales es lamentablemente baja y se estancó en el período 1990-2005 (Page, 2012, ONUDI, 2009)[4]. Si bien la manufactura en la región del Asia Oriental se ha beneficiado enormemente de la globalización, el África Subsahariana ha experimentado un cambio estructural negativo, o de reducción de la productividad, durante las últimas dos décadas en el sentido de que los sectores productivos se redujeron en proporción al PIB y el exceso de mano de obra se ha trasladado de sectores de mayor a menor productividad e informalidad (McMillan y Rodrik, 2011).

La falta de una industria manufacturera en la región no es solo el reflejo de un bajo PIB per cápita. Page (2012) comparó la estructura económica de los países africanos contemporáneos con la de siete economías de éxito de Asia en un momento en el que los niveles del PIB per cápita eran similares a los registrados actualmente en África. Muestra que, incluso en esa etapa temprana, los sectores manufactureros de los países asiáticos eran el doble de grandes en cuanto a mano de obra y valor añadido.

¿Es esto un problema? Pensamos que sí. A lo largo de la historia, por una serie de razones, el crecimiento se ha asociado con los cambios estructurales en la dirección de la manufactura. Esta tiende a ser más productiva que otros sectores. En África la productividad del trabajo en la manufactura es en promedio el doble que la de la agricultura (McMillan y Rodrik, 2011; Page, 2012). Al mismo tiempo, la manufactura tiende a ser intensiva en mano de obra, sobre todo en las

---

[4] Las dos cifras de la manufactura del África Subsahariana (exportaciones y producción) se estancaron e incluso disminuyeron ligeramente. A excepción de Sudáfrica, representan menos del 0,5 % de la proporción mundial.

primeras etapas del desarrollo industrial y, por tanto, puede absorber parte del excedente de trabajadores que emigran masivamente a las ciudades en busca de trabajo. Dinh y otros (2012) calculan que cerca del 80 % de la mano de obra del África Subsahariana trabaja en puestos de baja productividad y bajos ingresos, ya sea en la agricultura a pequeña escala o en la economía informal. Por tanto, hay una gran necesidad de generar empleo en las ciudades y que este sea productivo. La manufactura también está asociada a una mayor sofisticación los productos que se ha demostrado que causa mayor crecimiento del PIB per cápita (Hausmann, Hwang y Rodrik, 2007; ONUDI, 2009). Por último, la manufactura está relacionada con la diversificación, que amortigua la volatilidad de los precios. Las exportaciones del África Subsahariana tienden a estar altamente concentradas en una gama reducida de productos y son por lo tanto particularmente vulnerables ante las crisis externas[5].

En general, el proceso de crecimiento del África Subsahariana es socialmente excluyente. El motor principal del crecimiento, la industria del petróleo y de la minería, emplea a muy pocas personas y casi no tiene encadenamientos productivos hacia adelante ni hacia atrás. Además, los ingresos obtenidos de las industrias extractivas son normalmente regresivos[6]. La manufactura y los servicios modernos que podrían integrar potencialmente una mayor parte de la mano de obra en empleos productivos aún no se ha beneficiado del aumento del consumo. La mayor parte de la mano de obra todavía está estancada en la pequeña agricultura y el pequeño comercio, en donde la productividad es muy baja. Como consecuencia, el ritmo de reducción de la pobreza en el África Subsahariana es notablemente más lento que en otras regiones en desarrollo (AfDB, 2012).

Todo sugiere que los países del África Subsahariana necesitan fomentar la transformación estructural. La región enfrenta el desafío de iniciar un desarrollo económico impulsado por la productividad que absorba trabajadores. La evidencia histórica sugiere que es imposible que esto suceda sin el apoyo de una política específica y bien coordinada (véase, por ejemplo, Chang, 2003). Demasiadas fallas del mercado frenan una transformación profunda. Las señales de los precios ayudan a los empresarios a identificar dónde pueden explotar las ventajas comparativas, pero

---

[5] Un informe reciente ilustra esto de forma clara: «El valor de las exportaciones africanas cayó en un 31 % en el 2009 y creció en un 25 % en el 2010 —pero en relación con el volumen, estas cifras equivalen a solo el 11 % y el 9 % de las exportaciones en estos dos años. En otras palabras, el precio representa casi dos tercios del crecimiento o la contracción en el valor del comercio» (CEPA y UA, 2011, p. 42).

[6] Normalmente, la gestión de los ingresos en la región es mala y da lugar al enriquecimiento ilícito de aquellos que tienen una conexión política. Además las compañías petroleras y mineras demandan poco personal altamente cualificado que reciba salarios elevados. Los efectos secundarios tienden a incrementar una mayor desigualdad: los auges del precio de los bienes raíces enriquecen a los propietarios de las tierras y aumentan los precios de la tierra y los alimentos, lo que es especialmente perjudicial para los pobres.

resultan altamente deficientes cuando se trata de encontrar las posibilidades de producción futura en economías caracterizadas por una empinada curva de aprendizaje. Los individuos que invierten en una actividad particular hoy no pueden anticipar cómo los derrames de conocimiento podrán conducir a la diversificación y a nuevas oportunidades tecnológicas en una etapa posterior de madurez de una industria. Y, aunque pudieran, no llevarían a cabo toda la inversión necesaria para lograr el cambio estructural, ya que no podrían apropiarse de todos los beneficios de esas actividades. Además, la creación de nuevas industrias en una sociedad preindustrial requiere que se realicen inversiones en infraestructuras y en actividades hacia arriba y hacia abajo de las cadenas productivas de distinta índole. La industria no prosperará a menos que estas inversiones se realicen de forma simultánea. Así pues, se necesita una gran coordinación y unas garantías gubernamentales para iniciar una nueva industria (Altenburg, 2011)

13.2.1 Los desafíos específicos de la política industrial en la región

El África Subsahariana es una región heterogénea. Las perspectivas para el desarrollo industrial difieren mucho según distintos factores, incluidos si los países son ricos en recursos, si son grandes o pequeños, costeros o interiores, lo desarrollados que estén sus países vecinos y cómo estén gobernados. Al mismo tiempo, las economías de la región muestran una serie de puntos en común, que comparten con algunos países de renta baja pero que los distinguen de los países más avanzados, incluidas las economías en desarrollo de América Latina y Asia. Entre estos puntos en común se encuentra la alta proporción de la agricultura y de los productos básicos y la baja proporción de la manufactura en el PIB; el autoempleo en una gran parte de la mano de obra; la informalidad generalizada de las relaciones económicas; las vinculaciones deficientes entre algunos sectores económicos modernos y la economía tradicional a pequeña escala; y sobre todo la baja productividad y los ingresos. Estas condiciones requieren un conjunto muy específico de políticas industriales.

A su vez, las políticas industriales han de tener en cuenta las diferencias existentes dentro de la región. El breve análisis que realizamos en este capítulo no puede hacer justicia a la diversidad de las condiciones entre países y sus implicaciones para la transformación estructural. Todo lo que podemos hacer es destacar los desafíos más importantes para las principales agrupaciones de países con condiciones iniciales similares. Collier y O'Connell (2007) proponen una tipología muy útil para este fin. Distinguen tres tipos de países con distintas oportunidades para lograr el crecimiento: los costeros y de escasez de recursos, los interiores y con escasez de recursos y los ricos en recursos. En esta última categoría la dotación es más importante que la ubicación, ya que a los países ricos en recursos no les importan las ventajas de estar en la costa para llevar a cabo la manufactura (por los efectos de la «enfermedad holandesa») y los obstáculos de transporte derivados de estar en el interior son insignificantes. En esta sección se empieza con los factores en común y se elabora lo que implican para las políticas industriales. Luego se abordan algunos desafíos específicos de la política industrial para los tres grupos de países.

Destacamos *cinco características que son ampliamente compartidas por las economías del* África Subsahariana (a excepción de la República de Sudáfrica). Todas ellas plantean requisitos específicos para llevar a cabo la política industrial (Altenburg, 2011).

En primer lugar, las economías de la región se encuentran todavía en etapas muy tempranas de la transformación estructural de las sociedades agrarias a las industriales. La agricultura todavía representa el 32 % del PIB y el 65 % del empleo[7]. Por otro lado, muchos de los habitantes de las ciudades tienen un pasado agrícola, ya que han migrado hace relativamente poco tiempo. Para trabajar en el sector manufacturero se necesitan una serie de nuevas competencias empresariales, técnicas y de gestión, así como unas actitudes específicas —la pasión por el negocio, disposición a asumir riesgos, espíritu de triunfo, curiosidad, constancia— que son muy diferentes de las de la agricultura tradicional, sobre todo cuando la meta es crear empresas competitivas que formen parte de las redes de producción modernas. Estas competencias y actitudes se pueden adquirir de distintas maneras. Si bien un buen sistema educativo sienta las bases, las fuentes adicionales de conocimiento también son importantes: pueden ser formales (escuelas de negocios, formación profesional) o informales (transferencia de conocimiento dentro de las familias empresariales). En la mayoría de las sociedades agrarias, este cúmulo de conocimiento ha de conseguirse paso a paso. Además, las normas tradicionales pueden desalentar el comportamiento empresarial. Por ejemplo, en algunas sociedades del África Subsahariana, son fuertes las obligaciones sociales de compartir la riqueza acumulada con la familia y los amigos (Grimm y otros, 2013) y pueden perjudicar el comportamiento maximizador de ganancias que impulsa la acumulación de capital en las empresas. Del mismo modo, las transacciones de negocios pueden complicarse a causa de las tensiones entre el derecho contractual y las normas informales de reciprocidad. Por tanto, sobre todo en los países menos desarrollados de la región, los Gobiernos tienen un papel que jugar

---

[7] *http://web.worldbank.org/WBSITE/EXTERNAL/COUNTRIES/AFRICAEXT/0,,content MDK:21935583K:21935583~pagePK:146736~piPK:146830~theSitePK:258644,00.html*

en establecer las instituciones básicas de las economías de mercado y en promover las habilidades y actitudes de una «clase empresarial» emergente.

Algunos países del África Subsahariana han intentado vincularse de forma sistemática con empresarios en la diáspora que han acumulado competencias laborales a través de su exposición a comunidades de negocios diversificadas (Plaza y Ratha, 2011).

En segundo lugar, las economías de la región son las últimas en llegar a la economía globalizada. Aunque se encuentran en las primeras etapas del desarrollo industrial, deben hacer frente a la competencia de las empresas internacionales. Estas han acumulado a menudo el saber cómo y el capital durante largos períodos de tiempo, han establecido buenas relaciones con los proveedores, los clientes y otros socios empresariales, han creado reservas de mano de obra cualificada y han conseguido la reputación de la marca. Por lo tanto, los recién llegados provenientes de las regiones atrasadas del mundo no pueden competir en igualdad de condiciones. Carecen de unas externalidades de redes comparables y, normalmente, sufren la falta de economías de escala. Aunque algunos países africanos ofrecen un coste salarial competitivo, difícilmente pueden compensar las sinergias de los clústeres que algunos países exportadores asiáticos han conseguido desarrollar a lo largo de las últimas décadas. Así pues, la situación de los recién llegados crea un círculo vicioso: «las empresas ubicadas en África se enfrentan a costos que están por encima de los competidores asiáticos, pero debido a que los costos son actualmente mayores, las empresas individuales no cuentan con ningún incentivo para la reubicación» (Collier y Venables, 2007, p. 1). Para salir de este círculo, los Gobiernos han de adoptar un papel de apoyo mucho mayor —por ejemplo, facilitar incentivos fiscales para los exportadores o invertir en la productividad laboral— que el que tendrían que adoptar en economías que compiten en igualdad de condiciones.

En tercer lugar, las economías del África Subsahariana se encuentran profundamente fragmentadas. La brecha de la productividad es muy amplia e incluso se agranda entre la mayoría de la mano de obra que trabaja en las fincas tradicionales y las microempresas rurales o urbanas y la minería moderna típicamente pequeña o los sectores industriales (OCDE, 2009). La teoría económica indica que, sin las distorsiones del mercado, la competencia reubica a la mano de obra y el capital de las empresas y las actividades menos eficientes en otras más productivas. Obviamente, este mecanismo no funciona bien en el África Subsahariana. A pesar del auge económico reciente, solo el 28 % de la mano de obra de África tiene unos empleos estables bien pagados (McKinsey Global Institute, 2012). Aparte de los mercados laborales, las estructuras empresariales también están segmentadas, de tal forma que existen pocas vinculaciones productivas y derrames de conocimiento entre las empresas de alta y baja productividad. Esto esto es particularmente cierto sobre todo en el

403

caso de la IED, la cual, según la Comisión de Naciones Unidas sobre Comercio y Desarrollo (UNCTAD), tiene una tendencia en África de «fortalecer el desarrollo de tipo enclave» contribuyendo muy poco a la diversificación económica a través de los encadenamientos hacia adelante o hacia atrás en la región (UNCTAD, 2013). Por lo tanto, el fortalecimiento de los vínculos entre las empresas a través de subsectores de la comunidad empresarial y la explotación de las inversiones modernas como vehículos para la difusión de la tecnología deberían ser factores clave de la política industrial en la región. Las opciones van desde los incentivos destinados a empresas de participación conjunta, hasta programas de desarrollo de proveedores y acuerdos de franquicia, hasta incentivos financieros para la transferencia de tecnología.

En cuarto lugar, las economías subsaharianas tienen que lidiar con tasas de pobreza y subempleo especialmente elevadas. Por tanto, la política industrial en esta región tiene que prestar especial atención a los efectos distributivos sobre el empleo y la pobreza. La historia del desarrollo económico pone de manifiesto la importancia de la competencia y la «destrucción creativa» (Schumpeter, 1942) como motores de innovación. La competencia asegura que formas más productivas de hacer negocios sustituyan a las menos eficientes. En las sociedades ricas, los responsables de las políticas están muy de acuerdo (al menos en teoría) en que la política industrial debería allanar el terreno para actividades nuevas, en lugar de proteger a los perdedores del cambio estructural. Por el contrario, en los países pobres la política industrial debe prestar una atención especial a los costos sociales de tal destrucción creativa. Esto es de especial importancia en las actividades intensivas en mano de obra que proporcionan los medios de subsistencia para muchos hogares pobres que no han tenido acceso a la educación (como el empleo en las fincas tradicionales, las industrias de comercio al por menor o las artesanales), para los cuales las alternativas de empleo son escasas y de difícil acceso. Esto no significa que se deban evitar las reformas. La presión competitiva es importante para incrementar la productividad, pero necesita aumentar a un ritmo lento que permita, incluso a los hogares pobres, aprender y adaptar sus estrategias para ganarse la vida y que estén acompañadas por una serie de medidas de apoyo enfocadas a ello.

En quinto lugar, debido a la combinación de bajos ingresos y poblaciones pequeñas, la mayoría de las economías subsaharianas son muy pequeñas: 38 países de la región tienen menos de veinte millones de habitantes cada uno y hasta ahora solo tres (Nigeria, la República Democrática del Congo y Etiopía) superan los cincuenta millones. Casi todos los países pertenecen a los países del «*bottom billion*», en los que los ingresos por habitante, medidos incluso por los precios de paridad del poder adquisitivo (PPA), son inferiores a los dos mil dólares estadounidenses al año (ONUDI, 2009). Los mercados pequeños, a menudo resultan en escalas sub-optimas de producción y por consiguiente en costos unitarios elevados. Las empresas pueden exportar para superar estas restricciones, pero esto es difícil en la región ya que el costo del comercio transfronterizo tiene tendencia a ser muy alto debido a las restricciones comerciales y las infraestructuras deficientes. Incluso en el interior de los países, los sistemas de transporte ineficientes incrementan el costo del comercio, lo que aumenta aún más la segmentación de los mercados y la falta de economías de escala.

Tal y como se ha mencionado, existen importantes diferencias entre los países subsaharianos. Aquí adoptamos la categorización de Collier y O'Connell's (2007) para describir los retos de política específicos a cada uno de los tres grupos de países.

(a) Países sin litoral y escasos de recursos

El África Subsahariana es única por su alto número de países sin litoral. Su principal problema es la dependencia logística de los países vecinos costeros. Los costos de los servicios de flete son elevados y el tiempo del transporte puede ser impredecible a causa en gran parte de la búsqueda de rentas económicas y de las deficiencias de las infraestructuras de tránsito de los países vecinos costeros. Ello sitúa a los países sin litoral en una posición especialmente difícil para conseguir la transformación estructural. Asimismo, cualquier tipo de inestabilidad que haya en los países vecinos costeros resulta perjudicial para las economías sin litoral. Las opciones de estas últimas para sortear sus impedimentos geográficos son muy limitadas. Lo que pueden hacer es unirse con las economías de los países vecinos costeros de crecimiento más rápido para fomentar la integración regional, invertir en infraestructuras regionales y racionalizar los procedimientos administrativos para el comercio transfronterizo. Por otra parte, pueden dedicarse a exportaciones de bienes y servicios que sean más fáciles de llevar a los mercados. Estas incluyen servicios electrónicos, como la externalización de los procesos de negocios u otro «comercio basado en tareas» (Page, 2012), servicios financieros para la región (los cuales por ejemplo Ruanda está creando) o los productos hortícolas de alto valor que van por vía aérea. Collier (2008) aconseja seguir el modelo de Filipinas de educación profesional orientada específicamente a las demandas de trabajo de los países más ricos y que, de forma simultánea, facilitan las remesas y reasignaciones o inversiones de negocios de la diáspora en el país. Todas estas estrategias requieren la creación de instituciones de apoyo especializadas.

(b) Países costeros y con escasez de recursos

La literatura económica estándar representa esta categoría como la más prometedora, pero el desempeño del África Subsahariana ha sido más débil en este sentido que en otros países costeros y con escasez de recursos de otras regiones en desarrollo. A excepción de Mauricio, ninguna economía del África Subsahariana ha conseguido ascender en la escala de la industrialización de la misma forma que lo han hecho los países recién industrializados del Asia Oriental (Collier, 2008). ¿Qué pueden hacer los Gobiernos de los países costeros y con escasez de recursos para promover la entrada en la manufactura intensiva en mano de obra? La concentración del producto y la aglomeración espacial son quizás los factores más importantes para iniciar esta entrada. Esto se puede conseguir a través de zonas económicas especiales como las zonas francas próximas a una ciudad portuaria, con una concentración de infraestructuras de calidad y una normativa amistosa con los negocios. Sin embargo, hasta la fecha, los costos laborales en la región son todavía relativamente elevados comparados con los de sus competidores asiáticos, y la gran cantidad de países pequeños del África Subsahariana (aquellos con una intensidad baja de población) se encuentran aún más en desventaja (Farole, 2011). De todas formas, como se prevé un aumento de los costos laborales en China, el propio Gobierno chino ha empezado a colaborar con los Gobiernos africanos para establecer zonas económicas especiales en África como una modalidad de ayuda al desarrollo de «beneficio mutuo» (Bräutigam y Xiaoyang, 2011). Esta cooperación es una razón para ser optimistas.

(c) Países ricos en recursos

Muchos países del África Subsahariana tienen una buena dotación de petróleo, gas y minerales así como de tierra arable. Sin embargo, según la literatura sobre la «maldición de los recursos», esta dotación no es realmente una bendición (Sala-i-Martin y Subramanian, 2003). Collier y Goderis (2007) encuentran que, debido a tres factores, las economías que son ricas en recursos han crecido mucho más lentamente de lo que se esperaba, en vistas de su potencial para invertir grandes cantidades en bienes públicos, como en infraestructuras o en educación. En primer lugar, los efectos de la «enfermedad holandesa» se traducen en la revaluación del tipo de cambio, que conlleva que todos los demás sectores, incluido el manufacturero, sean menos competitivos. Hay que elaborar cuidadosamente combinaciones de políticas fiscales, monetarias y comerciales para contrarrestar los efectos de la «enfermedad holandesa» (Asche y Wachter, 2013). En segundo lugar, la volatilidad de los precios hace que los países ricos en recursos sean propensos a la inestabilidad política, que dificulta a los sectores privados planificar el futuro y tienta al Estado a extenderse demasiado durante las épocas de auge. El tercer y más importante factor es que los ingresos provenientes de la disponibilidad de recursos crean incentivos perversos para los Gobiernos y tienden a perjudicar la buena gobernanza. Como resultado, la pobreza ha ido declinando a un ritmo más lento en los países ricos en recursos de la región que en los países pobres en recursos, a pesar de haber experimentado un crecimiento más acelerado (Banco Mundial, 2013).

Teniendo en cuenta la cantidad de nuevos países ricos en recursos en el África Subsahariana, es de suma importancia, desde la perspectiva de la política industrial para la región, encontrar formas de lograr la transformación estructural a pesar de estos desafíos. Lo ideal es llevarlo a cabo a través de la combinación de dos medidas —un planteamiento a dos bandas—. La primera medida consiste en que los líderes del Gobierno de los (nuevos) países ricos en recursos del África Subsahariana, que se ven a sí mismos como orientados hacia el desarrollo, adopten las medidas *defensivas* necesarias para proteger sus economías de la maldición de los recursos. Esto se puede lograr conscientizándose cuidadosamente sobre los peligros de la maldición, sus síntomas reconocibles y las medidas compensatorias que han de tomarse. Para ello la Iniciativa de Transparencia de las Industrias Extractivas puede resultar una herramienta muy útil. La segunda medida es que existen oportunidades de explotar *ofensivamente* los encadenamientos hacia adelante y hacia atrás hacia y desde las industrias extractivas que pueden proveer un punto de partida para la diversificación industrial. Aquí también entran en funcionamiento distintas pautas respaldadas por una investigación intensa. Un equipo de investigadores involucrados en el proyecto denominado *Making the Most of the Commodity Price Boom* (MMCP)[8] llega hasta el punto de sugerir que las oportunidades para los países ricos en recursos para diversificarse son tan enormes (sobre todo en relación a los encadenamientos hacia atrás) que debe revisarse la noción de la «maldición» de los recursos (Morris, Kaplinsky y Kaplan, 2012). Los autores exponen una amplia evidencia empírica recogida de ocho economías de este tipo de la región para argumentar que se *puede* hacer y proporcionan hoja de ruta sobre *cómo* hacerlo.

Cabe señalar que actualmente se están explorando nuevos yacimientos de petróleo y de minerales en toda la región. Dado el ritmo acelerado de los descubrimientos de petróleo y de minerales en los últimos años, el número de países clasificados como ricos en recursos está aumentando. Según nuevos cálculos, para el año 2020 solo habrá cuatro o cinco países de la región que no estén involucrados en la explotación de minerales (Banco Mundial, 2013). Esto creará oportunidades para los países sin litoral con pocas otras opciones, pero también perjudicará los esfuerzos de los países costeros para desarrollar unas industrias de manufactura orientadas a la exportación, basadas en las ventajas del costo de la mano de obra.

---

[8] (N. T.): Aprovechando al máximo el auge de los precios de los productos básicos.

En resumen, los desafíos para el desarrollo industrial en el África Subsahariana son únicos y la elección de las políticas industriales deben de reflejarlos. En economías industrializadas avanzadas, normalmente se considera a los mercados como instituciones que funcionan bastante bien para asignar los recursos y las fallas de los mercados son simplemente excepciones que justifican las intervenciones correctivas temporales. Nuestra breve descripción de los retos de las sociedades africanas de llegada tardía ha demostrado que las presunciones clásicas de la teoría neoclásica —tales como una competencia perfecta, los rendimientos a escala constantes, la racionalidad plena de la toma de decisiones y el carácter comercial del conocimiento— son muy poco realistas (véase también Cimoli y otros, 2006). Si las sociedades preindustriales del África Subsahariana desean progresar hacia una industrialización impulsada por el mercado, se necesitan unas transformaciones institucionales profundas. Así pues, lo que hace falta es que un Estado desarrollista dirija un proyecto de transformación nacional, organice un contrato social, fomente una clase empresarial allí donde no exista, apoye la acumulación primaria de capital y transforme las instituciones tradicionales —desde las normas y los valores sociales, los regímenes de derechos de la propiedad y los mecanismos de cumplimiento contractual, hasta sistemas nuevos de educación e intermediación financiera— de tal forma que se ajusten a los propósitos del desarrollo industrial. En resumidas cuentas, la política industrial en la región debe abarcar mucho más que la de los países industrializados avanzados.

13.3 Las capacidades de gobernanza para el éxito de la política industrial

La transformación productiva en el África Subsahariana exige un papel de liderazgo muy activo para el Estado, tanto para identificar la trayectoria general como para aplicar las políticas específicas. Sin embargo, la superación de las fallas del mercado a través de una actuación gubernamental es difícil. Los Gobiernos pueden tomar decisiones equivocadas debido a que no tienen la información suficiente (Pack y Saggi, 2006). Incluso aunque consiguieran la información necesaria, no es seguro que las políticas industriales se diseñen únicamente en interés público y se apliquen con diligencia. Este problema se hace especialmente patente en los países pobres, en donde los Gobiernos son mucho más débiles y las instituciones no suelen ser tan eficaces como en los países ricos.

En general, los líderes políticos tienen dos conjuntos de motivos: su supervivencia política personal y su bienestar material (es decir, sus intereses estrechos) por un lado y la prosperidad del país por el otro (es decir, sus objetivos amplios).

En la búsqueda tanto de sus motivos estrechos como amplios, los líderes se guían por las instituciones. Las instituciones son «limitaciones formales (por ejemplo, normas, leyes, constituciones), limitaciones informales (por ejemplo, normas de conducta, convenciones, códigos de conducta autoimpuestos) y sus características de aplicación» (North, 1994, p. 360). En los países en desarrollo, en donde las características de cumplimiento de las limitaciones formales son especialmente flojas, es fundamental que las limitaciones informales se «acomoden» (Helmke y Levitsky, 2006, p. 14) de tal forma que puedan ayudar a ajustar los intereses estrechos de las élites con los objetivos amplios para el país.

En comparación con las historias de éxito del Asia Oriental, se ha demostrado que la armonización de las instituciones formales e informales es más difícil en el África Subsahariana. La combinación de sociedades fragmentadas o Estados débiles dejó a la mayoría de los líderes independentistas en una difícil posición. Las estructuras heredadas del estado colonial, con sus instituciones jurídico-racionales, traspasadas a regañadientes, eran inapropiadas para mantener el monopolio de la violencia. Para contrarrestar las divisiones entre facciones, la mayoría de los líderes africanos se propusieron fortalecer sus posiciones mediante la modificación de sus constituciones de independencia para centralizar el poder en la presidencia y, de forma simultánea, crear redes informales de lealtad, con un efecto cascada desde el nivel presidencial hasta llegar a cada distrito y organismo público. Así pues, evolucionaron sistemas políticos híbridos, con unas instituciones aparentemente jurídico-racionales que se fueron vaciando totalmente por los sistemas de patrocinio informales. Estos sistemas híbridos, que se conocerían como neopatrimonialismo (por ejemplo van de Walle, 2001), proporcionaron al principio algo de estabilidad, permitiendo a los líderes ajustar sus objetivos personales con los nacionales. Por lo tanto, la primera década de la independencia africana, desde principios de la década de 1960 hasta mediados de la de 1970, estuvo marcada por estrategias de industrialización activas y, como el período coincidió con uno de crecimiento global, inicialmente dio paso al éxito económico.

Sin embargo, los sistemas de patrocinio no resultan efectivos a la hora de asignar los recursos. Recompensar a los clientes discrepa con los principios de las políticas industriales estratégicas, que exigen la retirada de subvenciones a las empresas ineficaces. Con la crisis económica de la década de 1970 disminuyeron los recursos disponibles para los líderes africanos y los Gobiernos se volvieron más dependientes de donantes y estuvieron sujetos a las recomendaciones de austeridad de los programas de ajuste estructural. No obstante, la condicionalidad política no tuvo el efecto previsto en el gasto público. La informalización se intensificó, posiblemente para impedir que varias facciones de la élite se fragmentaran y los países se sumieran en guerras civiles (Reno, 1999). Conforme las coaliciones gobernantes se fueron haciendo cada vez más inestables, se necesitaron más recursos para alimentar los sistemas de patrocinio. Esto frustró las políticas basadas en cuestiones tales como los programas de desarrollo industrial.

Este período de inestabilidad hizo que el progreso económico no fuera posible para la mayoría de los países del África Subsahariana. Entre 1975 y 1995 muchas economías de la región se estancaron o incluso se contrajeron. El sector privado se mantuvo minúsculo y dependiente del Estado y las hostilidades aumentaron entre las comunidades étnicas, ya que se pensaba que la única forma de que una comunidad prosperara era que sus representantes tuvieran acceso al Estado, la puerta principal para acceder a los recursos (Cooper, 2002). Aparte de las estrechas colusiones entre el Estado y las empresas, que hicieron que las intervenciones eficaces de política industrial fueran prácticamente imposibles (Handley, 2008), las estructuras de poder neopatrimoniales también aumentaron drásticamente las desigualdades de los ingresos. Así pues, mientras que la era del ajuste estructural dio lugar a un entorno macroeconómico más predecible y estable, no produjo los resultados deseados en términos de Estados sólidos y eficaces y de mercados libres y prósperos. La región todavía registra una calificación mala en los indicadores de gobernanza del Banco Mundial o en el Índice de Percepción de Corrupción de Transparencia Internacional (con algunas excepciones destacables que incluyen Botsuana y Mauricio).

Al iniciarse la oleada de democratización, a principios de la década de 1990, surgió un nuevo enfoque de «buena gobernanza», que trataba de limitar el neopatrimonialismo y crear un «estado weberiano» con una separación clara de las esferas pública y privada. Sus defensores asumían, de forma implícita, que los controles y equilibrios en la esfera política y la rendición de cuentas y la meritocracia en la burocracia mejorarían también el desempeño económico. Sin embargo, la evidencia empírica pone en duda esta suposición.

Una lectura más heterodoxa de la evolución institucional histórica en los primeros países occidentales en industrializarse (North, Wallis y Weingast, 2009) y en las economías emergentes de Asia (por ejemplo, Khan, 2007)[9] revela unas trayectorias bastante diferentes. En el epicentro del desarrollo económico exitoso no hubo necesariamente un control y equilibrio democrático o un estado de derecho para los ciudadanos, sino unos períodos prolongados de estabilidad política. La prevención de la violencia entre facciones por cualquier medio permitió la institucionalización de órganos de monopolio de la violencia. Esta estabilidad facilitó el proceso de crecimiento económico, que a su vez —de forma secuencial— condujo a la liberalización política. Khan (1996) sugiere que el desarrollo económico se puede conseguir

---

[9] Para más información sobre la trayectoria poscolonial en este aspecto del África Subsahariana, véase Mkandawire (2001).

aunque la corrupción a gran escala, la impunidad de la élite y el nepotismo no se hayan erradicado y que es más fácil mejorar la gobernanza a medida que los países se enriquecen. Además, los intentos de «traspasar» los sistemas políticos de los países ricos —es decir, las instituciones de la competencia política y de la rendición de cuentas estricta— pueden ser incluso contraproducentes si prometen a los ciudadanos un nivel de justica legal que no puedan aplicar y reducen los medios informales que tienen las élites para mantener la paz entre facciones que podrían llevar al país a una guerra civil.

Por lo tanto, existen distintos caminos que conducen al desarrollo económico. Los Gobiernos del África Subsahariana actualmente están probando varias vías y secuencias de reforma institucional. Ghana y Kenia, con sus instituciones progresistas, apertura a la sociedad civil y el escrutinio de los medios, se encuentran entre los países que buscan la ruta de la «buena gobernanza». Por su parte, los líderes de Etiopía y Ruanda parecen dar prioridad a la transformación económica por encima de la transformación política, emulando así la secuencia de reforma de algunos países asiáticos. Altenburg (2013) demuestra la forma en la que el desempeño de la política industrial varía en una serie de países africanos a pesar de las características comunes de neopatrimonialismo. En última instancia, cada país, ya sea más o menos democrático, más horizontal o verticalmente intervencionista, debe de encontrar la combinación de políticas específicas que encaje con su panorama institucional. Sin embargo, las instituciones democráticas y las libertades civiles son valores deseables por sí mismos y las instituciones formales más estrictas pueden colocar mejores restricciones (y lo ideal sería prevenir) a los gobiernos depredadores.

13.4 El camino a seguir

A pesar de las dificultades y retos que encontraron, algunos países del África Subsahariana fueron capaces de realizar avances considerables. Esto sugiere que aplicando las políticas correctas, estos países pueden aprovechar nuevas oportunidades para diversificar sus economías, aumentar la productividad y crear más puestos de trabajo decentes. Hemos identificado cinco oportunidades prometedoras, aunque puede haber más.

13.4.1 Tomar ventaja del auge de la demanda nacional

Dos décadas de crecimiento económico sostenido en el África Subsahariana han aumentado el ingreso real en un promedio del 2,3 % per cápita anual en los últimos años (Banco Mundial, 2013). Las «clases consumistas» (definidas como los hogares con unos ingresos anuales de cinco mil o más dólares estadounidenses, medidos como PPA) están aumentando a una escala sin precedentes. En todo África, el número de estos hogares aumentó de treinta y un millones a noventa millones en apenas una década (McKinsey Global Institute, 2012).

El aumento del gasto de los consumidores ha disparado las inversiones en actividades minoristas, en vivienda y en otras actividades —pero muy poca inversión en el sector manufacturero—. Una gran parte de los bienes de consumo simples y los insumos para el sector de la construcción son importados. Las cadenas minoristas han empezado a sustituir los mercados tradicionales, aumentando así las barreras de entrada (en términos de calidad y economías de escala) en la cadena de suministro y reemplazando a los proveedores locales con las importaciones.

Para cosechar los beneficios del aumento del consumo nacional, la competitividad de los proveedores locales necesita reforzarse. Durante las primeras fases de la industrialización por sustitución de importaciones, esto se intentó llevar a cabo principalmente a través de las restricciones a las importaciones, que a menudo terminaban en el aumento de los sobornos y de las importaciones ilegales, en lugar de desarrollar industrias nacionales competitivas. Por consiguiente, los Gobiernos deberían emplear las políticas comerciales con mucho cuidado[10] y enfocarse más en medidas de oferta para incentivar el espíritu empresarial local. A menudo se ha comprobado que las alianzas de colaboración entre grandes compañías (empresas mineras y de construcción, hoteles, cadenas minoristas) y las agencias gubernamentales son muy efectivas para fortalecer a los proveedores locales de bienes y servicios. Puede que a veces sea necesario algún «empujón», por ejemplo, mediante la vinculación de las licencias de producción para las grandes compañías o la contratación pública a las medidas de formación y apoyo.

13.4.2 Explotar la integración regional

La mayoría de los mercados nacionales del África Subsahariana son muy pequeños debido a una combinación de ingresos medio-bajos, las pequeñas poblaciones y las malas infraestructuras. Esto constituye una desventaja competitiva importante para

---

[10] A pesar de que las restricciones a la importación no forman parte del espíritu de la OMC, el hecho de que países pequeños desempeñen una función marginal en el comercio mundial significa que la falta de cumplimiento de los países subsaharianos con los compromisos de la OMC casi nunca conduce a la aplicación de la ley (Bown y Hoekman, 2008).

las industrias manufactureras en particular. La integración regional puede mitigar esta desventaja, sobre todo porque los países vecinos tienen condiciones de demanda similares que no son tan desafiantes para los productores locales como exportar a países de la OCDE. De hecho, los pocos productos industriales que los países del África Subsahariana exportan van principalmente a otros países dentro de la región. La producción para los mercados regionales permite la ampliación de la capacidad de la oferta y la mejora del marketing y la logística en un entorno relativamente familiar. De este modo, puede ser un trampolín para las ventas fuera de la región en una etapa posterior.

Si bien el comercio regional se ha recuperado recientemente, aún se ve limitado por tres factores: las deficientes infraestructuras de transporte, los altos costos administrativos del comercio fronterizo y la desigualdad regional, ya que los países con industrias menos competitivas a menudo perciben más riesgos que beneficios de la integración junto a vecinos más avanzados (Asche y Wachter, 2013).

Las implicaciones de política son sencillas. En primer lugar, los proyectos de infraestructuras transfronterizas son de una importancia crucial. En segundo lugar, otros costos del comercio relacionados, entre otras cosas, con los procesos de despacho engorrosos, los derechos de importación, los pagos de facilitación legales o ilegales y los costos de almacenaje, se pueden reducir, por ejemplo, suprimiendo los derechos y racionalizando los procesos aduaneros así como estableciendo unas autoridades de transporte y de aduanas, además de unos proveedores de servicios más responsables (Arvis, Raballand y Marteau, 2007). La tercera implicación es más complicada. El desafío aquí es coordinar las políticas industriales a nivel regional para asegurar que todos los países participantes se beneficien, incluso los menos competitivos. Esto requiere incentivos especiales en lugar de requisitos obligatorios para que los inversionistas establezcan sus fábricas en lugares específicos (Asche y Wachter, 2013).

13.4.3 Encadenamientos hacia adelante y hacia atrás de los sectores de productos básicos

La agricultura y la minería representan una gran parte del PIB regional y estas actividades se benefician de los precios elevados del mercado mundial y los flujos de inversiones. Por lo tanto, parece razonable buscar una estrategia de industrialización basada en encadenamientos hacia adelante y hacia atrás de estas actividades. En especial, los encadenamientos provenientes de la agricultura —incluida la agroindustria y el suministro de insumos y los derrames derivados del aumento de la productividad agrícola en el empleo no agropecuario rural— pueden potencialmente alcanzar a muchos hogares pobres del medio rural. Adelman (1984) denominó a este enfoque «industrialización impulsada por la demanda agrícola», que es un concepto que han adoptado muchos Gobiernos en la región (véase también Yumkella y otros, 2011). Los encadenamientos provenientes de los recursos petroleros y de los minerales hasta ahora han sido muy débiles. Por ejemplo, Krause y Kaufmann (2011) encontraron una serie de encadenamientos hacia atrás entre una fundición de aluminio importante (MOZAL) en Mozambique y pymes locales, pero su alcance era limitado a pesar del apoyo integral de los organismos donantes. Una investigación reciente llevada a cabo por Morris, Kaplinsky y Kaplan (2012) ofrece una visión más optimista en la que se sostiene que los efectos de la enfermedad holandesa no tienen porqué perjudicar los encadenamientos hacia atrás y hacia adelante, y proveen ejemplos de creación de encadenamientos en donde los países invirtieron en capacidades especializadas.

13.4.4 La integración en las cadenas de valor mundiales

El punto de partida para el desarrollo industrial de muchos países asiáticos y de África del Norte (Túnez, Marruecos) ha sido la exportación de manufacturas ligeras al resto del mundo, en la mayor parte de los casos en respuesta a la demanda de corporaciones occidentales. A partir de ahí, algunos países, incluidos la República de Corea, Singapur, Malasia y más recientemente, Bangladés, lograron mejorar y diversificar su base de producción de forma gradual (por ejemplo, Amsden, 1989). La India ha demostrado que el escalamiento en las cadenas de valor mundiales también se da en los servicios comercializables (Athreye, 2010). En todos los casos, las ventajas de los bajos costos fueron decisivas al comienzo, pero los exportadores de éxito aprovecharon las oportunidades para aumentar la productividad, de tal forma que los salarios se pudieron elevar de manera considerable sin tener que sacrificar la competitividad.

Los países del África Subsahariana atraen una inversión bastante significativa en las exportaciones intensivas en mano de obra. En primer lugar, esto se debe al bajo costo de la mano de obra en algunos países. Los salarios de Etiopía son solo una cuarta parte de los de China y la mitad de los de Vietnam (Dinh y otros, 2012). En segundo lugar, el África Subsahariana cuenta con el privilegio de tener el acceso libre de derechos y de cuotas para las manufacturas livianas a los Estados Unidos, al amparo de la Ley de Crecimiento y Oportunidades para África, y a la UE, en virtud del Acuerdo de Cotonú. Sin embargo, hasta ahora, la región ha atraído muy poca inversión. Mauricio y Lesoto que se han convertido en exportadores exitosos de prendas de vestir, son dos excepciones. Las razones para los resultados decepcionantes en general son múltiples, incluida la baja productividad laboral en comparación con los competidores asiáticos (recuérdese que la competitividad necesita que haya costos laborales unitarios bajos, no salarios bajos por sí mismos), altos costos de transporte y otras cuestiones del clima de inversión.

Para los países costeros, una opción sería el establecimiento de zonas francas libres de impuestos, gestionadas por el sector privado para las manufacturas livianas. Podrían proteger a los inversores de los cuellos de botella de las infraestructuras y la burocracia de la economía del país. El actual aumento pronunciado de los costos de la mano de obra en China favorece la relocalización de esas industrias, pero los países del África Subsahariana tendrán que competir con los países de bajo costo de mano de obra de Asia, como Camboya y Bangladés. Así pues, el aumento de la productividad sigue siendo crucial. En algunos casos la disponibilidad local de materias primas es un activo —por ejemplo, los exportadores de calzado de Etiopía se benefician del bajo costo de la mano de obra además de la gran calidad del cuero (Altenburg, 2010)—. Además de las manufacturas livianas, el comercio de servicios puede ofrecer oportunidades muy atractivas incluso para los países sin litoral (ONUDI, 2009). Algunas de estas, como los centros de llamadas y de introducción de datos, cuentan con el beneficio de tener barreras de entrada en relación con las competencias laborales y el capital. A partir de ahí, los países pueden buscar estrategias para escalar a servicios de mayor valor.

13.4.5 El marketing de los recursos naturales y culturales en el extranjero

El África Subsahariana tiene muchas cosas que ofrecer que son únicas y atractivas para la gente de todo el mundo. El turismo de observación de vida silvestre ya atrae a millones de visitantes cada año al África Oriental, Namibia y Botsuana. Mauricio, Seychelles y Cabo Verde también son unos de los destinos turísticos preferidos. La llegada de turistas al África Subsahariana ha aumentado recientemente a más velocidad que el promedio mundial, a un 5,0 % frente al 3,8 % (Banco Mundial, 2013), pero el potencial de la región todavía está sin explotar. Aparte del turismo, las industrias relacionadas con la cultura ofrecen una serie de oportunidades de negocios en el ámbito de la música, la danza, la literatura, el cine, la artesanía y el diseño. En la medida en que estas industrias aprovechen los recursos y la herencia cultural únicos de la región, estarán parcialmente protegidas de la competencia internacional basada en precios. En Nigeria ha surgido una industria cinematográfica nacional, que atiende principalmente al mercado africano. Además, cada vez más películas internacionales se ruedan en África. La artesanía hecha a mano que se basa en tradiciones locales, los diseños africanos incorporados en textiles y muebles y la comida étnica enfocando la diáspora africana encuentran un mercado en los países de la OCDE (Biggs y otros, 1996). Qué tan grandes sean estas oportunidades y qué combinación específica de oportunidades es más prometedora varía mucho, por supuesto, de un país a otro. Por lo tanto, los Gobiernos y sus asociados en el área de los negocios y en la sociedad civil se enfrentan al reto de tener que identificar los objetivos correctos y diseñar las políticas adecuadas para conseguir estas oportunidades. ¿Cómo se puede llevar a cabo esto?

No existe una fórmula simple, ni un procedimiento científico. Algunos autores han propuesto algunas herramientas para evaluar en qué posición se encuentran actualmente los países dentro de la economía mundial, la especialización competitiva en la que deberían esforzarse y los pasos de reforma que son necesarios para conseguir ese propósito. Algunas de estas herramientas resultan útiles —por su carácter genérico—, pero otras tienen limitaciones importantes. Por consiguiente, sugerimos una combinación pragmática de diversos elementos.

Lin y Monga (2010) han propuesto una herramienta de planificación en su Marco de Identificación y Facilitación del Crecimiento. Su propuesta principal es «identificar la lista de bienes y servicios comercializables que se hayan producido en los últimos veinte años en países con un crecimiento dinámico y con estructuras de dotación similares, así como con un ingreso per cápita que sea aproximadamente del 100 % mayor que el suyo propio». El supuesto es que la competitividad de los países de comparación puede deteriorarse debido al aumento de los costos salariales, lo que entonces abriría oportunidades para atraer a industrias de reubicación. Si bien este es un buen punto de partida, se necesita incorporar otros condicionantes al análisis, como las economías de escala, los costos del transporte y la proximidad a mercados importantes. La comparación de estos condicionantes frente a los competidores más relevantes también ayuda a definir las vías prometedoras para la especialización competitiva.

Otra forma más pragmática de identificar caminos más prometedores es observar lo que están haciendo los empresarios más innovadores, ayudarles a expandir su negocio y animar a más empresarios a buscar el mismo tipo de negocio u otro que esté relacionado. La industria de la floricultura de Etiopía surgió siguiendo esta línea (Altenburg, 2010). En general, deben fomentarse la experimentación empresarial y el aprendizaje. Los empresarios, y no los burócratas, son los que identifican las oportunidades de negocio viables. Los Gobiernos tienen una función importante en mejorar la capacidad de aprovecharse de ellas, presionando para conseguir la inclusión social y la modernización tecnológica. Esto solo funcionará si la política industrial se organiza como un proceso de aprendizaje, basado en la evidencia con mecanismos de retroalimentación y un involucramiento profundo de las empresas a todos los niveles.

13.5 Conclusiones

El África Subsahariana ha estado en una trayectoria de alto crecimiento desde finales de la década de 1990, impulsada principalmente por el auge de los mercados internacionales de productos básicos. Los informes de los analistas y de los medios de comunicación han pasado del «pesimismo de África», de las décadas anteriores, a predecir un futuro prometedor de alto crecimiento. Sin embargo, sigue habiendo dudas acerca de la sostenibilidad de la trayectoria actual de desarrollo. En primer lugar, se ha logrado poco hasta el momento en relación con la diversificación económica y el crecimiento de la productividad. En segundo lugar, el crecimiento económico y social ha sido excluyente, con efectos positivos muy limitados sobre la reducción de la pobreza y la creación de empleo en las partes modernas de las economías. Para llegar a ser económicamente sostenible y socialmente inclusiva, el Africa Subsahariana necesita un cambio estructural de sus economías hacia actividades impulsadas por la productividad, aparte de los sectores de productos básicos.

Para conseguir esto, son fundamentales las políticas proactivas y selectivas. Estas políticas deben ser muy diferentes de los paquetes de política industrial de las economías más avanzadas, en donde los mercados funcionan razonablemente bien en asignar los recursos de forma productiva. El África Subsahariana todavía es muy agraria; el grueso del empleo no agropecuario se genera en microempresas; la especialización y la colaboración entre empresas es todavía débil; las transacciones económicas están muy influidas por las instituciones informales que no están bien alineadas con los principios de gobernanza imperantes en las economías de mercado; y las normas y los valores sociales en algunos países no conducen al desarrollo del espíritu empresarial. Para superar estas limitaciones y promover industrias competitivas, se necesita un papel especialmente activo del Estado —que vaya más allá del mero papel de facilitador que normalmente desempeña en economías de mercado económicamente más avanzadas—. El desafío es *iniciar la transformación industrial* en las sociedades preindustriales. Al mismo tiempo, la política industrial debe salvaguardar a los hogares pobres cuyos medios de subsistencia se verían perjudicados por la competencia descontrolada. La combinación de políticas y la secuencia de reformas han de ser configuradas cuidadosamente en función de las condiciones del país. Además, deben de tenerse en cuenta las diferencias existentes dentro de la región en relación con la dotación de recursos, la geografía y el nivel de desarrollo.

Si bien el Estado se enfrenta a una enorme tarea de transformación, los responsables de la formulación de políticas y los burócratas actúan bajo una estructura de incentivos que a menudo es altamente desfavorable para el desarrollo industrial. En el ámbito político, la estabilidad a menudo depende del clientelismo en lugar de la toma de decisiones basada en la evidencia y los méritos; en la economía, la búsqueda de rentas económicas suele ser más beneficiosa que las inversiones productivas y, además, los efectos de la enfermedad holandesa perjudican estas últimas.

Aun así, existen opciones para la diversificación económica —desde la sustitución eficaz de las importaciones, el procesamiento de productos agrícolas, las exportaciones de manufacturas livianas y el comercio basado en tareas, hasta el turismo—. Para explotarlas de forma más eficaz, los países del África Subsahariana necesitan definir «proyectos de transformación» realistas y compartidos, y reformar las instituciones democráticas en conjunto con la aplicación de la política industrial.

Referencias

Adelman, I. 1984. «Beyond export-led growth», en *World Development*, vol. 12, núm. 9, pp. 937-949.

AfDB (African Development Bank Group). 2012. *Annual Development Effectiveness Review 2012. Growing African economies inclusively* (Tunis).

Altenburg, T. 2010. *Industrial policy in Ethiopia*, Discussion Paper núm. 2 (Bonn, Deutsches Institut für Entwicklungspolitik).

—. 2011. *Industrial policy in developing countries: Overview and lessons from seven country studies*, Discussion Paper núm. 4 (Bonn, Deutsches Institut für Entwicklungspolitik).

—. 2013. «Can industrial policy work under neopatrimonial rule?», en A. Szirmai, W. Naudé and L. Alcorta (eds): *Pathways to industrialization in the twenty-first century* (Oxford, Oxford University Press).

Amsden, A. H. 1989. *Asia's next giant: South Korea and late industrialization* (Oxford, Oxford University Press).

Arvis, J. F.; Raballand, G.; Marteau, J. F. 2007. *The cost of being landlocked: Logistics costs and supply chain reliability*, World Bank Policy Research Working Paper 4258 (Washington, DC, World Bank).

Asche, H.; Wachter, A L. 2013. *Perspectives of employment and manufacturing industry in resource-rich African countries*, paper presented at the attention of Former Federal President Prof. Horst Köhler, High-level Panel of Eminent Persons on the Post-2015 Development Agenda, Bonn, Windhoek, January.

Athreye, S. 2010. *Economic adversity and entrepreneurship-led growth: Lessons from the Indian software sector*, Working Paper, United Nations University Maastricht Economic and Social Research Institute on Innovation and Technology (Maastricht, UNU MERIT).

Bates, R. 1981. *Markets and politics in tropical Africa* (Berkeley, CA, University of California Press).

Biggs, T. *et al.* 1996. *Africa can compete!*, World Bank Discussion Papers 300 (Washington, DC, World Bank).

Bown, C. P.; Hoekman, J. F. 2008. «Developing countries and enforcement of trade agreements: Why dispute settlement is not enough», en *Journal of World Trade*, vol. 42, núm. 1, pp. 177-203.

Bräutigam, D.; Xiaoyang, T. 2011. «African Shenzhen: China's special economic zones in Africa», *en Journal of Modern African Studies*, vol. 49, núm. 1, pp. 27-54.

Chang, H. J. 2003. «Kicking away the ladder: Infant industry promotion in historical perspective», en *Oxford Development Studies*, vol. 31, núm. 1, pp. 21-32.

Cimoli, M. et al. 2006. *Institutions and policies shaping industrial development: An introductory note*, paper prepared for the Task Force on «Industrial Policies and Development» within the Initiative for Policy Dialogue, Columbia University, New York.

Collier, P. 2008. *Growth strategies for Africa*, Working Paper núm. 9 (Washington, DC, Commission on Growth and Development, World Bank).

—; Goderis, B. 2007. *Resolving a conundrum: Commodity prices and growth* (Oxford, Centre for the Study of African Economies, Oxford University).

—; O'Connell, S. A 2007. «Opportunities and choices», en B. J. Ndulu, S. A. O'Connell, R. H. Bates, P. Collier and C. Soludo (eds): *The political economy of economic growth in Africa 1960-2000*, vol. 1 (Cambridge, Cambridge University Press).

—; Venables, A. J. 2007. *Rethinking trade preferences to help diversify African exports*, CEPR Policy Insight 2 (Oxford, Centre for Economic Policy Research.

Cooper, F. 2002. *Africa since 1940: The past of the present - New approaches to African history* (Cambridge, Cambridge University Press).

Dinh, H. T. *et al.* 2012. *Light manufacturing in Africa: Targeted policies to enhance private investment and create jobs* (Washington, DC, World Bank).

Farole, T. 2011. *Special economic zones in Africa comparing performance and learning from global experience* (Washington DC, World Bank).

Fosu, A. K. 2013. «African economic growth: Productivity, policy syndromes and the importance of institutions», en *Journal of African Economies*, vol. 22, núm. 4, pp. 523-551.

Goldstein, J. S. 2011. *Winning the war on war: The decline of armed conflict worldwide* (London, Plume).

Grimm, M. *et al.* 2013. «Kinship ties and entrepreneurship in Western Africa», en *Journal of Small Business & Entrepreneurship*, vol. 26, núm. 2, pp. 125-150.

Handley, A. 2008. Business and the state in Africa: Economic policy-making in the neoliberal era (Cambridge, Cambridge University Press).

Hausmann, R.; Hwang, J.; Rodrik, D. 2007. «What you export matters», en *Journal of Economic Growth*, vol. 12, núm. 1, pp. 1-25.

Helmke, G.; Levitsky, S. 2006. «Introduction», en G. Helmke and S. Levitsky (eds): *Informal institutions & democracy: Lessons from Latin America* (Baltimore, John Hopkins University Press).

ILO (International Labour Office). 2011. *Growth, employment and decent work in the least developed countries*, Report of the ILO for the Fourth UN Conference on the Least Developed Countries, May (Geneva).

Jerven, M. 2013. *Poor numbers: How we are misled by African development statistics and what to do about it* (Ithaca, NY, Cornell University Press).

Khan, M. 1996. «The efficiency implications of corruption», en *Journal of International Development*, vol. 8, núm. 5, pp. 683-696.

—. 2007. *Governance, economic growth and development since the 1960s*, Working Paper núm. 54 (New York, United Nations Department of Economic and Social Affairs).

Krause, M.; Kaufmann, F. 2011. *Industrial policy in Mozambique*, Discussion Paper 10/2011 (Bonn, Deutsches Institut für Entwicklungspolitik).

Lall, S. 2004. «Selective industrial and trade policies in developing countries: Theoretical and empirical issues», en C. Soludo, O. Ogbu and H. J. Chang (eds): *The politics of trade and industrial policy in Africa: Forced consensus?* (Trenton, NJ and Asmara, Eritrea, Africa World Press).

Lin, J.; Monga, C. 2010. *Growth identification and facilitation: The role of the state in the dynamics of structural change*, Policy Research Working Paper 5313 (Washington, DC, World Bank).

McKinsey Global Institute. 2010. *Lions on the move: The progress and potential of African economies* (New York, McKinsey & Company).

—. 2012. *Africa at work: Job creation and inclusive growth* (New York, McKinsey & Company).

McMillan, M.; Rodrik, D. 2011. *Globalization, structural change, and productivity growth*, Working Paper núm. 17143 (Cambridge, MA, National Bureau of Economic Research).

Mkandawire, T. 2001. «Thinking about developmental states in Africa», en *Cambridge Journal of Economic*, vol. 25, pp. 289-313.

Morris, M.; Kaplinsky, R.; Kaplan, D. 2012. *One thing leads to another - commodities, linkages and industrial development: A conceptual overview*, MMCP Discussion Paper núm.12 (Revised) (Capetown, Making Most of the Commodities Programme).

North, D. C. 1994. «Economic performance through time», en *American Economic Review*, vol. 84, núm. 3, pp. 359-368.

—; Wallis, J. J.; Weingast, B. R. 2009. *Violence and social orders: A conceptual framework for interpreting recorded human history* (Cambridge, Cambridge University Press).

OECD (Organisation for Economic Co-operation and Development). 2009. *Is informal normal? Towards more and better jobs in developing countries* (Paris).

Pack, H.; Saggi, K. 2006. *The case for industrial policy: A critical survey,* Policy research Working Paper 3839 (Washington, DC, World Bank).

Page, J. 2012. «Can Africa industrialize?», en *Journal of African Economies*, vol. 21, Supl. 2, pp. 86-124.

—. 2013. «Should Africa industrialize?», en A. Szirmai, W. Naudé and L. Alcorta (eds): *Pathways to industrialization in the twenty-first century* (Oxford, Oxford University Press).

Plaza, S.; Ratha, D. (eds). 2011. *Diaspora for development in Africa* (Washington, DC, World Bank).

Reno, W. 1999. *Warlord politics and African states,* (Boulder, CO, Lynne Rienner Publishers).

Robertson, C. *et al.* 2012. *The fastest billion: The story behind Africa's economic revolution* (London, Renaissance Capital).

Sala-i-Martin, X.; Subramanian, A. 2003. *Addressing the natural resources curse: An illustration from Nigeria,* NBER Working Paper núm. 9804 (Cambridge, MA, National Bureau of Economic Research).

Schumpeter, J. A. 2003 [1942]. *Capitalism, socialism and democracy* (London, George Allen & Unwin).

UNCTAD (United Nations Commission on Trade and Development). 2013. *Strengthening linkages between domestic and foreign direct investment in Africa,* Note by the UNCTAD Secretariat, 17 Abr. (Geneva).

UNECA (United Nations Economic Commission for Africa); AU (African Union). 2011. *Economic Report on Africa 2011. Governing development in Africa – the role of the state in economic transformation* (Addis Ababa).

UNIDO (United Nations Industrial Development Organization). 2009. *Industrial Development Report 2009. Breaking in and moving up: New industrial challenges for the bottom billion and the middle-income countries* (Vienna).

—; UNCTAD (United Nations Conference on Trade and Development). 2011. *Economic Development in Africa 2011. Fostering industrial development in Africa in the new global environment* (New York and Geneva).

Van de Walle, N. 2001. *African economies and the politics of permanent crisis, 1979-1999* (Cambridge, Cambridge University Press).

World Bank. 2013. *Africa's pulse,* vol. 7, abr. (Washington, DC).

Yumkella, K. *et al.* 2011. *Agribusiness for Africa's prosperity* (Vienna, UNIDO).

La paradoja de la política industrial de Estados Unidos: el Estado desarrollista disfrazado

14

Robert H. Wade

Durante mucho tiempo, los europeos continentales, y con más éxito los alemanes, han desplegado el poder del Estado para impulsar su producción manufacturera, basándose en gran medida en argumentos pragmáticos. Por el contrario, durante las últimas décadas los angloamericanos han forjado un consenso en contra de esa función, al menos a nivel de principios. Su razonamiento se ha basado sobre todo en la ideología, principalmente en aquella de la rama políticamente más orientada a la economía neoclásica, conocida como neoliberalismo.

Desde la elección de Margaret Thatcher en 1979 y de Ronald Reagan en 1980, en una época en la que las ideas keynesianas ya se habían dejado de lado, fuertes fuerzas políticas e intelectuales se movilizaron en torno a las ideas neoliberales o fundamentalistas del mercado, tal y como se expresa en el dicho «[e]l libre mercado es lo que funciona, y tener la ayuda por parte de los Estados normalmente es un contrasentido» (Kasperov, 2012). Los campeones más simples del libre mercado afirman que los grandes empresarios como Bill Gates y Steve Jobs pueden crear las innovaciones necesarias para el progreso —siempre y cuando el Gobierno deje de interferir— con el respaldo de inversores de capital de riesgo y generosos filántropos. Tal y como anota Michael Linde, «Sería fácil conseguir miles de economistas con un doctorado (formados por la corriente anglosajona) que firmaran un manifiesto insistiendo en que debemos ignorar la historia cada vez que entra en conflicto con la teoría (...) sobre las empresas genéricas que compiten en mercados abstractos» (Lind, 2012).

El consenso angloamericano ha asegurado que los términos «política industrial» e incluso «política de tecnología» y «política de innovación» constituyen un anatema en los círculos políticos y que son sinónimo de «política para conseguir votos», «bienestar corporativo» y, el peor de todos, «elección de ganadores». Sin embargo, los Estados Unidos presentan una paradoja. Por un lado, el discurso de la política pública ha estado dominado durante mucho tiempo por la narrativa del «fundamentalismo de mercado» que se basa en la aceptación de su elisión suave de las «fuerzas del mercado» con unos valores tan deseables como la «libertad», la «democracia» y la «meritocracia» y su igualmente suave elisión de «intervención gubernamental» con el «estado niñera», la «esclerosis económica» y el «camino de servidumbre». Por el otro lado, el Gobierno estadounidense ha emprendido, de hecho, más política industrial que lo que implica esta narrativa, desde la fundación de la república hasta hoy, incluida la promoción de lo que se convirtió en la innovación tecnológica más importante («tecnologías de propósito general»). Como se señala en un estudio reciente del sector de biotecnología del último período:

> La economía de conocimiento (en biotecnología) no surgió de forma espontánea desde abajo hacia lo más alto, sino que la indujo una política industrial sigilosa desde arriba hacia abajo, los líderes del Gobierno y la industria defendieron simultáneamente la intervención gubernamental para fomentar el desarrollo de la industria de la biotecnología y argumentaron de manera hipócrita que el Gobierno debía dejar que el libre mercado operara (Vallas, Kleinmann y Biscotti, 2011).

Asimismo, una gran parte del sector privado intensivo en tecnología de los Estados Unidos ha *recortado* la inversión en tecnologías básicas con el fin de focalizarse en la «extracción de valor», dependiendo mucho más que en el pasado de los organismos públicos para la investigación básica (Mazzucato, 2013).

En este capítulo se explora la paradoja de los Estados Unidos[1]. En la primera sección se examinan los argumentos utilizados para justificar la afirmación de que el Gobierno estadounidense no debe intentar impulsar ciertas industrias salvo en casos excepcionales de «fallas del mercado». Estos argumentos y las fuerzas políticas que los sostienen establecen el contexto fuertemente hostil a través del cual los defensores de la política industrial han tenido que encauzarse. En respuesta, los defensores han intentado mantener sus programas al margen de los fundamentalistas del mercado congregados en la política, los medios de comunicación, los grupos de pensamiento y las universidades. Apenas han intentado promulgar una narrativa para contrarrestar la fundamentalista del mercado dominante. El ejemplo más llamativo es el fracaso de estos defensores al enfatizar que fue un

---

[1] Este capítulo es uno de los documentos sobre la política industrial escritos por el mismo autor: por ejemplo, Wade (2004, 2010 y 2012).

programa de un organismo gubernamental estadounidense el que dio lugar a Internet. La tasa de rendimiento en la parte financiada públicamente de esta innovación debe ser lo suficientemente grande como para compensar con creces cualquier presunto error que cometiera el Gobierno en cualquier otro lugar en todo el ámbito de la política industrial.

Si es verdad que el Gobierno estadounidense se ha mostrado más activo promocionando tecnologías e industrias concretas de lo que realmente se conoce, es importante que se sepa, ya que el Gobierno, directa o indirectamente, a través de organizaciones como el Banco Mundial y la Organización Mundial del Comercio (OMC) ha dicho durante mucho tiempo al resto del mundo que, en palabras del galardonado con el premio Nobel de Economía Gary Becker, «la mejor política industrial es no hacer política industrial» (Becker, 1985) o, en palabras de John Williamson, «no hay mucho en el historial de la política industrial que sugiera que el Estado es bueno "escogiendo ganadores"» (Williamson, 2012) o, en las palabras concisas de Lawrence Summers, el Gobierno «es un pésimo capitalista»[2].

A finales del mes de marzo de 2012, Gene Sperling, director del Consejo Económico Nacional de la Casa Blanca, declaró que el renacimiento nacional de la manufactura sería fuertemente en interés de los Estados Unidos. Su discurso (Sperling, 2012) fue importante por dos razones. La primera es que fue la primera vez que una figura clave del Gobierno de Obama —o en realidad de todos los Gobiernos anteriores— habló de forma positiva de la manufactura y de la necesidad de configurar políticas industriales para ayudar al sector. La segunda razón es que casi nadie prestó atención al discurso, desapareció sin dejar rastro. La política industrial sigue siendo un tema peligroso en los Estados Unidos porque quien expresa simpatía por ella se arriesga a ser encasillado como incompetente o incluso algo peor.

Por lo tanto, en el contexto del rechazo contundente a la política industrial, en la segunda sección de este capítulo se presenta una breve historia de la política industrial de los Estados Unidos remontándose a la época de la república y continuando a lo largo de los siglos xix y xx. En la tercera sección se describe la aparición de la política industrial de «construcción de redes» en las dos últimas décadas o así. Aquí podemos observar una variante del modelo del «Estado desarrollista», aunque bastante diferente de la variante del Asia Oriental (Wade, 2004). En la cuarta sección se facilitan algunos ejemplos de la construcción de la red actual. En la quinta sección se ofrece una evaluación amplia de su efectividad. En la sexta y última sección se evalúan las ventajas y desventajas del enfoque estadounidense y se sugieren dos direcciones de reforma.

---

[2] Citado por Nocera (2011).

Ha de tenerse en cuenta que la defensa de la política industrial que se plantea aquí no se puede equiparar a la actividad industrial de «fabricar objetos tangibles». Más bien se utiliza el término «política industrial» para hacer referencia a toda la cadena de valor implicada en la fabricación de productos, incluidos los servicios de los científicos y los ingenieros que diseñan y comprueban esos productos —las píldoras medicinales, los automóviles, los teléfonos inteligentes y demás (cuya fabricación real puede que se realice en el extranjero)—. Lo que diferencia a la política industrial de cualquier otra política es que ha de ser necesariamente selectiva entre las industrias, los productos y las etapas de la cadena de valor.

14.1 El rechazo de la política industrial estadounidense: argumentos ideológicos y de economía política

Durante las últimas tres décadas, el Gobierno estadounidense ha defendido una norma de algo cercano al *laissez faire* en asuntos económicos, con mucha más fuerza que casi cualquier otro país capitalista avanzado[3]. La norma *laissez faire* se ha traducido en programas de desregulación, desindicalización, privatización y acuerdos de libre comercio que han llevado los ideales neoliberales a todos los rincones de la vida estadounidense. Incluso las universidades, los hospitales, las iglesias y las oficinas de correos compiten para situarse en los «principios sólidos del mercado[4]».

El éxito del ideal conservador en los Estados Unidos[5] le debe mucho al hecho de que la derecha se ha tomado el trabajo intelectual concertado y la promulgación ideológica más seriamente que el centro izquierda. Los departamentos de economía como el de la Universidad de Chicago y los grupos de pensamiento como el *American Enterprise Institute* (fundado en 1943), el *Cato Institute*, el *Manhattan Institute* y la *Heritage Foundation* (todos fundados en la década de 1970) consiguieron dar una justificación intelectual a propuestas tales como «la libertad solo es posible con el *laissez faire*», «los Gobiernos son esencialmente corruptos e

---

[3] Por el contrario, las normas estadounidenses de cara a las finanzas han sido más ambivalentes y sus normas en relación con asuntos sociales como el aborto y el matrimonio igualitario han resultado más intervencionistas que en muchas otras economías capitalistas.

[4] En esta línea, Jacquelyn Brechtel Clarkson, una concejala de la ciudad de Nueva Orleans, vio «nada mejor que la libre empresa y el mercado libre para decidir cómo reconstruir la ciudad» después de las inundaciones devastadoras que tuvieron lugar allí (citado en el *Financial Times*, el 10 de enero de 2006).

[5] En el 2010 aproximadamente dos personas en los Estados Unidos se identificaban como «conservadoras» por cada persona que se identificaba como «liberal» (en el sentido norteamericano del término «liberal» y no en el europeo).

ineficientes» y «las interferencias con los resultados del mercado son malas para el bienestar» (Roemer, 2011).

Ni siquiera con la Gran Recesión que comenzó en el 2007, y que sigue presente mientras estamos escribiendo este capítulo, se ha alterado el curso de estos principios, en contra de la respuesta normal a los tiempos difíciles —que sería apoyar una mayor regulación y más seguros sociales—. De hecho, la adopción de la mayor parte de la teoría del libre mercado y la desconfianza intensificada en el Gobierno desde el 2007 son únicas en la historia de los Estados Unidos en tiempos difíciles (Frank, 2012). En el año 2010, la polémica de Friedrich von Hayek, *El Camino de Servidumbre*, se situó en el puesto 241 de la lista de mejores ventas de Amazon —lo que es muy notable para un libro ya publicado en el año 1944 (Farrant y McPhail, 2010)—[6]. En el año 2011, solo el 10 % de los estadounidenses decía que confiaba en que el Gobierno actuaba correctamente la mayor parte del tiempo[7]. La convicción del 90 % restante es que el Gobierno está corrupto ya que está atrapado por aquellos que buscan la renta económica y los depredadores.

Gran parte de la desconfianza generalizada de los estadounidenses en el Gobierno se deriva de la percepción de que las finanzas —Wall Street— han puesto al Gobierno entre la espada y la pared. Para ellos un ejemplo claro es el TARP (Troubled Asset Relief Program) que se puso en marcha tras el colapso de Lehman Brothers a finales del 2008 y que diseñaron el secretario del Tesoro, Hank Paulson, antiguo CEO de Goldman Sachs, y Ben Bernanke, presidente de la Reserva Federal. El TARP tenía como objetivo, casi en su totalidad, salvar grandes instituciones financieras y resucitar a Wall Street después de los desastrosos errores, en vez de que la gente pudiera mantener sus hogares y ayudar a los bancos regionales. El presidente entrante, Obama, no se apartó del programa, ni hizo planes para reducir el dominio de los bancos en la política estadounidense. Tampoco sustituyó la gestión de los bancos en los que el Gobierno había sido obligado a tener una participación de control, lo que confirma la descripción de Simon Johnson de un «golpe de estado silencioso» (Frank, 2012).

Por el contrario, el Gobierno de Roosevelt de la década de 1930 se presentó a sí mismo como un organismo para resucitar la economía, independientemente del dictado de Wall Street, buscando activamente a los culpables financieros a través

---

[6] Los líderes conservadores estadounidenses adoptaron de inmediato el argumento de Hayek. El general Douglas MacArthur, que entonces era un civil, dio un discurso ante la Convención Republicana de 1952. Dijo que el partido democrático «se había vuelto prisionero de los conspiradores y planificadores que se habían infiltrado en sus filas de liderazgo para establecer el curso nacional de forma infalible hacia la regimentación socialista de un Estado totalitario».

[7] Brooks (2012), basado en una encuesta de CBS News, publicado en octubre del 2011 en el *New York Times*.

del Congreso de los Estados Unidos y los Tribunales y fortaleciendo los sindicatos como fuente para compensar el poder y la influencia. Se utilizó la Corporación Financiera de Reconstrucción para difundir los recursos públicos del «rescate» en todo el país, vertiendo fondos en los bancos de las ciudades pequeñas, la agricultura, los trabajos públicos, la educación y demás. Roosevelt se separó de los grandes bancos en virtud de la Ley Glass-Seagall y reguló los que quedaban con la nueva Comisión de Bolsa y Valores. Al mismo tiempo, el Gobierno promulgó una narrativa al pueblo estadounidense donde explicaba que todo lo hacía por el interés de los ciudadanos.

Ahora la idea que se tiene de que el Gobierno es un instrumento de Wall Street (una fuente importante de financiación para los dos partidos políticos principales) se ha visto impulsada por la concentración extraordinaria de ingresos en lo alto de la jerarquía de las rentas, hasta el punto de que el 1 % de los hogares de la cima recibieron el 95 % del aumento de la renta nacional en 2009-12 (Saez, 2013). La concentración de los ingresos ha provocado la ira del pueblo e incluso ha estrechado la mano a los fundamentalistas del mercado que sostienen que un Gobierno obediente y las grandes empresas financieras fueron la causa real de la crisis financiera.

El afianzamiento reciente al fundamentalismo del mercado en los políticos estadounidenses ha reforzado la hostilidad que ya existía contra la idea de la «política industrial», la hostilidad llega hasta el Congreso, la rama ejecutiva (sobre todo al Departamento del Tesoro), los medios de comunicación, los grupos de reflexión, los departamentos económicos académicos y al público en general. Este casi consenso bien establecido es que la «política industrial» es sinónimo de intervención del Gobierno distorsionador que corroe los valores de una cultura empresarial, perjudica la eficacia de la competencia del mercado y apila un sistema de incentivos más amplio en favor de uno u otro grupo en búsqueda de renta económica («los Gobiernos no pueden elegir ganadores pero los perdedores pueden elegir a los Gobiernos»).

La conclusión de política es clara y directa. Tal y como explica Tim Leunig de la London School of Economics: «El Gobierno debería facilitar las condiciones que ayuden a todos los negocios —principalmente, con infraestructuras eficaces, una mano de obra cualificada y una mejor planificación—. No debemos intentar elegir ganadores —ya sea empresas individuales, sectores específicos o toda la manufactura» (Leunig, 2010). Según este punto de vista, si se concede cualquier ayuda a la industria, solo debe ser «funcional» u «horizontal» como el crédito subsidiado para pymes para compensar las posibles fallas de los mercados de capital de suministrar a esas empresas —y el crédito debe estar disponible de igual forma para las pymes de todos los sectores—.

14.1.1 Un rechazo más sutil de la política industrial estadounidense

El argumento fundamentalista del mercado se podría describir como «ideológico», en el sentido de que deriva directamente de los valores y el análisis de empresas estilizadas en mercados idealizados. Genera recetas universales de forma sencilla como «los Gobiernos están corruptos y son ineficientes», «el mercado [competitivo] es un sistema de asignación eficaz», «las leyes de economía al igual que las leyes de ingeniería, se mantienen en todo momento y en cualquier lugar».

También existe lo que se podría llamar un argumento de economía política contra la política industrial. Se basa en el análisis sobre lo que funciona en un entorno político concreto y no en una suposición de base ideológica de que la política industrial es mala en todas partes. Este argumento proviene de lo que se conoce como la literatura sobre las «variedades del capitalismo». Peter Hall y David Soskice, dos de sus defensores más conocidos, no tienen una agenda de base ideológica contra el «Gobierno» y a favor de los «mercados». Más bien sostienen que la configuración de las instituciones estatales del mercado en los Estados Unidos es tal que la política industrial no puede ser «eficaz en mejorar» los resultados del mercado, cuando se considera un criterio de interés nacional.

Ambos sostienen que las economías capitalistas avanzadas tienden a agruparse de forma poco híbrida en uno o dos tipos a nivel nacional: «la economía de mercado liberal» (LME, por sus siglas en inglés), ejemplificada por los Estados Unidos y el Reino Unido; y la «economía del mercado coordinado» (CME, por sus siglas en inglés), con Alemania y Japón como ejemplos. Las empresas de la LME coordinan sus actividades principalmente a través de las instituciones de los mercados y las jerarquías y suelen invertir en «activos conmutables» (que permiten una rápida entrada y salida). Las empresas de la CME se coordinan relativamente más a través de instituciones que apoyan la cooperación en curso, fomentan compromisos creíbles y el intercambio de información, y «le proveen a actores que son potencialmente capaces de cooperar entre ellos con capacidad para la deliberación» (Hall y Soskice, 2001). Algunos ejemplos de estas instituciones incluyen las asociaciones empresariales, los sindicatos, las redes cruzadas accionariales y los sistemas legales que facilitan el intercambio de información.

Hall y Soskice y otros de la escuela de las «variedades del capitalismo» sostienen que la política industrial puede ser más efectiva en la CME que en la LME debido a la falta de apoyo por parte de las instituciones en esta última. En los Estados Unidos, concretamente, afirman que la política industrial se encuentra con más problemas debido a dos factores políticos fundamentales: (1) la fuerte separación de poderes que existe entre el ejecutivo, el legislativo y el judicial y

(2) la fuerte separación de poderes existente entre los niveles federal, estatal y local. Del mismo modo, Michael Mann argumenta que:

> No existe una política industrial importante en los Estados Unidos, esta queda en manos de los poderosos de los Estados Unidos de la posguerra, las grandes corporaciones. Gran parte de este fracaso de la política industrial se debe a la separación radical de los poderes consagrados en la constitución de los Estados Unidos. Una economía política coordinada no puede dirigirla fácilmente un presidente y su Gabinete, dos Cámaras del Congreso, un Tribunal Supremo y cincuenta «estados» (que a su vez también se encuentran fragmentados por la misma separación de poderes) —sobre todo cuando pertenecen a distintos partidos políticos— (Mann, 1997).

En estas condiciones, el Gobierno puede practicar lo que se conoce como política industrial, que significa, en la práctica, que los intereses creados capturan a las partes pertinentes del aparato del Estado y exprimen recursos a su favor —pero no estarán coordinados y producirán unos beneficios de bienestar netos negativos—. Será una «búsqueda de votos» o un «capitalismo de amigos». Tal y como anota Kevin Philips, la política industrial en una estructura política fragmentada como la de los Estados Unidos es a su vez «inevitable e ineficaz» (Philips, 1992).

14.2 Historia breve sobre el Estado desarrollista de los Estados Unidos

A través de las dos líneas de argumentos que acabamos de exponer se llega a la conclusión de que, independientemente de si el Gobierno de los Estados Unidos o cualquier Gobierno «debe» llevar a cabo una política industrial, no puede resultar eficaz en la economía política de los Estados Unidos. Sin embargo, la conclusión se basa en el supuesto de que la política industrial significa que los organismos de coordinación centralizados desarrollen unas «visiones» y unos programas nacionales para desarrollar (o «elegir») industrias específicas, quizás ampliándolo a empresas específicas; en definitiva, se basa en el supuesto de que la política industrial significa que hay que «elegir ganadores». Esto refleja el entendimiento estándar (y totalmente erróneo) de la política industrial del Asia Oriental y de Francia.

Una investigación reciente llevada a cabo por Fred Block, Andrew Shrank y Josh Whitford, entre otros, presenta un panorama diferente (Block y Keller,

2011)[8]. En ella se comprueba que los gobiernos estadounidenses —incluidos los gobiernos estatales y los municipales, además de los federales— han emprendido mucha más política industrial de lo que se expone en la narrativa estándar, con efectos netos generalmente positivos en relación al criterio de interés nacional. Pero gran parte de ella se ha ocultado por las razones que ya hemos mencionado. Antes de analizar esta investigación reciente, conviene hacer una reinterpretación de la historia más larga del Estado desarrollista de los Estados Unidos.

14.2.1 El estado desarrollista visible

Al igual que en los países continentales europeos, las guerras y la preparación para librar guerras estimuló la innovación estadounidense y el desarrollo económico. Alexander Hamilton, el primer secretario del Tesoro, destacó una estrategia para fomentar la manufactura estadounidense con el fin de alcanzar a la británica y proporcionar la base material para un poderoso ejército. El Informe sobre Manufacturas de Hamilton, publicado en 1791, fomentaba la utilización de subvenciones y aranceles. George Washington, el primer presidente, apoyó este plan. Además, a partir de los primeros años de la república, el Gobierno invirtió en experiencia tecnológica para propósitos militares, creando el Cuerpo de Ingenieros del Ejército en 1802 y poniendo a trabajar a ingenieros del ejército en la construcción de canales y faros y en la mejora de la navegación fluvial. Más tarde, Abraham Lincoln presidió lo que por entonces se conocía como «el Sistema Americano» para promover el crecimiento económico, con altos aranceles para proteger a las industrias estratégicas, subvenciones federales para las tierras, la contratación pública para asegurar los mercados y los subsidios para el desarrollo de las infraestructuras. A lo largo de todo el siglo XIX y principios del XX hasta la década de 1930, se siguió adelante con la industrialización estadounidense detrás de aranceles industriales aplicados promedio que superaban el 30 %, entre los más altos del mundo y todavía justificados por las ideas de Hamilton (Kozul-Wright, 1995).

Lincoln impulsó la construcción del ferrocarril transcontinental en la década de 1860, la empresa de ingeniería civil probablemente más ambiciosa llevada a cabo en la historia mundial hasta esa fecha y que era vital para vincular el bloque agroindustrial ya establecido y el bloque de ingeniería emergente. La investigación y el desarrollo (I+D) de apoyo estatal y federal fue también de vital importancia y comenzó en la agricultura en la década de 1860 con la creación de vínculos estrechos entre los centros de enseñanza y los funcionarios públicos que trabajaban en

---

[8] Tengo una gran deuda con estos capítulos.

las áreas de ganadería, química agrícola, forestal y minera. A partir del cambio de siglo, la contratación pública, la elaboración de normas y la provisión de habilidades adecuadas, incluida una mayor formación científica formal, aceleraron el crecimiento de las industrias del mercado de consumo masivo y de última generación.

A principios del siglo XX, el Gobierno federal impuso tarifas para el correo aéreo para subvencionar la naciente industria de aviación civil. La contratación pública ayudó al establecimiento de la primera industria aeronáutica y el sector químico avanzado. El compromiso con la formación en investigación e ingeniería agrícola se expandió considerablemente después de finales de la Primera Guerra Mundial, a través de iniciativas como el *Adam Act* y de laboratorios públicos dedicados a llevar a cabo la experimentación y la modernización (Nelson y Wright, 1992). El Gobierno estuvo muy involucrado en la fundación de la *Radio Corporation of America* (RCA) que patrocinó las redes de radio y de televisión.

El *New Deal* de Roosevelt facilitó el contexto para una política industrial estadounidense más concertada que implicaba esfuerzos, no solo para asegurar la recuperación industrial después de la Gran Depresión, sino también para cambiar la forma en que se comportaban los negocios y para ayudar de forma gradual a las grandes empresas a operar de forma más eficiente. Todo ello requería nuevas normas e instituciones que administraran los precios, aumentaran el diálogo entre los distintos participantes, proporcionaran las infraestructuras públicas y limitaran el poder de las finanzas. Estos esfuerzos se rebatieron a menudo y sus impactos fueron irregulares[9]. Quizás lo más visible de la política industrial convencional (y desarrollista) fue la Autoridad del Valle de Tennessee (TVA, por sus siglas en inglés), creada en mayo de 1933. La TVA se concibió como agencia para el desarrollo, encomendada a aumentar la calidad de vida en el Valle del Río Tennessee, y como agencia de construcción y gestión encomendada a construir y poner en marcha presas y otras estructuras por el Río Tennessee, cuya cuenca hidrográfica cubre, a lo largo de siete estados, unos 105.930 kilómetros cuadrados. En palabras del propio Roosevelt, la TVA debía trabajar como «una corporación ataviada con el poder del Gobierno pero con toda la flexibilidad e iniciativa de una empresa privada». Durante los doce años que abarca su creación desde 1933 hasta finales de la Segunda Guerra Mundial en 1945, la TVA estableció su marco institucional, construyó apoyo local con una base muy amplia para sus programas y construyó unas infraestructuras físicas que servirían como columna vertebral para sus logros. Al desencadenar el aumento de las tasas de rendimiento de la inversión privada en los estados sureños de los Estados Unidos, la inyección de capital público mediante la Autoridad del Valle de Tennessee proporcionó un

---

[9] Véase, por ejemplo, Blyth (2002) y Badger (2008).

gran impulso para la rápida industrialización de posguerra de la economía del Sur (Bateman, Ros y Taylor, 2009).

En el período previo a la Segunda Guerra Mundial, se reforzó el complejo militar-industrial existente (se conoce con mayor precisión como el complejo industrial militar del Gobierno). En las décadas posteriores este complejo puso en marcha una serie de innovaciones importantes, incluida la bomba atómica, la bomba de hidrógeno, la tecnología de misiles, la energía nuclear civil, los ordenadores, los transistores, los trabajos preparatorios del láser y los satélites. El enfoque dominante de la política industrial selectiva tomó la forma del apoyo gubernamental para respaldar la investigación «básica» en un gran número de laboratorios militares. De ahí viene el chascarrillo «Estados Unidos ha tenido tres tipos de política industrial, la primera, la Segunda Guerra Mundial; la segunda, la Guerra de Corea; y la tercera, la Guerra de Vietnam». El enfoque en lo «básico» y en lo «militar» evitó los asuntos ideológicos que rodean a la política industrial ya que incluso los fundamentalistas del mercado aceptaron que el Gobierno debía financiar el desarrollo de nuevas armas y sistemas de inteligencia (Negoita, 2011).

Los que se oponen a la intervención estatal tienden a borrar de un plumazo esta larga historia, alegando que, desde la fundación de la república hasta el inicio del *New Deal* en la década de 1930, los Estados Unidos crecieron de forma acelerada en el contexto de un Estado que limitaba el papel económico para proporcionar un marco institucional a los mercados. Además afirman que, en el momento del *New Deal,* el país tomó un giro equivocado hacia una intervención estatal excesiva[10]. La elección de Ronald Reagan como presidente en 1980 contribuyó bastante a revivir y fortalecer la narrativa simplista de que «el Gobierno es el problema, no la solución».

14.3 La aparición del estado desarrollista en red

El Gobierno simplemente asumió que el «mercado» transformaría los resultados de la I+D relacionados con el sector militar de forma más o menos automática en innovaciones comerciales en la industria civil. La década de 1980 experimentó un

---

[10] De manera significativa, si bien algunos estadounidenses destacados de las organizaciones internacionales incipientes establecidas a finales de la Segunda Guerra Mundial provenían de la corriente del *New Deal*, los primeros cohortes de los puestos de responsabilidad del Banco Mundial a lo largo de las décadas de 1940 y 1950 tendían a ser contrarios al Estado y al *New Deal*. El poderoso primer vicepresidente, Robert Garner, declaró en su libro de memorias de 1972, «Roosevelt... hizo más daño a este país que cualquiera en la historia». Citado en Alacevich (2009).

mayor reconocimiento en un estrecho círculo de científicos, académicos de escuelas de negocios y funcionarios de política tecnológica sobre que las tecnologías relacionadas con el sector militar se estaban trasladando en aplicaciones comerciales solo de manera muy lenta y parcial y que, en parte por esta razón, los industrialistas estadounidenses estaban siendo sacados de la competencia en toda la franja de industrias de alta tecnologia de las empresas japonesas y alemanas. Entre los resultados de investigación básica y los productos comerciales acechaba el «valle de la muerte», donde los productos potenciales languidecían por falta de absorción del sector privado (Mazzucato, 2013; Sctoo y Lodge, 1985).

Como respuesta, algunos segmentos del Gobierno como el Departamento de Defensa, el Departamento de Energía y los Institutos Nacionales de la Salud se propusieron crear y administrar vínculos entre los laboratorios estatales, los comerciales y las empresas comerciales, las universidades y las agencias gubernamentales, con el fin de, por una parte, acelerar la movilización de los avances tecnológicos financiados con fondos públicos hacia productos comerciales y, por la otra, estimular al sector privado para que desarrollara productos de última generación que las propias agencias necesitaban para desempeñar su trabajo.

Justo en ese momento, en la década de 1980, resurgió el fundamentalismo del mercado[11] y cualquier política industrial en los Estados Unidos que fuera más allá de la investigación o la I+D militar se enfrentaba con políticos hostiles. Sin embargo, mientras tanto, los problemas más graves iban empeorando: el fracaso de la investigación militar para extenderse a usos civiles «por sí misma» (por el mercado) incrementó la competencia japonesa y alemana y la contracción del excedente comercial estadounidense en productos tecnológicamente sofisticados (que habían ayudado a compensar los déficits crecientes de materias primas y de productos manufacturados básicos). Así que las agencias gubernamentales comenzaron a presionar y empujar de forma activa a las empresas para que aceleraran el desarrollo de la I+D para productos y procesos con fines civiles, así como para mercados militares, pero de una forma que se pudiera mantener sin hacer ruido.

14.3.1 La política industrial de construcción de redes

Los funcionarios públicos empezaron a formular una estrategia general basada en la creciente conciencia sobre el éxito, a lo largo de la década de1970, de la Agencia de Proyectos de Investigación Avanzados de Defensa (DARPA) estadounidense,

---

[11] Coincidió con la elección de Ronald Reagan y la mayoría republicana en el Congreso.

en la canalización de los grandes flujos de fondos federales para la Universidad de Stanford, la Universidad de California en Berkeley y el Laboratorio Nacional de Livermore. Las empresas derivadas privadas ayudaron después a convertir prácticamente Silicon Valley en el centro planetario de la innovación de la informática. Estos funcionarios públicos también se inspiraron en la evolución de la biotecnología en la década de 1970, principalmente en el nacimiento de Genentech en 1976, que demostró que las agencias gubernamentales podían ayudar a científicos de las universidades a crear empresas exitosas.

En las décadas posteriores, muchas agencias gubernamentales, a nivel nacional, estatal e incluso municipal, han financiado la I+D en sectores concretos y han llevado un control de la financiación para crear y mantener vínculos entre las empresas, los científicos, los ingenieros, los capitalistas de riesgo y universidades —de una forma que se escapa de la simple dicotomía entre «elegir ganadores» y la política industrial «horizontal». Los programas los conducen agencias *que están relativamente descoordinadas entre ellas.* A nivel nacional las agencias incluyen DARPA, el Institutos Nacionales de Salud (NIH, por sus siglas en inglés), el Instituto Nacional de Estándares y Tecnologías (NIST, por sus siglas en inglés), la Administración para las Pequeñas Empresas (SBA, por sus siglas en inglés), la Fundación Nacional de Ciencia (NSF, por sus siglas en inglés) y demás.

Un ejemplo es el *Manufacturing Extension Partnership (MEPs)* que organiza el NIST en zonas geográficas específicas para aconsejar a las empresas locales sobre manufacturación. La SBA concede subvenciones para el *Small Business Innovation Research* (SBIR). Las agencias federales con grandes presupuestos para la investigación (como el NIH y el Departamento de Energía) han de asignar el 2,5 % de las subvenciones a la SBA, que a su vez distribuye unas cinco mil concesiones a mil quinientas empresas cada año. Estas concesiones son de gran importancia ya que tienden puentes entre la universidad y el comercio; por ejemplo, en los últimos años, más de dos tercios de los beneficiarios han incluido un académico o un antiguo académico entre sus fundadores.

14.4 Ejemplos de creación y mantenimiento de redes

14.4.1 La Agencia de Proyectos de Investigación Avanzados de Defensa (DARPA) y SEMATECH

DARPA (de cuyas siglas a veces la D de «Defensa» se ha eliminado) se fundó en 1958 como respuesta al lanzamiento del satélite soviético Sputnik. Desde entonces ha sido un gran estimulador de la innovación tecnológica —entre muchas cosas— de ordenadores, lenguajes de programación y semiconductores. Como ejemplo, DARPA fue la agencia que hemos mencionado antes que promocionó la investigación para construir unas redes informáticas robustas y dispersas, lo que condujo a la «red de las redes informáticas» conocida como Internet. Recientemente, DARPA ha estimulado la investigación en un área prioritaria en la que la I+D privada se estaba quedando rezagada: la interconexión óptica en microprocesadores multinúcleo. Aunque es pequeña (con unos 250 empleados, de los cuales 140 son técnicos) y está centrada en la investigación a largo plazo, DARPA todavía tiene que defenderse de los ataques de la «búsqueda de votos», la «elección de ganadores» y el «capitalismo de amigos» de los fundamentalistas del mercado y los idealistas tecnológicos que sostienen que los filántropos y los tres mil millones de personas que están en línea constituyen los sistemas de innovación adecuados de autorganización.

Uno de los muchos éxitos de DARPA es SEMATECH (Tecnología de Fabricación de Semiconductores), un consorcio sin ánimo de lucro que lleva a cabo I+D para la fabricación de chips avanzados. DARPA y la asociación de la industria de semiconductores impulsaron la formación del consorcio SEMATECH en 1987 como respuesta a la desaparición virtual de las empresas estadounidenses que podían fabricar los equipos necesarios para realizar semiconductores de última generación. Por entonces, los fabricantes líderes de equipamientos eran los japoneses, que solían frenar el equipamiento de última generación durante seis meses para que fueran los fabricantes japoneses de semiconductores los que los «comprobaran», lo cual les daba una fuerte ventaja competitiva sobre sus rivales estadounidenses. DARPA y la asociación de la industria de semiconductores persuadieron a catorce fabricantes estadounidenses de semiconductores para formar un consorcio que consolidara las capacidades de fabricación e I+D y volviera a entrar en el diseño y la producción del equipamiento para la fabricación de semiconductores avanzados. El Departamento de Defensa (matriz de DARPA) lo financió durante los cinco primeros años. Durante los primeros años, el consorcio era frágil, sobre todo cuando el ciclo de precios de los semiconductores era elevado y las compañías estaban consiguiendo grandes beneficios; después dudaron si enviar a gente de primera categoría a trabajar en el consorcio. El apoyo de DARPA (financiación y estrecha colaboración a nivel técnico, cuyas sugerencias eran muy apreciadas) ayudó a superar los miedos de los colaboradores a «resultar perjudicados» por la falta de reciprocidad de otros colaboradores o por «meter la pata» debido a la incompetencia. Ya en 1994 SEMATECH se había establecido tan bien que su junta directiva dejó la financiación federal. Sigue floreciendo al día de hoy.

14.4.2 Fondos públicos de capital de riesgo, impulsados por la CIA

Desde finales de la década de 1990, muchas agencias gubernamentales estadounidenses han establecido fondos de capital de riesgo (VC, por sus siglas en inglés). Aunque están inspirados en los capitalistas de riesgo de Silicon Valley, los fondos públicos no hacen dinero sino que permiten a la agencia aprovechar el apalancamiento financiero para inducir el desarrollo y la adaptación de tecnologías comercialmente viables para las necesidades de las agencias gubernamentales. Los fondos tienen participaciones de capital en (principalmente) pequeñas y medianas empresas de tecnología y desempeñan una función práctica en el desarrollo de esas empresas y al mismo tiempo ayudan a fortalecer las redes entre las empresas o crean unas nuevas. Al destacar su función de socio colaborador con los financieros del sector privado y su dedicación a los mecanismos de mercado, pueden defenderse de los ataques de los fundamentalistas del mercado (Keller, 2011).

Sorprendentemente, el origen de los fondos de capital de riesgo de las agencias federales provino de una agencia tradicionalmente hermética y aislada, la Agencia Central de Inteligencia (CIA). En 1999 la CIA creó una rama de VC, llamada In-Q-Tel, con el fin de superar el problema de las prácticas convencionales de contratación pública (establecidas en una época de avance tecnológico lento), lo que significó que la agencia tenía que adquirir de las grandes compañías, que a su vez obtenían muchas de sus tecnologías de pymes. El resultado fue que la CIA a menudo conseguía tecnologías después de un largo retraso y ya no eran de última generación y los productos normalmente no se ajustaban a las necesidades operativas específicas de la agencia. Con su propio fondo de capital de riesgo, la CIA podía invertir en las pymes más competentes directamente y conseguir que actuaran según su voluntad.

Durante la década del 2000 proliferó el modelo de capital de riesgo federal. Por ejemplo, el Ejército y la Armada establecieron fondos de capital de riesgo; agencias no militares, como el Departamento de Energía, también establecieron varios y la Administración Nacional de la Aeronáutica y del Espacio (NASA) participó con un fondo de capital de riesgo sin ánimo de lucro por parte del sector privado. Matthew Keller resume: «Las estrategias de capital de riesgo del sector público se convirtieron rápidamente en las herramientas para estimular la innovación técnica para conseguir una misión y/o para transformar la investigación gubernamental en productos comerciales» (Keller, 2011, p. 126).

14.4.3 Los riesgos de la visibilidad

Entre los segmentos que visibilizan más los esfuerzos del Gobierno estadounidense para fomentar la innovación tecnológica se encuentra el Programa de Tecnología

Avanzada (ATP, por sus siglas en inglés). El destino del ATP ilustra lo que puede ocurrir cuando un Estado desarrollista oculto se hace visible en un sistema político pillado por el fundamentalismo del mercado (Negoita, 2011).

El Instituto Nacional de Estándares y Tecnología (NIST) dentro del Departamento de Comercio creó el ATP en 1988, como respuesta a los miedos que surgieron de la competencia japonesa en alta tecnología. Se podría considerar como el equivalente civil del DARPA. Desarrolló unos fuertes vínculos con la industria y el mundo académico con el fin de estimular las primeras etapas de evolución de las tecnologías avanzadas que no recibirían financiación privada.

A juzgar por muchos criterios tuvo mucho éxito. Por ejemplo, las empresas que recibieron financiación del ATP para I+D experimentaron un tiempo de ciclo de investigación la mitad de corto que las que habían solicitado financiación al ATP y que no la recibieron —desmintiendo la acusación de que el dinero de los contribuyentes se estaba utilizando para financiar las primeras etapas de I+D, que de todos modos las empresas habrían realizado—. Por otro lado, los participantes en los proyectos patrocinados por el ATP dijeron que esa participación generó un mayor nivel de colaboración con otras empresas que no se habría producido de otro modo. Además, se produjeron una serie de productos provenientes de los programas del ATP: por ejemplo, unidades pequeñas de disco (que allanaron el camino a los mercados multimillonarios de la electrónica de consumo, como el iPod) y las pantallas planas fabricadas con plásticos biodegradables provenientes de plantas.

No obstante, a partir de 1994 el ATP tuvo que enfrentarse a los contraataques de los fundamentalistas del mercado, cuyo objetivo era acabar con el programa. De forma continua recortaban su presupuesto y finalmente en el año 2007 el Gobierno de Bush y el Congreso Republicano acabaron con él.

14.5 Evaluación de la política industrial de creación de redes

Todo lo expuesto hasta ahora es solo una pequeña parte de las pruebas que demuestran que los Estados Unidos practicaron una política industrial a una escala considerable pero sin coordinarla centralmente y que no se derivaba de planes nacionales. Según Schrank y Whitford (2009):

El gobierno federal ha perseguido una política industrial dentro de las instituciones políticas descentralizadas durante toda una generación (...) Las políticas industriales estadounidenses van más allá de la conservación de la competencia del mercado, el mantenimiento de una macro estabilidad y el suministro de bienes públicos para satisfacer las necesidades específicas de las empresas de diversas maneras y mediante una gran variedad de agencias distintas.

En otro estudio se sostiene que: «Bajo la superficie ideológica, ha surgido un poderosos sustrato "mal construido" de programas de apoyo a la innovación por parte del gobierno federal, estatal y local que van llenando las lagunas existentes entre ellos» (Etzkowitz y otros, 2008). Un funcionario que estaba involucrado en estos programas dijo: «Sin duda consideramos estos programas como una política industrial *de facto* pero no podemos utilizar ese término, así que normalmente utilizamos política de I+D».

Si bien en la literatura acerca de las «variedades del capitalismo» se argumenta que la fuerte separación de poderes de los Estados Unidos (entre el ejecutivo, legislativo y judicial; y entre el federal, el estatal y el local), perjudica a la política industrial hasta el punto en el que se sostiene que es difícil que tenga éxito (véase la cita de Mann, mencionada anteriormente), el argumento se puede poner de forma plausible de manera invertida. El tipo descentralizado de política industrial estadounidense posee ventajas económicas: se ajusta mejor a la creciente estructura de producción en red y descentralizada y a su separación de poderes. Como las empresas que antes estaban integradas verticalmente cada vez se han desintegrado más, las pequeñas empresas se han multiplicado y se han esparcido por todo el país —ya en el año 2003, la mitad de los empleados en el sector privado que poseían un doctorado trabajaban para empresas con menos de quinientos empleados. Además, decenas de miles de científicos e ingenieros con doctorado son autónomos o tienen sus propios negocios de pequeño tamaño (Block, 2011)—. A medida que crece su participación en la producción, lo hace también el beneficio para la economía derivado de las redes de las pequeñas empresas. Al introducirse en las redes de innovación, tienen más posibilidades de competir en el camino del éxito (de especialización elevada e innovación) que en el del fracaso (con salarios bajos). Además, la descentralización —con programas dirigidos por muchas agencias a distintos niveles y en distintos lugares— incentiva a desarrollar más experimentación en la propia innovación y en las permutaciones de la política industrial (Shrank y Whitford, 2009).

No obstante, la cuestión sigue siendo, si las redes entre empresas consiguen beneficios (no en todas partes, sino en sectores donde la demanda es incierta o volátil, las interdependencias de suministro elevadas y el cambio técnico rápido), ¿por qué se ha de suponer que la ayuda del Estado genera y mantiene la posibilidad de obtener beneficios netos más allá de los que se podrían conseguir mediante redes formadas de manera independiente por las propias empresas? La respuesta corta es que el involucramiento del gobierno puede ayudar a corregir los «fallos de las redes» (en contextos en los que sería deseable la gobernanza de la red, si fuera posible obtenerla). Las redes independientes pueden fallar (lo que significa que hay una ausencia de redes o que son frágiles y de vida corta) al menos por dos razones.

Una de las razones tiene relación con la financiación de la innovación. En general, la producción se puede financiar a través de: (1) las ventas, (2) los préstamos de los bancos u otros prestamistas o (3) las emisiones de acciones. La inversión en innovación puede financiarse a través de las ventas en las grandes empresas establecidas, pero no pequeñas empresas nuevas; se puede financiar con bastante dificultad a través de préstamos (deuda) en base a los beneficios futuros ya que la incertidumbre es alta. Esto deja al capital exterior como la fuente principal para financiar la inversión en innovación, sobre todo para pequeñas empresas nuevas. Sin embargo, debido a que son pequeñas y nuevas, estas empresas pueden tener dificultades en conseguir la financiación a través de capital accionario. Así pues, en el margen, la financiación por parte de los organismos públicos (ya sea en forma de deuda o capital) y el aval público del valor de la inversión, puede inclinar la balanza para los financistas privados y así acelerar el proceso de I+D (Shapiro y Milberg, 2012).

El segundo mérito de la gestión del Gobierno proviene del hecho de que las redes —en las que las empresas (normalmente en competencia) reúnen el conocimiento y puede que la especialización, con un espíritu de reciprocidad— son vulnerables a los incentivos del Dilema del Prisionero. Las empresas pueden intentar obtener beneficios de otros sin reciprocidad conduciendo a las otras empresas a salirse (diciendo «me han estafado»). Aquí la ayuda del Gobierno puede frenar los incentivos de desertar. Asimismo, puede intervenir en casos en los que las empresas quieran salirse porque creen que otras son incompetentes y no son capaces de actuar recíprocamente incluso aunque quieran (las empresas salen alegando que las otras «las han arruinado»)[12].

Sin embargo, resulta difícil evaluar la tasa de rendimiento económico de programas esparcidos del tipo de los Estados Unidos, sobre todo mediante un análisis de relación entre los costes y los beneficios, y estas dificultades les proporcionan a los fundamentalistas del mercado las razones para suponer que son una pérdida del dinero de los contribuyentes en comparación con lo que se hubiera conseguido a través del libre mercado. Pero se pueden extraer varias conclusiones con seguridad:

---

[12] La distinción entre los términos «estafar» (*screwed me*) y «arruinar» (*screwed up*) la hicieron Shrank y Whitford (2009 y 2011).

* Los programas han desarrollado productos y procesos de gran valor. Además de la evidencia presentada, la creación de redes por parte del Gobierno estadounidense ha ayudado recientemente a empresas de los Estados Unidos a asegurar el liderazgo en industrias mundiales importantes, que van desde las telecomunicaciones móviles (como se ha comprobado con Apple llevándose por delante a RIM y Nokia) hasta la fracturación hidráulica (cuyo potencial económico se transformó mediante proyectos de investigación públicos y privados respaldados por el Departamento de Energía).

* Los programas han podido retirar beneficios dados a «perdedores», al menos en el sector industrial civil (a diferencia del agrícola y el de defensa en donde después del 2008 los incrementos en los subsidios al sector agrícola y en el presupuesto de defensa han tenido como consecuencia la necesidad de recortes más draconianos en el gasto público fuera del ámbito de defensa).

* Las redes de empresas que no están acompañadas de programas públicos de redes tienen una tasa más alta de deterioro o de disolución —lo que, en vista de ello, aboga por el valor de la participación pública. Por ejemplo, Sherrie Human y Keith Provan sostienen en un informe que de las redes de empresas pequeñas (que no cuentan con programas públicos) que estudiaron a mediados de la década de 1990, más del 60 % se habían destruido en el momento hacer otro estudio en 1998 (Human y Provan, 2000). Maryann Feldman y Maryellen Kelley aportan pruebas de que las empresas incluidas en redes patrocinadas públicamente tienen más posibilidades de mantener la colaboración que las que no lo están.

Sin embargo, el caso de los sistemas de energía solar fotovoltaica (PV) muestra que el éxito o el fracaso de la política industrial de redes no ha de juzgarse solo desde el punto de vista de la oferta[13]. Tal y como dijo Schumpeter, el ciclo de la tecnología consiste en la invención, la innovación y la difusión o, como se diría posteriormente, en la investigación, el desarrollo y el despliegue. El gobierno federal de los Estados Unidos desempeñó una función vital al hacer de las redes basadas en el país, de actores públicos y privados, la fuente más importante del mundo de invenciones e innovaciones fotovoltaicas, a partir de la década de 1970. Pero no estableció un programa federal correspondiente para acelerar el despliegue de las innovaciones en el uso público y los programas estatales (por ejemplo, las subvenciones y las tarifas de introducción de energía) han sido pequeños y muy

---

[13] Este párrafo está basado en Knight (2011).

variados de un estado a otro. Alemania, Japón y España se han perdido de vista en su capacidad instalada per capita. Un informe reciente sobre políticas nacionales que apoyan la puesta en marcha de energía solar fotovoltaica situó a los Estados Unidos en el quinto puesto, detrás de Alemania, Francia, Grecia e Italia. La razón principal del desajuste entre la I+D, por un lado, y el despliegue por el otro, puede ser que los Estados Unidos tienen un sistema energético más «cerrado», con unos grupos de presión que defienden la generación de combustibles fósiles, que otros países que han conseguido llegar más lejos con la instalación fotovoltaica. Así pues, los políticos quieren asignar fondos para la I+D en energía fotovoltaica pero no para su despliegue, que podrían desplazar fuentes valiosas de la financiación de la campaña (la industria de combustibles fósiles y la nuclear). No obstante, el fracaso relativo de los Estados Unidos para poner en marcha la tecnología fotovoltaica no resta valor al éxito de la política industrial de red en la estimulación de la I+D en energía fotovoltaica[14].

En resumen, juzgar el éxito —al comparar los beneficios frente a los costes— de proyectos concretos de política industrial de red o todo el programa resulta sin duda difícil y es propenso a originar disputa. Pero hay dos puntos claros. En primer lugar, muchos proyectos de creación de redes han generado grandes beneficios. En segundo lugar, el supuesto de que el «libre mercado» de los inversores del sector privado generarían mejores resultados ignora totalmente los beneficios obtenidos mediante las redes entre empresas que fomenta el Gobierno.

14.6 Conclusiones

Michael Lind, autor de *Land of Promise: An Economic History of the United States*, resume sus principales conclusiones de la siguiente manera:

El empresario más innovador del siglo XX fue el Gobierno de los Estados Unidos. El Gobierno federal inventó o desarrolló la energía nuclear, los ordenadores, Internet y el motor a reacción. Además construyó el sistema de autopistas interestatales y completó la red eléctrica nacional, creando un mercado continental basado

---

[14] El colapso de Solyndra, el fabricante con base en California de paneles solares en septiembre del 2011, dio lugar a un lema muy sonado por parte de la derecha de que «el Gobierno no puede elegir ganadores». El Departamento de Energía había concedido a la compañía un préstamo de 525 millones de dólares garantizados por el gobierno federal para ayudar a impulsar la innovación hacia un desarrollo comercial a gran escala. Sin embargo, el préstamo vino además de las grandes cantidades de inversión privada y fueron los inversores privados quienes estaban «eligiendo a los ganadores». La compañía se derrumbó debido a que su gestión interna fue un desastre. Véase Joe Nocera, «Solar economies», anteriormente citado.

en las tecnologías de la segunda revolución industrial. Sin duda, el Gobierno a veces ha apoyado emprendimientos fallidos, usualmente en el campo de moda de la energía (...) Pero pocos capitalistas de riesgo privados pueden igualar el notable historial de éxito del Tío Sam. De hecho, los capitalistas de riesgo en las TI y las redes sociales han explotado y comercializado tecnologías que van desde el transistor hasta Internet, que fueron originalmente desarrollados mediante una versión nacional del capitalismo estatal de los Estados Unidos (Lind, 2012).

Programas como los que hemos descrito constituyen un «Estado desarrollista de red» oculto, tan oculto bajo el barniz del mercado libre que la mayoría de los observadores no lo ven[15]. Al repasar la historia de la política industrial de Estados Unidos desde 1989, Fred Block señala:

> Lo que más llama la atención del período reciente es que, a excepción de las luchas sobre el ATP, existe una discrepancia entre la importancia cada vez mayor de estas iniciativas federales y la ausencia de debate o discusión públicos sobre ellas (...) Los periodistas rara vez informan sobre estos programas, pocos académicos escriben sobre ellos y la mayoría de los políticos los ignoran (Block, 2011, p. 13).

Los observadores también los han pasado por alto, en parte porque tienden a pensar que la política industrial significa una política como la del Asia Oriental y Francia, que se completa con planes nacionales indicativos y un alto perfil de agencias nacionales de coordinación.

En este capítulo se han puesto de relieve los objetivos globales del imperativo político de los Estados Unidos, en los últimos años, para mantener programas de política industrial bastante ocultos, dado el poder dominante de las fuerzas fundamentalistas del mercado o el riesgo de acabar como el Programa de Tecnología Avanzada, que se canceló. Por otra parte, la forma descentralizada y de creación de redes de las políticas estadounidenses pueden tener ventajas económicas netas (además de políticas). Estas ventajas incluyen ajustarse mejor con la forma emergente más descentralizada de la estructura de producción, en la que una proporción creciente del total de la producción proviene de empresas más pequeñas y menos integradas verticalmente. Otras ventajas de esta descentralización de la política incluyen una mayor experimentación y la evasión del «pensamiento colectivo».

La invisibilidad no garantiza el éxito. Y la invisibilidad también inhibe tres de los principales rasgos de los Estados desarrollistas de éxito: la coordinación

---

[15] La frase «*hidden developmental state*» (estado desarrollista oculto) proviene de Block (2008).

institucional, la coherencia ideológica y el espíritu burocrático del cuerpo (Devlin y Mogillansky, 2011). Para que los esfuerzos actuales de los Estados Unidos tengan más éxito, deben llevarse a cabo reformas a lo largo de dos dimensiones: la comunicación y las organizaciones. En relación con la comunicación, deben realizarse esfuerzos por desarrollar una narrativa sobre la innovación, que por una parte informe a los contribuyentes sobre los beneficios que se consiguen con programas de innovación financiados públicamente y, por otro lado, debilite la ecuación de «libre mercado» con «libertad» y «defensa de la gente corriente contra el control del Gobierno». La promulgación de esta documentación tendría que complementarse con esfuerzos por organizar foros «multitudinarios» donde los ciudadanos pudieran expresar sus opiniones.

En relación con las organizaciones, tener un fuerte conjunto de redes horizontales y verticales es necesario pero no suficiente. A pesar de las ventajas políticas de no tener un centro de política industrial, sería aconsejable coordinar los diversos programas de los organismos federales más de lo que se hace en la actualidad, estableciendo un organismo central próximo a la cúspide del Gobierno (Newfield, 2011). Michael Porter, que solía negar el mérito de la estrategia a nivel nacional, ha argumentado que: «El Congreso se beneficiaría de un grupo de planificación conjunta bi-partidista para coordinar toda una serie de prioridades para el desarrollo. Se necesitan más votos a favor o en contra para programas legislativos completos que permitan cambio hacia mayor coherencia en el conjunto de políticas en lugar de diferentes proyectos de ley» (Porter, 2008).

Obviamente, este organismo de coordinación no debe mencionar a la política industrial por su nombre —mejor utilizar algo neutral como «Agencia para la Cooperación Competitiva»—. Pero aunque tener un órgano de coordinación sería deseable, el resurgimiento del movimiento masivo del fundamentalismo de mercado desde el 2008 es un mal augurio para cualquier propuesta de este tipo en un futuro próximo.

De todas maneras, las iniciativas en el frente de la política industrial han de estar complementadas por medidas que vinculen las mejoras de la productividad con los ingresos, invirtiendo su desvinculación a lo largo de la década del 2000 —la primera vez que los ingresos de la gran mayoría de los estadounidenses se han estancado o disminuido durante una época de aparente bonanza—. El crecimiento lento continuado de la renta media en relación con la productividad es una buena fórmula para nuevas crisis financieras y para una o dos décadas perdidas (Wade, 2012b).

Un beneficio colateral de la investigación actual sobre la política industrial de los Estados Unidos analizada en este capítulo es que, al demostrar cómo el

Gobierno estadounidense ha estado practicado una política industrial enérgica (también relativamente barata y descoordinada) durante décadas, resulta difícil para los economistas (incluidos los de las organizaciones internacionales como los del Banco Mundial y el FMI) sermonear a los Gobiernos de un país en desarrollo que no se arriesguen a desarrollar una política industrial basándose en que «el tener la ayuda del Estado para (el mercado libre) normalmente es un contrasentido» (Kasperov, 2012). La revelación de que los Estados Unidos han practicado durante mucho tiempo una forma de política industrial, a menudo con buenos resultados, abre el espacio a un examen más pragmático y menos ideológico de cómo hacer bien una política industrial en lugar de cómo hacer menos.

En el contexto de un país en desarrollo, la política industrial ha de enhebrarse en el dilema «Estado-Mercado» de tal forma que se reconozcan ambas partes: los riesgos de la «falla del Estado» son mayores en los países en desarrollo —hecho que favorece una función mayor para el mercado—, y los riesgos de «mercados no existentes» y de «fallas del mercado» también son mayores- lo que favorece un papel más activo para un gobierno inteligente. El primer paso es abandonar pronunciamientos tajantes tales como «la mejor política industrial es no hacer política industrial», «las fallas del gobiernos son peores que las fallas del mercado» y «todos los Gobiernos son unos depredadores». Quizás la prolongada Gran Recesión occidental puede ayudar a que se tenga más cautela sobre la prédica y la enseñanza de estas ideas sacadas de contexto. De hecho, la vicepresidencia de Finanzas y de Desarrollo del Sector Privado del Banco Mundial creó una Práctica de Industrias Competitivas en el 2013, que patrocinó una conferencia pública bajo el título «Hacer del crecimiento una realidad: poniendo en marcha políticas para industrias competitivas» en octubre del 2013. Varios ponentes argumentaron a favor de la política industrial, utilizando esas mismas palabras. La conferencia puede que marque un primer paso en la aparición de una nueva norma de política de desarrollo.

Referencias

Alacevich, M. 2009. *The political economy of the World Bank: The early years* (Stanford, CA, Stanford University Press).

Badger, A. 2008. *FDR: The first hundred days* (New York, Hill and Wang).

Bateman, F.; Ros, J.; Taylor, J. 2009. «Did New Deal and World War II facilitate a "Big Push" in the American South», en *Journal of Institutional and Theoretical Economics*, vol. 165, núm. 2, pp. 307-41.

Becker, G. 1985. «The best industrial policy is none at all», en *Business Week*, 25 agosto.

Block, F. 2008. «Swimming against the current: The rise of a hidden developmental state in the United States», en *Politics & Society*, vol. 36, núm. 2, pp. 169-206.

—. 2011. «Introduction: Innovation and the invisible hand of government», en F. Block and M. Keller (eds).

—; Keller, M. (eds). 2011. *State of innovation: The U.S. government's role in technology development* (Boulder, CO, Paradigm Publishers).

Blyth, M. 2002. *Great transformations: Economic ideas and institutional change in the twentieth century* (Cambridge, Cambridge University Press).

Brooks, D. 2012. «Where are the liberals?», *International Herald Tribune*, 11 enero.

Devlin, R.; Moguillansky, G. 2011. *Breeding Latin American tigers: Operational principles for rehabilitating industrial policies* (Santiago and Washington, DC, ECLAC and World Bank).

Diamandis, P.; Kotler, S. 2012. *Abundance: The future is better than you think* (New York, Free Press).

Etzkowitz, H. *et al*. 2008. «Pathways to the entrepreneurial university: Towards a global convergence», en *Science and Public Policy*, vol. 35, núm. 9, pp. 681-95.

Farrant, A.; McPhail, E. 2010. «Does F. A. Hayek's "Road to Serfdom" deserve to make a comeback?», en *Challenge*, vol. 53, núm. 4, pp. 96-120.

Feldman, M.; Kelley, M. 2001. «Leveraging research and development», en C. W. Wessner (ed.): *The advanced technology program: Assessing outcomes* (Washington, DC, National Academy Press).

Frank, T. 2012. *Pity the billionaire* (London, Harvill Secker).

Hall, P.; Soskice, D. (eds). 2001. *Varieties of capitalism* (Oxford, Oxford University Press).

Human, S.; Provan, K. 2000. «Legitimacy building in the evolution of small-firm networks», en *Administrative Science Quarterly*, vol. 45, núm. 3, pp. 327-365.

Kasperov, G. 2012. «If I ruled the world», *Prospect*, p. 6, feb.

Keller, M. 2011. «The CIA's pioneering role in public venture capital initiatives», en F. Block and M. Keller (eds).

Knight, C. 2011. «Failure to deploy», en F. Block and M. Keller (eds).

Kozul-Wright, R. 1995. «The myth of Anglo-Saxon capitalism: Reconstructing the history of the American state», en H. Chang and R. Rowthorn (eds): *The Role of the State in Economic Change* (Oxford, Clarendon Press).

Leunig, T. 2010. «Economy class», en *Prospect*, p. 14.

Lind, M. 2012. «Who's afraid of industrial policy», en *Salon*, 31 enero.

Mann, M. 1997. «Has globalization ended the rise and fall of the nation state?», en *Review of International Political Economy*, vol. 4, núm. 3, pp. 472-496.

Mazzucato, M. 2013. *The entrepreneurial state* (London, Anthem).

NegOITa, M. 2011. «To hide or not to hide? The advanced technology program and the future of U.S. civilian technology policy», en F. Block and M. Keller (eds).

Nelson, R.; Wright, G. 1992. «The rise and fall of American technological leadership: The postwar era in historical perspective», en *Journal of Economic Literature*, vol. 30, núm. 4, pp. 1931-1964.

Newfield, C. 2011. «Avoiding network failure», en F. Block and M. Keller (eds).

Philips, K. 1992. «US industrial policy: Inevitable and ineffective», en *Harvard Business Review*, vol. 70, núm. 4, p. 104.

Porter, M. 2008. «Why America needs an economic strategy», *Business Week*, 10 nov.

Roemer, J. 2011. «The ideological and political roots of American inequality», en Challenge, vol. 54, núm. 5, pp. 76-98.

Saez, E. 2013. Disponible en: *http://elsa.berkeley.edu/~saez/TabFig2012prel.xls*.

Schrank, A.; Whitford, J. 2009. «Industrial policy in the United States: A neopolanyian interpretation», en *Politics and Society*, vol. 37, núm. 4, pp. 521-553.

—. 2011. «The anatomy of network failure», en *Sociological Theory*, vol. 29, núm. 3, pp. 151-177.

Scott, B.; Lodge, G. (eds). 1985. *U.S. competitiveness in the world economy* (Boston, MA, Harvard Business School Press).

Shapiro, N.; Milberg, W. 2012. *Implications of the recent financial crisis for innovation*, inédito.

Sperling, G. 2012. «Remarks», speech at the Conference on the Renaissance of American Manufacturing, Washington, DC, 27 marzo. Disponible en: *http:// www.whitehouse.gov/sites/default/files/administration-official/sperling_-_ renaissance_of_american_manufacturing_-_03_27_12.pdf* [consultado el 18 de octubre del 2013].

Vallas, S. P.; Kleinman, D.; Biscotti, D. 2011. «Political structures and the making of US biotechnology», en F. Block and M. Keller (eds).

Wade, R. 2004. *Governing the market* (Princeton, NJ, Princeton University Press).

—. 2010. «After the crisis: industrial policy in low-income countries», en *Global Policy*, vol. 1, núm. 2, pp. 150-161.

—. 2012a. «The return of industrial policy?», en *International Review of Applied Economics*, vol. 26, núm. 2, pp. 223-240.

—. 2012b. «Why has income inequality remained on the sidelines of public policy for so long?», en *Challenge*, May-June, pp. 21-50.

Whitford, J.; Schrank, A. «The paradox of the weak state revisited: Industrial policy, network governance, and political decentralization», en F. Block and M. Keller (eds).

Williamson, J. 2012. «Is the "Beijing Consensus" now dominant?», en *Asia Policy*, vol. 13, pp. 1-16, enero.